Vida e Valores do Povo Judeu

Coleção Estudos
Dirigida por J. Guinsburg

Equipe de realização – Tradução: J. Guinsburg; Revisão: Luicy Caetano de Oliveira; Sobrecapa: Adriana Garcia; Produção: Ricardo W. Neves e Adriana Garcia.

Unesco

VIDA E VALORES DO POVO JUDEU

EDITORA PERSPECTIVA

BRASIL
500
ANOS

Título do original
Social Life and Social Values of the Jewish People

Copyright © by Unesco, 1969.

2ª edição revista

Direitos em língua portuguesa reservados à
EDITORA PERSPECTIVA S.A.
Avenida Brigadeiro Luís Antônio, 3025
01401-000 – São Paulo – SP – Brasil
Telefone: (011) 885-8388
Fax: (011) 885-6878
1999

Colaboradores

Ben-Zion DINUR, Professor Emérito, Universidade Hebraica de Jerusalém.
R. J. Zwi WERBLOWSKY, Universidade Hebraica de Jerusalém.
Hayim TADMOR, Universidade Hebraica de Jerusalém.
Yitzhak F. BAER, Professor Emérito, Universidade Hebraica de Jerusalém.
Menahem STERN, Universidade Hebraica de Jerusalém.
David G. FLUSSER, Universidade Hebraica de Jerusalém.
E. E. URBACH, Universidade Hebraica de Jerusalém.
Shmuel SAFRAI, Universidade Hebraica de Jerusalém.
S. D. GOITEIN, Near East Center, University of Pennsylvania.
I. TWERSKY, Harvard University.
H. H. BEN-SASSON, Universidade Hebraica de Jerusalém.
Cecil ROTH, Emeritus Reader in Jewish Studies, Oxford University; Visiting Professor, Queens College and the City University of New York.
S. ETTINGER, Universidade Hebraica de Jerusalém.
Jacob KATZ, Universidade Hebraica de Jerusalém.
Moshe MISHKINSKY, Universidade Hebraica de Jerusalém.
Lloyd P. GARTNER, The City College of the City University of New York.
S. N. EISENSTADT, Universidade Hebraica de Jerusalém.

Sumário

1. História Judaica: Sua Singularidade e Continuidade – *Ben-Zion Dinur* 1

2. O Messianismo na História Judaica – *R. J. Zwi Werblowsky* 17

3. O "Povo" e o Reino de Israel Antigo: O Papel das Instituições Políticas no Período Bíblico – *Hayim Tadmor* ... 35

4. Ideais Sociais na Segunda Reunião Judaica – *Yitzhak F. Baer* 61

5. A Revolta dos Asmoneus e seu Papel na História da Religião e da Sociedade Judaica – *Menahem Stern* 87

6. A Mensagem Social de Qumran – *David G. Flusser* 103

7. Caráter e Autoridade do Sábio Talmúdico – *E. E. Urbach* 113

8. Educação Elementar: Significação Religiosa e Social no Período Talmúdico – *S. Safrai* 149

9. A Sociedade e as Instituições Judaicas sob o Islamismo – *S. D. Goitein* 173

10. Aspectos da História Social e Cultural da Judiaria na Provença – *I. Twersky* 191

11. A Comunidade Judaica da Europa do Norte e seus
    Ideais – *H. H. Ben-Sasson* 217

12. A Sociedade Hispano-Judaica – *Haim Beinart*.......... 231

13. A Sociedade Judaica no Ambiente Renascentista –
    Cecil Roth 253

14. O Movimento Hassídico: Realidade e Ideais –
    S. Ettinger 267

15. O Movimento Nacional Judaico: Uma Análise Sociológica – *Jacob Katz*............................... 285

16. O Movimento Operário e o Socialismo Europeu –
    Moshe Mishkinsky 305

17. Imigração e Formação da Comunidade Judaica Americana, 1840-1925 – *Lloyd P. Gartner* 319

18. Sociedade Israelense: Principais Características e Problemas – *N. N. Eisenstadt* 337

19. Tendências Dinâmicas no Pensamento e Sociedade Judaicos Modernos – *H. H. Ben-Sasson*................. 355

1. História Judaica: Sua Singularidade e Continuidade

Todos os estudos desta coletânea ocupam-se da vida social e do pensamento em diferentes períodos da História Judaica, desde Israel primitivo até nossa época. A fim de colocar os aspectos da vida histórica em sua verdadeira perspectiva, temos que fazer observações preliminares sobre a estrutura geral da História Judaica, sua singularidade, continuidade e os diferentes períodos em que se enquadra.

I

É lugar-comum dizer que o caráter de cada nação se apresenta no decurso de sua história e é evidente em sua consciência histórica. Fontes externas – o testemunho de outras nações – são úteis para confirmar questões tais como o primeiro aparecimento de uma nação na história. Isto se refere à época dos Patriarcas e às origens do povo judeu. As referências ao *Habiru* e ao problema de sua identidade com os hebreus, tanto quanto a ocorrência do nome *Israel* na Estela de Marneptá são certamente importantes. Entretanto, o interesse de uma nação a respeito de suas origens envolve, indubitavelmente, suas próprias tradições, em sua singularidade, tais como foram compreendidas por suas primeiras gerações e, em conseqüência, cada testemunho de um povo tem um valor especial como fonte de um processo interno de autogoverno. Não há dúvida de que, pelos traços distintivos de Israel, o testemunho do próprio povo sobre suas origens (as histórias sobre seus ancestrais) devem ser encarados como fonte original. De acordo com a Bíblia, podemos reconhecer quatro características básicas que distinguem o povo judeu desde o início: 1) característica étnica; 2) religiosa; 3) social e 4) territorial.

1) A *característica étnica* é verificada não só pela tradição, através da origem comum da espécie humana e a posição particular do povo judeu nesta família de nações – "Uma antiga tradição preservada na Bíblia" (*Gên.* 11:10-32, que serve de continuação a 10:1-32) – mas também pela consciência étnica: o povo recusava o casamento com seus vizinhos, os habitantes de Canaã. A despeito de suas relações amistosas e dos pactos entre Israel e seus vizinhos, não havia pacto de casamento com nenhum dos povos vizinhos. A especificidade étnica é também atestada pelos padrões de crescimento nacional e pela nomenclatura que usavam: o povo era chamado "Filhos de Israel" e como um todo é a "Casa de Israel" enquanto suas partes são as "Tribos de Israel" e seus chefes os "Antepassados de Israel". Estes títulos atribuindo o povo aos seus epônimos ancestrais são encontrados sobretudo nas estórias e tradições sobre o período inicial até a fundação do reino.

2) A segunda *característica* distintiva é a *religiosa*. Os estágios de desenvolvimento religioso são simbolizados na Bíblia por três figuras da história primitiva de Israel: Abraão, Jacó ou Israel e Moisés. Abraão é chamado, mesmo nas épocas das profecias, o "pai do povo"; o povo é "a descendência de Abraão, meu amigo". A relação do povo com Abraão é freqüentemente ligada mais com a fé do que com a identidade étnica Israel é "o povo do Deus de Abraão" (*Salmos* 47:9, *Cr.* II 20:7). Abraão "creu ele no Senhor e foi-lhe imputado isto por justiça" (*Gên.* 15:6). Deus provou-o uma vez após outra e ele sempre passou pelo teste. Há cerca de vinte referências no *Gênesis* a respeito das aparições de Deus diante de Abraão. Deus fez um pacto com Abraão e prometeu dar a terra aos seus descendentes e cumprir o pacto e a promessa. Nestas tradições, mesmo para seus vizinhos pagãos, Abraão era "... um príncipe de Deus" (*Gên.* 23:6) e um profeta (*Gên.* 20:7). Deus escolheu Abraão, "conheceu-o" e "indicou-o" para "guardar o caminho do Senhor": "Porque eu o tenho conhecido, que ele há de ordenar a seus filhos e a sua casa depois dele, para que guardem o caminho do Senhor, para obrarem com justiça e juízo" (*Gên.* 18:19). Várias outras passagens na Bíblia poderiam aplicar-se à posição de Abraão como "Príncipe" de Deus, chefe de uma comunidade religiosa. As palavras "os homens da casa de Abraão" (*Gên.* 17:23), "as almas que lhes acresceram em Haran" (*Gên.* 12:5) são interpretadas pelos primeiros comentaristas como referentes àqueles que Abraão atraiu para sua fé, isto é, prosélitos. A tradição posterior (*Jub.* 11-12, os

primeiros *Targums*, o *Talmud* e *Midrasch*) conta histórias sobre Abraão lutando contra a idolatria e o culto de imagens e propagando a crença no Deus único; relata também como Deus salvou-o miraculosamente de seus inimigos. Pode-se admitir que estas histórias remontam às primeiras tradições, pois até Isaías fala do Senhor "que remiu a Abraão" (29:22).

A segunda etapa do desenvolvimento religioso de Israel é associada à figura de Jacó ou Israel. As lutas entre Isaac e Ismael e entre Jacó e Esaú, por benefícios e direitos de nascença, são lutas pela herança de Abraão. As histórias a respeito dos começos de Israel e todas as referências, diretas ou indiretas ao nome "Israel" e seu uso, formam uma unidade autônoma, uma tradição histórica representando o testemunho do povo a respeito de si próprio. De acordo com esta tradição, o nome "Israel" simboliza a crescente consciência da singularidade religiosa e a emergência de um grupo especial de descendentes de Abraão que era fiel à sua herança. O novo traço religioso que moldou a herança de Abraão e se tornou o símbolo "das tribos de Israel" foi o de uma luta e atividade em nome desta singularidade nascida da fé – a especial relação divina de Israel – e que é expressa quando se diz Deus "lutou por vós". De acordo com essa antiga tradição, a Terra se tornou o patrimônio dos Filhos de Israel porque eles foram fiéis à herança religiosa de Abraão, foi este fato que os tornou dignos da promessa de que seriam herdeiros da "Terra". Jacó foi cauteloso ao rejeitar deuses estranhos e Deus renovou o pacto com ele. Essa antiga tradição reflete a realidade histórica do "antigo Israel", isto é, uma comunidade ou fraternidade religiosa daquela parte da "descendência de Abraão" que surgiu sob o nome de Israel.

O terceiro e decisivo estágio do desenvolvimento religioso do povo é o êxodo do Egito e a revelação no Monte Sinai. A antiga tradição encara a libertação do povo da escravidão, o seu error no deserto e o estabelecimento do pacto religioso no Monte Sinai, como uma cadeia de acontecimentos através dos quais os Filhos de Israel se tornaram a "Nação" de Israel, "a congregação" dos Filhos de Israel ou a "assembléia" dos Filhos de Israel.

As tribos tornaram-se uma nação e a nação, consolidada por sua singularidade religiosa, tornou-se uma congregação e uma assembléia, a "assembléia do Senhor". Neste estágio, Deus deu-se a conhecer ao Seu povo por este nome – o Deus de seus pais, que os guiou para fora do Egito e que lhes deu a Torá e os mandamentos pelos quais deveriam viver e os trouxe para um eterno pináculo como "um reino de sacerdotes e um povo sagrado". Isto, de acordo com a tradição, foi uma missão divina cumprida por Moisés, o servo de Deus, profeta e mensageiro, o maior dos profetas: "E nunca mais se levantou em Israel profeta algum como Moisés" (*Deut.* 34:10).

A lei divina foi concedida a Israel através de Moisés e por isso é chamada a "Lei de Moisés". Esta singularidade religiosa é caracterizada acima de tudo pelo monoteísmo, não apenas no sentido de negação da existência de outros deuses, mas no sentido de que Deus não deve sua existência a nenhuma força natural e não é governado por nenhuma lei da natureza; e isto caracterizou a feição especial da nação através de sua história, tanto quanto de suas lutas, externas e internas.

3) O *aspecto social distintivo* do antigo Israel é marcado pelo fato de ser uma "congregação". Uma congregação é uma entidade social que vem a existir e se desenvolver principalmente como resultado de uma vontade comum e não, como a família ou tribo, por processos naturais. Seus membros vivem num lugar, mas o que os distingue é uma fé comum e crenças comuns, um estilo de vida, desejos, idéias e aspirações. A base desta entidade reside no homem mais do que no lugar; seu alvo não é tanto manter a unidade organizacional quanto a aspiração de mudar a realidade, criar uma realidade social mais desejável do que a já existente. A idéia de organização é anterior à sua existência. O sistema social do antigo Israel não foi, portanto, simplesmente patriarcal, como se tem afirmado com freqüência. Ao lado dos "anciãos", chefes da casa ou pais e "chefes de família", outros elementos eram ativos na direção e planejamento dos negócios: os cabeças e os chefes da congregação, "assembléia e congregação", profetas e mensageiros e juízes ou salvadores. Esta ordem social era de um caráter específico que muito influenciou a história de Israel e a formação do indivíduo em Israel.

4) *O elemento territorial.* A nação começou com a chegada de Abraão à Palestina. A antiga tradição contém muitas histórias a respeito dos errores de Abraão através da Terra, como ele recebeu a revelação divina em muitos lugares e construiu muitos altares; como ambos – ele e Isaac – cavaram poços e como vizinhos invejosos tornaram a enchê-los. Também ouvimos a respeito da "Terra dos Hebreus" (*Gên.* 40:15), aparentemente a área de Hebron ao sul de Beer-Scheba onde habitaram. Assim, muitos topônimos hebraicos que apontam tipos particulares de cultura agrícola (Belém – literalmente "a casa do pão", Beit Ha-Kerem "a casa do vinhedo", Gat Rimon "prensagem da romã" e Beit Tapuach "casa da maçã") são indícios das raízes hebraicas em Canaã. Para os filhos de Israel, a quem a penúria levou ao Egito, e que aí foram escravos por muitas gerações, Canaã era ainda a terra de seus pais e seu próprio país; eles continuaram a ansiar por ela até que finalmente, sob a liderança de Moisés, deixaram o Egito para se dirigir para lá.

Este rápido levantamento da antiga tradição da consciência histórica judaica mostra que os traços decisivos de sua formação não foram nem o elemento tribal nem o nomadismo. Sem se atribuir raízes autóctones em sua amada Terra, ou grandeza política, ou mesmo ininterrupta liberdade pessoal (lembrando sempre o cativeiro) dá ênfase ao processo histórico de sua conversão etapa após etapa, no "Povo do Deus de Abraão", "A Casa de Israel", seus Filhos e tribos até que, com a Lei de Moisés, tornou-se uma "Congregação" escolhida por seu Deus para uma determinada tarefa espiritual e destinada a retomar a Terra de seus Pais. Realmente, um novo capítulo na consciência histórica humana. Uma concepção histórica tão complicada e incomum só poderia emergir de um rico legado cultural.

As excepcionais características presentes logo no início testemunham o fato de que o povo já tinha incorporado antigos princípios históricos baseados na oposição religiosa e social ao sistema monárquico prevalecente na Babilônia, no Crescente Fértil, Norte da Síria e no Vale do Nilo. Foi a combinação de uma sociedade que sabia lutar, embora amante da paz, e um núcleo que aspirava a criar uma nova realidade religiosa e social, que deixou a terra natal para encontrar um lugar no qual pudesse realizar suas aspirações, que teria que suportar um amargo período de escravidão e que conseguiu renovar o pacto religioso, unificando-se por seu intermédio e conquistando sua pátria – foi isto que determinou o caráter e a história de Israel. Levando-se em consideração a continuidade da história judaica devemos sempre ter em mente a constante influência do caráter único da nação no seu nascimento.

II

Só se pode compreender as transformações na vida social, que constituem o verdadeiro objetivo da história, conhecendo-se os elementos imutáveis; só se pode distinguir o que é novo observando-se os elementos de continuidade, pois todo evento histórico é determinado pela interação destas duas forças. Por outro lado, a continuidade histórica consiste num contínuo processo de mudança, de causa e efeito, através do tempo, enquanto a sociedade preserva cuidadosamente sua vida e resguarda sua independência.

1) *A característica étnica*. Apesar do anátema religioso sobre o intercasamento, estabelecido para prevenir a penetração da idolatria, ele foi comum através da Antiguidade e nos primeiros séculos da Idade Média. Quando os Filhos de Israel conquistaram Canaã, o país era habitado por diversas tribos e nações, e a Bíblia nos conta que os Filhos de Israel "habitaram no meio dos cananeus, dos heteus, e amorreus, e fereseus, e heveus, e jebuseus" e "tomaram de suas filhas para si por mulheres, e deram filhos deles às suas filhas"

(*Juízes* 3:5 e 6). A destruição da Samaria e Jerusalém e o exílio das tribos do norte de Israel e grande parte de Judá levou ao declínio da população judia e ao crescimento das comunidades gentílicas; o resultado foi uma aceleração do processo de intercasamento que continuou depois que os exilados voltaram da Babilônia. As lutas empreendidas por Esdras e Neemias contra aqueles que haviam desposado mulheres estrangeiras são prova deste fato. Certamente, a dispersão dos judeus fora da Palestina e a popularidade do proselitismo para o Judaísmo em muitos lugares acrescentaram novos elementos étnicos à linhagem judaica. O acentuado caráter religioso da família judia levou à absorção dos prosélitos pela família e a considerá-los "filhos" ou "semente" de Abraão que era "a glória dos prosélitos"; o sentimento de uma origem comum também se torna sua herança. Depois que o Cristianismo e o Islamismo se tornaram dominantes, seus adeptos proibiram terminantemente o casamento com judeus. Mesmo os muitos exemplos de casamentos mistos no passado recente não diminuíram o sentimento de identidade étnica na atual sociedade pluralista; para algumas delas, o problema de identidade tornou-se um dos componentes mais importantes de sua vida intelectual.

2) *Desenvolvimento religioso*. O senso da singularidade religiosa cresceu aceleradamente e teve uma influência decisiva em todos os aspectos da vida individual e comunitária. Um dos primeiros filósofos judeus, Saadia Gaon, que viveu na primeira metade do século X, chegou a dizer: "Nossa nação é uma nação somente graças à sua religião". A lei regulava minuciosamente a vida dos judeus desde o dia do seu nascimento até o dia de sua morte e seu enterro. Incluía leis dietéticas e leis que governavam a pureza da família; dizia como deveriam educar seus filhos no temor a Deus e como instruí-los na Torá; como descansar no Schabat e como celebrar as festas. Inútil dizer que havia regulamentações detalhadas a respeito das formas de culto comunitário na sinagoga e os métodos de estudo nas escolas e academias. As antigas "casas do povo" (*Jer.* 39:8) tornaram-se "casas de oração" e "lugares de reunião" (*Salmos* 74:8) e, finalmente, "casas de assembléia", isto é, sinagogas. O ofício consistia na oração e leitura de partes da Torá acompanhada por tradução, comentário e interpretação das homílias. Daí surgiu a rica literatura dos *Midraschim*, comentários bíblicos e interpretações homiléticas. Uma parte importante da oração era formada pela leitura dos Salmos e *piiutim* (poemas litúrgicos). Mais de 30 000 destes poemas – escritos por mais de 2 000 autores, datados desde a destruição do Segundo Templo até a metade do século XIX – chegaram até nós. Nas comunidades orientais a poesia religiosa continuou a ser escrita para cada ocasião da vida, até a última geração.

Os decretos de Esdras e Neemias que proclamaram a Torá como o regime de vida oficial da Judéia fizeram do seu estudo e da observação de seus mandamentos o centro da educação. A última parte dos estatutos de Artaxerxes, endereçados a Jerusalém e à província de Iehud, autorizou Esdras a ensinar as leis de Deus "àqueles que não as conheciam" (*Esdras* 7:12-26). Assim, no tempo de Esdras, eram escolhidos levitas "que ensinavam o povo na lei". Portanto, "leram no livro na lei de Deus: e declarando e explicando o sentido, faziam que, lendo, se entendesse" (*Neem.* 8:7-8). Entre os levitas havia também "escribas" (Cr. II 34:13) que ensinavam ao povo, especialmente o Pentateuco (Talmud Bab., *Baba Batra* 21:2). É desde esse tempo que as academias existem como instituições permanentes dirigidas por famosos eruditos. Eles ensinavam não só "o temor a Deus" mas também "A Lei do Altíssimo", procuravam a "sabedoria de todos os ancestrais" e estavam "ocupados com os profetas de outrora" (*Eclesiástico* 39:1-3). Além disso, eram depositários do conhecimento secular e, estudando "os sinais do céu de acordo com a ordem de seus meses" (*Jub.* 4:17) e "tudo o que tem lugar no céu..., pôs em ordem cada um em seu mês" (*Enoque* 2:1) e eles aumentaram essa sabedoria. O apreço em que eram tidos os médicos e farmacêuticos (*Eclesiástico* 38:1-8) mostra que é possível que a medicina e farmácia estivessem entre as matérias ensinadas nas academias. A rica literatura de *Halahá* e *Hagadá* (direito e saber), da *Mischná* e Talmud e ciência (Schmuel, o astrônomo, e Assaf, o médico etc.) foi o produto dessas academias que, de várias formas, sobreviveram através dos tempos. Paralela a esta atividade, desenvolvia-se a reação e absorção, modificando objeções e influências externas, iniciando a influência canaanita sobre Israel, especialmente o culto a Baal que tem sido ligado à transição do sistema de vida pastoril para a agricultura e às crenças e cultos de outros povos com quem os judeus entraram em contato. Naturalmente, o contato com novas culturas produziu um fermento questionador e suscitou esforços espirituais para chegar a um acordo com eles, para encampar o que pareciam ser elementos afins e para rejeitar o resto. Assim, houve lutas, primeiro com o dualismo persa, depois com a cultura helenística e romana, com o Cristianismo e o Islamismo e, finalmente, com as correntes filosóficas do passado recente. Através das épocas surgiu uma variedade de correntes e escolas, partidos e seitas, academias e assembléias; pregaram a muitos e organizaram os poucos seletos, interpretaram textos antigos e incluíram novas interpretações; produziram violento tumulto e atraíram adeptos. Videntes, profetas e seus discípulos, nazaritas e ascetas, sábios e escribas, adeptos fiéis da Torá e helenizantes, fariseus e saduceus, essênios e zelotas, tanaítas e amoraítas, rabanitas e caraítas, filósofos e místicos, cabalistas e hassídicos, moralistas e reformistas – o fator comum entre todos estes é o ideal religioso e suas lutas em favor, e dentro, de sua estrutura.

3) *A organização social do povo judeu* apresenta uma surpreendente estabilidade, considerando-se o longo período de tempo açambarcado pela história judaica e as grandes mudanças políticas ocorridas. De acordo com o testemunho preservado na Bíblia, a sociedade israelita era organizada em estruturas paralelas: havia as famílias encabeçadas pelos "anciãos"; depois, as cidades dirigidas pelos nobres e finalmente havia a assembléia, o povo todo reunido em "casas do povo" nos portões das cidades, perto do Templo e alhures. Os dirigentes do povo nas cidades atuavam também como juízes. Durante o Segundo Templo a autonomia das cidades se expandiu. Isto é válido tanto para os conselhos da cidade quanto para as assembléias de cidadãos. Tinham o direito de fazer seus próprios regulamentos, manter a segurança externa pela construção de muralhas, escolha de guardas etc., estabelecer tribunais de justiça e sinagogas e supervisionar a observância da lei religiosa. Mesmo em períodos posteriores todo lugar que abrigasse pelo menos dez homens judeus, adultos, tornava-se a sede de uma "congregação", com todos os deveres de uma verdadeira cidade: tinha que estabelecer uma sinagoga, prover a educação das crianças, sustentar os idosos e fazer com que os mandamentos religiosos fossem adequadamente observados. A autonomia judaica foi o resultado do fato de os judeus, em toda parte, terem organizado sua vida pública de acordo com suas próprias leis e costumes. Os privilégios concedidos pelos reis e imperadores, incluindo o direito de ter seus próprios tribunais, eram simplesmente o reconhecimento de um estado de coisas existente. A comunidade judaica – sua organização, liderança, serviços, instituições e funcionários – era um espelho da vida social judaica. A persistência de suas instituições e problemas, mesmo em sua forma externa, merece especial atenção por parte dos historiadores.

4) *Elemento territorial.* A ligação a Eretz Israel persistiu em dois sentidos. Primeiro, a Terra de Israel foi vista como o território destinado ao povo judeu; era dever do povo colonizá-la e desenvolvê-la e lutar pela lei judaica e pela sua liberdade. Em segundo lugar, a Terra de Israel era santificada. Era a sede da presença divina e por isso os judeus eram incumbidos de conservá-la sempre como um lugar de estudo e fé. Movimentos espirituais, novos rumos do Judaísmo esperavam por sua aceitação por parte dos guardiães da presença judaica na Terra Santa.

Nos 1370 anos que mediam o período da conquista de Josué até a revolta de Bar Kochba, o povo de Israel mostrou sua destreza e habilidade para defender a liberdade de seu país, tanto contra tribos circunvizinhas como de impérios distantes: eles lutaram contra canaanitas e filisteus, moabitas e amonitas, idumeus e arameus, assírios, babilônios, persas, os reinos helênicos e todo o poder de Roma. Mesmo após a queda de Betar, o triunfo de Adriano não foi completo. Ele abriu o caminho do Monte do Templo, apagou o nome de Judá do país, proibiu o estabelecimento de judeus e baniu a observância da lei judaica, que considerava uma negação de sua vitória. Mas os judeus esperavam ser martirizados por sua fé e sua resistência passiva finalmente compeliu os romanos a cancelar seus editos e permitir a colonização judaica uma vez mais. A última revolta judaica da Antigüidade realizou-se sob Heráclio, o último imperador bizantino a reinar na Palestina, em 614 d.C.; vinte mil judeus lutaram contra ele. Ao tempo da primeira cruzada, os judeus de Jerusalém foram os primeiros a guarnecer as muralhas em defesa da cidade e os últimos a serem batidos. Em 1100 Haifa era uma fortaleza judaica conquistada por Tancredo somente depois de dura luta.

A devoção dos judeus ao seu país é mais claramente mostrada através da constante luta pela colonização judaica ali. Uns cem anos após Adriano ter devastado a útima oliveira, confiscado a maior parte da terra e levado os judeus a arrendá-la do imperador, ouvimos falar a respeito de uma discussão entre os sábios de Tibérias para saber se a maior parte da produção agrícola do país devia ser considerada como proveniente de terra judaica ou não. A revolta de Seforis incluiu não só a Galiléia, mas parte da Judéia e o Neguev.

Eilat ainda era uma cidade judaica ao tempo de Maomé. Cada uma das cidades no país tinha habitantes judeus, como o demonstram os achados arqueológicos, particularmente inscrições e documentos escritos. As medidas punitivas do imperador Heráclio obrigaram muitos judeus a fugir para regiões vizinhas, especialmente os desertos entre a Palestina e Arábia. De acordo com o bispo armênio Sebaeus, que foi contemporâneo desses eventos, milhares de refugiados judeus serviam nos exércitos árabes que conquistaram a Palestina.

Com a conquista muçulmana, muitos judeus vieram ao país, não só do sul, mas também do resto da Diáspora, e alguns vieram viver em Jerusalém uma vez mais; os judeus esperavam pela Redenção, subiam ao Monte do Templo em grandes multidões para celebrar as festas, e ali até erigiram cabanas na Festa dos Tabernáculos. As suas esperanças foram entretanto frustradas, pois, depois da conquista, e por muitos anos ainda, os árabes vieram morar na Palestina e receberam as terras imperiais confiscadas. Assim, na realidade, os judeus que retornaram foram privados de suas terras. O estabelecimento permanente de árabes na Palestina e suas construções, que constituíram sua principal ocupação no período inicial, foram encarados pelos judeus como uma calamidade. Além disso, os conquistadores esperavam adotar a santidade de Jerusalém e dirigir as reivindicações dos judeus em relação à terra. A princípio eles dividiram a posse dos lugares santos, isto é, Jerusalém e Hebron, com os judeus; mais tarde, expulsaram os judeus completamente. Assim, gradualmente, limitaram o acesso dos judeus ao Monte do Templo. Na literatura judaica da época – o *Pirkei de Rabi Eliezer* e os poemas litúrgicos de Kalir e seus seguidores – encontramos ecos destes "feitos de Ismael na Terra de Israel". A reação judaica tomou a forma de um poderoso movimento messiânico, no começo do século VIII; foi dirigido por Abu'Issa e difundiu-se por muitos países, especialmente na Ásia Central. Seus propósitos eram chegar a um acordo com o Cristianismo e o Islamismo pelo reconhecimento da validade da missão profética de Jesus e Maomé para os gentios; propagar o Judaísmo aos pagãos (em Kivarezm e Cazária) e conquistar a Terra de Israel. Um autor cristão da época, Daniel, o Copta, até relata que Meruã II planejava restabelecer um Estado judeu na época das guerras civis dos califas.

A vinculação a Eretz Israel é também atestada pelo fato de que até a época dos cruzados, o cargo de *nassi* (Patriarca) foi, de fato, o pivô da organização comunitária na Palestina. O *nassi* era a suprema autoridade religiosa, o representante reconhecido da comunidade, o mais alto magistrado judicial e o chefe da grande Academia Rabínica de Jerusalém; seu cargo era considerado "um remanescente da Casa de Davi". Mesmo depois de o cargo ser suspenso, esforços foram feitos no sentido de restaurar a suprema autoridade religiosa na Terra de Israel, através de outros meios. As cruzadas, que aos olhos dos judeus eram uma luta entre cristãos e muçulmanos pelo patrimônio de Israel, inauguraram um período de intensificação das esperanças messiânicas e de imigração para a Palestina. Os judeus eram vítimas de violentas perseguições, difamações e medidas de extermínio que objetivavam fazê-los abandonar sua fé: o princípio diretor destas medidas era: "impeçamo-los de construir uma nação". Os mártires iam corajosamente para o cadafalso, proclamando a unidade de Deus e a eleição de Israel.

Tudo isto convenceu os judeus de que a Redenção estava próxima. Viam o martírio como uma renovação do antigo pacto feito por Abraão e Moisés com Deus; sua agonia representava "a angústia do nascimento" do Messias, que logo viria. As devastadoras guerras entre cristãos e muçulmanos confirmavam a antiga promessa de que a terra de Israel não toleraria estrangeiros, mas que esperaria por seus filhos. O fervor messiânico do povo apoderou-se de toda Diáspora, do Curdistão a Córdoba, do Iêmen à Boêmia, de Fez e Cairo até Lyon e Sicília. Apesar dos perigos, a emigração para a Palestina continuava. Tornou-se até um ponto de doutrina entre os sábios, pois fora dito que uma condição primordial para a Redenção era o retorno da profecia e que só poderia acontecer quando a *elite* do povo, ansiando pela Redenção e lutando pela purificação espiritual, subisse à Terra de Israel. Judá Halevi, o maior poeta judeu da Idade Média, expôs esta opinião no seu *Khuzari* e transformou-a no tema de muitas de suas poesias; ele partiu para a Palestina no primeiro quartel do século XII, mas morreu a caminho. No início do século XIII, trezentos renomados rabis vieram da França, Inglaterra e provavelmente também da Itália. Eles foram seguidos, após a devastação empreendida pelos mongóis, por Moisés Nachmânides de Gerona, um dos maiores sábios de seu tempo, comentarista, místico, jurista, teólogo e poeta. Um de seus discípulos, que ele mesmo levou para a Palestina, escreveu: "Agora muita gente toma coragem e ansiosamente sobe à terra de Israel". Esta intensiva imigração restaurou o *Ischuv* (população judaica da Palestina) após as guerras dos cruzados.

A manutenção do *Ischuv* requeria constantes esforços econômicos e políticos. O pequeno, desolado e empobrecido país não podia manter uma considerável população urbana enquanto condições administrativas e políticas impediam os judeus de ocupar-se da agricultura e limitavam severamente suas oportunidades no artesanato. Os sérios esforços feitos no século XVI, após a expulsão dos judeus da Espanha, para desenvolver o trabalho dos judeus em Safad, Tibérias e áreas adjacentes, acabou malogrando, ou melhor, seu trabalho foi simplesmente destruído. A partir daí, a constante ajuda da Diáspora foi um fator importante na vida econômica do país e seus beneficiários foram não somente judeus. A população judaica foi uma inesgotável fonte de receita para os vários dirigentes e magnatas locais. Até certo ponto, a sobrevivência do *Ischuv* dependeu da manutenção do equilíbrio entre o fanático desejo dos governantes locais de reduzi-lo e humilhá-lo tanto quanto possível e sua suposição, confirmada pela longa experiência, de que era melhor não matar a "galinha dos ovos de ouro". Mas, isto não seria suficiente em tempos de pressão, sem a proteção das comunidades do exterior. Foi seu constante empenho no Cairo e Constantinopla que levou à intervenção do governo central em favor do *Ischuv*. Assim, a sobrevivência do *Ischuv* diante da violência e oposição foi o resultado de incessantes esforços por parte de indivíduos anônimos tanto quanto de comunidades organizadas. Foi graças a isto que o país não foi abandonado e que a Torá não foi ali esquecida. É claro que o sucesso de seus esforços dependeu em parte de circunstâncias externas, isto é, dos governos da época; mas o próprio esforço foi parte essencial da relação singular do povo judeu com sua terra.

A posição especial da Terra de Israel é também mostrada pela notável continuidade de sua cultura. A despeito da mudança de composição do *Ischuv*, causada pelas repetidas ondas de imigração, suas tradições permaneceram relativamente constantes; assim foi com sua organização interna enquanto governos entravam e saíam; sua autoridade religiosa na Diáspora permaneceu suprema em face da oposição externa e de disputas internas; e as difíceis condições de vida, a escassez de oportunidades para os imigrantes não levavam a um rebaixamento do nível cultural. Isto é mais claramente mostrado pelo alto nível de ensino judaico e pelo alcance do hebraico como língua da vida comunitária e da erudição. Acima de tudo, a singularidade da Terra de Israel expressava-se na qualidade da vida judaica ali. Em todos os tempos e de todos os países foram os judeus mais ligados ao Judaísmo que vieram a Eretz Israel. Por esse motivo, mais que em qualquer outra parte, a vida era ali mais firme e fielmente imbuída de Judaísmo. O *Ischuv* foi sempre – embora em vários graus – o foco de tensão religiosa, o centro das grandes transformações religiosas e, acima de tudo da criatividade judaica. A Mischná, o Talmud de Jerusalém, os *midraschim* jurídicos e homiléticos, o estabelecimento do texto bíblico massorético e sua vocalização, a criação do gênero de *Piiutim*, os começos da gramática hebraica, da filosofia judaica, as polêmicas entre o Judaísmo caralta e rabínico, movimentos messiânicos, as polêmicas contra o trabalho de Maimônides, a cabala Luriana no século XVI, o Sabataísmo no século XVII e o Hassidismo no século XVIII – esta é uma lista suficiente para mostrar a importância central da Terra de Israel na vida judaica.

Os quatro principais elementos enumerados acima não são os únicos a manter e a expressar a continuidade da história e cultura judaicas. Gostaria de delongar-me sobre dois outros fatores:

5) *O fator lingüístico*. Uma das conseqüências do *status* minoritário do povo judeu não somente fora, mas também na Palestina, foi que o hebraico já não era a única língua viva dos judeus.

Entretanto, seria um erro supor que tenha se tornado uma língua morta ou que jamais tenha perdido seu lugar na consciência judaica como a língua dos judeus. A finalidade de seu uso foi reduzida mas manteve-se como língua dos assuntos comunais, dos escritos religiosos, da Lei de Deus e cortes, da Torá, literatura e ciência. Era também o meio de conversação entre judeus de países diferentes; um judeu que não pudesse falar hebraico a seu irmão judeu era um fenômeno raro. Na Palestina, o hebraico continuou por muito tempo a ser uma língua falada; em muitos outros países era falado nas academias rabínicas e *Ieschivot*. Além disso, os judeus introduziram muitos elementos hebraicos nas línguas estrangeiras que falavam, tanto que estas adquiriram um caráter judaico e vernáculos judeus entraram em uso. Seus elementos hebraicos não se restringiam à religião, à família, assuntos comunais e jurídicos ou mesmo assuntos econômicos e sociais com aspecto judaico. É característico que também se estenderam aos aspectos éticos e emocionais da vida e que incluíram conjunções e advérbios significativos de um padrão de pensamento distintamente judaico. Entretanto, o mais eloqüente testemunho da importância do hebraico é encontrado no número enorme de livros escritos nesse idioma; eles eram copiados, editados e circulavam amplamente em grande quantidade, ajudando assim a manter a unidade da vida intelectual judaica pelo mundo todo.

6) *O elemento político*. Com a perda de sua independência e a dispersão, os judeus deixaram de constituir uma entidade política. Se tomaram parte na política foi geralmente como indivíduos, embora às vezes o seu judaísmo tenha desempenhado um papel decisivo. Só se pode considerar que tenha existido uma entidade política judaica em dois únicos terrenos: um vivo interesse pelo destino da Terra de Israel e o auxílio oferecido aos irmãos judeus de outros países quando eram perseguidos. Toda mudança no destino da Palestina produziu uma reação judaica na forma de intensificação das esperanças messiânicas, imigração, programas políticos, e tentativas de colonização. Isto aconteceu durante as guerras dinásticas entre Omíadas e Abássidas; no começo do domínio fatímida na Palestina, ao tempo da vitória de Saladino e, novamente, depois que os muçulmanos entregaram Jerusalém ao cruzado imperador Frederico II; finalmente quando Don Iossef *Nassi* apareceu como eminência na corte de Suleimã, o Magnífico e Salim II. Do mesmo modo, uma ação judaica combinada para ajudar irmãos em desgraça foi empreendida em todos os tempos e em todos os países. Um dos mais antigos exemplos é o de Hasdai ibn-Schaprut que usou sua influência política para ajudar os judeus de Toulouse. Em passado mais recente a intervenção de Moisés Montefiore e Adolphe Crémieux junto a Mohammed Ali do Egito após o sangrento libelo de Damasco, e os esforços dos banqueiros judeus no fim do século XIX para ajudar seus perseguidos irmãos da Romênia e Rússia. Em relação ao caso de Damasco há fundamentos para a opinião corrente da época de que as acusações de carnificina e os *pogroms* que se lhes seguiram eram parte de um plano para frustrar projetos de uma colonização judaica em larga escala na Palestina. Mas, um dos resultados foi o despertar geral dos judeus e a formação de uma organização mundial, a Alliance Israélite Universelle, para defender os judeus que sofriam perseguições.

III

Na base das observações anteriores proponho partir das seguintes hipóteses para uma divisão de períodos da História Judaica:

1) A história de Israel deveria ser dividida em dois períodos principais: Israel na sua Terra de origem e Israel na Dispersão (ou Diáspora);

2) O segundo desses períodos deveria começar com a conquista muçulmana da Palestina. Até então a história de Israel é essencialmente a do povo judeu vivendo em seu próprio país não obstante o fato de que a dispersão tenha começado muito antes (temos o nome de mais de trezentas comunidades judaicas fora da Palestina, no período romano e bizantino.). O segundo período é caracterizado pela continuidade de Israel como entidade distinta mesmo quando deslocada em seu próprio país por outra nação, que ali constituiu maioria;

3) Apesar do fato de a terra natal, na qual a vida judaica fora cunhada com seu caráter específico, ter se tornado residência fixa de um outro povo, os judeus, mesmo fora, apegavam-se tenazmente a seu modo de vida e seus íntimos laços com a antiga pátria; embora dispersos, eles mantiveram sua unidade espiritual;

4) Devemos olhar como pontos críticos do segundo período os fatos que afetam toda a Diáspora ou de qualquer forma sua maior parte, incluindo sua vida espiritual, tanto quanto o destino da Terra de Israel e a relação do povo judeu com a mesma.

Conseqüentemente, podemos dividir a História de Israel em doze períodos, seis pertencentes a "Israel em sua Terra Natal" e seis "ao período da Dispersão".

I. *Israel em sua Terra Natal (Cerca de 1400-636 d.C.)*

1) Os começos de Israel, a conquista do país e o estabelecimento das tribos (cerca de 1400-1040 a.C.);

2) O Reino Unido, o Reino de Israel e Judá (cerca de 1040-586 a.C.);

3) O exílio babilônico, o retorno a Sião e a província persa de Iehud (586-3312 a.C.);

4) Domínio helênico: Ptolomeus e Selêucidas, perseguições religiosas e revolta; o reino dos asmoneus (332-63 a.C.);

5) A conquista romana, a dinastia de Herodes e as revoltas e guerras contra Roma (63 a.C.-135 d.C.);

6) A restauração do *Ischuv* e do *nassi*, a luta contra a perseguição bizantina (135-636 d.C.).

II. *Israel na Dispersão (636-1948)*

1) A predominância da Diáspora e sua unidade (636-1096). A conquista árabe e a "arabização" da Palestina; a expansão da Diáspora, a fundação de um padrão de organização judaica, a supremacia

do *nassi* e "chefes da dispersão", as *Ieschivot* da Babilônia e Palestina; movimentos messiânicos e oposição religiosa;

2) Crise e martírio (1096-1496);

As cruzadas, as perseguições na Europa e a destruição das comunidades na Palestina; a sistemática opressão da judiaria européia; o desenvolvimento do fanatismo e coerção religiosa nos países muçulmanos; perseguições, acusações, conversão forçada, expulsão e martírio coletivo nos países cristãos; revivescências religiosas, movimentos messiânicos e imigração para a Terra de Israel para realizar a Redenção;

3) Expulsão e restabelecimento (1496-1700);

Continuação da perseguição religiosa na Europa Central; surgimento das comunidades polonesas e otomanas; posterior imigração em grande escala para a Terra de Israel e tentativas de torná-la novamente um centro religioso; a perseguição de 1648/49; o movimento messiânico sabataísta e seu fracasso.

4) Tolerância, desenvolvimento e concentração, integração, assimilação, empobrecimento espiritual, divisão interna (1700-1881).

O fim da perseguição, o crescimento das populações judias e sua concentração nas cidades e aldeias; a integração dos judeus na economia de seus países; mudanças na sua estrutura política; igualdade civil e política para os judeus; assimilação cultural e depreciação do Judaísmo; divisão social e cultural, prolongado conflito interno e a emergência de novos rumos e movimentos; Hassidismo e *Hascalá* (Iluminismo); "Ciência do Judaísmo"; movimento reformista, precursores do Sionismo;

5) Anti-semitismo, intensificação da atividade judaica e o Holocausto (1881-1947).

Reação contra o exílio e estabelecimento na terra natal; despertar social e nacional das massas judias e a grande migração; anti-semitismo racial; tentativa de extermínio do povo judeu;

6) Luta pela independência, estabelecimento do Estado de Israel e o início da "reunião dos exilados" (a partir de 1947).

BIBLIOGRAFIA

ABRAHAMS, I.; BIRAN, E. R.; SINGER, S. (eds.). *The Legacy of Israel.* Oxford, 1927.

BARON, S. W. *A Social and Religious History of the Jews.* 2. ed., New York, 1952, pp. 3-32.

──────. *History and Jewish Historians.* Filadélfia, 1964. pp. 5-106. *História e Historiografia.* Ed. Perspectiva, São Paulo, Col. Estudos n. 23, 1974.

BAER, F. *Galut*. New York, 1947. *Galut*. Ed. Perspectiva, São Paulo, Col. Elos n. 15, 1977.
BEN-GURION, D. (ed.). *The History of the Jews in their Land*. Londres, 1966.
DINUR, B. (Dinaburg). Israel nella Diáspora. *In: La Rassegna Mensile dei Israel*. Abril de 1948, pp. 17-29, 77-91.
DUBNOV, S. *Jewish History, an Essay in the Philosophy of History*. Filadélfia, 1903.
GRAETZ, H. *Die Konstruktion der jüdischen Ceschichte, 1848*. Berlim, 1936.
RAWIDOWICZ, S. (ed.). *Os Escritos de Nachman Kroshmal*. 2ª. ed. London and Walham Mass., 1961 (em hebraico). Ver também Schechter, Solomon. "Nachman Krochmal and "the Perplexities of the Time". *In: Studies in Judaism*. Primeiras séries, pp. 46-72. Cf. em português: J. Guinsburg (org.), *O Judeu e a Modernidade*, "Nachman Krochmel", pp. 63-101, Ed. Perspectiva, São Paulo, Col. Judaica n. 13, 1970.
SCHWARZ, L. W. (ed.). *Great Ages and Ideas of the Jewish People*. New York, 1956.

2. O Messianismo na História Judaica

O mínimo que se pode, razoavelmente, pedir a um escritor sobre idéias e movimentos messiânicos da História Judaica, é que forneça uma definição adequada do "termo messianismo", cuja história vai ser descrita. Ai de mim, é mais fácil explicar o desenvolvimento histórico do que definir o próprio termo, que parece representar todas as coisas para todos os homens ou, pelo menos, para todos os teólogos. De fato, diz-se freqüentemente que o messianismo é um traço essencial e característico do Judaísmo, do qual foi então transmitido, também, para outras religiões e civilizações.

Sem dúvida, a palavra deriva, etimologicamente, do hebraico e, semanticamente, da tradição judaica, e o termo indica que no curso da História Judaica emergiu um complexo de idéias e expectativas e uma atitude em relação ao processo histórico e ao futuro, que tomou emprestado do vocabulário político-religioso e ritual-nacional do Reino Israelita seu próprio nome. O nome hebraico *maschiach* (messias), do verbo maschá, ungir, significa "o ungido" em geral e (no Judaísmo posterior) "o sagrado" em particular, isto é, o redentor definitivo, o esperado rei da Casa de Davi que salvaria Israel da servidão ao estrangeiro e restauraria as glórias de sua Idade de Ouro. No hebraico bíblico, o adjetivo ou substantivo *maschiach* é utilizado tanto para objetos materiais quanto para pessoas consagradas, tais como sumo-sacerdotes e reis. Este poderia ser descrito também como "o ungido pelo Senhor", expressando este título tanto o caráter carismático e a sanção divina do seu cargo como a inviolabilidade de seu *status*. Empregado na época do exílio e no pós-exílio, o termo ungido pode designar qualquer pessoa com uma missão especial de Deus – profetas, patriarcas e até um rei gentílico como Ciro, o moeda (*Isaías* 45:1) O Velho Testamento não fala de um messias escatológico e procuramos, em vão, semelhantes traços de messianismo em muitos livros da Bíblia, inclusive o Pentateuco. Mesmo as passagens "messiânicas", contendo as profecias de uma futura Idade de Ouro, sob domínio de um rei ideal, não usam esta palavra como um termo técnico.

Entretanto, crenças e idéias, que posteriormente puderam ser incluídas no tópico "messianismo", foram, gradualmente, tomando forma, sob as pressões e desilusões da História Israelita. Sem dúvida, as tribos que cruzaram o Jordão com Josué e conquistaram a Terra de Canaã não tinham nem motivações nem precisavam de crenças messiânicas. Eles não eram, afinal, a geração para quem a promessa fora feita, mas, aquela na qual a promessa aos patriarcas estava sendo cumprida. Este cumprimento alcançou seu apogeu com o Rei da Vitória, Davi, e o Rei da Paz, Salomão e esse duplo reinado aparece retrospectivamente envolvido por um halo de bênção divina e investido com o significado de um paradigma "normativo" e ideal de história consumada. É difícil imaginar o campeão da teocracia pura e o autor da diatribe violentamente antimonárquica, encontrado em *Samuel I*, 8, ficando entusiasmado com a idéia de um rei messiânico. Evidentemente, o desenvolvimento da idéia messiânica pressupõe o estabelecimento de uma ideologia monárquica israelita e a expectativa de que uma corrente de influência divina produzida nos assuntos de Israel não poderia surgir do nada. Parece que se cristalizou ao redor de certas idéias hauridas das antigas mitologias do Oriente Próximo. Lendo os livros bíblicos e, particularmente, o Livro dos Salmos, não podemos deixar de notar certas implicações mitológicas ecoando arcaicas noções da Criação como uma vitoriosa batalha divina contra as forças e monstros do caos e da renovação cíclica da natureza como uma redecretação ou reafirmação desse evento arquetípico. Esta velha mitologia contém um elemento de universalidade genuíno, desde que é relacionado com a Criação, isto é, com o mundo como tal, mas foi transformada no contexto da teologia israelita do pacto e eleição. Assim como Deus destruiu as cabeças de Leviatã nas águas, assim também (representado pelos penhores de sua presença – a Arca do Pacto e seu ungido Rei, o Messias presente e o pré-escatológico), destruirá os representantes históricos do mal, da morte e da destruição. Mas, visto que o padrão da natureza é cíclico, e o da primitiva história israelita, tal como foi contada em *Josué* e *Juízes*, foi repetitiva (idolatria – tribulação – penitência – socorro), a história posterior tornou-se opressivamente monótona e arrítmica. O presente era opressão sem alívio e iniqüidade por regra. Lenta mas meticulosamente, as características significativas do padrão cíclico foram transferidas para a história linear e de dimensão única. Tinha havido uma vitória cósmica no começo. O que importava agora não era a repetição anual deste acontecimento mas o dia do Senhor, ou seja, a vitória final no fim da história. O estabelecimento da ideologia monárquica israelita e sua interpretação como parte do pacto eterno de Deus com Seu povo estão refletidos nos relatos dos livros históricos e proféticos do Velho Testamento e nos Salmos. Como a realidade vigente e as carreiras dos reis históricos se mostraram cada vez mais decepcionantes, a ideologia monárquica messiânica se projetou no futuro. Com o decadente destino nacional de Israel, desenvolveu-se a noção de uma mudança escatológica para melhor. Quanto maior o contraste entre o presente insatisfatório e o futuro imaginado, mais radicalmente utópica a qualidade deste futuro. Embora muito da primitiva escatologia bíblica (e especialmente a que se inspirava nos livros históricos com sua idealizada visão dos reinos de Davi e Salomão) seja restaurativa, aguardando ansiosamente por tempos melhores, isto é, pela restauração dos bons velhos tempos em um futuro relativamente próximo, pelo menos, historicamente acessível, outras tendências – parcialmente influenciadas pelo estilo mais radical e universalista da hipérbole profética – foram mais utópicas nas suas perspectivas (p. ex. *Isaías* 2). O futuro esperado não era somente melhor; era total e absolutamente diferente. Não só restauraria um original estado feliz, mas deveria realizar algo que era completa e fundamentalmente novo. Em algumas formas de escatologia apocalíptica a esperada mudança não era um acontecimento dentro da história, mas algo fora da história.

Mas, dentro ou fora da história, o messianismo completamente desenvolvido representa uma transformação decisiva da noção de tempo. Pois, o tempo e o processo do tempo são agora dirigidos a um acontecimento ou consumação final. Este *eschaton* não é, necessariamente, a consecução e a conquista das forças e dinamismos em ação no processo da história (como, por exemplo, de acordo com a versão messiânica do moderno enfoque evolucionista de que a história é progresso); pode também ser concebido como a vitória final *sobre* a história, uma vitória que abole uma história que é essencialmente negativa. De qualquer forma, há uma diretividade no processo do tempo e uma tensão peculiar a qual se supõe que encontre um alívio na consumação decisiva do acontecimento. Por isso, o adjetivo "messiânico" tem sido aplicado, com maior ou menor precisão, a vários tipos de ideologias e movimentos nativistas, milenaristas (quiliásticos), utópicos e apocalípticos. O marxismo também, como é bem conhecido, tem sido freqüentemente descrito como "messiânico" por causa da estrutura escatológica de sua doutrina. Para o estudante de história judaica, o problema dos movimentos messiânicos é mais histórico do que puramente fenomenológico, isto é, o problema não é tanto decidir se determinado movimento merece o epíteto de "messiânico", mas, principalmente, o de descrever a continuidade da crença e esperança messiânicas como se manifestou nos acontecimentos e crises da História Judaica.

Enquanto o período do Velho Testamento assentou os fundamentos do messianismo judaico, os dois últimos séculos do segundo período do Templo dão o testemunho de uma variedade de crenças messiânicas, estabelecidas ou emergentes, e de uma ativa agitação messiânica. As evoluções que ocasionaram isto são, em parte, ainda obscuras. Não conhecemos o suficiente a respeito da extensão, natureza e impacto da desilusão que seguiu o parcial e inadequado cumprimento das elevadíssimas esperanças concentradas no retorno dos exílios babilônicos a Sião (ver *Deuteronômio* e *Isaías*). Um contraste e tensão semelhantes, entre esperanças inflamadas e realidade desembriagante, deve ter caracterizado o período subseqüente à triunfante revolta dos Macabeus em 165 a.C. A análise dos modernos movimentos "messiânicos" (nativistas, milenaristas, de revitalização e *cargo cults** em sociedades primitivas, sugerem que isto está, em grande parte, relacionado com as tensões e pressões de uma situação aculturativa. Talvez, a História Judaica do fim do Período do Segundo Templo não tenha sido suficientemente estudada, sob o ponto de vista da crise de aculturação como um fator decisivo, no contexto mais amplo da situação de dominação estrangeira isto é, dominação romana. De qualquer maneira, há testemunhos da proliferação de crenças e movimentos messiânicos, tanto quanto de um incremento do caráter messiânico de várias revoltas nacionais, embora, quanto a estas, nossas fontes não sejam bastante claras e explícitas. É mais fácil descrever a história das idéias messiânicas, tal como elas evoluíram nas diversas seitas e círculos cuja literatura teológica foi, por sorte, preservada, do que aferir o caráter messiânico de, por exemplo, um levante ou uma revolta da qual apenas conhecemos a data ou o nome de seu líder, ou alguns outros poucos detalhes circunstanciais. Assim, a insurreição dos Macabeus contra a política selêucida de uma helenização forçada parece, como evidencia o livro de Daniel, ter tido conotações messiânicas, embora

---

* *Cargo cult* – movimento político-religioso encontrado entre os nativos de várias ilhas do Sul do Pacífico, que se caracteriza pela esperança messiânica na volta dos ancestrais em navios ou aviões trazendo cargas (*cargões*) de produtos para prover todas as necessidades, libertá-los do trabalho e do domínio dos brancos. (N. do T.)

dificilmente possa ser descrita como um movimento totalmente messiânico. Ideologias messiânicas e movimentos agudamente escatológicos proliferaram depois do período asmoneu e surgiram vários tipos importantes. Ocasionalmente, existiram, lado a lado, idéias e crenças alternativas ou reciprocamente exclusivas, aparentemente sem nenhuma preocupação de arranjá-las num sistema lógico e coerente. Isto só foi tentado mais tarde pelos teólogos medievais, desejosos de harmonizar textos e tradições antigas e, por isso veneráveis e autorizados, com algum grau de concordância. Eram correntes idéias e esperanças relativas a uma gloriosa restauração nacional, sob uma vitoriosa liderança militar ou através de uma miraculosa intervenção do alto. O redentor ideal seria um rei – o ungido do Senhor – da linhagem de Davi ou um Ser Celestial referido como "Filho do Homem". A Redenção poderia pois significar um mundo melhor e mais pacífico ou o fim e aniquilação total "desta época" e o prenúncio de uma nova era e de "um novo céu e uma nova Terra" entre a catástrofe e o julgamento. De fato, este elemento catastrófico persistiu como um traço essencial da dialética da utopia messiânica: a salvação última era acompanhada ou precedida pela destruição e pelos terrores das "dores do parto" da era messiânica. Realmente, este aspecto catastrófico tornou-se de tal forma parte e parcela do complexo messiânico que, em períodos posteriores, a ocorrência de perseguições e sofrimentos particularmente cruéis era esperada como anúncio da redenção messiânica. Isto não era apenas uma miragem, um mecanismo de defesa para tornar os sofrimentos suportáveis, mas a aplicação a situações históricas concretas de um dos tradicionais padrões dialéticos da crença messiânica. Os terrores destas angústias do nascimento, pré-escatológicas, eram levados tão a sério que mais de um rabino talmúdico afirmaria sua tradicional esperança no advento do Messias com a significativa cláusula: "Que Ele venha mas eu não quero testemunhá-Lo".

A agitação caótica destas idéias é visível, não só nos livros apócrifos da Bíblia, mas também nos escritos do Novo Testamento e, particularmente, nos seus relatos das diversas atitudes tomadas em relação a Jesus, por seus discípulos e pelos vários grupos de Jerusalém. O ministério de Jesus deve ser visto no contexto de um complexo messiânico que incluía idéias tais como a vinda de Elias, o Filho de Davi, o Filho do Homem, libertado do jugo dos gentios e o prenúncio de uma nova era. Foi um período que assistiu à atividade de muitos líderes messiânicos como sabemos através de Josefo e de *Atos*, 35-37. A original tradição bíblica de pensar o futuro em termos sociais, coletivos e históricos era agora ainda mais complicada pela emergência (ou absorção) de novos padrões de pensamento. A crescente preocupação com o destino do indivíduo junto com a necessidade de um relato satisfatório dos caminhos da justiça divina para oferecer recompensa e punição desenvolveu a noção da ressurreição da morte. (Esta doutrina farisaica foi também afirmada por Jesus contra os Saduceus que a rejeitaram.) Havia também a noção de uma alma imortal que caminharia para sua recompensa celestial (ou alternativamente, para a punição eterna) após sua saída do corpo. A tensão entre estas tradições incompatíveis e, mais particularmente, entre a espiritualidade da doutrina da imortalidade e a materialidade da doutrina da ressurreição, é bem expressa pela solução de compromisso, também encontrada em Paulo, de acordo com a qual, a alma, finalmente, retornava para um corpo "glorificado" ou espiritual. Estas idéias são aqui relevantes porque é importante enfatizar que a doutrina da imortalidade (como o atestam muitos cultos de mistério e religiões de salvação) tira a escatologia individual fora do contexto messiânico histórico. O curso da história como tal torna-se irrelevante para a morte e o destino do indivíduo. No desenvolvimento posterior do Judaísmo, a tensão entre as duas tendências permanece visível e parece que o senso histórico e o fervor messiânico se relacionam na razão inversa com a força da preocupação filosófica ou mística com o destino e progresso da alma espiritual.

Temos, pois, pelo menos três fios compondo a linha da escatologia: o período "messiânico" da restauração nacional e possivelmente da paz universal, o novo *aion* do reino de Deus, incluindo a ressurreição da morte; e o além-mundo celestial no qual a alma goza eternamente a visão bendita. Mas, mesmo as duas primeiras espécies dão margem a posteriores subdivisões em novas espécies. Subentende-se que a escatologia do novo *aion* é mais radicalmente utópica do que a esperança num futuro, sem céu ou nova Terra, mas sim uma morada pacífica, nesta terra, de todos os homens, debaixo de sua videira e debaixo da sua figueira (*Miquéias*, 4:4). Também a natureza e a função da personalidade messiânica que está no centro das mudanças decisivas são concebidas de maneiras diferentes conforme as diferentes correntes. O Messias pode ser a figura principal de uma situação que é essencialmente messiânica sem que seja sua principal causa ou agente. Este parecia ser o ponto de vista farisaico e rabínico e que é claramente inspirado em pelo menos uma linha principal da literatura bíblica: um rei davídico reina sobre a Casa de Israel e seu governo é o símbolo perceptível da restauração da Idade de Ouro. Não há nada que indique que ele, ou suas ações, militarmente ou sob outros aspectos, realizasse a desejada nova revelação. Até para Jeremias, o glorioso futuro é simplesmente uma questão de fidelidade de Israel à Lei de Deus. "Porque, se deveras cumprirdes esta palavra, entrarão pelas portas desta casa reis que se assentam no lugar de Davi sobre o seu trono, em carros e montados em cavalos, eles, e os seus servos, e o seu povo" (*Jeremias*, 22:4). Por outro lado, a personalidade do Messias pode ser mais central, seu caráter e função mais claramente delineados e, conseqüentemente, um vínculo pessoal mais forte em relação a ele, por parte dos crentes, pode ser considerado essencial. A pequena seita messiânica judia, composta pelos discípulos e seguidores de Jesus de Nazaré é um caso em questão. Tem-se lançado considerável luz sobre a caleidoscópica multiplicidade de crenças judaicas messiânicas durante o fim do período do Segundo Templo, através da descoberta da biblioteca da Congregação do Novo Pacto (também como "seita do Mar Morto") no Deserto da Judéia. A seita é importante, entre outras coisas, por vislumbrar um futuro presidido por dois chefes sagrados: um rei davídico e, superior a ele, um sumo-sacerdote messiânico da Casa de Aarão. Parece óbvio que nesse caso o par messiânico funciona como sinal e símbolo da ordem social perfeita – como já tinha sido vislumbrada na profecia de Zacarias em relação a Zerubabel e o sumo-sacerdote Josué – mais do que como realizador desta ordem através de seu governo messiânico.

A referência aos Pactários de Qumran pode servir para voltar nossa atenção para mais um ponto de interesse para a sociologia das seitas messiânicas. A escatologia bíblica era uma questão coletiva étnico-nacional, posto que a nação (ou seus fiéis remanescentes) era o berço das promessas e tendências religiosas. A associação na comunidade messiânica é atribuída: "E todos os do teu povo serão justos, para sempre herdarão a terra; serão renovos por mim plantados, obra das minhas mãos, para que eu seja glorificado." (*Isaías* 60:21). Por outro lado, a filiação à congregação do Novo Pacto da seita de Qumran é mais eletiva do que atributiva ou, para ser mais exato, eletivo-carismática em uma estrutura atributiva: os escolhidos eram os Filhos da Luz da Casa de Israel. Esta concepção eletiva eliminou completamente a concepção atributiva no desenvolvimento da Igreja Cristã.

As crenças messiânicas afirmadas e cultivadas pelo Judaísmo farisaico e depois rabínico (ou Judaísmo "normativo" como é freqüentemente chamado) desse modo enfatizaram os mais elementos restaurativos étnico-nacionais e históricos. Evidentemente depois da destruição do Templo, a reunião dos Exilados e a reconstrução do Templo foram adicionadas ao programa messiânico de um futuro ideal. Entretanto, uma forte corrente apocalíptica continuou a florescer e a se cristalizar em profecias e lendas escatológicas, descrevendo os sofrimentos anteriores ao advento messiânico, a guerra de Gog e Magog, o livre curso das vinganças sobre os gentios e a construção da nova Jerusalém. Muitos dos patriotas judeus, que participaram da grande revolta contra Roma em 66-70 d.C., certamente acreditavam estar lutando na batalha escatológica à qual se seguiria o reino do Messias. A revolta de 115-117 e o levante liderado por Bar Kochba, 132-135, foram, provavelmente, influenciados por especulacões e esperanças messiânicas. É duvidoso que o próprio Bar Kochba nutrisse quaisquer pretensões messiânicas, embora Rabi Akiva, um dos principais mestres rabínicos da época, o considerasse como tal e lhe aplicasse a profecia (*Números*, 24:17): "Uma estrela procederá de Jacó, um cetro subirá de Israel". O caráter messiânico da revolta parece entretanto ser confirmado por um interessante desenvolvimento na escatologia judaica, que se efetuou após a morte de Bar Kochba. Surgiu o conceito de uma segunda figura messiânica, o Messias Guerreiro da Casa de José (ou Efraim), que precederia o Messias triunfante da Casa de Davi mas cairia na batalha contra Gog e Magog. Deve-se notar que esse Messias da Casa de José não é um Messias sofredor; ele é um guerreiro mártir. Na medida em que um sacerdócio de sofrimento é mencionado em lendas ou textos apocalípticos judaicos, ele é atribuído ao Messias da Casa de Davi durante seu período oculto, isto é, antes que ele se manifeste em glória triunfante. Em relação aos dois aspectos do Apocalipse, acima mencionados – catástrofe e triunfo messiânico – talvez se possa considerar que o Messias da Casa de José representa o aspecto catastrófico da esperada redenção. Em muitos textos apocalípticos, que mais tarde se tornaram parte e parcela da crença messiânica popular entre as massas judaicas, e mesmo entre os eruditos, esta fase catastrófica incluía guerras, pragas, fome e outros cataclismos sociais e cósmicos tais como desregramento, heresia, uma geral deserção da lei de Deus, terremotos, tempestades de granizo etc. O ponto mais importante acerca da maioria destas idéias mitologicas é que elas afirmam uma descontinuidade radical entre o presente e o reino messiânico. Não há uma lenta transição de uma para outra época, mas, ao contrário, uma violenta mudança marcada por revoltas e catástrofes, depois do que, eis que todas as coisas serão novas ou, pelo menos, muito diferentes.

Como o breve relato acima indicou, na época em que o povo judeu enveredou em sua longa e triste história como um povo no exílio, disperso, humilhado, desprezado e, com freqüência, fisicamente ameaçado e perseguido, já estava imbuído de crenças e esperanças messiânicas que eram muito axiomáticas para serem postas em dúvida. Não importa quais possam ser os detalhes da gênese histórica da idéia messiânica e não importa que ênfase seja dada por diferentes pensadores aos diversos períodos, nos múltiplos aspectos desta idéia (físico-política ou mais espiritualizado; mitológico-popular ou filosófico-racionalista; restaurativo ou utópico; nacional ou mais universalista; catastrófico ou mais gradativo; focalizado sobre um Messias particular ou uma era messiânica etc.), a dimensão messiânica era uma característica permanente e sempre presente, às vezes latente, outras vezes manifesta, da história judaica. Conquanto a característica messiânica de certos movimentos e insurreições do Período do Segundo Templo e imediatamente posterior ainda possa dar lugar a discussões e a retificações em alguns detalhes, a história subseqüente é muito mais inequívoca a este respeito. A idéia messiânica foi firmemente estabelecida tanto no terreno popular quanto no teológico. A interminável experiência de opressão e humilhação, perseguição e cativeiro, longe de levar a uma desintegração e desesperança, manteve viva a orientação messiânica e deu à expectativa escatológica assim como aos efetivos movimentos de libertação, revolta, protesto social e renascimento religioso, um ponto de referência fixo e dogmático. Há, pois, íntima conexão entre a crença messiânica geralmente aceita e praticamente axiomática de um lado e os movimentos messiânicos de outro. Sem dúvida, a existência do primeiro não foi por si só suficiente para precipitar movimentos sociais mas, seguramente, proporcionou um potencial permanente e uma estrutura latente dentro da qual dinamismos históricos, reflorescimentos e respostas a situações particulares puderam se delinear e se articular. Por seu lado, muitos desses reflorescimentos messiânicos tiveram repercussão significativa sobre a ideologia messiânica, freqüentemente através do estímulo a uma reformulação da fé que salvaguardasse a ortodoxia e as instituições da sociedade contra a inevitável desilusão e conseqüente desespero, tanto quanto contra os perigos da heresia e do antinomianismo inerentes a qualquer manifestação messiânica. Em outros tempos, a relação poderia ter sido menos apologética e, no decurso do desenvolvimento de um movimento messiânico, a teologia concomitante teria se transformado e adequado aos fatos e pressões da situação histórica. Entre os perigos de uma heresia potencial considerados inerentes ao messianismo atual, há um que, no contexto judaico, é particularmente significativo. O antinomianismo é um traço bem conhecido em muitos movimentos de redenção e salvação, mas numa tradição histórica baseada na obediência e fidelidade a uma lei divina, concebida como uma expressão suprema e veículo da relação do povo a seu Deus, sua significação crítica é ainda maior. Alguns ditos rabínicos (como, por exemplo, a afirmação de que na era messiânica todas as proibições rituais seriam suspensas, ou referências à "*Halahá* (a lei) do período messiânico"), pareciam abrigar exortações explosivas e atrair especulações perigosas. Havia uma lógica interna a estas potencialidades antinomianas. Apesar de tudo, o "jugo" da lei, embora amada, leve e suave no plano consciente, indubitavelmente representava no plano inconsciente o símbolo de uma vida circunscrita e limitada por todos os lados. Funcionava portanto como a contraparte interna das limitações e restrições externas impostas pela vida no exílio e pela sujeição a um meio gentílico que lhe era hostil, tanto sob o ponto de vista da experiência individual como na vida e organização social das comunidades judias. Se o advento do Messias significava liberdade, livramento do jugo e a criação e modificação de todas as coisas, então não é de surpreender que a possibilidade da liberdade antinomiana sem obstáculos também se manifestasse ocasionalmente.

Um outro ponto merece ser mencionado nesta oportunidade. O messianismo judaico, na maior parte de sua história, manteve sua base nacional, social, histórica qualquer que fosse o pensamento universalista, cósmico ou íntimo e espiritual, que o acompanhava. Pode-se talvez falar de um aprofundamento espiritual da idéia messiânica na história do pensamento religioso judaico, mas estes elementos, presumivelmente mais "espirituais", nunca substituíram o messianismo histórico, concreto: eles lhe eram simplesmente acrescentados. Apologistas judeus inclinam-se a encarar as acusações cristãs de uma interpretação "carnal" da libertação messiânica, como se fosse um elogio. Para eles, parecia que um certo tipo de espiritualidade era apenas uma saída para um domínio em que se estaria a salvo dos desafios da realidade histórica, de cujas provas se fugiria. "A humanidade não pode suportar muito a realidade" e por isso tenta fugir das provas cruciais. Se a redenção messiânica tem uma dimensão espiritual, então, de acordo com teólogos e místicos judeus, deve ser a face interna do processo que se manifesta essencialmente na esfera externa dos fatos históricos.

Os corolários disto são óbvios. Os movimentos messiânicos são, por definição, fadados ao fracasso no plano histórico. Se desejam manter-se messiânicos, eles devem renunciar ao plano histórico ou se espiritualizar ou, ainda, admitir o fracasso e adiar a esperança de realização para um futuro mais bem-sucedido. A vitalidade e realidade da idéia messiânica entre judeus é atestada pelo fato de que revoltas, despertares e movimentos messiânicos foram traços quase permanentes de sua história. A maior parte destes movimentos era limitada no tempo e no espaço; poucos abarcaram todo o povo judeu ou deixaram um resultado notável e prolongado. De maneira geral, o que acontecia era isto: em algum lugar, um profeta, um precursor ou um pretenso Messias aparecia, proclamava que o fim dos dias ou a redenção de Israel estava por acontecer e empreendia um movimento limitado a uma área mais ou menos ampla. No curso normal das coisas, nenhuma ou poucas das promessas iniciais podiam ser cumpridas. Boatos nos quais de início se acreditava ansiosamente revelavam-se falsos, o Messias desaparecia ou era assassinado e o movimento desaparecia aos poucos. Não fosse um ocasional cronista ou missivista transitório, nem o eco de muitos desses movimentos nos teriam alcançado e é mais do que provável ter havido muitos de tais movimentos que não deixaram traço algum e que são desconhecidos pelo historiador moderno. Não cabe dar aqui um catálogo dos movimentos messiânicos ou dos nomes de profetas e pretensos messias ou dos muitos recrudescimentos messiânicos na história judaica que testemunham os anseios e esperanças quiliásticas vividas ou latentes. Muitos desses movimentos não resultaram em eclosões escatológicas efetivas, embora prestem eloqüente testemunho da existência de um fermento messiânico. Listas desses nomes e movimentos podem ser encontradas em qualquer enciclopédia judaica ou obra sobre história judaica. Entretanto, parece que algo deve ser dito sobre o significado desses movimentos "pseudomessiânicos", pois constituem o testemunho trágico e comovente da poderosa influência da esperança e fé messiânicas sobre o povo judeu através de sua existência histórica. Como afirmou o filósofo Franz Rosenzweig certa feita, a crença no advento do Messias não seria mais que uma frase vazia se não aparecessem constantemente falsos Messias, nos quais essa crença pudesse adquirir forma e realidade. O falso Messias existe tanto quanto a genuína crença no verdadeiro Messias e ele divide toda geração em que aparece em dois campos: aqueles que têm o poder da fé para crer e, portanto, para pecar, e aqueles que têm o poder da crença, não para pecar mas antes para continuar a resistir até o advento do verdadeiro redentor. Os primeiros eram talvez os melhores judeus; os últimos, os mais fortes. É claro que os movimentos messiânicos não podem ser considerados unicamente em termos das doutrinas messiânicas, crenças escatológicas e aspiracões tradicionais. Embora os fatos necessitem de idéias e símbolos sociais, antes que adquiram forma cultural e realidade histórica, não é menos verdade que as crenças e doutrinas requerem uma específica constelação de fatos para que possam passar da potencialidade para uma situação de fato. Por isso, o historiador, ante o já mencionado catálogo de movimentos messiânicos, sempre pesquisará quais os fatores que precipitaram uma revolta messiânica em determinado lugar e em determinada época. Ele desejará saber em que círculos se originou o movimento, em que grupos se expandiu e quem foram seus porta-vozes e propagadores, tanto quanto quem foram seus opositores. Ele pode, só para dar um exemplo ao acaso, perguntar-se por que vários pseudo-Messias apareceram nos séculos XI e XII na Europa Ocidental e particularmente na Espanha, ou por que a Pérsia representou durante um certo período um viveiro tão fértil do sectarismo messiânico – de Abu-Issa al-Isfahani e seu discípulo Iudgan no século VIII até Davi Alroy no século XII. Abu-Issa, que se proclamou o messias da Casa de José, empenhou-se devidamente em uma inútil batalha contra as forças abássidas contra as quais marchou com seus dez mil seguidores, enquanto Davi Alroy – conhecido por muitos por meio do fantástico romance de Disraeli – empreende uma revolta contra o sultão. Sabatai Tzvi (ver abaixo), por outro lado, lutou apenas com as armas místico-mágicas da Cabala. As tensões sociais, as distinções de classe, o destino comum de todos os judeus como uma minoria desprezada e perseguida em um meio hostil, partilhando a mesma cultura, tudo isso teve a sua função e deveria ser estudado em cada movimento messiânico de maneira particular.

Entretanto, para se fazer justiça à força do dinamismo messiânico na História Judaica, deve-se levar em conta não somente os levantes centralizados em torno da figura de um profeta messiânico, pretendente ou precursor, mas, como foi assinalado acima, também os muitos movimentos que foram menos óbvia e ruidosamente milenários, mas cuja inspiração e força derivaram de fontes messiânicas. Assim, o fenômeno de grupos de judeus maiores ou menores que deixavam seus países de origem na Diáspora para se estabelecer na Terra Santa não era raro. Pode-se, é claro, fixar-se na Terra Santa a fim de viver rezar e ali morrer sem que haja nisso nenhuma conotação messiânica. Mas na verdade, muitos desses movimentos foram inspirados em motivações messiânicas, embora não necessariamente pela crença de que o Messias havia aparecido e estava chamando seus seguidores para que deixassem sua terra de exílio e se mudassem para a Terra Prometida. Muito freqüentemente, as motivações eram "pré-escatológicas" e pareciam supor que uma vida de prece e santificação ascética na Terra Santa apressaria o advento do Messias. Esta noção de apressar ativamente a vinda do Messias é de considerável interesse e parece assinalar uma curiosa tensão da alma judaica como reação à experiência do exílio. Uma antiga fonte rabínica comenta a respeito do *Cântico dos Cânticos* 2:7: "Conjuro-vos, ó filhas de Jerusalém, pelas gazelas e pelas cervas do campo, que não acordeis nem desperteis o meu amor, até que queira", dizendo: "Quatro exortações estão contidas nesses versos: Israel não se deve revoltar contra os reinos deste mundo; não se deve apressar o fim; não se deve revelar seu mistério para as nações do mundo; e não se deve subir (para Eretz Israel) em grandes massas". Por mais que a experiência histórica tenha levado a esta inequívoca rejeição a todo ativismo messiânico, a tentação existia evidentemente e deveria ser evitada. O único ativismo que era admitido era de natureza espiritual. Nas palavras do Talmud, se Israel fizesse penitência apenas por um dia. estaria imediatamente redimido como está escrito (*Salmos* 95:7): "Se hoje ouvirdes a sua voz". Quando todas as saídas realísticas e práticas estão impedidas, o ativismo espiritual facilmente se transforma em ativismo mágico e a lenda judaica fala de mestres cabalistas que decidiram forçar o advento messiânico através de mortificações extremas, meditações especiais e encantamentos cabalísticos. Estas lendas, das quais a mais conhecida é a que se refere ao Rabi Iossef della Reina, usualmente terminam com o iniciado cabalista tornando-se vítima dos poderes demoníacos que pretendera derrotar.

O surgimento de tais lendas no contexto cabalista medieval posterior não é acidental, pois o Cabalismo é um tipo de misticismo essencialmente ativista, isto é, "teúrgico". Na forma que assumiu na Galiléia, no século XVI, sob a influência do cabalista Rabi Isaac Luria, interpretava o exílio e a redenção em termos de um drama cósmico, ou melhor, divino, no qual o próprio Deus estava envolvido. De acordo com este estranho mito "gnóstico", ocorrera uma catástrofe inicial ou "queda", quando a essência-luz divina se exteriorizou a fim de criar o mundo e as centelhas divinas caíram no caos. Estas centelhas de vida divina, aprisionadas e "exiladas" no caos, mantêm a vida do reino demoníaco. O exílio e o sofrimento de Israel apenas reflete, em nível material, externo e histórico, o mistério mais fundamental do exílio e sofrimento de Deus. A redenção representa a libertação das centelhas divinas do profano amplexo dos poderes demoníacos, não menos do que a libertação de Israel de sua sujeição aos gentios. Realmente, este último processo ocorrerá como uma conseqüência natural do anterior, que era o verdadeiro e místico apelo de Israel para se realizar através de uma vida de piedade e santidade. Este é um ativismo espiritual em seu grau mais extremo, pois aqui Deus se tornou um verdadeiro SALVATOR SALVANDUS. Mas, para o judeu, o exílio de Israel se torna significativo porque foi encarado como uma participação no mais profundo exílio de Deus e o próprio Deus requereu a ativa participação de Israel na Sua própria redenção e de seu povo. Não é de surpreender que, neste sistema cabalístico, a personalidade do Messias tenha desempenhado um papel relativamente secundário. O Messias não era tanto um redentor quanto um sinal e símbolo de que o processo de redenção se havia consumado. De fato, a doutrina messiânica da Cabala luriana se aproxima da estrutura de um esquema evolucionista.

Este sistema cabalista fornece a base de um dos mais notáveis episódios messiânicos no curso da história judaica. Entretanto, a despeito de sua singularidade, é suficientemente representativa das várias forças atuantes na história judaica e da interação dos fatores externos e internos, para merecer aqui uma rápida consideração. Refiro-me, é claro, ao movimento messiânico que se desenvolveu em torno da personalidade de Sabatai Tzvi de Esmirna.

Com a expulsão dos judeus, por volta do fim do século XV, primeiro da Espanha e depois de Portugal, começou uma nova era na história judaica. A magnitude dos sofrimentos parecia indicar as dores do parto da era messiânica como era previsto pela tradição. Falsos messias apareceram e desapareceram, mas a salvação ainda tardava, e novos e piores sofrimentos se seguiram, alcançando seu clímax nos massacres de Chmelnítzki. Dezenas de milhares de judeus pereceram nestes massacres entre 1648 e 1658, na Polônia e Lituânia, que representaram o auge do sofrimento judaico, sem paralelo até o século XX. Mas, pelo menos agora, todo judeu sabia, sem dúvida alguma, que o Messias estava chegando, pois ele tinha que vir. A Cabala floresceu neste período e dentro de pouco tempo alcançou controle total do pensamento e pietismo judeu, por causa de sua forte orientação escatológica. Os cabalistas focalizaram todo seu fervor e ascetismo religioso, sua capacidade de oração e meditação, na redenção iminente. De fato, era do círculo de cabalistas que o Messias viria. O belo e fascinante jovem de Esmirna logo conseguiu cativar um grupo de amigos e (após algumas dificuldades iniciais e mesmo, como Maomé, longe de casa) encontrar ricos adeptos. Logo ele também teve seus profetas. Não demorou muito para que Sabatai fosse venerado como "nosso Senhor e Rei" e que lhe fossem prestadas homenagens do Cairo até Hamburgo, de Salonica a Amsterdã. Com muito poucas exceções, os céticos guardaram suas dúvidas consigo e não se atreveram a falar abertamente. Quando o Sultão achou que as coisas estavam indo longe demais, prendeu Sabatai, embora a crença no Messias continuasse a crescer. Afinal, todos sabiam que o Messias devia sofrer por certo tempo antes de se revelar em todo seu poder e glória através de milagres. Sabatai vivia como um rei no cativeiro, recebendo embaixadores e consignando as províncias de seu futuro reino a seus parentes e amigos, até que o Sultão o intimou a fazer a escolha entre a morte e o Islã. Pouco tempo depois, não mais se destacava no palácio o Rabi Sabatai Tzvi mas sim Mehemet Effendi. Mais tarde, como continuasse a criar problemas, Sabatai foi exilado para a Albânia, onde morreu só, em 1676.

Só então ocorreu o quase inacreditável: enganados e desiludidos, os judeus tinham que escolher uma vez mais. Muitos daqueles que haviam acreditado e acreditado realmente não somente com uma fé negligente e sem esforços, mas vendendo ou jogando fora suas propriedades e bens para ir e encontrar o Messias, reconheciam agora, com o coração pesado, que a história havia dado o seu veredicto uma vez mais. Não havia mudança no mundo, nem salvação; eles tinham que continuar a esperar. Mas nem todos estavam preparados para se submeter ao veredicto da história. Eles haviam sentido em si a salvação; tinham experimentado a sensação de renovação e mudança dentro de seus corações. A experiência interior era muito poderosa; não podia ser anulada ou invalidada nem mesmo pela história. Nesta linha surgiu uma heresia sabataísta e uma teologia sabataísta que, finalmente, saiu do Judaísmo e desapareceu, pelo menos na medida em que se refere ao povo judeu. Iríamos muito longe se acompanhássemos o extremamente complexo e psicologicamente fascinante desenvolvimento da seita sabataísta mais além. A analogia de certos pontos com o Cristianismo é de interesse mais imediato para a nossa presente análise do messianismo. Desde que a história sofreu um desapontamento, desenvolveu-se uma teologia e uma paradoxal crença mística que converteu o obstáculo racional no seu próprio alicerce. Tanto a teologia cristã quanto a sabataísta devem parte de seu apelo emocional à sua própria paradoxalidade. Porque o Messias abdicou tão inesperadamente, surgiu a crença em sua ressurreição e retorno e – no sabataísmo posterior – também em sua reencarnação. Desde que a salvação não era evidente para aqueles que olhavam com olhos reais, foi feita uma distinção entre uma redenção invisível, acessível apenas aos olhos da fé, e a consumação final, em que todas as coisas se tornariam manifestas, e a redenção, forjada pelo Messias, seria claramente visível para todos. Porque o Messias encerrou a sua carreira em desgraça, desenvolveu-se uma teologia que explicava como esta desgraça representava efetivamente o clímax de seu sacerdócio messiânico. Uma das principais diferenças entre as teologias cristã e sabataísta é a natureza do paradoxo messiânico. No caso de Jesus de Nazaré, assume uma forma que poderia ser chamada de metafísica. Jesus aceita o infortúnio da morte a bem da redenção. Para o sabataísmo, o paradoxo tem antes um caráter moral. Sabatai aceita algo pior que a morte, ou seja a vergonha do pecado e mesmo o pior dos pecados, a apostasia. Os sabataístas acreditavam que o processo de salvação havia começado nas mais profundas e espirituais camadas do cosmos, mas que o nosso mundo material, tangível e visível, seria atingido também por este processo. Então, a salvação seria visivelmente manifesta e completa. Esta teologia era o meio, talvez o heróico meio de escape para aqueles que mantinham a oprimente validade de sua experiência interior acima e contra o que parecia ser o julgamento da história externa. Mas Israel como um todo reagiu da antiga e experiente maneira. O mundo havia mudado e, portanto, Sabatai Tzvi era um impostor como todos os seus predecessores. Desde então, o "automessianismo", como Martin Buber o chamou, declinou rapidamente. Algumas convulsões menores na esteira do movimento sabataísta e do messianismo pessoal cessaram de ter possibilidade real e, portanto, de ser um perigo real. O movimento de renascimento espiritual do judaísmo polonês e ucraniano no século XVIII, conhecido como Hassidismo, parece ter realizado, pelo menos dentro de certos limites, uma neutralização das explosivas possibilidades do messianismo utópico e apocalíptico, ensinando um caminho de redenção através da espiritualidade mística. Embora se possa dizer portanto que o hassidismo proporcionou uma resposta ao desafio resultante do sabataísmo em termos religiosos tradicionais outras versões mais modernas foram aparecendo lentamente, enunciadas por uma judiaria européia que estava procurando e, gradualmente, encontrando seu caminho para a reforma religiosa e emancipação civil. Não é difícil mostrar que estas modernas ideologias, mesmo não sendo movimentos messiânicos *stricto sensu*, tinham certas nuances messiânicas ou, pelo menos, conscientemente faziam uso da tradicional terminologia messiânica. Não há dúvida de que esses liberais progressistas, ou posteriores socialistas, não pensavam em termos de Armagedon ou de uma Jerusalém sagrada descendo do alto ou do filho de Davi montando um burro, mas as liberdades civis, igualdade perante a lei, desenvolvimento do bem-estar humano, paz universal e toda a gama de progresso ético e humano se lhes apresentavam transformadas por um halo bíblico e como a verdadeira essência das tradicionais esperanças messiânicas. A dimensão messiânica, em muitos casos inconsciente, do renascimento nacional judeu que começou no século XIX na Europa, que se desenvolveu no movimento sionista e culminou no estabelecimento do Estado de Israel, em 1948, é ainda mais evidente. De fato, os judeus raramente colocam as questões literalistas tão próprias das mentes fundamentalistas cristãs. De maneira geral, eles não se perguntam se este ou aquele acontecimento histórico é o "cumprimento" desta ou daquela profecia bíblica embora alguns círculos religiosos atuais falem do "começo do desabrochar de nossa redenção". Mas, embora não se coloque o problema do messianismo fundamentalista ou a escatologia apocalíptica, não pode haver dúvida quanto à presença de nuances messiânicas. O fim do Exílio, o retorno à Terra Prometida, o restabelecimento de Israel como uma reunião judaica, a experiência de "plenitude" relacionada com o retorno ao solo ancestral e com o ideal um tanto tolstoiano do trabalho manual e o ideal socialista de justiça e igualdade (tentado pelo movimento kibutziano) – tudo isto, embora não estritamente "bíblico", não deixou entretanto de fazer vibrar certas cordas sensíveis na alma judia.

De fato, mesmo o judeu mais secularizado compreendeu que certos fatos indiscutíveis enunciados pelas Escrituras e a realidade de sua experiência pessoal eram, de certa forma, coincidentes. Ambas operavam por assim dizer no mesmo comprimento de onda da experiência. O fato de o nascimento do Estado de Israel ter se realizado no rastro de uma tragédia sem paralelos, mesmo na história judaica, o frio assassinato, efetuado pelos nazistas e seus cúmplices, de seis milhões de judeus, e em meio de uma penosa, suada e heróica luta pela sobrevivência, parece fazer a real história moderna se adaptar à noção quase arquetípica, mencionada acima, de um messianismo de dois aspectos, composto de catástrofe de um lado e redenção do outro. A história contemporânea é evidentemente mais difícil de estudar do que a das gerações passadas. Conseqüentemente, a história do messianismo religioso, apocalíptico e místico da História Judaica antiga, medieval e moderna foi escrita mais ou menos satisfatoriamente, enquanto uma análise completa e autorizada dos elementos messiânicos no pensamento religioso e nos movimentos nacionais e sociais do recente judaísmo moderno e contemporâneo ainda está por ser feita. Há, não obstante, o fato significativo de que o messianismo judaico parece estar passando por uma certa crise. Durante quase 2 500 anos, o povo judeu esperou por um rei melhor ou por melhores dias, por uma gloriosa restauração ou por um novo céu e uma nova terra. Seus teólogos e místicos divulgaram esta noção de redenção do exílio, sofrimento e perseguição, para incluir a redenção do pecado e de todo mal. O Retorno a Sião e a Reunião dos Exilados seria a consumação redentora porque parecia além do alcance das possibilidades naturais e, por conseguinte, de modo nenhum, menos miraculoso e sobrenatural do que a vitória sobre o pecado e o mal e a realização da completa comunhão com Deus. Realmente, ambos viriam juntos. Em meados do século XX, um povo judeu amplamente secularizado viu-se numa situação sem precedentes, num mundo secularizado. Aquilo por que muitas gerações haviam rezado e esperado, ou antes, no que haviam acreditado com aquela obstinada fé que nasce menos do fanatismo do que da profunda certeza íntima, veio a se realizar e, ainda assim, ninguém seria suficientemente audacioso para falar de uma consumação messiânica, embora alguns falem de um princípio messiânico. Não obstante, ainda não existe paz nas fronteiras e tanto o homem em particular quanto a sociedade como um todo sabem que ainda estão muito afastados da integridade e da perfeição que o utopismo tradicional associou com a era messiânica, apesar da declaração mais racional e anti-apocalíptica de um antigo rabi, tendo em vista que a única diferença entre o exílio e a era messiânica seria a libertação de Israel do domínio gentílico. Parece que é justamente porque o movimento sionista realizou tantos – embora não todos – de seus alvos e satisfez tanto o dinamismo da história judaica, que sua imensa consecução torna a ausência de uma consumação messiânica ainda mais patente. Ele tornou a colocar de novo, a questão do messianismo, pois a realização é o maior inimigo da esperança, assim como a existência da esperança é o mais eloqüente testemunho da verdade de que a realização ainda está pendente. Mas, se o passado contém a chave do futuro, poder-se-ia sugerir que a presente crise do messianismo levará antes a uma nova reinterpretação do que ao total abandono de um complexo símbolo que por milênios serviu como expressão da inquebrantável convicção dos judeus na sua identidade nacional, destino religioso, promessa inalienável e certeza absoluta de um futuro próprio, ligado ao futuro da humanidade.

BIBLIOGRAFIA

FRIEDMANN, H. G. "Pseudo Messiahs". *In: The Jewiwh Eneyclopaedia.* Vol. X, pp. 251-255.
GRESSMANN, H. *Der Messias.* 1929.
KLAUSNER, J. *The Messianic Idea in Israel, from its Beginnings to the Completion of the Mishnah.* 1955.
MOWINCKEL, S. *He That Cometh. The Messianic Concept in the Old Testament and later Judaism.* 1956.
SARACHEK J. *The Messianic Idea in Medieval Jewish Literature.* 1932.
SCHOLEM, G. *Major Trends in Jewish Mysticism*, 1965, Index svv. Messiah, Messianic, Messianism. Trad. bras. *As Grandes Correntes da Mística Judaica*, Perspectiva, Col. Estudos n. 12, 1972.
Id. Sabatai Tzvi: O Messias Místico, 1957. (Em hebraico). Trad. bras., Perspectiva, Col. Estudos n. 141, 3 vols., 1995.
Id. Zum Verstaendnis der messienischen Idee im Judentum. *Eranos-Jahrbuch*, Zurique, XXVIII, 1960.
SILVER, A. H. *A History of Messianic Speculation in Israel*, 1958. ZOBEL, M. *Der Messias und die messianische Zeit in Talmud und Midrasch*, 1938.
ZWI WERBLOWSKY, R. J. Crises of Messianism. *Judaism.* VII, pp. 106-120, 1958.

3. O "Povo" e o Reino de Israel Antigo: O Papel das Instituições Políticas no Período Bíblico

INTRODUÇÃO

O especial interesse demonstrado pela pesquisa histórica do fenômeno social no século XX encontrou ampla expressão no estudo do Oriente Próximo antigo e da história de Israel no período bíblico[1]. Nestas áreas, em que antes dominavam os enfoques filológico, político e teológico, surge uma nova linha. Indubitavelmente o mérito desta nova direção na pesquisa cabe a Max Weber e sua *Das Antike Judentum*, postumamente publicada, em 1921. Essa obra, entretanto, baseava-se principalmente em fontes secundárias e, ocasionalmente, em alguns duvidosos postulados predominantes entre a crítica bíblica de seus dias e em algumas analogias arbitrárias entre a sociedade

---

1. O núcleo do presente estudo foi um trabalho The "General Assembly" in Ancient Israel: An Aspect of Primitive Democracy, lido no 13º *Congresso Internacional de Assiriologia* em Paris, em julho de 1964, dedicado à questão da *Vox Populi*.

Foram empregadas as seguintes abreviaturas:

Enc. Miqr. – *Encyclopaedia Miqra'it*. Jerusalém, 1950-68, vols., I-V, (Enciclopédia Bíblica, em hebraico).

JAOS – *Journal of the American Oriastal Society*
JNES – *Journal of Near Eastern Studies*
RA – *Revue d'Assyriologie*
RB – *Revue Biblique*
VDI – *Vestnik Drevnei Istorii*
VT – *Vetus Testamentum*

bíblica e a da antiga Grécia. Albrecht Alt, que em grande parte foi influenciado pela metodologia de Weber na sociologia da religião, posteriormente desenvolveu esta linha de pesquisa, particularmente na área da teoria política e estudos das instituições no Israel antigo. Seu trabalho e o de seu discípulo Martin Noth ainda são a base da pesquisa posterior nestes campos[2].

Depois de 1943, produziu-se um notável reflorescimento da pesquisa da sociedade e instituições do período bíblico, quando Thorkild Jacobsen chamou a atenção dos eruditos para termos e conceitos "democráticos" no mundo autoritário da Mesopotâmia antiga[3]. Daí para frente, este campo de pesquisa foi ampliado e os especialistas assinalaram fenômeno semelhante na Babilônia Selêucida, bem como entre os hurritas e hititas, em Ugarit (Ras-Schamra) na Núbia e mesmo na China antiga[4]. É neste contexto que a situação em Israel durante o período bíblico foi considerada, particularmente na sociedade tribal-patriarcal, antes da ascensão da monarquia, e foram feitas comparações tipológicas entre as antigas instituições mesopotâmicas e suas similares em Israel[5]. Nos últimos anos foram publicados estudos mais detalhados sobre algumas instituições específicas do Antigo Israel[6], culminando na mais valiosa síntese, de Roland de Vaux[7].

---

2. A. Alt, *Die Staatenbilding der Israeliten in Palaestina*, Leipzig, 1930, (*Kleine Schriften*, Munique, 1953, II, pp. 1-65); "Das Koenigtum in den Reichen Israel und Juda". *In*: *VT*, 1961, 1, pp. 2-22 (*Kleine Schriften*, 11, pp. 116-134); que agora também se encontra em tradução inglesa: *Essays on Old Testament History and Religion*, Oxford, 1966, pp. 173-259); M. Noth, *Die Geschichte Israels*, Goettingen, 1950. Tradução inglesa da 2ª. ed., Londres, 1958 (doravante Noth, *History*); "Gott, Koenig, Volk im Alten Testament", *Zeitschrift fuer Theologie und Kirche*, 1950, XLVII, pp. 151-191; *Gesammelte Studium zum Alten Testament*, 3ª. ed., Munique, 1966, pp. 188-229. Tradução inglesa por Thomas, Ap-D.R., da 2ª. ed.: *The Laws of the Pentateuch and Other Essays*, Edimburgo e Londres, 1966, pp. 145-178.

3. Thorkild Jacobsen, Primitive Democracy in Ancient Mesopotamia, *JNES*, II, pp. 159-172, 1943, ver também I. M. Diakonoff, *VDI*, n. 2, pp. 13-37, 1952; e G. Evans, *JAOS*, LXXIX, pp. 1-11, 1958.

4. Uma lista dos trabalhos im ortantes aparece em I. M. Diakonoff, *VDI*, 1963, n. 1, pp. 21-22. Ver também, V. V. Ivanov, *VDI*, n. 4, pp. 19-36, 1957, *ibid*. 1958, n. 1, pp. 3-15 (sobre a assembléia entre os hititas); M. L. Heltzer, *ibid.*, 1963, n. 1, pp. 36-56; N. B. Iankovskaia, *ibid.*, 1963, n. 3, pp. 35-55 e, mais recentemente, A. F. Rainey, *A Estrutura social de Ugarit*, Jerusalém, 1966, pp. 104-105, em hebraico, (sobre a autonomia da comunidade em Ugarit).

5. C. U. Wolf, Traces of Primitive Democracy in Ancient Israel, *JNES*, VI, pp. 98-108, 1947; R. Gordis, "Democratic Origins in Ancient Israel – the Biblical *'Edah'* ", *Alexander Marx Jubilee Volume*, New York, 1950, pp. 369-388.

6. J. van der Ploeg, "Les 'nobles israélites' ", *Oudtestamentlische Studien*, IX, pp. 49-64, 1955, W. Mckane, "The *'gibbor hayil'* in the Israelite Community", *Transactions of the Glasgow University Oriental Society*, 1959, XVII, pp. 28-37.

7. *Les Institutions de l'Ancient Testament*, Paris, 1958-1960, I-II. Tradução inglesa: *Ancient Israel, Its Life and Institutions*, Londres, 1961. (Doravante: de Vaux,

As instituições políticas no Israel Antigo, durante a conquista de Canaã, o período de povamento e a época dos Juízes, foram amplamente estudadas por diversos eruditos[8] e não retomaremos aqui o assunto. No presente estudo, tentaremos demonstrar o caráter dinâmico e mutável das corporações políticas, particularmente aquelas que expressam a soberania do povo. Conseqüentemente, decidimos limitar nossa investigação ao período da monarquia, época em que estes corpos políticos eram fortemente pressionados por tendências centrípetas e sua autoridade estava dando lugar à da monarquia. Sugerimos que, apesar do caráter-centralizado do reino unido no período de Davi e Salomão, e, a despeito da tradição real muito arraigada nos estados separados de Judá e Israel, a soberania do povo – tal como é expressa em suas instituições – não cessou, mas continuou a se expressar, embora sob formas diferentes, até a queda dos dois estados e mesmo depois disso.

Definiremos uma série de conceitos básicos que temos que empregar.

Os termos usuais empregados para denotar o povo todo como portador da autoridade política, militar ou cúltica-cerimonial são: "Israel", "todo Israel", "o povo de Israel" e "congregação (*edá* ou *kahal*). Destes, "Israel", "o povo de Israel" ou em forma abreviada "o povo" – *ha-am* – assinalam não só a totalidade das tribos, mas qualquer parte delas – qualquer que seja o seu número – agindo em seu nome. A assembléia do povo chama-se *ha-edá* – "a congregação" (ou "a congregação de Israel", "a congregação de YAWH" etc.), indica, na maior parte, a reunião para propósitos de guerra e culto; o uso do termo *edá* é sobretudo antigo, desaparecendo gradualmente no pe-

---

Institutions). Dos estudos que apareceram posteriormente foram feitas referências específicas a: J. L. McKenzie, "The Elders in the Old Testament". In: *Analecta Biblica,* 1959, X, pp. 388-400, G. Evans, 'Gates' and 'Sities': Urban Institutions in Old Testament Times, *Journal of Religious History,* 1962, II, n. 1, pp. 1-12; E. A. Speiser, "Background and Function of the Biblical *Nāsī*", *Catholic Biblical Quartely,* 1963, XXV, pp. 111-117; K. H. Bernhardt, *Das Problem der altorientalischen Koenigideologie im Alten Testament,* Leiden, 1961; J. Liver, "Kingship". *In: Enc. Miqr.,* IV, cols. 1080-1112 (em hebraico); A. Malamat Kingship and Council in Israel and Sumer: a Parallel: *JNES,* XXII, pp. 247-253, 1963, *idem,* "Organs of Statecraft in the Israelite Monarchy". In: *The Biblical Archaeologist,* 1965, XXVIII, pp. 34-50; G. Evans, Rehoboam's Advisers at Schechem, and Political Institutions in Israel and Sumer, *JNES,* XXV, pp. 273-279, 1966. A respeito do problema de *am haares,* ver a literatura relacionada na nota 39.

8. Noth, *History,* p. 83 e ss., J. Bright, *A History of Israel,* Filadélfia, 1959, (doravante: Bright, *History*), p. 142 e ss.; H. M. Orlinsky, "The Tribal System of Israel and Related Groups in the Period of the Judges". In: *Oriens Antiquus,* 1962, I, pp. 11-20; A. Malamat, J. Liver, E. A. Speiser, em B. Mazar, (ed.), *Os Patriarcas e os Juízes.* "História Universal do Povo Judaico. Primeira Série: Tempos Antigos". Tel-Aviv, 1967, vol. II, pp. 219-262; 197-300 (em hebraico).

ríodo dos reis. *Kahal (ou kehal Israel, kehal YHWH, Kehal elohim,* isto é, do Senhor etc.) como seu nome significa, é um outro termo para assembléia. Ao contrário de *edá*, não se tornou obsoleto no período da monarquia e, depois do retorno do exílio babilônico, tornou-se o termo comum para "assembléia do povo". Os "anciãos" *(zekenim)*, "os anciãos de Israel", "os anciãos de Judá", eram os chefes dos clãs, os notáveis, em razão de seu *status* familiar-social ou econômico. Sua autoridade que era considerável no período prémonárquico, e inclui poderes de adjudicação e liderança, foi naturalmente restringida depois que a monarquia estabeleceu suas próprias instituições, mas eles ainda são mencionados muitas vezes no curso da história de Israel e Judá.

O elo de conexão entre a antiga organização tribal de Israel e o regime monárquico centralizado de Davi e Salomão foi o reinado de Saul, o último dos juízes e o primeiro dos reis. Entretanto, muito pouco se conhece dos órgãos de governo durante seu reinado. Os principais postos na administração recentemente criada eram distribuídos, como se pode verificar, entre os parentes do rei, da tribo de Benjamim. Por outro lado, no tempo de Davi, encontramos uma oficialidade altamente desenvolvida, aparentemente surgida do nada, que incluía novas posições e novas pessoas, algumas delas nãoisraelitas? *(II Sam:* 8:16-17, 20:23-26). Esta oficialidade era composta de: a) generais do exército – Joab "no comando de todo o exército de Israel" e Benaiá ben-Joiada, sobre os quereteus e sobre os peleteus, os mercenários filisteus que serviam como corpo da guarda do rei e b) os principais ministros da administração civil, a maior parte dos quais – como B. Mazar indicou[9] – eram aparentemente de origem canaanita: o "escrivão" *(mazkir)*, o arauto do rei, nos moldes do *naguiru* acadiano, o "secretário", isto é, o escriba *(sofer)*, que pela natureza do seu cargo era encarregado da correspondência com os países vizinhos e o dignitário "encarregado da arrecadação", isto é, encarregado da corvéia. Além disso, havia os "administradores" *(sarim)* das propriedades de Davi – os oficiais encarregados das terras da coroa e dos vários setores econômicos do estabelecimento real. *(I Crôn.* 27:25-31). Este era, evidentemente, um reino com novos e efetivos instrumentos de governo, que na maior parte eram estranhos à tradição política de Israel.

Defrontamo-nos agora com um fenômeno surpreendente. O vigoroso governo real com seu complexo de oficiais e seu amplo pessoal sofre um golpe mais sério no fim do reino de Davi: a revolta

---

9. B. Maisler, (Mazar), *Boletim da Sociedade de Exploração Judaico Palestina,* 1946/46, XIII, pp. 105-114, (em hebraico), ver também, R. Vaux, de *RB.* XLVIII, pp. 394-405, 1939.

de Absalão e a revolta de Scheba ben-Bichri que dela decorreu. Ambas as rebeliões, que quase se sucederam, para destronar Davi, revelaram a extensão do poder investido no povo e a vitalidade de suas instituições. Visto que este foi um ponto crucial na história da antiga monarquia e, especialmente, como não há razão para duvidar da fidedignidade da fonte que o descreve (*II Sam.* 15:20 recordou, não muito depois, os fatos ocorridos, talvez como testemunho vivo) – podemos tomá-lo como ponto de partida no presente estudo.

A REVOLTA DE ABSALÃO: O PAPEL DOS "HOMENS DE ISRAEL"

Ao considerar o episódio da revolta de Absalão, confrontamo-nos com uma questão básica: por que o povo ofereceu amplo apoio a Absalão e abandonou completamente seu rei? Dificilmente podemos nos satisfazer com a resposta do antigo biógrafo que atribui o êxito de Absalão a seu encanto pessoal. "Também Absalão se levantou pela manhã, e parava a uma banda do caminho da porta. E sucedia que a todo o homem que tinha alguma demanda para vir ao rei a juízo, o chamava Absalão a si, e lhe dizia: De que cidade és tu? E, dizendo ele: Duma das tribos de Israel é teu servo. Então Absalão lhe dizia: Olha, os teus negócios são bons e retos, porém não tens quem te ouça da parte do rei. Dizia mais Absalão: Ah! quem me dera ser juiz na terra! para que viesse a mim todo o homem que tivesse demanda ou questão, para que lhe fizesse justiça. Sucedia também que, quando alguém se chegava a ele para se inclinar diante dele, ele estendia a sua mão e pegava dele, e o beijava. E desta maneira fazia Absalão a todo o Israel que vinha ao rei para juízo: assim furtava Absalão o coração dos homens de Israel" (*II Sam.* 15:2-6).

Quais eram então as forças que apoiavam Absalão? Através da descrição da revolta torna-se evidente que a maioria do povo apoiou Absalão, enquanto Davi foi deixado com "seus servos" (15:14) – os cortesãos – e seu regimento de leais mercenários (*Ibid.* 18). A estrutura real que ele havia estabelecido com todos seus oficiais e com todo seu exército, parecia desmoronar e desaparecer. Quando, finalmente, tomou providências para lutar contra Absalão, Davi foi obri-gado a organizar um exército essencialmente novo (*I Sam.* 18:1), aparentemente com homens de Gilead, a única província de seu reino que permaneceu leal e lhe ofereceu amplo apoio.

As forças dispostas atrás de Absalão são geralmente designadas "os anciãos de Israel" – *ziknei Israel* – e "os homens de Israel" – *isch Israel* – (literalmente: "o homem de Israel"). Bem no começo da revolta foi dito a Davi: "O coração de cada um em Israel segue a Absalão" (*II Sam.* 15:13). Quando Davi foge de Jerusalém e Absa-lão vem para cidade "todo o povo, os homens de Israel" vieram com ele (16:15); é diante do rei "e todos os anciãos de Israel" que Aitofel dá o seu conselho de como capturar Davi (17:4) e é diante de Absalão "e todos os homens de Israel" que Huschai, o Arquita, aconselha o contrário. Absalão "e todos os homens de Israel", passaram o Jordão em perseguição de Davi (17:24). O campo de Absalão é referido de forma abreviada como "Israel". "Saiu pois o povo ao campo a encontrar-se com Israel (isto é, o exército de Davi)." (*I Sam.* 18:6). É claro que "os anciãos de Israel" e "os homens de Israel" não são usados como sinônimos, mas que há uma clara distinção entre eles. Enquanto o rei e os "anciãos de Israel" aceitaram o conselho de Aitofel, "os homens de Israel" o rejeitaram. Esta era então, uma autoridade superior, que poderia rejeitar a decisão dos anciãos; "os homens de Israel" constituíam uma assembléia mais ampla do que a dos anciãos, não somente no nome mas também em essência. Quem se incluía entre "os homens de Israel" neste caso? Não se pode supor que a referência seja relativa aos chefes dos clãs ou aos notáveis das tribos, uma vez que estes parecem ser idênticos aos "anciãos de Israel" ou, pelo menos, os dois coincidiam em grande parte. A ampla definição do conceito "os homens de Israel" é claramente enfatizada, por exemplo, nas palavras de Huschai, o Arquita (16:18): "e todo este povo e todos os homens de Israel". Agora, a única assembléia diante da qual Davi provavelmente fugiria de Jerusalém com seu exército profissional quando as notícias da rebelião o alcançaram – só poderia ter sido o *exército*. Assim não nos enganaremos propondo que "os homens de Israel" eram o exército de Israel. Esta suposição explica por que "os homens de Israel" acompanharam Absalão quando ele entrou em Jerusalém e por que foi esta assembléia (mais do que "os anciãos de Israel") que mais tarde cruzaram o Jordão para lutar contra Davi: "Absalão passou o Jordão, ele e todos os homens de Israel com ele" (17:24). Baseados nesta distinção, podemos compreender o contraste entre a natureza do conselho de Aitofel – o espírito de mudança por trás da revolta de Absalão – e o do seu rival, Huschai, o Arquita – o "quinta-coluna" de Davi. O conselho de Aitofel – "Deixa-me agora escolher doze mil homens e me levantarei e seguirei após Davi, esta noite" (17:1) – foi expresso com o fito de dar uma expressão totalmente tribal à guerra contra Davi, desde que a intenção era – mil homens de cada tribo. A intenção de Aitofel era uma rápida ação para capturar Davi sozinho, sem tocar o povo que estava com ele (17:2). Mas, Huschai, o Arquita, também ofereceu argumentos tático-militares contra esse parecer e insistiu que "todo o Israel desde Dã até Beer-Scheba, em multidão como a areia do mar e, que tu, em pessoa vás à peleja"

(17:11) e que este exército reforçado fosse usado para atacar Davi e seu campo e para destruir todos os seus seguidores (*Ibid.* 12). Sabemos, é claro, que o conselho de Huschai é que foi seguido, mas, merecem menção algumas tênues distinções de vocabulário: o exército de Absalão que estava lutando contra o exército de Davi é chamado simplesmente "Israel" (18:6) ou "o povo de Israel" enquanto o exército de Davi é referido como "os servos de Davi": "E ali foi ferido o povo de Israel, diante dos servos de Davi" (18:7). O contraste aqui é claro e agudo: Davi e seus "servos" contra todo o povo de Israel, incluindo a tribo de Judá. Realmente, não há base para supor que a tribo de Judá não tivesse tomado parte na revolta de Absalão permanecendo inteiramente neutra. Além disso, é inconcebível que Absalão tenha sido coroado em Hebron, a cidade sagrada de Judá, sem aquela ativa cooperação ou consentimento da tribo. Somente na suposição de que Judá tenha participado da revolta, junto com as outras tribos de Israel é possível explicar o encontro de Amasa, um judaíta e parente do rei, como general de Absalão (17:25). Entretanto, quando Judá aparece em oposição a Israel, após a supressão da revolta de Absalão, encontramos os "homens de Israel" como um corpo distinto dos "homens de Judá" (19:43-44, 20:4). A expressão "os homens de Israel" aparece claramente no estrito senso do exército das "dez tribos", tal como o termo "Israel" denota nos livros bíblicos, às vezes, todo o povo, incluindo Judá, e outras vezes, Israel sozinho, com a exclusão de Judá.

Qual era a composição real dos "homens de Israel"? Nós não temos um conhecimento exato quanto à estrutura do exército nacional de Davi. As fontes falam principalmente de seus profissionais: a) *os guiborim*, isto é, os "campeões" ou "homens poderosos" e b) os mercenários filisteus: os quereteus e os peleteus e os 600 guerreiros de Gath (*II Sam.* 15:18). Entretanto, dificilmente podemos duvidar da existência de um exército de conscritos reunido em guerras importantes durante o reinado de Davi. Tal exército é explicitamente mencionado na batalha contra os arameus: "Vendo pois Joab que estava preparada contra ele a frente da batalha, por diante e por detrás, escolheu dentre todos os escolhidos de Israel e formou-os em linha contra os arameus" (*II Sam.* 10:9). É bastante provável que quando o povo era chamado às armas, nos tempos de Davi, o fosse numa base familiar, como era procedimento costumeiro na sociedade tribal de Israel na qual a unidade familiar era idêntica à militar. Naquele caso o termo *elef*, isto é, um mil, ainda desempenhava um papel vital no exército recrutado de Davi, tal como nos primeiros dias de Israel. O sentido básico de *elef* é de família ou tribo mas também significa a unidade militar estabelecida pela família ou a tribo. Teoricamente, esta unidade consistia em "mil homens", mas, efetivamente, o número pode ter sido muito menor[10]. Quando o povo era recrutado para o exército, na base tribal-familiar, era reunido "aos milhares". Sob tal sistema de recrutamento, baseado na unidade *elef*, a liderança tribal local conservaria naturalmente uma grande margem de influência. E é bem provável que os chefes "dos milhares" e mesmo os chefes dos cem – as subunidades do *elef* – tenham provindo da liderança local e não dos oficiais militares profissionais que ascenderam por mérito próprio[11]. É pois este sistema de recrutamento para o exército do povo, no tempo de Davi, que possibilitou a Absalão empreender sua rebelião. A conexão inerente entre a estrutura militar e o padrão tribal-familiar manifesta-se na participação de ambas as instituições na revolta de Absalão: "os homens de Israel" – o exército do povo baseado na unidade família – e os "anciãos de Israel" – os representantes do povo de acordo com a estrutura patriarcal territorial. Ambas eram tão-somente expressões diferentes de uma única entidade social.

Um breve exame do uso do termo "os homens de Israel" nas fontes do período pré-davídico fortalece a explicação sugerida.

a) Em *Josué*, 9, os gibeonitas, que inicialmente pertenciam à área de Jerusalém, voltam a Josué e aos "homens de Israel" e pedem um tratado de proteção com eles. Neste relato "os homens de Israel" é idêntico a "congregação" de Israel *(edá)*, cujos "príncipes" – *nesiim* – fazem o pacto e juram em seu nome. "Os homens de Israel" neste caso denotariam a confederação tribal em sua capacidade militar.

b) *Em Juízes*, 9, "os homens de Israel" oferecem o reino a Gideão, após sua vitória sobre os midianitas e há razões para se supor, também aqui, que a referência é relativa aos guerreiros (justamente como "os homens de Efraim" *em Juízes*, 12, que se opõem a Jeftá, o Gileadita, são os lutadores de Efraim e os "homens de Judá" congregados por Saul *(I Sam.* 11:9) a fim de lutar contra os amonitas – são os guerreiros de Judá).

c) A natureza da expressão "os homens de Israel" torna-se particularmente clara através do relato da guerra empreendida pelas tribos de Israel contra a tribo de Benjamim, novamente relatada em *Juízes* 19-20. A "congregação" reúne-se em Mitzpá ao lado de Benjamim e escolhe, por sorteio, dez por cento de todos os guerreiros:

---

10. G. E. Mendenhall, *Journal of Biblical Literature*, LXII, pp. 52-66, 1955, de Vaux, *Institutions*. Trad. ingl., pp. 225-226.

11. Y. Yadin, que fez um estudo detalhado do método de recrutamento e a estrutura do exército na época de Davi, foi mais adiante e sugeriu que a tribo (*i. e.* os chefes da tribo) determinava a tarefa das subunidades em tempo de guerra: Y. Yadin, *The Scroll of the War of the Sons of Light Against the Sons of Darkness*, Oxford, 1962, pp. 49-53 e 83-86.

"dez homens de cada cem, de todas as tribos de Israel e um cento de cada mil e mil de cada dez mil". A partir deste ponto, este exército selecionado é mencionado como "os homens de Israel" (20:11) ou "Israel" ou "os filhos de Israel" (*Ibid.* 23-24) ou "todo o povo" (*Ibid.* 26-30). É pouco provável que estas variantes provenham de fontes diferentes: parecem, antes ser variantes de estilo. Somente num estágio posterior do relato, quando há uma discussão de como impedir que a tribo de Benjamim seja aniquilada, depois que a maioria de seus homens caiu em batalha (21:16), o termo "os anciãos do povo" aparece. Aqui também, é mantida a distinção entre "os anciãos" de um lado e "os homens de Israel" de outro. Para as finalidades de nossa discussão, não é necessário considerar a questão da veracidade histórica destes relatos; evidentemente, o grau de historicidade de alguns deles, não está completamente claro, especialmente porque há razões para se supor que foram compostos ou editados seja com fins etiológicos ou, mais provavelmente, polêmicos – nos reinados de Davi e Salomão. O fator essencial para nossos propósitos é que o termo "os homens de Israel" é usado nestes relatos no sentido estritamente militar com que aparece na narrativa da revolta de Absalão.

A única fonte em que "os homens de Israel" não é, necessariamente, usado num sentido militar é em *I Reis* 8:1 "Então congregou Salomão os anciãos de Israel e todos os cabeças das tribos, os príncipes dos pais, dentre os filhos de Israel, diante de si em Jerusalém, para fazerem subir a arca do concerto do Senhor da cidade de Davi, que é Sião". Esta é a última menção aos "homens de Israel" nos livros históricos da Bíblia, bem como o último evento dos "chefes das tribos" e da participação dos *nesiim* ("líderes", "príncipes") em negócios públicos durante o período da monarquia. É muito provável que aqui o editor tenha, intencionalmente, empregado termos mais antigos a fim de colocar seu relato contra o pano de fundo das instituições tribais em seu mais amplo sentido. Segue-se que o aparecimento do termo "os homens de Israel" no contexto da rebelião de Absalão é, de fato, o último uso deste termo em um quadro histórico autêntico.

Voltamo-nos agora para um outro aspecto do relato da revolta de Absalão – o próprio aparecimento de "os homens de Israel" e "os anciãos de Israel" como um corpo consultivo do rei. Este fenômeno desperta um especial interesse, pois é uma inovação completa, se comparada com o costume seguido no tempo de Davi. Nenhum dos dois termos é mencionado sequer uma vez nas narrativas históricas que descrevem o reinado de Davi, nem há a mínima sugestão de que o rei tenha alguma vez recorrido ao conselho do povo; sua lei era baseada na oficialidade ramificada – "os servos do rei" – e no exército profissional. A consulta aos guerreiros e aos anciãos não era absolutamente um ato simbólico ou uma mudança casual no sistema de tomada de decisões iniciado por Absalão. Era, admitimos, o próprio sentido da rebelião. A radical transformação ocorrida em Israel com o estabelecimento da monarquia centralizada, a superação das instituições tribal-patriarcais pelas monárquicas, chocando-se assim com a liderança tradicional, o afastamento do rei do seu povo, e o gradual desaparecimento da imagem do rei como um "juiz" (*schofet*) a quem todos os cidadãos poderiam se dirigir para obter justiça – estas mudanças dinâmicas que ocorreram em algumas décadas, provocaram um ressentimento cada vez maior que veio à tona na revolta de Absalão. É contra este pano de fundo que o apoio oferecido a Absalão por instituições tribais heterogêneas deveria ser considerado. Os "anciãos", "os homens de Judá" e "os homens de Israel" – todos unidos em uma corrente que se expressava num paradoxo: o príncipe autocrático, o descendente de uma família real também por lado de mãe (*II Sam.* 3:4), que dificilmente poderia ter a mínima ligação com instituições populares e que agia como se fosse rei mesmo enquanto seu pai vivia, ganhou toda a simpatia e apoio da liderança tradicional que esperava encontrar nele seu redentor. E, de fato, nunca Absalão reviveu a autoridade das forças militares latente desde os dias de Saul. Mesmo então, sua voz – particularmente a dos "anciãos de Israel" – somente era ouvida em momentos de anarquia e de ruptura da autoridade real: quando Saul morreu e, mais tarde, quando seu filho Eschbaal foi assassinado. Deixando os anciãos e os guerreiros desempenhar um papel ativo nas deliberações de importância vital, a ação de Absalão parecia ser um lance demagógico habilmente planejado. Poder-se-ia perfeitamente duvidar que este novo arranjo ter-se-ia mantido, tivesse Absa-lão continuado a seguir seu pai em batalha. De qualquer forma, um monarca cuja soberania é limitada por assembléias tribais ou por conselhos de anciãos é um fenômeno até então não encontrado em Israel, no período bíblico, nem nos reinos vizinhos, grandes ou pequenos.

A revolta de Absalão fracassou e, com ela, a esperança de seus adeptos de retroceder no tempo e reviver a autoridade das antigas instituições. Poder-se-ia esperar que, depois desta derrota, a posição de Davi fosse fortalecida e que ele até pudesse adquirir poderes mais centralizados do que no passado. Mas, as coisas se passaram de maneira diferente. Posto que a própria rebelião revelou a fraqueza do regime e enfatizou a força das instituições populares, Davi sentiu necessidade de seguir novos rumos. Ele não voltou a Jerusalém como um vencedor à frente de seu exército, mas tomou a decisão que estava destinada a determinar a sorte do reino unido de Israel. Deduzimos esta nova política de Davi pela linguagem da mensagem que enviou aos anciãos de Judá: "Por que pois seríeis os últimos em tornar a trazer o rei? E a Amasa direis: Porventura não és tu meu osso e minha carne? Assim me faça Deus, e outro tanto, se não fores chefe do arraial diante de mim para sempre, em lugar de Joab. Assim moveu o coração de todos os homens de Judá, como o de um só homem: e enviaram ao rei dizendo: Volta tu com todos os teus servos" (*II Sam.* 19:12-14).

Percebe-se aqui que Davi está tentando repetir velhas táticas que anteriormente o haviam ajudado a se tornar rei de Judá e Israel. Naquela época, após a morte de Saul, ele vencera os anciãos de Judá, e particularmente os do sul, defendendo-os contra os amalaquitas e mandando-lhes parte do butim (*I Sam.* 30:26-31); então ele subiu a Hebron onde "os homens de Judá" proclamaram-no rei. Somente após alguns anos, depois da morte de Eschbaal, filho de Saul, foi que todos "os anciãos de Israel" – os representantes das "tribos do norte" – pediram a Davi para que estendesse o seu governo sobre Israel. (*II Sam.* 5:1-3); assim, depois que fez com eles um pacto em Hebron, "diante do Senhor", Davi foi proclamado rei sobre todo Israel, unindo, para usar a expressão de Alt, em sua personalidade, Judá e Israel, sob uma única coroa. Agora, confrontando com a desintegração do reino unido que havia criado, pôs-se Davi a consolidar sua posição entre as instituições tribais de Judá, na esperança de que isto pudesse servir como trampolim para o fortalecimento de sua autoridade sobre "todo Israel". Isto explica a preferência de Davi por Judá e as tribos do sul, não só em suas insinuações, "meus ossos e minha carne sois vós: por que pois seríeis os últimos em tornar a trazer o rei?", mas também num ato deliberado: a nomeação de Amasa, de Judá, comandante "dos homens de Israel" no exército de Absa-lão, no lugar de Joab. Uma clara expressão da preferência por Judá foi o ato simbólico do rei ao cruzar o Jordão quando "os homens de Judá" trouxeram o rei e sua casa através do Jordão (*II Sam.* 19:41). A sua chegada para receber o rei, "os homens de Israel" descobriram, para sua consternação, que estavam atrasados. O argumento dos "homens de Israel", de acordo com a história, era que "Dez partes temos no rei", enquanto os "homens de Judá" afirmavam: "O rei é nosso parente" (19:43). O relato termina com a afirmação obscura: "Porém a palavra dos homens de Judá foi mais forte do que a palavra dos homens de Israel". Agora tornara-se evidente, sem dúvida nenhuma, que Davi era realmente aparentado com Judá e daí em diante ele manteria uma ligação mais íntima com suas instituições tribais, perturbando assim o equilíbrio de seu reinado. A ira dos "homens de Israel" se expressou na revolta liderada por Scheba ben-Bichri da tribo de Benjamim, que pregava a destruição da casa de Davi. Sua divisa: "Não temos parte em Davi, nem herança no filho de Jessé", que finalizou com o grito: "cada um às suas tendas, ó Israel" (*II Sam.* 20:1), expressa a essência da sua revolta. Como nesta época os rebeldes não tinham outro candidato para substituir Davi, cujo governo eles acabavam de denunciar, a explicação real da revolta era pois a abolição temporária da monarquia ou, pelo menos, um período de anarquia até que um novo rei fosse escolhido. É pois compreensível o motivo pelo qual Davi encarou esta nova crise mais seriamente do que a revolta de Absalão: "Mais mal agora nos fará Scheba, filho de Bichri, do que Absalão" (20:6). Davi pôs-se a caminho para reprimir a rebelião no nascedouro. Primeiro, tentou mobilizar "os homens de Judá" para a luta, mas, Amasa, a quem foi atribuída esta tarefa, fracassou ao executá-la. Davi não teve outra escolha senão contar com seu leal exército, os *guiborim* e com o contingente filisteu, sob o comando de Joab e Abischai, seu irmão, que foram então urgentemente enviados para perseguir Scheba ben-Bichri. Quando o rebelde foi expulso pelos cidadãos de Abel Beit-Maacha, na Galiléia do Norte, a revolta terminou e o povo voltou "cada homem para sua tenda" (20:22).

Os privilégios outorgados a Judá não foram abolidos depois que a última revolta foi sufocada. Além disso, há razões para se supor que, nos tempos de Salomão, Judá não estava incluída entre os doze distritos administrativos (*I Reis* 4:7-19) e era por isto isenta da obrigação de fornecer produtos agrícolas para a corte do rei e, possivelmente, de outros tributos impostos às tribos de Israel[12]. Não obstante, a posição especial de Judá dentro do reino não provocou uma revolta imediata de Israel; a prosperidade econômica do país, os êxitos políticos e os anos de paz e estabilidade que marcaram o reino de Salomão, mantiveram o equilíbrio interno. Na segunda metade de seu reinado, entretanto, quando as condições políticas e econômicas deterioraram e os recrutamentos (mobilização e corvéia) aumentaram, começou uma agitação que foi se desenvolvendo até transformar-se numa verdadeira revolta[13]. Jeroboão, um efraimita, um dos oficiais do rei, encarregado da corvéia dos trabalhadores "da casa de José", "levantou a mão contra o rei" (11:27). Mas essa revolta – da qual foi preservada uma versão variante na Septuaginta – fracassou. Jeroboão fugiu para o Egito e encontrou refúgio em Schoschenq, o

---

12. Seguindo B. Mazar, *Boletim da Sociedade de Exploração de Israel*, 1960, XXIV, p. 13, (em hebraico), Y. Aharoni, *The Land of the Bible*, Londres, 1966, p. 279 e Z. Kallai, *The Tribes of Israel*, Jerusalém, 1967, p. 38 e ss. (Em hebraico). Um novo aspecto é abordado por W. F. Albright, *Archaeology and Religion of Israel*, Baltimore, 1942, p. 141 e Bright, *History*, p. 200. Por outro lado, A. Alt, *Kleine Schriften*, II., p. 89 e M. Noth, (*History*, p. 211) nada concluíram sobre a questão de Judá, se era ou não isenta de taxação.

13. B. Mazar. *In: Enc. Miqr.*, I, cols. 711 e ss.

fundador da 22ª dinastia e um inimigo de Salomão. Foi só após a morte de Salomão (928 a.C.), quando seu filho Roboão subiu ao trono, que o movimento de rebelião foi reavivado e assumiu maiores proporções. A assembléia de "todo Israel" em Schehem – o antigo centro no Monte de Efraim – ao coroar Roboão (*II Reis*, 12) expressa um estágio posterior e mais avançado desta agitação.

A ASSEMBLÉIA EM SCHEHEM: O PACTO E O PRINCÍPIO DINÁSTICO

Podemos perfeitamente supor que o próprio fato de escolher Schehem ao invés de Jerusalém para a cerimônia de coroação e o fato de que o rei tinha que se apresentar ali diante da assembléia, atestam a autoridade exercida pelas instituições do povo em tempo de crise. Além do mais, "todo Israel" ao se reunir, não visava a cerimônia formal de coroação em si, mas pretendia condicionar a coroação à introdução de reformas. Isto estava expresso no ultimato: "Agora, pois, alivia tu a dura servidão de teu pai, e o seu pesado jugo que nos impôs e nós te serviremos" (*I Reis*, 12:24). Roboão foi instado a proclamar certas melhorias especificadas de antemão, quase nos moldes do ato *mischarum* Acadiano, que os antigos reis babilônios do segundo milênio teriam proclamado ao assumir o trono[14]. A reforma específica, neste caso, se refere à corvéia, que, como foi assinalado, constituía um pesado ônus no fim do reinado de Salomão e que o povo encarava como uma severa restrição à propriedade privada. Judá, que não era particularmente afetada por este encargo, não participou da agitação. A assembléia (*kehal Israel* em 12:2), que conduziu as negociações com Roboão, representou pois somente as tribos do norte, liberadas por Jeroboão, que havia voltado do Egito. No princípio, parece que o resultado foi um acordo. A vinda de Roboão a Schehem e a participação de Jeroboão (o líder da revolta anterior) na assembléia indicava o desejo do jovem rei de ouvir o povo e realizar seu desejo. Mas, já era muito tarde (12:18) para a recomendação daqueles conselheiros de Roboão, que prefeririam o predomínio de uma monarquia autoritarista. Os "homens velhos" e os "homens jovens" – e não conselhos permanentes de

---

14. Estas proclamações do *mischarum* eram principalmente dirigidas à redução dos débitos e eram essencialmente limitadas por natureza. Ver em detalhe: F. R. Kraus, *Ein Edikt des Koenigs Ammi-saduqa von Babylon*, Leiden, 1958, pp. 194-209; J. J. Finkelstein, "Some New *Misarum* Material and Its Implications". In: *Studies in Honor of Benno Landsberg*, Chicago, 1965, pp. 234-246. Uma prática relacionada com o *mischarum* era o *andurarum* (*deror* hebraico), e ver J. Lewy, *Eretz Israel*, 1958, V., pp. 21-31. (Seção inglesa).

espécie alguma – indicam duas tendências opostas que provinham de duas tradições políticas, sendo ambos os grupos funcionários e cortesãos do rei. Os "homens velhos" (*zekenim*), eram os funcionários veteranos, "aqueles que se levantaram perante Salomão", isto é, que o haviam servido (de acordo com o sentido do mesmo idiomatismo em acadiano)[15]. Eles testemunharam a luta entre o rei e as instituições do povo na época de revolta de Absalão e ainda lembravam a vitória diplomática de Davi ao conseguir um acordo com o povo; por isso eles advertiram Roboão para ceder à assembléia, ainda que momentaneamente, nesta época de crise. "... e, respondendo-lhe, lhe falares boas palavras, todos os dias serão teus servos" (*I Reis* 12:7). Não obstante, os "jovens homens" (*ieladim*, literalmente "as crianças"), aqueles jovens cortesãos de Roboão "que haviam crescido com ele, que estavam diante dele" (12:8) e que haviam sido educados na tradição autoritária centralizada, viam no próprio pedido de reformas por parte da assembléia uma séria afronta à soberania do jovem rei e uma usurpação das prerrogativas reais[16]. Estes grupos de funcionários não eram tipologicamente similares às instituições dos "anciãos da cidade" e dos "jovens da cidade" na antiga Mesopotâmia[17], que servem como exemplo clássico da "democracia primitiva"[18]. A narrativa emprega deliberadamente, aqui, os termos "jovem" e "velho" porque é transposta no estilo daqueles contos eruditos que acentuam a polaridade entre a "criança", isto é, o jovem, a quem falta experiência, e o velho sábio. Pelo estilo e linguagem, pode-se deduzir que a história foi composta pelos mesmos escribas que compilaram o resto da história salomônica, isto é, "o livro dos sucessos de Salomão" (*I Reis* 11:41)[19]. Este círculo, que retratava Salomão como o pai da sabedoria em Israel, encarava a conduta de seu pretensioso filho como um ato de rematada loucura: não seguindo o conselho de seus funcionários experientes e veteranos e aceitando os dos arrogantes *ieladim*, trouxe a calamidade ao seu reino e foi severamente punido por sua loucura.

15. *Ina pan uzuzzu* "Levantar-se diante de alguém", *i. e.*, prestar serviço na Corte, e cf. A. L. Oppenheim, *JAOS*, LXI, p. 258, 1941; W. von Soden, *Akkadisches Handwoerterbuch*, Wiesbaden, 1963, p. 409.
16. I. Mendelsohn, *Bulletin of the American Schools of Oriental Research*, 1956, CLIII, pp. 17-22, A. Alt, *Kleine Schriften*, Munique, 1969, III, pp. 348-372.
17. A. Malamat, *JNES*, XXII, pp. 247-253, 1963 adota uma opinião diferente. Ver as convincentes observações críticas de G. Evans, *JNES*, XXV, pp. 273-279, 1966.
18. *JNES*, II, p. 165 e ss., 1943, ver, entretanto, as observações de S. N. Kramer, *RA*, LVIII, pp. 152-156, 1946.
19. Ver mais recentemente: L. Liver, *Biblica*, 48, 1967, pp. 96-99.

A mesma assembléia de "todo Israel" em Schehem, que depôs Roboão – utilizando a divisa da revolta de Scheba (12:16) – entronizou seu adversário Efraim. A designação daquela assembléia pelo velho termo tribal *Ha-edá* (20:20), dificilmente pode ser considerada acidental. De fato, as infames inovações que Jeroboão introduziu – o santuário de YHWH em Dã e Beit-El, a celebração no oitavo mês e a indicação de sacerdotes "de entre todo o povo" (12:25-33) – eram essencialmente a restauração de antigas tradições que prevaleceram em Israel antes do estabelecimento da monarquia[20]. Ele tomou até o cuidado de não escolher uma única cidade como capital – símbolo de governo centralizado – mas estabeleceu-se primeiro em Schehem e depois em Penuel e Tirzá (*I Reis* 12:25, 14:17). Nisto também, pode ser que tenha voltado aos costumes antigos e o fato pode, além disso, indicar a influência exercida pelas forças tribal-territoriais separatistas que o haviam levado ao trono.

Devemos levar em consideração agora a teoria que nos últimos tempos tem granjeado adeptos entre os eruditos, a saber de que a finalidade da assembléia em Schehem era fazer um acordo com o rei e sobretudo de que o *status* da monarquia em Israel era baseado em um pacto entre o rei e o povo[21]. Esta teoria é, com efeito, uma extensão do enfoque de Alt a respeito do caráter específico da monarquia em Israel e Judá. Alt, que em 1930 e novamente em 1951, estudou o aspecto ideológico das instituições monárquicas do antigo Israel, formulou a hipótese – que tem sido amplamente aceita na pesquisa bíblica – de que no seu começo, a monarquia em Israel era carismática enquanto em Judá era dinástica. De acordo com esta opinião, todo rei de Israel era escolhido só para o período de sua existência, sendo o conceito de monarquia dinástica estranho ao espírito de Israel até a época de Omri. Somente depois que Omri estabeleceu Samaria como sua capital, com uma constituição própria – como Jerusalém – e criou a "união particular entre a cidade estado da Samaria e o estado nacional de Israel" – foi que a idéia dinástica criou raízes em Israel. "Era evidente que na nova cidade de Samaria, depois da morte de seu fundador, a sua autoridade deveria passar por lei, só a seus descendentes e se o rei da Samaria era também o rei de Israel, era virtualmente inevitável que o governo do reino de Israel deveria ser incluído na herança da casa real, até que as coisas

---

20. W. F. Albright, *From the Stone age to Christianity,* Baltimore, 1940, pp. 228-230; B. Mazar, *Enc. Miqr.*, I, col. 715; H. Tadmor, *ibid,* III, cols. 773 e ss; S. Talmon, *VT*, VIII, pp. 48-58, 1958, Bright, *History,* pp. 217-218.

21. G. Fohrer, *Zeitschrift für die Alttestamentliche Wissenschaft,* 1959, LXXI, pp. 1-22, A. Malamat, *The Biblical Archaelogist,* 1965, XXVIII, pp. 35-37.

– como no excepcional caso de Jeu – voltassem a seu curso normal"[22]. Esta opinião requer algumas modificações de certa extensão. Todos os reis no antigo Oriente Próximo reinavam "pela graça de Deus", isto é, sua autoridade era carismática, embora já fosse um "carisma rotineiro"[23]. No Egito, o rei era considerado um deus, enquanto na antiga Suméria, Babilônia e Assíria o rei era visto como escolhido pelos deuses, mesmo que tivesse sucedido no trono legitimamente – e, certamente, se tivesse usurpado o trono ou fundado uma nova dinastia. De fato, na Babilônia, e aparentemente na Assíria também, os deuses reconfirmavam o rei em seu cargo anualmente durante as festas de Ano Novo, na primavera, como se o "escolhessem" novamente. A nomeação formal do rei pelos deuses – executada de fato pelos sacerdotes ou pelo profeta – era pois, um princípio estabelecido na teoria e na prática da monarquia na Mesopotâmia, tanto quanto na antiga Anatólia e em Ugarit[24]. Sob este aspecto nada há de especial a respeito da monarquia em Israel ou Judá. E, como para o princípio dinástico, aqui também, Israel não era diferente de outros reinos do antigo Oriente Próximo: nenhum deles reconhecia uma monarquia que não fosse hereditária. Realmente, de tempos em tempos, havia interrupção na ordem de sucessão ou mudanças de dinastia, mas o princípio dinástico como tal nunca era questionado em nenhum dos reinados de que temos conhecimento, grande ou pequeno. Nenhum rei – mesmo um usurpador que tenha subido ao trono pela força – acreditava que iria reinar temporariamente, mas confiava em que ele e seus filhos reinariam "para sempre". Em Israel, Jeroboão, Baassa, Omri e Menahem ben-Gadi fundaram dinastias e foram realmente sucedidos por seus filhos, mesmo que somente por um ano ou dois. A interrupção ou destruição de suas dinastias dentro de uma ou duas gerações resultaram não de uma ideologia particular, mas das revoltas sociais e políticas de sua época.

Além do mais, não há fatos que justifiquem a hipótese de que, no que se refere ao princípio dinástico, Samaria fosse diferente do resto de Israel. Não era designada como entidade separada – uma

22. A. Alt, *Kleine Schriften*. II, p. 124, citada através da tradução de R. A. Wilson dos trabalhos selecionados de Alt: *Essays on Old Testament History and Religion*, p. 249.
23. M. Weber, *The Theory of Social and Economic Organization*, New York, 1964, The Free Press, p. 366. (Edição em brochura).
24. R. Labat, *Le caractère religieux de la royauté assyro-babylonienne*, Paris, 1939, pp. 95-117; H. Frankfort, *Kingship and the Gods*, Chicago, 1948, pp. 231-248; O. R. Gurney, "Hittite Kingship", em S. A. Hooke, ed. *Myth, Ritual and Kingship*, Oxford, 1958, pp. 114-119; J. Gray, *The Legacy of Canaan*, Leiden, 1957, p. 160 e ss. A. R. Rainey, *The Social Structure of Ugarit*, p. 22 e ss. (Em hebraico).

cidade-estado dentro de um estado – mas como uma capital, a cidade do rei, nos moldes das cidades reais ou novas capitais construídas no antigo Oriente Próximo por reis ambiciosos que queriam demonstrar, desta forma, sua soberania e independência. Assim, por exemplo, na Assíria, Assurbanipal II construiu Calá (Nimrud) e Sargão II construiu Dur-Sarukin (Korsabad)[25]. Ao contrário dos cidadãos das antigas cidades-templo, os habitantes dessas novas cidades não recebiam privilégios especiais[26]. Mesmo Jerusalém – que, de acordo com a hipótese de Alt, serviu como modelo para Samaria –, nunca foi um *corpus separatum* com o reino de Judá, e Davi nunca foi considerado como "rei de Jerusalém", mas como rei de Judá e de Israel. Das referências aos "habitantes de Jerusalém" como separados dos "homens de Judá" (*e.g.*, Isaías 5:3) não podemos deduzir que seus habitantes tivessem uma constituição separada ou gozassem de um *status* especial, assim como tal dedução seria injustificável no caso de Constantinopla, apesar de sua sagrada e honrosa posição no império bizantino ou no caso de Moscou no império russo.

Como indicamos acima, o conceito de Alt a respeito da natureza da monarquia em Israel, levou à opinião de que era baseada em uma aliança entre o rei e o povo, renovada sempre que um novo rei assumia o trono. Esta opinião, entretanto, não pode ser aceita. Somente duas vezes – como foi provado – foram efetuados pactos entre o rei e o povo: uma vez entre Davi e os anciãos de Israel em Hebron, quando, tendo sido já rei de Judá, tornou-se rei de todo Israel (*II Sam. 5:3*). Outro pacto – como foi relatado – foi feito entre o povo e o rei Jeoasch de sete anos de idade (*II Reis* 11:7)[27], que foi ocultado por seis anos na casa de Jeoiada, o sumo-sacerdote depois que Atalia "destruiu toda a família real" (11:1). Ambos os casos são excepcionais, resultado de circunstâncias extraordinárias. No primeiro caso – a dinastia davídica estava estabelecida, no segundo foi restaurada. Em nenhuma outra época os reis de Judá fi-

---

25. D. D. Luckenbill, *Ancient Records of Assyria and Babylonia*, Chicago, 1927, II, p. 63 e ss. Sargon menciona, nesta e em outras inscrições similares, que a terra na qual a nova cidade foi construída foi comprada dos proprietários legais pelo justo preço – exatamente como no caso de Omri na Samaria (*II Reis* 16-24).

26. W. F. Leemans, *Symbolae van Oven*, Leiden, 1946, pp. 36-61; H. Tadmor, *Cidade e Comunidade*, Conferências proferidas na convenção da Sociedade Histórica de Israel, Jerusalém, 1967, pp. 189-203 (em hebraico).

27. O texto diz: "E Jeoida fez um pacto entre o Senhor e o rei e o povo, que eles seriam o povo do Senhor", e também entre o rei e o povo". Ver a respeito da questão sobre se o pacto era um só ou se eram dois pactos separados: A. Malamat, *The Biblical Archaeologist*, 1965, XXVIII, p. 37; M. Noth, *The Laws of the Pentateuch and other Essays*, pp. 115-116. O caráter religioso deste pacto – que resultou na abolição do culto de Baal em Jerusalém – é justamente salientado por J. Liver, *Enc. Miqr.*, IV, col. 1090 e ss.

zeram pactos com o povo, nem há prova alguma de que os reis de Israel, inclusive Jeoroboão, o tivessem feito.

De fato, pactos, entre o povo e o rei, não são atestados no antigo Oriente Próximo. É completamente diferente o "juramento de lealdade" assírio a um novo rei, o ade^{28} que os oficiais, os cortesãos e os vassalos do rei eram obrigados a fazer, particularmente quando a ordem de sucessão era irregular. Assim, por exemplo, Senaqueribe fez seu povo prestar juramento de vassalagem ("sobre água e óleo"), de que eles permaneceriam leais a Esarhadon, seu filho, que, por seu próprio reconhecimento e de acordo com testemunho imparcial, não era o primogênito[29]. Da mesma forma, quando Esarhadon, ainda em vida, dividiu seu reino entre seus dois filhos, Assurbanipal e Schamasch-schum-ukin, fez todos os oficiais palacianos, o exército e "todo o povo da Assíria, pequena e grande", tanto quanto os reis vassalos, prestar um juramento de que eles não se revoltariam contra seus herdeiros nem apoiariam quem quer que tentasse violar a ordem por ele estabelecida[30]. Depois da morte de Esarhadon, a rainha-mãe apressou-se em impor um juramento de lealdade dos oficiais de estado e do povo aos irmãos de Assurbanipal[31].

Talvez se possa supor, embora não haja prova, que também em Judá e em Israel os funcionários da corte tenham prestado um juramento de lealdade ao rei. Deve-se dar atenção ao termo *paschoa*, literalmente "transgredir" – idêntico ao acadiano *hatû* – termo técnico que denota a violação de um juramento de lealdade por parte do vassalo[32]. *Paschoa* é usado quando um vassalo do rei como Mescha, o Moabita ou um estado vassalo como Edom se rebela contra o suserano (*II Reis* 1:1, 3, 8:23). É portanto significativo que *paschoa* seja usado no relato da assembléia de Schehem: "Assim se desligaram (literalmente, "transgrediram") os israelitas da casa de Davi" (*I Reis* 12:19). Conseqüentemente, na opinião do autor ou do editor da história, o *status* das tribos em relação a Davi era o de vassalos em relação a seus suseranos. Esta ideologia, embora admita a existência de um pacto entre a dinastia davídica e o povo, considera o rei como parte principal, e assim, não faz concessões à idéia de que o povo era legalmente autorizado a anular o pacto, quando considerasse que isto era justificável.

28. E. J. Gelb, *Bibliotheca Orientalis,* 1962, XIX, pp. 161-162.
29. R. Campbell Thompson, *The Prisms of Esarhaddon and of Ashurbanipal,* Londres, 1931, p. 11, linhas 50-51.
30. D. J. Wiseman, "The Vassal-Treaties of Esarhaddon". In: *Iraq,* 1958, XX, pp. 5-7.
31. *Ibid.,* pp. 7-8; H. Lewy, *JNES,* XI, pp. 282-285 e esp. nota 92, 1952.
32. *The Assyrian Dictionary,* Chicago, 1956, volume IV, p. 157 b.

REIS E POVO EM ISRAEL E JUDÁ

O resto de nosso estudo se refere a extensão da autoridade exercida pelo povo ao coroar reis, nos estados separados de Israel e Judá. De fato, o contraste entre o *status* da monarquia em Israel e o de Judá é notável: enquanto o último foi governado por mais de 400 anos por uma única dinastia estável, que cultivava uma ideologia de santidade que envolvia seu fundador e que emanava para todos seus sucessores, as dinastias reinantes em Israel tiveram vida curta e eram substituídas em poucas gerações, através de cruéis revoltas. A tensão predominante entre os territórios tribais de Israel, os contrastes sociais e de classe dentro do reino e a vitalidade das sociedades que tradicionalmente se opunham à autoridade monárquica, tudo isso se uniu para criar uma base natural para violentas interrupções da continuidade dinástica. Teoricamente, o povo se manteve como a fonte primordial da autoridade real e era ele que devia dar sua aprovação ao usurpador, ao fundador de uma nova dinastia. Mas, na prática, era o exército, na realidade, os chefes do exército que apresentavam o novo rei saído de suas próprias fileiras. Em outras palavras, os oficiais do exército tornaram-se, então, a fonte da autoridade, isto é, "o povo". Assim, Nadab, sucessor de Jeroboão, foi assassinado num campo militar em época de guerra contra os filisteus, quando ele e "todo o Israel cercavam a Gibeton" (*I Reis* 15:27). Seu assassino, Baassa, da tribo de Issacar, que foi devidamente coroado pela mesma classe – "todo Israel" – aniquilou toda a Casa de Jeroboão assim, embora não explicitamente estabelecido na narrativa, é muito provável que ele próprio fosse um chefe do exército. A dinastia de Baassa foi do mesmo modo destruída num golpe de estado militar, por Zimri, chefe "de metade dos carros" (*I Reis* 16:9), mas este não conseguiu o apoio do povo. O exército, que estava novamente acampado em Gibeton, apressou-se em coroar Omri, o chefe do exército. Enquanto o campo militar de Omri é chamado "todo Israel" (*Ibid.* 16:61), lemos, numa passagem posterior (*Ibid.* 21:22), que apareceu um competidor de Omri – Tibni ben-Guinat – escolhido rei por outra parte do povo (talvez a brigada do exército que havia acampado ao norte) e que somente quatro anos depois Omri triunfou sobre seu rival. Jeú, que derrotou a casa de Omri, era também um general do exército e foi coroado por seus oficiais em um campo militar em Ramot Gilead, durante a guerra contra os arameus (*II Reis* 9:13). Não se sabe ao certo se o exército tomou parte no golpe de estado contra Zacarias, o último da dinastia de Jeú, mas parece que Menahem, que subiu ao trono no golpe seguinte, dependia do apoio do exército, quando ele cobrou dos *guiborei ha-hail* a soma de mil talentos de prata "para o dar ao rei da Assíria" (*II*

Reis 15:20)³³. Peká, o gileadita que derrotou o filho de Menahem era também um chefe militar – um *Schalisch* ("o terceiro homem no carro, "capitão", *Ibid.* 25). De acordo com a narração (*Ibid.*) ele foi auxiliado somente por cinqüenta gileaditas, mas pode ser que, neste período, a influência real tenha passado aos homens nobres de Gilead. O poder dos chefes militares manifestado no surpreendente fato de que durante os últimos quatro anos de Samaria – desde a prisão de Oséias, seu último rei, por Schalmanaser V, rei da Assíria (724/3) e até sua conquista final por Sargão em 720 – foram eles, até onde podemos julgar, que manejaram os negócios de Samaria, mesmo sem apresentar um rei saído de seu meio³⁴.

O aumento da autoridade do exército foi o resultado de repetidos golpes militares que ocorreram em tempos de crise, geralmente como resultado de uma derrota sofrida por Israel. A casa de Jeroboão foi destruída depois de sofrer pesadas derrotas, umas nas mãos do Egito – na campanha de Soschenq³⁵ – e a outra por Judá – quando Abijá, sucessor de Roboão, conquistou Efraim do sul, "incluindo Beit-El" (*II Crôn.* 13:15-19). A casa de Baassa foi destruída após sofrer uma derrota em mãos de Ben-Hadad I, rei de Damasco, que conquistou partes da Galiléia (*I Reis* 15:20)³⁶, enquanto a casa de Omri foi liquidada depois de uma série de graves recuos militares: a rebelião de Mescha, o Moabita, o fracasso da campanha militar contra Moab

---

33. Deduz-se que havia uns 60.000 *guiborei ha-hail*, e um número tão amplo certamente não reflete unicamente os donos de grandes propriedades, como às vezes se diz mas constituía a maioria dos que foram para a guerra. O conceito *guibor haa* – "um poderoso homem de valor" – é semelhante ao sentido de *isch hail, i. e.,* um soldado qualificado (cf. S. E. Loewenstamm, *Enc. Miqr.,* II, col. 397 e seguintes). Não obstante, tem uma conotação social, pois aqueles que arcavam com o encargo do serviço militar eram principalmente os camponeses independentes, os proprietários, que até podiam ser requisitados para se equipar. O exemplo clássico de um *guibor hail* que ocupava uma respeitável posição social em sua cidade é Boaz (*Rute* 2:2). Gideão (*Juízes* 6:12) e Jeroboão I (*I Reis* 11:27) foram da mesma forma *guiborei hail*. O caráter social-militar do termo é evidente em *II Reis* 24:14-16, que enumera o povo exilado para a Babilônia em 597 – a *elite* de Judá: 7.000 *guiborei hail*. 1.000 artesões e os ferreiros e oficiais reais e cortesões. Apesar da importância dos *guiborei hail* dentro da organização militar, não se deveria lhes atribuir um papel tão decisivo na sociedade israelita como o faz Max Weber, que os considera como os "verdadeiros cidadãos ou nobres políticos" (*Ancient Judaism,* tr. e ed., H. Gerth Hans e Don Matindale (Glencoe, Illinois, 1952), pp. 13-23, 432 n. 16) e cf. J. van der Ploeg, "Le sens de *gibbôr hail*". *In: RB* (1941), pp. 120-125.

34. H. Tadmot, *Journal of Cuneiform Studies,* XII, p. 35 e ss. e n. 110, p. 35 (1958).

35. B. Mazar, *VT,* Supl. IV (1957), pp. 57-66.

36. Esta guerra ocorreu no 26º ano do reino de Assa, rei de Judá (e não no 36º ano, como está em II *Crônicas* 16:1), que, portanto, foi o último ano do reinado de Baassa. Ver nossas observações em *Enc. Miqr.* IV, col. 297.

(*II Reis* 3) e a esmagadora derrota sofrida por Israel em mãos de Hazael, rei de Damasco, em Ramot-Gilead. Nada se sabe a respeito das circunstâncias que envolveram a queda da casa de Jeú (747 a.C.). Não obstante, a ascensão e queda dos reis de Israel depois disso deve ser analisada contra o pano de fundo do declínio político e militar de Israel, que se seguiu ao glorioso reinado de Jeroboão II (784-748) – declínio que resultou da ascendência de Judá sob Azarias (Uzias) e da ameaçadora e súbita expansão da Assíria sob Tiglat-Pileser III, o fundador do império assírio.

Nestas mudanças dinásticas, as fontes sempre acentuam o papel do *profeta:* nenhuma casa real foi alguma vez estabelecida ou deposta sem concordar com a palavra do profeta. Assim, a casa de Jeroboão subiu ao trono e foi derrubada em cumprimento da profecia de Ahias, o Silonita (*I Reis* 11:29-39; 13:7-11). A casa de Baassa foi deposta conforme a profecia de Jeú ben-Hanani (*Ibid.* 16:1-4). Enquanto nenhuma profecia é mencionada em relação à ascensão de Omri, sua destruição é profetizada por Elias (*I Reis* 21:21-22) e foi levada a cabo por seu discípulo Eliseu (*II Reis* 9:1-9). Encontramos mesmo um padrão uniforme, repetido por quase todo profeta na véspera da derrota de uma dinastia (*e.g. I Reis* 14:10; 16:4; 21:24), que pode ser, como alguns supõem, um padrão literário acrescentado ao texto por um editor posterior[37], ou, o que é mais aceitável, uma parte integral da narrativa profética original[38]. Em qualquer caso, não deveríamos duvidar do papel histórico dos profetas no nono século a.C., nas sublevações políticas e religiosas de sua época. O recurso dos profetas à ideologia de uma guerra santa – e daí sua ligação com o exército de Israel – é claramente revelado nos dias de Ahab. Os profetas contestaram a paz que o rei havia acertado com Ben-Hadad e insistiram a todo custo que ele devia lutar contra Ora (*I Reis* 20:42). Eliseu até segue com as forças de Israel e Judá na inútil campanha contra Moab, que leva a marca de *herem*, uma guerra santa (*I Reis* 3:16-19). Como está para morrer, ele encoraja o rei de Israel a lutar contra Ora "até que os tenha exterminado" (*II Reis* 13:17). Este vínculo estreito entre o profeta e o exército é evidente, em particular na coroação de Jeú no campo de batalha. Assim, os primeiros profetas foram não somente fiéis preservadores dos velhos ideais tribais, mas foram um elemento ativo que exercia uma real influência na sociedade de Israel e seu exército.

Até agora discutimos o papel do povo e do exército de Israel na investidura dos reis. Agora examinaremos rapidamente o papel dos anciãos. As fontes históricas não testemunham que "os anciãos

---

37. A. Jepsen, *Die Quellen des Koenigsbüches* (Halle [Saale], 1956), pp. 76-101.
38. Cf. J. Liver, *Enc. Miqr.*, IV, col. 1137 e ss.

de Israel", como uma instituição, possuíssem qualquer autoridade na seleção ou aprovação do rei. Somente em época de grave emergência nacional, o rei resolvia pedir o seu apoio. Ahab convoca "todos os anciãos da terra" (*I Reis* 20:7), a fim de decidir se ele deveria se submeter ao ultimato de Ben-Hadad II, de Damasco. Poucas décadas depois, na época do cerco de Samaria por Ben-Hadad III, os anciãos buscam uma profecia de salvação em Eliseu (*II Reis* 6:32). Nesta época de crise eles apoiaram o rei e não advogaram uma mudança de dinastia. Em Judá, também, os "anciãos" são mencionados em uma única ocasião, quando Josias reúne "todos os anciãos de Judá e Jerusalém" e "todos os homens de Judá e todos os habitantes de Jerusalém" e "todo o povo, desde o mais pequeno até ao maior" (*II Reis* 23:2) para decidir a conclusão das extensas reformas de culto.

Há um exemplo que resume o declínio dos "anciãos" no reino de Israel, a saber: a história da vinha de Nabot e Acab (*I Reis* 21). Os anciãos de Jesreel foram compelidos por Jezabel a desempenhar um papel central no julgamento encenado para condenar Nabot, na base do falso testemunho, e para executá-lo, de forma que o rei pudesse adquirir o vinhedo. Os anciãos, embora tivessem a autoridade para julgar casos capitais, não mais podiam ser os portadores da justiça. Desde então, é o profeta que representa os interesses dos proprietários e é ele que acusa o rei de Israel de assassínio exigindo que Acab e seus filhos sejam punidos. Somente quando desmoronam as instituições reais, os anciãos assumem sua importância inicial e aparecem novamente como líderes do povo. Isto é evidenciado primeiro no exílio babilônico (ex. *Jer.* 29:1) e depois em Judá, no período persa (*Esdras* 6:7).

Na última parte deste estudo trataremos das instituições políticas de Judá.

Como em Israel, também em Judá a necessidade de recorrer ao povo ou seus representantes aparece somente quando a ordem normal de sucessão foi interrompida. Entretanto, aqui, a terminologia é diferente. O organismo que escolhia ou referendava o rei era *am ha-aretz*, literalmente "o povo da terra"[39]. O seu primeiro aparecimento como uma instituição é na primeira crise da dinastia davídica: na rebelião contra Atalia quando *am ha-aretz* participou na

---

39. De toda a extensa literatura sobre o problema de *am ha-aretz*, deve-se mencionar especialmente o trabalho básico de Würthwein. E. *Der amm ha-arez im Alten Testament* (Stuttgart, 1936); e o recente artigo de R. Vaux, "Sens de l' expression 'peuple du pays' dans l'Ancient Testament et le rôle politique du peuple en Israel" *RA.* LVIII, pp. 167-172, (1964). Deve-se acrescentar o seguinte à detalhada bibliografia dada na p. 172 do último artigo. E. W. Nicholson, *Journal of Semitic Studies*, X, pp. 59-66, (1965); e S. Talmon, *Beit-Mikra*, XXXI, pp. 28-45 (1967) n. 3, (em hebraico).

coroação do menino Joás (*II Reis* 11:14). Mais tarde, "o povo da terra" mata os assassinos de Amon e coroa Josias (*II Reis* 21:24) e, quando o último é assassinado, eles coroam Joacaz, seu filho, que não estava na linha direta de sucessão (*II Reis* 23:30). Em uma situação similar, quando Amazias foi batido pelo rei de Israel e depois assassinado, "todo o povo de Judá" fez Azarias rei (*II Reis* 14:21). Nós estamos inteiramente de acordo com os eruditos[40] que consideram "todo o povo de Judá" sinônimo de *am ha-aretz*. Não é conhecido qual era o procedimento pelo qual *am ha-aretz* agia, nem quantos participaram ativamente na nomeação do rei. Parece que aqui, como em Israel, aqueles que atuavam – muitos ou poucos – eram encarados como se estivessem agindo pela autoridade do povo. Em princípio, pois, não há diferença entre "todo o povo" que coroou Omri no campo, "os homens de Israel" que coroaram Davi de outra forma e *am ha-aretz* que coroou Josias. O termo *am ha-aretz* tem uma longa história e seu significado sofreu transformações. Pelo seu próprio nome denota a população de um país ou cidade-estado e assim encontramos *am ha-aretz* em Biblos ou *nisse-mati* – literalmente "o povo da terra" – na Assíria. Assume o mesmo significado nos antigos contextos bíblicos. Ao adquirir a cova de Machpelá, de Efron, o Hitita, *am ha-aretz* se refere aos habitantes de Hebron que se reuniram em conselho, às portas da cidade: "Então se levantou Abraão e inclinou-se diante do povo da terra, diante dos filhos de Heth" (*Gên.* 23:7). Na história de José *am ha-aretz* refere-se aos habitantes do Egito: "José, pois, era o governador daquela terra; ele vendia a todo o povo da terra" (*Gên.* 42:6) enquanto na história dos espiões, *am ha-aretz* se refere a todos os habitantes de Canaã: "... e não temais o povo desta terra porquanto são eles nosso pão" (*Núm.* 14:9). Em todos estes casos o termo designa naturalmente a população indígena, os não-israelitas. Estes são chamados pelo seu nome étnico-tribal, "Israel", "os filhos de Israel" ou, simplesmente "o povo", mas nunca em conexão com seu país[41]. Os escritores das primeiras narrativas históricas dos séculos IX e X, bem como os grandes profetas literários do século VIII, não usaram este termo para designar judeus ou israelitas. É nas fontes do começo do século V e VI, especialmente nos livros de Jeremias e Ezequiel que *am ha-aretz* se torna o termo aceito para a população de Judá. "Porque, eis que te ponho hoje por cidade forte, e por coluna de ferro, e por muros de bronze, contra toda a terra, contra os reis de Judá, contra os seus príncipes, contra os seus sacerdotes e contra o povo da terra." (*Jer.* 1:18) e, de modo semelhante, *Ezequiel* 22:26-

---

40. Cf. Würthwein, *op. cit.*, p. 25 e ss., de Vaux, *op. cit.*, p. 169.
41. Mais recentemente: A. Besters, *RB*, LXXIV, pp. 5-23, (1967).

30. As seguintes categorias são claramente excluídas de *am ha-aretz:* 1) o rei (ou o governante, *nassi*)[42]; 2) nobres (*sarim*); 3) sacerdotes; 4) profetas. Em outras palavras, qualquer um que não fosse ligado à monarquia ou suas funções, com o templo ou profecia – era considerado "o povo da terra"[43].

Desde que *am ha-aretz* significava "a população, o povo", a população mais pobre era descrita pelo termo *dalat am ha-aretz*, "os mais pobres da terra" (*II Reis* 24:14) ou *dalat ha-aretz* "o mais pobre da terra" (*Jer.* 40:7). Estes, presumivelmente arrendatários sem terra, ou donos de uma pequena faixa de terra própria, recebiam as terras dos exilados em virtude de um decreto de Guedália, o governador, com o consentimento das autoridades babilônicas (*Jer.* 39:10; 40:10). Por outro lado, o termo *am ha-aretz* foi relegado cada vez mais ao setor mais rico da população, como se deduz da sua participação na cerimônia de remissão de escravos em época de emergência (*Jer.* 34:19)[44] e da denúncia de Ezequiel do "povo da terra" como aqueles "que oprimiram os pobres e necessitados" (*Ezequiel* 22:29).

Com o colapso de Judá, o mapa étnico do país mudou: somente ficaram os mais pobres da terra, enquanto a maioria do original "povo da terra" foi para o exílio. Na mesma época, os vizinhos de Judá se estabeleceram em partes do agora desolado território. No começo do retorno da Babilônia, isto é, depois de 539 a.C., os profetas Ageu e Zacarias ainda usavam a expressão *am ha-aretz*, no seu sentido tradicional, embora agora anacrônico, como havia sido usado por Jeremias e Ezequiel: "Ora pois, esforça-te Zerobabel, diz o Senhor, e esforça-te Josué, filho de Josadac, sumo-sacerdote, e esforçai-vos, todo o povo da terra..." (*Ageu* 2:4) e: "Fala a todo o povo desta terra e aos sacerdotes" (*Zacarias* 7:5). Porém, mais tarde, na segunda metade do século V *am ha-aretz* já indicava os gentios ou aqueles a quem Esdras e Neemias consideravam gentios: os povos vizinhos ao redor de Judá e os samaritanos. "Todavia, o povo da terra debilitava as mãos do povo de Judá..." (*Esdras* 4:4). Mais freqüentemente, o termo é usado no plural: *amei ha-aretz* ou *amei*

---

42. Especialmente na parte jurídica de *Ezequiel* 45:16-22; 46:3-9, *am ha-aretz* do *Levítico* 4:27, mencionado em conexão com o "sacerdote consagrado", a *edá* como um todo, e o *nassi* (*ibid.*, 3; 13; 22) – está no espírito do uso posterior do termo, que significa simplesmente "qualquer um do povo" (que comete um pecado etc.).

43. I. D. Amusin, *VDI*, n. 2, p. 18, 1955: de R. Vaux, *Institutions*, (trad. inglesa), pp. 70-73.

44. Este foi um episódio único na história do reino de Judá: um pacto feito por Zedequias durante o cerco de Jerusalém, com todos os setores da sociedade para libertar os escravos judeus. Esta liberação tem precisamente a mesma conotação que o *andurarum* babilônico. Ver acima a nota 14, cf. também M. David, *Oudtestamentische Studien*, V, pp. 63-79, (1948).

ha-arassot, "povos da terra" ou "das terras" (*Esdras* 9:1, 10:2; *Neemias* 9:30). Este uso está no espírito da velha conotação de *am ha-aretz* – como aparece no Pentateuco[45]. O posterior desenvolvimento, numa conotação pejorativa deste termo, no período da Mischná e do Talmud, quando *am ha-aretz* passa a denotar agricultores, especialmente da Galiléia, que não observam as leis rabínicas, está cronologicamente fora do escopo deste estudo[46].

Para resumir: observamos que a intervenção do povo nos negócios de estado ocorre somente em épocas de emergência e crise. No reino de Judá, conhecido pela sua estabilidade dinástica e por um alto grau de identificação entre a antiga estrutura tribal e a monarquia, as instituições do povo se reuniam e agiam só esporadicamente quando a continuidade dinástica era perturbada e quando havia perigo de que a anarquia prevalecesse e que a estabilidade social fosse solapada. Nos reinos do norte, estas instituições funcionaram muito mais freqüentemente. E, quando poderosos grupos sociais, tais como chefes de exército, decidiam sobre questões de estado, eles inferiam sua autoridade "do povo" e hauriam seu poder das tradicionais instituições do povo.

---

45. Y. Kaufmann, *História da Religião de Israel* (Tel-Aviv, 1956), IV/1, p. 184 e ss. (em hebraico).

46. S. W. Baron, *A Social and Religious History of the Jews*. (New York, 1952), I, p. 278 e n. 36 na p. 414. Deve-se acrescentar que *am ha-aretz* nunca foi a designação dos samaritanos (I. D. Amusin, *VDI*, n. 2, pp. 30-35). As fontes talmúdicas diferenciam claramente entre "o *am ha-aretz*" e o *kuti* (um cuteano, i. e., um samaritano).

4. Ideais Sociais na Segunda Reunião Judaica

A MISCHNÁ COMO UM REGISTRO HISTÓRICO DA VIDA SOCIAL E RELIGIOSA DURANTE A SEGUNDA REUNIÃO

A imagem corrente da grande época histórica da Segunda Reunião Judaica é em larga medida criação dos historiadores e teólogos cristãos. Estes lançaram mão principalmente de fontes estrangeiras como o Apócrifo, o Novo Testamento e Josefo. Assim evoluiu a teoria, aceita por muitos eruditos, de que a sociedade judaica estabeleceu-se sob a tutela de dirigentes persas, helenistas e romanos na forma de um "Estado-Templo", a qual, por algum tempo, sob os asmoneus, assumiu a configuração de um principado helenista. Sob tais condições, alegou-se, a vida religiosa e a fé dos judeus desenvolveram-se em meio a uma luta de várias facções políticas e religiosas. Supôs-se que tal processo completou-se após a destruição do Segundo Templo, com o estabelecimento de um sistema religioso normativo e definitivo. O judaísmo normativo tornou-se assim uma religião a ser encarada como limitada aos estritos confins da Halahá, cujas fundações históricas permaneceram envoltas em névoa.

Essa apresentação da época histórica em pauta poderia brotar de uma indiferença pelas fontes intrínsecas do Judaísmo. É notável que mesmo os eruditos mais competentes no campo da história e da religião, inclusive judeus com excelente domínio do Talmud, falharam no tratamento do material de fonte judaica conforme os métodos críticos universalmente aplicados ao estudo da história romana e grega. As marcas de uma instrução histórica inadequada são não obstante evidentes, mesmo na obra de ilustres comentadores modernos da Mischná, que se ressentem de uma compreensão insuficiente da importância documental dos pareceres dos primeiros mestres da Halahá.

A Mischná nos fornece um sistema de Halahot, que constituíam a base interna da vida social e política na Terra de Judéia e Eretz Israel durante o período que se inicia com o surgimento do Helenismo até depois da destruição do Segundo Templo. Estritamente falando, várias Halahot na Mischná são atribuídas a tanaim que viveram no período posterior ao Templo; entretanto, essas são apresentadas principalmente como antigas tradições orais, das quais foram transmitidas diferentes versões. Além disso, mesmo quando tais Halahot são interpretadas pelos tanaim cada qual de acordo com a luz de sua própria razão, a substância de tais asserções sem dúvida desenvolveu-se a partir de tradições enraizadas na realidade histórica de um período muito anterior. Estamos em terrenos históricos menos firmes para a avaliação das origens primeiras dos pronunciamentos rabínicos contidos na Baraíta, na Tossefta e no Midreschei Halahá, onde cada pronunciamento deve, após acurado exame histórico, ser julgado pelos seus próprios méritos. A Mischná, por outro lado, deveria ser encarada essencialmente como um corpo de leis independente e uma fonte histórica viva que reflete as aspirações sociais e religiosas de nossos ancestrais durante o período da Segunda Reunião.

Nosso principal registro dos movimentos incipientes da renascente comunidade judaica sob a égide real da Pérsia é encontrado nos livros de Esdras e Neemias. Fragmentos da renascida atividade religiosa desse período são ainda conservados nas tradições engastadas na Mischná. É, todavia, durante o período helenístico anterior à revolta asmonéia, durante a luta interna contra os helenizadores e a pressão externa da perseguição religiosa e finalmente durante o reinado dos príncipes asmoneus que as fundações essenciais da Mischná foram lançadas. Recuaram ao nosso olhar os detalhes da mudança produzida em Israel durante a transição do regime persa para a tomada do poder no Egito e na Síria pelos monarcas helenistas. Entretanto, tanto o estilo como o conteúdo de diversas Halahot situam sua origem e confirmação nesse primeiro período, quando as fronteiras de "Eretz Israel" não se estendiam realmente além dos da Judéia sob o regime persa, com os ajustes tão pequenos efetuados pelos Ptolomaicos. "Eretz Israel" da primitiva Halahá era de fato sinônimo de Judéia, um território administrado autonomamente, mas parte do império helenístico; na concepção judaica – um domínio de santidade isolado das regiões profanas que cercavam

Israel, isto é, a Terra dos Gentílicos (Eretz Ha-Amim) na ampla terminologia da Halahá. A Judéia do período helenístico era uma província da "Síria" – na linguagem mischnaica – a saber "Síria e Fenícia" ou "Síria", em especial o Sul da Síria, região administrativa controlada por funcionários dos governantes helenistas do Egito. A "Medinat Haiam" (costa do mar) da primitiva Halahá refere-se a "Paralia", uma região que compreendia as cidades fenícias helenizadas do litoral. Após a conquista desses territórios assim como de considerável setores da Síria ptolomaica e selêucida pelos reis asmoneus, o significado original dessas noções tornou-se grandemente obscurecido. De fato, autoridades haláhicas posteriores, empenhando-se em elucidar os conceitos políticos de uma época mais antiga, tiveram sérias dificuldades na tentativa de harmonizá-los com uma cena histórica que havia sofrido mudança radical. A estrutura geográfica e política dentro da qual surgiu a Halahá era bastante limitada e seu curso de desenvolvimento foi paralelo à extensão do poder asmoneu.

O assentamento das mais antigas bases da Mischná devem conseqüentemente pertencer a um período mais antigo que aquele que geralmente é admitido. Os desenvolvimentos, que ocorreram no solo de Eretz Israel entre o primeiro estágio formativo até a maturidade final da Halahá mischnaica, constituem certamente um dos maiores capítulos na história judaica e mundial. A mais antiga fase de importância nesse drama coincidiu efetivamente com a criação das doutrinas haláhicas básicas da Mischná. Esse processo se abre com a ascensão dos impérios helenísticos das dinastias ptolomaica e selêucida e estendeu-se até o eclipse do governo asmoneu em Eretz Israel.

Só se compreenderá toda a importância judaica e humana dessa época se a encararmos em termos de um encontro entre o monoteísmo judeu e a religião politeísta da Grécia clássica e da época helenística. As crescentes invasões no próprio cerne do Judaísmo feitas pelos helenizadores, ao lado das grandes perseguições religiosas de Antíoco Epifânio, formaram o cume dessa contenda. Qualquer que fosse sua violência, essas revoltas não poderiam, pelo tempo que fosse, retardar o desdobramento da fé judaica e da Halahá. Os macabeus restauraram a integridade da estrutura tradicional do Judaísmo que havia sofrido transgressões nas mãos de traidores e perseguidores estrangeiros. Os fundamentos sociais e religiosos da comunidade judaica puderam assim superar as vicissitudes da mudança política durante o último período da Segunda Reunião. Apesar do interesse dominante, a principal conseqüência religiosa envolvida nessa situação não pode ser desenvolvida dentro dos limites desse artigo, exceto na medida em que ilustra a influência humanizadora sobre a ordem social, exercida pela fé monoteísta do Judaísmo e os meios escolhidos pelo último para pôr em prática ideais considerados utópicos dentro do contexto das realidades da Antigüidade.

Antes de qualquer consideração adicional, uma descrição geral do caráter da sociedade judaica e da liderança espiritual durante a Segunda Reunião é, todavia, necessária. Já foi mencionado que a Halahá mischnaica surgiu dentro dos confins limitados de um pequeno país semi-autônomo, que conseguiu conservar seu caráter peculiar a despeito de ser subordinado à administração concebida racionalmente dos potentados helenistas. Em vários de seus traços básicos a sociedade que deu origem à Halahá mischnaica lembra-nos a *polis* da Grécia clássica – das antigas cidades-Estados com seus santuários situados em ponto central. A similaridade da nascente sociedade judaica da Segunda Reunião com a *polis* grega expressa-se tanto numa afinidade de estrutura básica como em elos de uma forma mais direta.

As antigas cidades do período clássico, situadas ou no continente grego, nas ilhas do Egeu, ou no Oriente Próximo continuaram a existir nos tempos helenísticos, mantendo de alguma forma as tradições da era clássica. A herança da *polis* foi igualmente perpetuada pelos colonizadores gregos nas colônias fundadas em territórios conquistados por Alexandre Magno e seus herdeiros. Tais eram os canais intermédios através dos quais secções inteiras do direito municipal grego filtraram para a Judéia e foram em seguida incorporadas na Halahá Mischnaica.

A influência da lei grega clássica pode ser discernida em vários capítulos da Halahá Mischnaica – relativos ao *status* do cidadão e do estrangeiro, à constituição da família, às leis de herança, prerrogativas legais e econômicas das mulheres casadas, leis relativas a danos e injúrias, regulamentos sobre relações de vizinhança etc.

Em alguns capítulos da Mischná, temos a impressão de notar os contornos de uma pequena cidade helenística. As Halahot da Mischná Demki, cap. 2, 4 – cap. 5, dispõem sobre a vida de uma cidade capital, nomeadamente Jerusalém, e lembram-nos a ordem social e administração da cidade de Atenas durante seu período de declínio. Assim, encontramos em várias Halahot mischnaicas conceitos gregos em suas formas originais, extraídos da terminologia jurídica da Grécia clássica. A influência da língua latina, em compensação, é rara e insignificante. Evidentemente, a Mischná contém também rudimentos que se localizam na herança do antigo Oriente. Essencialmente, todavia, a Halahá e a estrutura social que dela evoluiu devem sua existência a ideais que tanto os rabis como o povo em geral retiraram espontaneamente da herança bíblica e profética. A Halahá deve pois ser adequadamente classificada como um dos produtos mais originais e magníficos do gênio hebraico.

Os chefes espirituais dos judeus esforçaram-se por seguir os passos de seus mais ilustres mentores da cena bíblica e assim eles contribuíram para a solução de problemas religiosos e sociais levantados pelo encontro com a civilização helenística. A primitiva Halahá refere-se ou aos "Homens da Grande Assembléia" ou a interdições proclamadas pelos "Escribas" e conhecidos como "Divrei Soferim". Suas origens podem ser datadas do começo do período helenístico. Na maior parte, o desenvolvimento haláhico emerge de uma estrita união entre os "Hahamim" e largas camadas de toda a população. Assim era o saber haláhico estudado e transmitido oralmente à posteridade – um processo único, característico da história da judiaria.

As leis e costumes de todas as nações da Antigüidade de início constituíram um saber oral, depositado na memória num estilo rítmico e assim conduzidos a gerações sucessivas. No século VII a.C., os gregos confiaram seu sistema de leis à escrita num esforço para proteger a população contra o despotismo das oligarquias. Entre os judeus a posição axiomática da Torá escrita estava por então firmada. As novas leis e regulamentos haláhicos da Segunda Reunião, sancionadas finalmente como "Torá Oral" junto à "Torá Escrita" mosaica, consumaram seu *status* consagrado através do próprio ato de serem transmitidas oralmente. Desde o início esse método de estudar a Halahá de cor serviu como um instrumento efetivo de educação popular e como tal sobreviveu nas academias talmúdicas até nossos dias.

O caráter da Comunidade Judeana era determinado pelos Hahamim, cuja origem não se restringia a uma única classe que mantinha uma ligação estreita com as camadas populares da comunidade.

O método oral de estudo e transmissão da Mischná é atestado por certos elementos rítmicos de sua estrutura, pela recorrência de modos de expressão – nem sempre no contexto adequado, por arcaísmos que transmissores posteriores da Halahá já acharam difíceis de entender e por passagens mutuamente contraditórias. Tais características dificilmente poderiam ser consideradas num trabalho transmitido através de um meio literário.

Um estudo do modo de desenvolvimento e transmissão da Halahá traz à luz inevitavelmente o caráter do pequeno estado que surgiu de início na Judéia e em seguida se expandiu durante o período asmoneu.

Enquanto existiu o Templo e a autonomia interna do Estado judaico não estava completamente extinta, os traços essenciais da comunidade não poderiam realmente ser atingidos, mesmo depois da transferência do poder político para as mãos de Herodes e seus herdeiros e dos procuradores romanos. Através de todas essas vicissitudes, a comunidade judaica preservou as características de uma política com bases populares e dirigida pelo Sábio, no sentido em que a responsabilidade de uma lei ou costume determinado era igualmente partilhada por largas camadas da nação assim como a liderança espiritual e política. Esse estado não se afastava muito quanto ao caráter do da *polis* da Grécia dos tempos clássicos; seus ideais políticos eram próximos aos dos filósofos dessa época.

Estamos portanto em posição de rejeitar a alegação anistórica de que a "tradição ancestral" (*parádosis tõn patéron*) – ulteriormente conhecida como "Torá Oral" – tenha sido anulada por governantes despóticos, por causa do conflito de seitas religiosas rivais (saduceus e fariseus). De fato, o sectarismo só se tornou predominante nas últimas gerações, antes da destruição do Segundo Templo. Os monarcas asmoneus recebiam seu mandato apenas como representantes de uma política popular e inspirada nos Hahamim. Teorias correntes acerca do papel decisivo do sacerdócio no controle dos negócios de estado podem igualmente ser postas de lado nas mesmas bases. O serviço do Templo conferia, é claro, aos sacerdotes certas obrigações rituais e morais, por exemplo, escrupulosa manutenção de pureza de linhagem pela estrita, atenção à descendência familiar e adesão a leis de pureza ritual – mais especialmente na partilha do alimento sacrifical. Havia, não há dúvida, privilégios também: as várias oferendas devidas aos sacerdotes, a prerrogativa de dirigir o Sanedrim – quando tinha merecimento, a cerimônia de abençoar o povo e assim por diante. Além disso, os sacerdotes possuíam naturalmente tradições próprias, concernentes às leis sacrificais e outros assuntos relativos ao Templo. Não obstante, essencialmente nessa esfera também o estudo e desenvolvimento da Halahá prosseguiu seu curso normal sob os Hahamim, que asseguravam a adesão conveniente às normas haláhicas no ofício do Templo. Quanto às leis e regulamentos do culto e sacrifício no Templo, os sacerdotes seguiam a interpretação dos Hahamim; as preces, numa das alas do Templo, eram proferidas em palavras e ordem estabelecidas pelos "Homens da Grande Assembléia". Em princípio os sacerdotes desempenhavam seu serviço como representantes do povo, semelhantemente aos funcionários de uma grande comunidade, como a Atenas clássica com seus numerosos altares. Os seus, entretanto, constituíam um *status* único e mais elevado que requeria uma adesão mais íntima às normas de santidade ritual e moral.

Os Hahamim podem geralmente ser identificados com os Haverim – membros admitidos sob certas condições à "fraternidade" (*Havura*). Os Haverim eram observadores rigorosos das leis, especialmente a prescrição de dízimas e a pureza ritual. Assim eles evitaram o contato com o "Am Ha-aretz" plebeu, cuja observância desses regulamentos dava margem à dúvida. Há uma certa semelhança entre os Haverim mischnaicos e os pitagóricos, que evitavam as ruas abertas e banhos públicos, receosos do contato com as massas, cujo estado ritual de pureza era duvidoso. Desde os tempos mais antigos os Hahamim incutiam no povo a necessidade ritual de lavar as mãos antes de partilhar do alimento não-consagrado.

Durante as festividades, a multidão de peregrinos era toda considerada como Haverim – "Kol Israel Haverim" – depois de ter-se limpado, assim como as vasilhas que carregavam, purificando-as antes de entrar no Templo e comer o alimento sacrifical. De acordo com a Mischná (*Haguigá* 2:7) fazia-se uma distinção entre quatro graus de pureza ritual, em que os membros das ordens mais altas evitavam contato com os das inferiores, aos quais consideravam como ritualmente impuros. Aqueles que obedeciam às leis fundamentais da pureza ritual denominavam-se "Peruschim" (isto é, separados da impureza ritual). Os oponentes dos Hahamim foram levados a empregar esse termo num sentido insultante: "Fariseus" (Josefo, Novo Testamento) significando um partido religioso-político que na verdade jamais existiu.

Uma classificação quádrupla da pureza ritual é igualmente encontrada entre os essênios (*Essenói*), que ordenavam a purificação para todo aquele que pertencesse a uma ordem mais elevada e que entrasse em contato com membros de um nível inferior. Além de acentuar a observância rigorosa da pureza ritual, os essênios partilhavam de um estilo de vida comunista. Renunciavam totalmente à propriedade privada e sua subsistência era retirada do trabalho manual exercido em comum.

A Mischná alude também, como diferentes da associação a ordens reconhecíveis por formas externas de conduta, a círculos de Hassidim, cuja designação ela mesma denota uma orientação para as qualidades internas da religião. Nas palavras da Mischná (*Berahot* V, 1): "Os Primeiros Hassidim (homens de piedade) costumavam esperar por uma hora e então rezar, a fim de que pudessem dirigir seus corações a Deus".

O breve levantamento feito acima poderá servir ao propósito de esboçar os fatores políticos e religiosos subjacentes às formas sociais e ideais a serem investigados nos capítulos seguintes.

FUNDAMENTOS AGRÁRIOS DA REUNIÃO

A sociedade judaica da Segunda Reunião baseava-se grandemente em fundamentos agrários que foram estabelecidos na Judéia durante a era helenística e asmonéia antiga. As concepções sociais e econômicas desse período, semelhantes em muitos aspectos àquelas da antiga Grécia, conservaram sua autoridade também em tempos posteriores.

Era esta a situação básica. Era apoiada *inter alia* na esfera jurídica – nas leis de danos e injúrias (*Nezikin*). Se um homem causasse dano ou injúria a seu vizinho em qualquer uma das quatro principais causas acionáveis enumeradas na Mischná, a restituição deveria proceder de "o melhor de sua terra"; "na escolha de terra" (*Baba Kama* 1:1-2; *Baba Metzia* 9:3; *Guitin* 5:1). Supunha-se que os judeus fossem lavradores, de onde se estipulava: "Se um homem empresta dinheiro a um amigo não pode pedir-lhe uma caução a menos que tenha uma ordem judicial... e deve devolver o travesseiro para a noite e o arado para o dia" (*Baba Metzia* 9:13). – Regulamento fundado, ao que parece, nas leis de Gortyn e nas de várias outras cidades do continente grego. Como na Grécia, o alimento principal consistia principalmente em cereais e frutas e outros produtos da terra (cf. *Peá* 8:5-7; *Ketuvot* 5:8; *Baba Metzia* 7:1-5; *Maasserot* 2:7-8). A carne era consumida tão-somente em conexão com as obrigações do sacrifício de todo homem e mulher judeus, de que o cordeiro pascal era um importante exemplo. Cabe aqui uma breve menção às leis relativas às oferendas divinas e dízimas, às festividades da colheita, o ano sabático e os regulamentos relativos ao fornecimento de alimento durante esse ano – como será oportunamente desenvolvido.

Com exceção do singular clã dos Rehabitas, não sobreviveram elementos nômades da era bíblica no período da Segunda Reunião. Exemplar dos estratos mais antigos da Mischná é sem dúvida a seguinte Halahá: "Eles não podem criar gado miúdo na Terra de Israel, mas podem criá-los na Síria (a saber na província da Síria, ao norte da Judéia) ou nos lugares desertos na Terra de Israel" (*Baba Kama* 7:7). Tais decretos são típicos das preocupações de uma sociedade agrária em que a posição inferior e a abominação ao pastor[1] equivale à conferida ao coletor de impostos (*Telónes*) dos tempos helenísticos: "Por pastores, coletores de impostos e rendeiros é difícil ter arrependimento" (*Tossefta Baba Metzia*, cap. 8; *Baba Kama* 94b). Em sua obra apologética (*Contra Apionem* I, 60) é às primeiras gerações da monarquia asmonéia, anterior à sua expansão territorial, que se refere Josefo: "Na verdade vivemos numa terra que não dá para o mar e por isso não gozamos dos benefícios do comércio (*emporía*) nem temos intercâmbio com estrangeiros; toda-

---

1. Ver inscrição de Heracléia (sul de Naxos) publicada por L. Robert, *Hellenica*, VII, 1949, 161 s., *Ziom*, VII, 49, VI, 125.

via, nossas cidades estão bastante afastadas do mar e somos lavradores do bom solo que é nossa herança".

Outra prova da estrutura agrícola do país pode ser colhida a partir dos regulamentos concernentes à devolução de objetos encontrados, arrolados no Capítulo 2 do tratado de Baba Metzia. Entre os artigos passíveis de ser conservados por ser propriedade pública (tendo os proprietários originais perdido a esperança de recuperá-los e renunciando assim a qualquer queixa) estão os seguintes (2:1): "lã tosquiada trazida de sua região (de origem)", isto é, de fora das fronteiras da Judéia e "hastes de linho e tiras de lã púrpura", ou seja, material de confecção caro, acima das posses do cidadão comum. Uma antiga tradição preservada por R. Simão ben-Eleazar acrescenta os artigos seguintes de comércio (*emporía*) isentos de declaração. "Essa Halahá se refere a mercadorias importadas do exterior. Artigos incluídos nessa categoria eram considerados pela Halahá como propriedade sem proprietário, sendo estranhos à população. Analogamente, em seu Estado, Platão proibia a importação de "incenso e perfumes semelhantes, usados nas cerimônias dos deuses, vindos de fora (*Kseniká*), púrpura (*porfyrai*) e outras tinturas não produzidas no país ou produtos de qualquer espécie que precisam ser importados (*Ksenikõn tinõn eisagoguímon*) e que não são necessários, ninguém deve importá-los". (*Leis*, 847c).

"Pois ele (o legislador) nada tem a ver com leis sobre armadores, mercadores, varejistas, estalajadeiros, coletores de impostos, minas, empréstimos de dinheiro, juros compostos e inúmeras outras coisas – abandonando-as, ele legisla para os agricultores, pastores[2] e apicultores e para os guardas e superintendentes de seus instrumentos" (*ib.*, 842d).

É precisamente essa imagem de um Estado arcaico, que é conjurada por várias Halahot mischnaicas. Na base da lei mosaica escrita, a Mischná proíbe a cobrança de juros sobre empréstimo de dinheiro concedido a indivíduos judeus ou estipular cláusulas especulativas suspeitas de possuírem um elemento de ganho. De fato, em nenhum outro livro de leis da Antiguidade encontramos cuidado tão meticuloso em evitar até o mínimo sinal ou sombra de lucro nas relações entre um homem e seu igual (*Baba Metzia* 5). De início, a única forma de comércio permitida era a troca; "Uma propriedade móvel compra outra propriedade móvel" ou "a propriedade móvel compra dinheiro mas o dinheiro não compra a propriedade móvel". O principal meio de adquirir o direito de posse era através de um ato em que a pessoa "trazia" um objeto para junto de si. "Assim,

---

2. Diferentemente da primitiva Halahá.

se o comprador "tiver trazido para sua posse o fruto pertencente ao vendedor mas (ainda) não lhe tiver pago com dinheiro, nenhum dos dois pode retratar-se, mas se houver pago mas (ainda) não houver trazido para sua posse o fruto do vendedor, também não pode retratar-se. "Todavia, menciona-se na Mischná uma antiga imprecação invocada contra aquele que não honra sua palavra mesmo quando a aquisição do fruto não se tiver consumado pelo "trazer" (*Baba Metria* 4:1-2).

A configuração de um proprietário judeu de uma herdade típica de tamanho médio emerge nas Halahot do tratado *Peá*. As leis bíblicas de caridade relativas à respiga, as gavelas esquecidas e os cantos da lavoura, são aqui aplicados pela Mischná sob as novas condições de um período ulterior.

A partir da Mischná (*Peá* 4:1-5) é evidente que, de acordo com a Halahá predominante, os proprietários de terras costumavam deixar abertas as cercas que contornavam seus campos e vinhedo, durante certas horas do dia. O proprietário supria a necessidade ou permitia-lhes "pilhar" (isto é, tomar sua dívida à força) em suas possessões. Essa Halahá é uma reminiscência da plutocracia grega. Conta-se que o ateniense Cimon, dotado de grande generosidade, ordenou a remoção das cercas (*fragmoús*) que fechavam suas terras para que os estrangeiros necessitados assim como os cidadãos pudessem servir-se dos frutos do solo. Além disso, declarou sua casa aberta a todos os pobres fornecendo-lhes uma refeição leve diariamente. Feitos semelhantes foram igualmente atribuídos a Péricles[3]. Essas medidas, não há dúvida, deviam-se em larga porção a considerações políticas, ainda que possamos nelas reconhecer elementos de uma economia comunista primitiva que persistiu mesmo em tempos posteriores entre certas tribos gregas. Em sua *Política* (II, 5), Aristóteles considera o problema de se seria vantajoso para o Estado, tanto para a terra como para seu produto, ser possessão, ser propriedade comum. Alternativamente, a propriedade mista seria restringida ou à terra ou ao produto. Ele conclui que é preferível conservar a propriedade privada, mas por generosidade concede o privilégio de usufruto ao povo em geral.

Na Mischná existe igualmente prova evidente da concepção de que as leis da respiga, das gavelas esquecidas e dos cantos das searas implicam uma idéia subjacente de que o território nacional pertence ao povo como um todo.

Além das leis de *Peá*, a Mischná menciona a prática de renúncia de partes de uma quinta. Áreas que não constituíam efetivamente o

---

3. Plutarco, *Cimon*, c. 10; *Péricles*, c. 9; Aristóteles, *Ath. Politeia*, 27, 3.

"canto" dos campos podiam ser declaradas "propriedade pública" sob o princípio de "Hefker" (*Peá* 1; 3; 1:6). De acordo com a escola de Schamai era possível renunciar apenas em benefício do pobre, enquanto a escola de Hilel definira o Hefker como um total abandono tanto para o rico como para o pobre, como era praticado no ano sabático (*Peá* 6, o *Eduiot* 4:3). Na verdade, a lei sabática significava que todos os territórios da terra de Israel e seu produto passavam para a propriedade pública como "Hefker". É para as implicações desse princípio que nossa atenção será em seguida dirigida.

Além da participação regular do homem pobre na colheita, durante as estações de safra, a ele outorgada pela lei de Leket, Schikha e Peá sobre o próprio solo ceifado, havia também uma divisão três vezes ao ano do Maasser'Ani (dízima do homem pobre) sobre a eira. Havia uma diferença de opinião entre os tanaim da época posterior ao Templo quanto aos pormenores dessas disposições (*Peá* 8:5). Dedicava-se um cuidado extra ao pobre itinerante. Esse era beneficiado com uma forma de pão que dava para duas refeições e tinha direito também a despesas de alojamento. No Schabat eram fornecidas três refeições. Cada localidade ostentava um "Tamhui" (cozinha pública) do qual o pobres recebiam duas refeições diariamente. Também havia o "Kupá" (caixas de donativos para o custeamento de fundos beneficentes na véspera do Schabat) (*Peá* 8:7). Desse modo surgiram as instituições de caridade do povo judeu, doravante uma característica nacional. Por estranhos que esses costumes parecessem aos quadros mentais grego e romano, tiveram sobre a natureza da *caritas* cristã um impacto duradouro.

A lei do ano sabático é um exemplo importante do modo pelo qual os ideais da Torá escrita foram preservados na estrutura social e política da Segunda Reunião Hebraica.

Judá Macabeu e seus homens, sitiados em 163 d.C. no Monte Sion, tiveram – de acordo com *Mac.* 1 – de enfrentar um problema adicional em sua posição contra os sírios, devido ao fato de estarem no "sétimo ano" (*Scheviit*), "ano de deixar livre" (*Sciemitá*) e não haver reservas suficientes de alimentos; isso esclarece as opiniões da primitiva escola de pensamento rigorosa quanto à manutenção da Lei Schemitá. Essencialmente, a importância original do princípio do "Hefker" derivou das leis do ano sabático. No sétimo ano todas as terras e seus produtos eram abandonadas e assim transformavam-se em propriedade pública de pobres e ricos (*Peá* 6:1). Pelo período de um ano completo a propriedade privada era anulada. A primitiva Halahá expressa-o da seguinte maneira: "No ano sabático um homem abre seu vinhedo e arranca o cercado" (na versão da Tossefta citada no comentário bíblico de Baal Haturim). Assim também Maimônides, na secção de seu código que trata dos anos sabáticos e do Jubileu (IV, 24), diz: "Todo aquele que fecha seu vinhedo ou levanta uma cerca em torno de seu campo durante o ano sabático violou um mandamento expresso da Torá, da mesma forma que aquele que guarda sua produção em casa. Ao contrário ele deve renunciar a tudo e todos são iguais em direitos onde quer que seja". Linguagem semelhante à da antiga Halahá é empregada por Filo ("Quanto aos Mandamentos" II, 104): "O legislador acrescentou que nenhuma área seja cercada durante o ano sabático para permitir livre passagem aos vinhedos, olivais e coisas afins, a fim de que tanto o rico como o pobre possam desfrutar dela o produto".

Historicamente, essas Halahot devem ser julgadas em justaposição aos esquemas sociais mais extremos dos filósofos gregos. Podem mesmo ser comparadas com a constituição da sociedade estritamente oligárquica dos espartanos cuja "tradição ancestral" (*Pátrios Politéia*) vinha sendo revista durante o próprio período do século III a.C. quando as leis de Peá e o ano sabático receberam sua formulação haláhica.

Apesar de baseada em tradições mais antigas, a presente versão da Mischná no Tratado Scheviit revela uma tendência a mitigar, por assim dizer, a abordagem rigorosa das autoridades precedentes. É feita uma tentativa para ir de encontro às necessidades de um estado e suas considerações de realidade política sem, contudo, revogar a Torá escrita ou a primitiva Halahá. A definição básica da Halahá sabática, tal como se apresenta na Mischná, foi formulada durante a era asmonéia. Transmitido através dos costumeiros canais orais, esse tratado apresenta o aspecto de uma lei fechada e logicamente organizada, obra de um legislador de estado guiado pelo conselho dos Hahamim. Ao mesmo tempo, todavia, são conservados traços da antiga Halahá.

Os métodos agrícolas discutidos na Mischná no tratado Scheviit assemelham-se aos meios empregados na época em muitos países da Europa do Sul assim como no Oriente Próximo. Várias passagens referem-se particularmente ao cultivo do solo nas montanhas judeanas, por exemplo no tratado, *Peá* (2:2), no qual a linguagem bíblica é utilizada pela Halahá: "Se algum cume de montanha pode ser lavrado com uma enxada, 'mesmo assim o gado não pode atravessar com o arado' " (*Isaías* 7:25). A prosa rítmica aliterativa, especialmente evidente no tratado Scheviit, emerge como um pano de fundo natural ao trabalho conjunto usual entre os primitivos fazendeiros. Evidentemente, essas Halahot surgiram junto com o próprio trabalho, a batida rítmica da labuta acompanhando o empenho mental em aprender de cor. Assim eram as Halahot depositadas na memória e confiadas à manutenção às gerações posteriores.

Nossa presente versão da Mischná, entretanto, não menciona a abolição das cercas do campo e do vinhedo. Pelo contrário, várias atividades ligadas à preservação da propriedade privada são sancionadas. É precisamente a derrubada de um cercado que é proibida por constituir um melhoramento do campo (cf. *Mischná Scheviit*, 3:6-9).

E exatamente como a Halahá mischnaica permitia a preservação daquilo que constituía os limites da propriedade de terra privada, assim também se preocupava em fornecer a toda a população uma distribuição eqüitativa de alimento, a despeito da interdição sobre a colheita durante o ano sabático. A comunidade autônoma antagônica dos asmoneus foi incapaz de continuar a política de abandono geral da terra, instituída sobre a autoridade dos rigoristas antigos. Tinha de prover igualmente o suprimento de alimentação para o povo durante o sétimo ano. Assim, uma série de decretos foram estabelecidos mas foram aparentemente removidos das coleções mischnaicas estudadas oralmente e preservadas apenas na Tossefta. Eis um extrato do último: "De início os emissários do Beit Din visitavam as cidades. Todo aquele que tivesse em suas mãos frutos (ou seja cereais e outros produtos do solo) deles eram despojados pelos emissários que lhe davam o suficiente para três refeições. O resto era depositado nos armazéns da cidade. Na época da colheita de figos, os emissários do Beit Din contratavam trabalhadores para sachá-los e fazer bolos de figos. Estes eram colocados em barris e depositados nos armazéns da cidade. No tempo da colheita da uva, os emissários do Beit Din contratavam trabalhadores etc. Na época da coleta de azeitonas, os emissários do Beit Din contratavam trabalhadores para transportá-las para o lagar, introduzi-las em barris e depositá-las nos armazéns da cidade. A partir daí era feita uma distribuição na véspera do Schabat a cada um de acordo com sua família".

Esse texto deve ser compreendido como um decreto, uma prescrição administrativa datando do período da comunidade asmonéia, quando as autoridades judiciais deviam agir com mão firme[4]. Primeiro "todos os campos transformavam-se em propriedade do Beit Din, *i.e.,* passavam para as mãos da suprema autoridade do Estado, sendo ou o Sandedrim ou outra corporação investida dos poderes de Estado e agindo em anuência com os Hahamim. Por meio de uma rede de funcionários os produtos eram arrecadados em toda parte e de cada um, fossem figos, uvas ou azeitonas. Os cereais e outros produtos do solo eram convenientemente beneficiados e estocados em depósitos públicos, de onde cada família recebia a quota

---

4. Cf. o excelente tratamento dado a esse assunto por Saul Liebermann in *Tossefta Ki-feschutá*, I, 1955, 582.

necessária semanalmente, às vésperas do Schabat. Além dos "emissários do Beit Din", encarregados da reunião da safra do ano sabático e da preparação da partilha, havia também outros funcionários encarregados dos negócios públicos durante o ano sabático. Digno de nota é que entre os últimos incluem-se aqueles mencionados na Mischná (*Schekalim* 4:1): "Os guardiães dos rebentos do ano sétimo do ano sabático recebem sua paga do Terumá da Câmara do Tesouro do Templo". É acrescentado o seguinte na *Tossefta* (4:7): "Deverão ser apostados guardiães nas cidades adjacentes às fronteiras, de modo que os gentios não possam transgredir e pilhar os frutos do sétimo ano".

As leis do ano sabático dão-nos uma compreensão interessante sobre a história dos problemas e política referentes à alimentação na Antigüidade. Nas cidades gregas mais progressistas, como Atenas, a alimentação da população era encargo do Estado. A polis ajudava seu povo em tempos de miséria e escassez. Cuidava de fazer reservas de cereais para distribuí-los à população necessitada. O emprego de celeiros públicos (*thesauiói*) desenvolveu-se à perfeição pelos administradores do Egito helenístico – que, sem dúvida, aproveitou a experiência tradicional do antigo Egito.

Ainda que a principal preocupação dos monarcas ptolomaicos fosse os interesses financeiros do Estado, as técnicas administrativas que empregavam exerceram não obstante uma influência notável sobre o tipo de Halahá citado anteriormente da Tossefta.

Em comparação com a sofisticada burocracia de um grande império, o aparato administrativo do estado judaico era, sem dúvida, um tanto modesto. Além disso, as primeiras autoridades haláhicas, que conceberam os decretos acima mencionados, empenharam-se em emular o espírito ancestral de austeridade em assuntos públicos assim como de fato em toda a conduta de suas vidas.

Uma característica importante do mecanismo político do estado judaico era a tendência a prescindir da escrita e do serviço de uma vasta burocracia. Apesar de que poucas Halahot de uma natureza administrativa dessa espécie tenham sobrevivido, elas nos habilitam não obstante a determinar o caráter dos "Medinat Ha-hahamim" (*i. e.*, política guiada pelo sábio) e sua posição dentro da estrutura política da Antigüidade.

Basicamente os padrões sociais e políticos judeus revelam afinidade com os das sociedades fechadas do tipo espartano e cretense, cuja constituição inspirou os esquemas utópicos de Platão e outros filósofos. Entre estes encontramos a realização do princípio de que todos os membros da comunidade civil são autorizados a uma participação igual na terra e seus produtos. Era habitual nesses países oligárquicos colher os frutos da terra para usá-los nas refeições comunais (*syssitía*) de membros da ala dirigente. Essa prática tornou-se um elemento permanente em sua constituição. Todavia, esse privilégio era amplamente limitado aos membros das famílias oligárquicas.

No caso dos judeus, por outro lado, era apenas durante o sétimo ano que o princípio comunal era aplicado ao solo e seus produtos. Mas, uma vez em prática, em intervalos fixos de seis anos, o alto ideal teocrático e social era totalmente cumprido. Pelo período de todo um ano os cidadãos do estado judaico renunciavam a todo trabalho produtivo sobre seus campos, abandonavam seus produtos e cediam-nos às autoridades públicas. Em troca recebiam suas magras rações de alimentos dos representantes e líderes do povo, ou seja, os Hahamim ou funcionários que agiam em seu nome. Desse modo eles realizaram nos dias do Segundo Templo a prescrição bíblica: "Também a terra não se venderá em perpetuidade, porque a terra é minha: pois vós sois estrangeiros e peregrinos comigo" (*Levítico* 25:23).

De acordo com a Torá escrita, as leis sabáticas do alqueivar são seguidas por aquelas do ano do Jubileu: "Ano de jubileu vos será, e tornareis, cada um à sua possessão, e tornareis, cada um à sua família" (*Lev.* 25:10). Há uma tendência entre os eruditos bíblicos de representar as leis do Jubileu como um desígnio utópico que jamais foi posto em prática. Além disso, os modernos estudiosos do Talmud supuseram, baseados numa tradição rabínica originária da época posterior à destruição do Templo, que as leis do Jubileu não estavam tampouco em vigor durante a Segunda Reunião. Uma análise mais atenta da Mischná no tratado Arahin poderia, contudo, levar a uma conclusão mais positiva na matéria. A substância da Mischná nesse tratado ocupa-se das normas de consagração ao tesouro do Templo da propriedade móvel ou territorial. Nos últimos capítulos, a Mischná discute os efeitos das leis do Jubileu sobre a consagração da terra ao Templo ou seja a validade ou não de tal ato durante o ano do Jubileu.

Evidentemente, esses últimos capítulos deviam ser considerados tão importantes historicamente quanto os precedentes. A volta de cada homem à sua possessão e família pressupõe um vínculo necessário entre a terra e a família. Esse elo entre a família e a terra perdurou durante toda a Segunda Reunião ainda que, durante a transição do período persa ao helenístico, a constituição da família tivesse sofrido desenvolvimentos que podem não ser conhecidos em pormenores por nós.

A Bíblia distingue entre "um campo de sua possessão" e um "campo adquirido" (*Lev.* 27:16-22). Também na Mischná é feita essa distinção e efetivamente aplicada às leis de consagração. Tais diferenciações trazem o selo inconfundível da realidade durante a

Segunda Reunião, tanto quanto nos tempos bíblicos. Além disso, também na Grécia a lei distinguia entre a herança (*kleros*) de uma família, distribuída quando do estabelecimento de uma tribo ou a redistribuição de terra (*ges anadasmós*) e terra adquirida.

Deve-se atribuir análoga importância *inter alia* a todos os pronunciamentos da Mischná das leis que definem os direitos das autoridades do Templo na coleta e realização da propriedade dedicada ao Templo. Os poderes e fórmulas manobrados pelos sacerdotes nessa esfera não se coadunam com a fonte bíblica e devem assim ser atribuídos a um período posterior. Os pontos levantados na Mischná do tratado Arahin em conexão com as leis do Jubileu não serão encontrados na Torá escrita nem tampouco podem ser interpretados como resultantes de dialéticas ulteriores de natureza acadêmica. Eles pertencem claramente à realidade histórica da Segunda Reunião, quando as leis do Jubileu foram postas em prática efetiva e os "campos de possessão" realmente revertiam ao proprietário original de acordo com a prescrição bíblica. A idéia subjacente a tal disposição podia ser tão-somente o desejo de conservar uma certa igualdade na distribuição de terras, analogamente ao ideal platônico elaborado nas *Leis*. Tais projetos não poderiam perdurar por muitas gerações porquanto os elementos "utópicos" não se prestavam a durar por nenhum espaço de tempo. Isso responderia pelo estado fragmentário das leis do Jubileu encontradas na Mischná.

O tratamento das leis do Jubileu remanescentes na *Mischná Arahin* 7:1-9:2 baseadas no *Lev.* 25:1-25 é logicamente seguido pelo *Arahin* 9:3 e ss.: "Se um homem vender uma casa dentre as casas de uma cidade murada" – baseado no *Lev.* 25:29: "E, quando alguém vender uma casa de moradia em cidade murada". Não há qualquer dúvida de que essas leis estavam em vigor durante a Segunda Reunião. A Mischná de fato menciona a esse respeito um decreto bem conhecido baixado por Hilel (*Arah.* 9:4). Numa *Mischná* ulterior (9:6) encontramos uma descrição da estrutura de uma "casa de moradia numa cidade murada". A título de ilustração, a Mischná refere nomes de cidadelas e aldeias fortificadas que as situariam no reino de Alexandre Ianai-Ionatã[5] (103-73 a.C.). Deve-se notar que fortificações semelhantes eram também construídas pelos

---

5. Ele é designado em suas moedas "Iehonathen, o Rei" (hebreu), "do Rei Alexandre" (grego) e naquelas estampadas nos últimos dias de seu reino encontramos "Ionatã, o Sumo-Sacerdote e o Conselho dos Judeus" (hebreu); ver Klindler, Leo Kadman-Aryeh, *Coins of Palestine throughout the Ages,* Tel-Aviv, 1963, p. 18. Essas descrições de seu ofício sobre a cunhagem constitui uma prova decisiva contra o fato desse atribuir qualquer valor histórico à lenda incluída no Talmud babilônico, *Tractate Kiddushin,* Fol. 66a, quanto às fortificações levantadas por esse dirigente asmoneu, ver Josefo, *Bellym* I e ss., *Ant.* XIII, p. 390.

gregos com propósitos defensivos. O tema discutido neste capítulo emerge assim claramente como um elemento integral na realidade histórica da Segunda Reunião.

LEIS DO SANEDRIM

Os exemplos de direito civil citados acima (p. 68) indicam como os Hahamim e o povo judeu colaboraram para assimilar as leis gregas às tradições haláhicas dos Hahamim.

Devemos, agora, em nosso esforço para ilustrar a significativa correlação das tradições judaica e grega, voltar nossa atenção para a natureza do Sanedrim e sua conduta na esfera do direito criminal. Uma abordagem semelhante das noções jurídicas dos gregos pode, com efeito, ser revelada nas leis sobre a função do Sanedrim (Suprema Corte Judaica).

Muitos eruditos não-judeus subscreveram até agora a teoria de que o Sanedrim, retratado na Mischná como uma instituição política e jurídica, não existiu de fato durante a Segunda Reunião. Foi abandonada como uma ficção produzida pela retrojeção da imagem do Sanedrim acadêmico fundado pelo conselho de Hahamim em Iavné (após a destruição do Segundo Templo). Essa noção é contrariada por elementos de direito positivo encontrados nas Halahot do Sanedrim, que demonstram que a verdadeira constituição e função do Sanedrim pertence sem dúvida à realidade histórica.

O termo Sanedrim (*synédrion*) é encontrado nos anais da Grécia clássica assim como subseqüentemente, especialmente com referência às instituições supremas das ligas federativas. Em sua função como supervisor na manutenção da lei e da ordem e como uma autoridade política e administrativa suprema, o Sanedrim judaico assemelhava-se ao areópago ateniense, tal como é descrito no período de sua primitiva grandeza.

Todavia, ainda que estruturalmente o Sanedrim mais se assemelhasse ao conselho dos Hahamim de Iavné, Uscha ou Tibérias, seus poderes políticos, administrativos e judiciais colocavam-no indubitavelmente no período politicamente soberano da Segunda Reunião. Espiritualmente, os membros da Segunda Reunião tinham muitos pontos em comum com o filósofo-estadista do estado ideal platônico.

Na opinião de Platão, a solução dos problemas contemporâneos dependia de se confiarem os negócios de Estado às mãos dos filósofos. Em várias ocasiões procurou mesmo converter seus ideais em realidade. Mas, também nesse caso, foi entre os judeus que as aspirações utópicas materializaram-se em fato histórico. Isto ocorreu durante a Segunda Reunião quando Eretz Israel chegou a ser um estado dirigido pelos Hahamim. Entretanto, em contraste com o ideal aristocrático de Platão, a classe da suprema autoridade política e administrativa judaica, ou seja, o Sanedrim, era constituída por "Talmidei Hahamim", provindos de todas as camadas sociais. Esses sábios eram educados no estudo do saber haláhico e por sua vez davam sua própria contribuição para seu desenvolvimento. O Sanedrim ou Grande Beit Din consistia em 71 membros e sediava-se na "Câmara da Pedra Lavrada"* no Templo "perto do altar". Presidia a todos os assuntos de religião e direito e "daquele lugar propagava a Torá para todo Israel".

É principalmente ao Sanedrim como autoridade judicial suprema que nossa atenção agora se voltará.

"O Sanedrim era disposto como a metade de uma eira circular a fim de que pudessem ver-se uns aos outros... Diante deles sentavam-se três fileiras de discípulos dos Sábios e cada qual conhecia seu próprio lugar. Se precisavam indicar (outro como juiz) escolhiam-no dentre os da primeira fila e um da terceira passava para a segunda; e eles escolhiam ainda outro da congregação e faziam-no sentar na terceira fila. Este não sentava no lugar do anterior, mas no lugar que lhe era apropriado" (*Sanedrim* 4:3-4).

No relato tradicional dos tanaim e amoraim, a composição do Sanedrim seguia o processo atribuído na Bíblia a Moisés (*Núm.* 11:16-17): "E disse o Senhor a Moisés: Ajunta-me setenta homens dos anciãos de Israel... e os trarás perante a tenda da congregação... então eu descerei... e tirarei do espírito que está sobre ti..."

A disposição dos membros do Sanedrim parece assim ter sido considerado como um ato de transferência de poderes pneumáticos (Sifrei, *Num.* 92; Filo, *de gigantibus* 24-25). Tal foi o solo espiritual no qual o procedimento judicial da Mischná em casos criminais estava fundado. Com respeito aos pormenores da Halahá, tudo ali pertence ao domínio da vida real. Cada declaração expressa um senso de responsabilidade moral e surge em várias partes em evidente contraste com os costumes e leis prevalecentes então na Grécia e em Roma. O procedimento do Beit Din judaico era decididamente arcaico e formal em caráter. O processo legal é somente oral; não são trazidos documentos escritos como depoimentos (ou prova). No Tribunal de Israel não há lugar para juristas e advogados. Eram tomados depoimentos de duas testemunhas, que eram submetidas à prova "no interrogatório e investigação" (*Mischná Sanedrim* 4:1). Todavia, subjacente a esse formalismo havia um agudo senso ético empenhando-se por uma determinação objetiva dos fatos. A única

---

* Câmara de Gazit (N. do T.).

testemunha admitida no Sanedrim era a de um judeu livre. Os escravos eram desqualificados para prestar depoimento (Mischná no *Jeruschalmi Sanedrim* 3:3 e explicitamente na Mischná *Rosch Haschaná* 1:8; cf. também *Tossefta, San.* 24 b). Isto contrastava com a prática repulsiva corrente na Grécia clássica pela qual se extraíam depoimentos de escravos contra seus amos por meio de torturas (tormenta, *básanos*), totalmente ausente na prática judaica. Desde bem no início o processo judicial do Sanedrim se inclinava para uma argumentação a favor do acusado. Entre os funcionários gregos e romanos, por outro lado, essa tendência geralmente não existia. O *Sanedrim Mischná* declara (5:4): "Se suas (das testemunhas) palavras são consideradas coerentes eles começam (a examinar o depoimento) em favor da absolvição. Se uma das testemunhas diz: 'Eu tenho algo a afirmar em favor de sua absolvição'... eles a silenciavam", pois, uma vez que o exame dos testemunhos estivesse em andamento, a testemunha não tinha o direito de intervir nas deliberações do tribunal. Analogamente, se um dos discípulos, sentado diante do Sanedrim, desejasse argumentar em favor da condenação era igualmente silenciado. Mas se, de outro modo: "Um dos discípulos dissesse: 'Eu tenho algo a argumentar em favor de sua absolvição', traziam-no para cima (para a sede do Sanedrim) e sentavam-no entre eles e ele não descia dali todo o dia. Se houvesse alguma substância em suas palavras eles o ouviam. Mesmo se o acusado dissesse: 'Eu tenho algo a aduzir em favor de minha absolvição', ouviam-no; contanto que houvesse alguma substância em suas palavras". Essa prerrogativa era conservada pelo acusado até o último momento antes da morte.

Nunca, de outro modo, consideraram os Hahamim a possibilidade de extrair confissões da boca do acusado ou influenciá-lo para que admitisse a culpa. A autoconfissão, não tendo nenhum apoio legal, não foi por conseguinte jamais mencionada nas leis do Sanedrim, em marcante oposição, ao que parece, aos princípios jurídicos da Grécia e de Roma.

No Direito Romano, o acusado era interrogado por vários métodos que visavam forçar uma confissão. De fato, o Direito Criminal romano seguia esta regra: "confessus pro iudicato est"[6]. Desse prin-

---

6. Cf. R. Mommsen, *Roemisches Strafrecht*, 1899, pp. 437-438. É do mesmo modo que, nas tradições do processo criminal romano, somos conduzidos na consideração do interrogatório de Jesus pelo Sumo-Sacerdote diante do Sanedrim, como é relatado no Evangelho de Marcos. No primeiro estágio do julgamento, o depoimento é solicitado contra o acusado, enquanto o tribunal anota os testemunhos e denúncias. Baseado em investigação ulterior, várias declarações das testemunhas são invalidadas por se contradizerem umas às outras. Finalmente, o Sumo-Sacerdote se ergue, atento em extrair uma admissão de culpa (*confessio*) do acusado. De início, o último permanece em silêncio; mas quando inquirido uma segunda vez confessa abertamente sua missão messiânica. Imediatamente o Sumo-Sacerdote proclama:

cípio romano, os juristas medievais deduziram que uma admissão de culpabilidade da parte do acusado constituía a "testemunha soberana" (*Regina Probationum*). Como foi afirmado antes, a única base para o andamento de um julgamento era o depoimento de duas testemunhas. Essas poderiam ser submetidas à prova por "interrogatório e investigação" (*Sanedrim* 4:1-5; 5:1-3), ou seja, o tribunal investigava se tais declarações concordavam quanto ao tempo e lugar do ato em questão. Havia também a possibilidade de refutação de testemunhas demonstrando um alibi (*Hatzamá*) se o depoimento fosse negado e contradito por um par de testemunhas oponentes que clamassem: "Como pode o senhor provar isso, pois veja, o senhor estava conosco nesse mesmo dia em tal lugar" (*Makot* 1:4). De igual modo exigiam-se provas das testemunhas "de que tinham advertido o acusado antes de seu ato criminoso" (*Hatraa: Sanedrim* 5:1; 8:4; 10:4; *Makot 1*:8-9) – condição que pode ter-se originado dentro dos estreitos confins de uma pequena vila, em que todos os habitantes se conheciam pessoalmente e onde os desígnios do próximo eram igualmente conhecidos por todos. Nenhum juramento era exigido das testemunhas, e, nem é preciso dizer, do acusado tampouco. As testemunhas, ao contrário, "inspiravam respeito" (*Sanedrim* 4:5). Para chegar ao cerne do sentido da expressão "inspirar respeito" citada na Mischná deveríamos considerar a fórmula de juramento corrente na Grécia. Em casos de assassinato trazidos ao Areópago de Atenas, o acusador, o acusado e as testemunhas tinham de prestar juramento que inspirasse

"Que necessidade temos de mais testemunhas?" e o Sanedrim unanimamente o declara culpado. O processo legal suposto pelo autor dessa história evangélica conforma-se ao padrão romano, com o qual, sem dúvida, estava familiarizado nos julgamentos de cristãos por funcionários romanos. Sua história deixa de mostrar o menor traço de conformidade com a lei judaica. Tampouco é possível manter a veracidade do relato evangélico argumentando que os judeus condenaram Jesus em contravenção com sua lei, tendo recorrido a "medidas de emergência". A natureza real de tais medidas é expressa na seguinte opinião de R. Eliezer ben-Iaakov (*B. Sanedrim* 46 a: *Iebamot* 90 b): "Eu soube que mesmo quando em desacordo com a Torá o Beit Din pode impor flagelação e punição; não, entretanto, com o propósito de transgredir as palavras da Torá, mas a fim de fazer uma defesa para a Torá". É evidente que o caso em questão trata de atribuição de punição, mais severa do que a estipulada pela lei e não com qualquer mudança no processo legal. A não-aceitação de admissões de culpa (*confessio*) declarada pelo acusado é fundamental aos princípios legais da Halahá; a confissão do acusado, além do mais, nem mesmo é tomada em consideração na corte. Tampouco é defensável supor que um Beit Din posterior pudesse alterar uma Halahá sagrada e codificada proveniente de uma antiga autoridade, e aceitar um procedimento estrangeiro, cujo teor dificilmente poderia alcançar. Cf., meu artigo in *Zion* 31, 1966. De opinião diferente é o artigo apologético de Haim H. Cohn, Reflection on the Trial and Death of Jesus, *Israel Law Review Association*, 1967.

confiança diante de sacrifícios animais trazidos aos deuses do juramento. Esse juramento não pretendia servir como prova judicial; sua importância era apenas sacra. O acusado depunha seu caso nas mãos da divina providência; proclamava: "se esse juramento for mentiroso, que uma maldição recaía sobre ele mesmo, sobre sua prole, sua casa e família". A comparação com isso nos habilita a entender a fórmula de advertência às testemunhas diante da Corte Judaica: "Saibam pois que casos capitais não são como casos monetários. Em processos civis, pode-se fazer restituições monetárias e desse modo efetuar sua indenização; mas em casos capitais ele se torna responsável por seu sangue (sc. o do acusado) e o sangue de seus (potenciais) descen-dentes até o fim dos tempos". O tribunal procedia então ao acréscimo de uma lei geral: "Por essa razão Adão foi criado como único no mundo, para ensinar que se algum homem causar o perecimento de uma única alma, imputá-lo-ão no Paraíso, como se tivesse causado o perecimento de todo um mundo; e se qualquer homem mantém uma única alma viva imputá-lo-ão como se tivesse salvado todo um mundo" (*Sanedrim* 4:5). Assim encontramos a corte suprema da Segunda Reunião no papel de uma instituição educacional proclamando uma mensagem humanitária universal tanto para a população da época como para as futuras gerações.

No conjunto, o processo legal da Antigüidade era breve. Na versão platônica da Apologia, o acusado Sócrates censura aos atenienses por não terem aceito a prática legal corrente em outros estados gregos, pela qual os casos criminais não eram concluídos num único dia, mas resolviam-se em vários dias. Na Mischná, de outro modo, está escrito: "Em casos capitais, pode-se chegar a um veredicto de absolvição no mesmo dia, mas um veredicto de condenação não até o dia seguinte" (*Sanedrim* 4:1). Subseqüentemente (*Ibid.*, 5:5) esse princípio é reforçado e são aduzidas razões para o adiamento do veredicto em prosa solene e um estilo rítmico, refletindo o profundo senso de responsabilidade que anima todos os pronunciamentos que tratam desse assunto. Assim: "Se o julgam inocente, põem-no em liberdade; caso contrário, o julgamento é adiado até o dia seguinte, enquanto andam de lá para cá aos pares, se alimentam moderadamente, não tomam vinho o dia todo e discutem o assunto (teoricamente) durante a noite e na manhã seguinte cedinho voltam para o tribunal". Apenas então era a decisão final alcançada e o veredicto era proclamado.

As deliberações processavam-se inteiramente de memória, como era também hábito entre os antigos atenienses. Havia, contudo, aspectos característicos do Beit Din judaico: "Diante deles (*i.e.*, o Sanedrim) ficavam os dois escribas dos juízes, um à direita e outro à esquerda, e anotavam as palavras que favoreciam a absolvição e as que favoreciam a condenação" (*Ibid.* 4:3). Além disso, na última sessão, os juízes podiam ou confirmar suas opiniões, expressas durante a primeira sessão, ou alterar o veredicto de "culpado" para "inocente"; mas não podiam condenar alguém que tivessem afirmado ser inocente na sessão anterior. Se os juízes se enganassem, então "os escribas dos juízes deviam lembrar-lho". Finalmente, "punham em votação" (*Ibid.* 5:5). O veredicto final não era registrado por escrito, nem o depoimento feito pelas testemunhas. Encarado como um todo, o processo do Sanedrim é certamente um fenômeno único na história do Direito. Nela encontramos uma manifestação da fé monoteísta e uma afirmação do valor eterno de cada alma humana individual. Nas palavras da Mischná (*Ibid.* 4:5): "O Altíssimo, abençoado seja, imprimiu em cada homem a marca do primeiro homem, embora nenhum deles seja igual a seu próximo". Deve-se, de outra parte, admitir que casos que envolviam o estrangeiro não eram, aparentemente, trazidos diante do Sanedrim. A respeito do habitante estrangeiro (*Guer Toschav*), ver mais adiante.

A execução das "quatro formas de punição capital" do Beit Din era sem dúvida cruel. Assim era de fato toda punição capital da Antigüidade, como em todos os tempos. Os significados da execução em épocas antigas eram influenciados por motivos religiosos predominantes. Não era para causar degradação ao corpo humano, criado como era à imagem de Deus[7]. Inútil dizer que o condenado em tempo algum era submetido a abuso cruel antes da execução, prática aceita entre os gentios.

No Direito Judaico, a penalidade de morte também se aplicava à idolatria ou ao ato de profanação ao culto de ídolos, a toda uma cidade condenada por idolatria e à blasfêmia. Essas leis na maioria podem datar dos tempos asmoneus. Também passível de punição pela morte eram as relações sexuais de natureza adúltera ou incestuosa. A profanação do Schabat era igualmente uma ofensa capital, apesar de não nos terem chegado notícias de tais veredictos, exceto nos tempos asmonaicos. No caso de "filho obstinado e rebelde" a lei pode, de fato, ter sido aplicada por gerações mais antigas que, ombro a ombro com Platão, sustentavam a opinião de que "a morte do ímpio era para eles um benefício e um benefício para todo o mundo" (*Sanedrim* 8:5).

De grande interesse geral é a lei de "O ancião que se rebela contra a decisão do tribunal" (*Sanedrim* 11:2-4). Ele é um sábio que sustenta suas opiniões contra a Halahá aceita e tornada estatu-

---

7. Cf. A. Büchler, *M.G.W.J.*, 50, 1906.

tória, pelo "Grande Beit Din que fica em Jerusalém". De acordo com uma tradição ele é executado durante uma das festas, assim como para cumprir o versículo: "Para que todo o povo o ouça e tema" (*Deut.* 17:13). De acordo com outra versão, ele é executado sem demora e a mensagem de que a pessoa em questão fora condenada à morte pelo Beit Din é escrita e despachada por toda vizinhança por mensageiros. Essa Mischná reflete os poderes do Sanedrim como corporação legislativa suprema e árbitro final em assuntos judiciais assim como rituais que se relacionavam com a comunidade durante os vários estágios do desenvolvimento haláhico. Por meio das *Leis* de Platão sabemos que uma instituição semelhante pode igualmente ter existido na Grécia ou deve ser explicada como uma ficção utópica do grande filósofo. Nesse contexto poder-se-ia também observar que a lei de "O boi que deve ser apedrejado (é julgado) por três e vinte" (*Sanedrim* 1:4) também tem analogia na Grécia e entre os alemães, onde um animal culpado de homicídio era condenado à morte por processo sagrado. Infrações menores, que não exigiam a penalidade máxima, eram punidas pelo açoitamento (*Malkor*). Além disso, está escrito: "Se um homem for açoitado uma segunda vez o tribunal deve pô-lo no pelourinho... Se um homem cometeu crime, mas não havia testemunhas, deverão expô-lo ao pelourinho" (*Sanedrim* 9:5) – apenas uma penalidade temporária, segundo tudo indica. O material remanescente dessa Mischná é apenas um adendo bastante posterior. O "kipa" não passa de uma corrupção de *Kyfon*, isto é, "pelourinho" ou "tronco".

Já na Torá escrita aprendemos a diferençar entre atos intencionais e não-intencionais, entre intenção e ação. Na Mischná encontramos disposições e definições adicionais, análogas às leis cretenses e atenienses dos séculos V e IV a.C., como nos escritos de Platão: "Se um assassino tiver golpeado seu semelhante com uma pedra ou com (um instrumento de) ferro ou se o tiver impelido para dentro da água ou do fogo e esse não puder sair e morrer, ele é culpado. Se empurrá-lo (e ele cair) dentro da água ou do fogo e puder sair e mesmo assim morrer, ele não é culpado" (*Sanedrim* 9:1). "Se ele pretendia matar um animal e matou um homem, ou pretendendo matar um estrangeiro matou um israelita, ou um prematuro e matou um nascido que provavelmente viveria, ele não é culpado" (*Ibid., ib.*: 2).

"Se um homem provoca um incêndio pelas mãos de um surdo-mudo, um imbecil ou um menor, ele não é culpado pelas leis humanas, mas é culpado pelas leis de Deus[8]. Se ele causar sua irrupção pelas mãos de um homem sensato este é culpado", pois foi

---

8. Esse é um conceito jurídico, cujo similar é encontrado na Grécia.

dito que "não existe agente para um ato ilegal". "Se um trouxe o fogo e então outro trouxe a madeira, aquele que trouxe a madeira é culpado" etc. (*Baba Kama* 6:4). Em assuntos dessa natureza não se sente diferença entre a dialética grega e a judaica.

Esse método de raciocínio assume um significado maior relativamente às leis do homem "que matou uma alma involuntariamente" (*Makot*, Capítulo 2). Essas constituem um capítulo revelador no desenvolvimento jurídico da sociedade humana em geral. Anteriormente, o arbítrio de um homicídio, intencional ou inadvertido, era deixado ao julgamento da família do assassinado. A lei mosaica foi uma das primeiras a circunscrever a prerrogativa de vingança de sangue exercida pelo representante dos parentes mais próximos do assassinado. Conseqüentemente a comunidade ou Beit Din eram encarregados de tomar a decisão final na matéria. Na opinião da Mischná, o Beit Din devia decidir se o assassino havia agido com malícia premeditada ou de outro modo. Se o ato era não-premeditado, o assassino era exilado para uma das cidades de refúgio já existentes nos tempos bíblicos assim como também na Segunda Reunião Hebraica reconstituída. Não obstante as reservas dos eruditos modernos, esse assim chamado esquema utópico foi duas vezes na história judaica traduzido para a realidade social e política[9]. Já no antigo Egito os fora-da-lei podiam buscar refúgio dentro dos recintos dos templos. Os limites dos santuários eram marcados por inscrições gravadas em pilares de pedra e que cercavam as paredes do templo. Na Grécia clássica e nas regiões helenísticas havia um direito de asilo aceito (*asylon, asylia*) nas cidades e estados consagrados a uma divindade (por exemplo Dionísio ou Apolo). Ninguém podia ser prejudicado nesses lugares. Na Ática não havia cidades de refúgio especificamente separadas e uma pessoa considerada culpada de homicídio não-premeditado era condenada a deixar sua pátria e partir para o exílio (*Feúgein*) fora das fronteiras. Isto porque, a própria presença do assassino, acreditavam os gregos, macularia a cidade. No Eretz Israel dos tempos bíblicos assim como durante a Segunda Reunião, uma rede completa de cidades de refúgio foi construída, garantindo asilo a homicidas, como foi observado. Eram cidades santificadas numa Terra Sagrada.

Tanto o elaborado código jurídico ático (ou as *Leis* platônicas – baseadas em tradições jurídicas da pátria do filósofo) como a Halahá mischnaica – baseada na Torá escrita, não aboliram completa-

---

9. Cf. Y. F. Baer, The Historical Foundations of the Halakha, *Zion*, XVII, pp. 13 e ss., 1952, *idem, Israel among the Nations*, Jerusalém, 1955, 68 e ss., B. Z. Dinur, "The Religious Character of the Cities of Refuge and the Ceremony of Admission into Them". *In: Eretz Israel*, Jerusalém, 1954, III, pp. 135-146.

mente a lei da vingança de sangue. Antes estabeleceu por assim dizer um compromisso entre o vingador e o Estado. O vingador não tinha permissão de prejudicar o derramador de sangue até que este fosse trazido diante do Beit Din. Dois "Talmidei Hahamim" eram delegados pelo Sanedrim para escoltar o assassino involuntário à sua cidade de refúgio e protegê-lo "em caso de alguém tentar matá-lo no caminho". Os emissários do Beit Din eram instruídos para apelar para o vingador num certo estilo estabelecido, indicado na Mischná pelas palavras: "e que possam falar a ele" (*i.e.*, o vingador). De acordo com a Baraíta (*Sanedrim* 10b; *Tossefta* 3: (2) 5), é feito o seguinte apelo ao vingador: "Não o trate à maneira dos derramadores de sangue, não passou de um erro ele estar metido nisso". Uma referência pode ser aqui discernida de uma fórmula aceita, semelhante àquela do apelo grego de pacificação empregada pelo assassino em sua petição aos parentes consangüíneos do assassinado.

Se o assassino saísse de dentro dos limites de seu santuário e era em seguida encontrado pelo vingador, este tinha o direito de matá-lo. Essa prerrogativa era mantida pelo vingador fosse como fosse: "Que para o vingador é uma questão de obrigação (atacar); para outro qualquer, uma questão de opção" numa opinião, e segundo uma outra autoridade: "o vingador tem o direito" (*Makot* 2: 7) de fazê-lo. O veredicto de exílio para uma cidade de refúgio não se aplicava apenas no caso de uma contenda em que ambas as partes fossem judeus mas também ao residente estrangeiro (*Metoikos*). Em outras palavras, a comunidade judaica desejava estender sua proteção também a estrangeiros cujos termos de residência na terra de Israel fossem definidos num convênio específico. As condições incluíam aceitação de certas obrigações morais implícitas no credo monoteísta (as sete leis Noahianas). "Um residente estrangeiro não necessitava ir para o exílio salvo unicamente por causa de (outro) residente estrangeiro", diz a Mischná. Isto é o máximo que podemos concluir com algum grau de certeza. Na opinião de comentários posteriores, o veredicto do exílio aplicava-se também a um judeu que fosse morto não-premeditadamente por um residente estrangeiro. De acordo com outra opinião, um residente estrangeiro que matasse involuntariamente um judeu, não era enviado para o exílio mas executado.

Essa opinião, todavia, não precisa ser aceita. É possível que ele fosse compelido a deixar o país. Com efeito, este era o andamento jurídico obedecido pelo Estado ático em todos os casos de assassínio involuntário. É evidente que dependia muito da natureza das circunstâncias políticas, como o grau de ascendência judaica num tempo qualquer específico.

Em suma, este artigo – tanto quanto permite o espaço – pretende provar que é impensável que as Halahot da Mischná possam ser interpretadas como o produto de considerações puramente tradicionais. O próprio caráter dos assuntos haláhicos tratados nesse artigo atesta que eles não podiam ter envolvido no ar, por assim dizer, mas devem ser colocados sobre a terra firme da cena histórica a que devidamente pertencem.

5. A Revolta dos Asmoneus e seu Papel na História da Religião e da Sociedade Judaica

Na quarta década do século II a.C., época em que o destino político do mundo mediterrâneo foi decidido pela vitória da República Romana sobre a Macedônia. Na batalha de Pidna (168 a.C.) e por sua intervenção política no Egito, passaram-se na Judéia extraordinários acontecimentos, cujos resultados foram, eventualmente, destinados a determinar o caráter espiritual e religioso do Oriente Próximo e também da Europa. Os acontecimentos da Judéia foram inéditos na história dos tempos antigos, na medida em que envolveram a maciça perseguição religiosa e, quaisquer que possam ter sido os seus objetivos iniciais, eles logo se transformaram numa guerra religiosa e num choque ideológico. Foram encarados sob este prisma pelas pessoas que tiveram atuação na época da crise, e é assim que o seu significado foi compreendido por aqueles, judeus e não-judeus, que foram influenciados pelas experiências da perseguição e da revolta que surgiu em seu rastro.

Os decretos de Antíoco IV, Epifânio (175-164 a.C.) contra a religião judaica foram emitidos numa época em que o prestígio da dinastia selêucida já tinha declinado consideravelmente. A derrota sofrida pelo pai de Epifânio, Antíoco III, em mãos dos romanos e o tratado de paz que encerrou a guerra, retalharam o território do reino e reduziram seu potencial militar. Quando Antíoco IV, depois de uma luta, assegurou o seu domínio sobre Antioquia, viu-se rei com um poder que, embora ainda forte, era menor em extensão do que tinha sido, menos poderoso e cujo prestígio fora ímpar. Agora, sempre que surgia um problema político, devia levar em conta a reação da República Romana.

Durante seu reinado, Antíoco desenvolveu intensa atividade no campo político e militar, com o objetivo de fortificar o poder do seu reino. Na Ásia Menor manteve íntimas ligações com os reinos de Pérgamo e Capadócia, enquanto as antigas cidades gregas de Megalópolis, Olímpia e, sobretudo, Atenas, beneficiaram-se, todas, da generosidade do rei. Do ponto de vista militar, os primeiros anos do seu reinado foram marcados pela tensão, que se tornou tradicional em suas relações com o Egito ptolomaico e foi na fronteira meridional do reino que Antíoco concentrou seus esforços militares. A tensão culminou num conflito armado que, em 169-168 a.C., elevou Antíoco ao auge do seu sucesso, antes da intervenção de Roma reduzir a nada as suas conquistas. Desde os seus primórdios, o período do reinado de Antíoco foi marcado por uma tentativa de recuperação e uma febril organização do reino selêucida. Desde que o país havia perdido parte de seus recursos em mão-de-obra que tinham estado à sua disposição na Ásia Menor, o rei tentou preencher a lacuna, explorando ao máximo o potencial ainda disponível. Mesmo que haja algum exagero na opinião de alguns estudiosos que dão grande ênfase ao papel de Antíoco como fundador de novas cidades helenísticas, de qualquer forma, ele fez mais do que seus predecessores imediatos para transformar antigas cidades orientais, aqui e ali, em *poleis* gregas. Provas numismáticas corroboram a teoria de que ele encorajou a participação das cidades em seu reinado, no empenho de reviver seu poder.

Devido à posição geográfica da Palestina, como fronteira entre o reino selêucida e o Egito ptolomaico, e como base principal para as campanhas militares de Antíoco no vale do Nilo e, considerando que a Palestina estava no auge de um processo de helenização que encontrou expressão no desenvolvimento de padrões helenísticos da vida urbana, não é de admirar que a situação neste país fosse um assunto de máximo interesse para o rei. A helenização do Oriente não deixou ilesa a população judia da Palestina, nem mesmo a Judéia. O prolongado domínio grego na Judéia, os padrões dos regimes ptolomaico e selêucida, as conquistas materiais da civilização helenística nas finanças, agricultura e construção de cidades, combinaram-se para produzir mudanças de longo alcance, também na Judéia. Deve-se levar em conta que a população judaica, tanto da Judéia quanto em outros lugares, era cercada por uma população gentílica que, embora variada em sua composição étnica, no período do domínio grego desenvolveu um tipo de liderança uniforme, de caráter helenístico. E, enquanto anteriormente o grupo judeu havia se notabilizado por sua unidade, agora começava a se cristalizar uma classe alta, helenística em seu modo de vida, que devia, gradualmente, absorver os papéis de liderança e cultura em toda a Palestina e deixar lugar somente para as nuances das mais tênues que distinguiria dentre os primeiros elementos étnicos. O maior perigo que ameaçava o Judaísmo neste período de expansão do helenismo, antes da perseguição desencadeada por Antíoco, não era a liquidação absoluta do sistema de vida judaico no país, pois, mesmo em outros lugares do Oriente e entre populações com caráter espiritual menos coeso e menos vibrante do que a nação judaica nesta época, a helenização, em geral, não conseguiu uma assimilação completa das massas da população rural, mas, na realidade, se manteve para uma minoria. O perigo que, em não pequeno grau, espreitou a Judéia, tanto quanto outros lugares, foi que, também aqui, realizar-se-ia a mesma cisão entre as classes dominantes e a classe baixa da população, que levaria à fusão dos primeiros com a classe helênica dominante e à condenação dos outros a um longo período de relativa estagnação e esterilidade espiritual e cultural.

Entre os principais defensores da helenização na Palestina judaica estava a Casa de Tobias, importante família da Transjordânia, cuja grandeza pode remontar até o período bíblico e cujos representantes, na época de Esdras e Neemias, foram os principais oponentes da sua orientação político-religiosa e serviram como aliados de Sambala. O filho de Tobias também desempenhou um papel importante sob o domínio ptolomaico. Iossef ben-Tobias tornou-se uma das personalidades mais importantes na Palestina e mesmo na própria Judéia. A Casa de Tobias estava ligada por matrimônio à dinastia dos sumos-sacerdotes, a Casa de Zadoqueu. A família dos sumos-sacerdotes estava também dividida entre si. Enquanto o sumo-sacerdote Onias III estava disposto a lutar pela preservação da ordem tradicional em Jerusalém, seu irmão Jasão procurou efetuar mudanças fundamentais na Judéia. Tal como a Casa de Tobias, a sua posição era estritamente palestiniana ao invés de judaica. Sua ambição era fundir Jerusalém, que ele estava reorganizando, com a sociedade helenística urbana do reino selêucida. Ele mandou, por exemplo, uma quantia de dinheiro em nome de Jerusalém, para ser usado no culto do deus de Tiro, Hércules (Melkart). Particularmente extremados em sua devoção ao helenismo e na intenção de se manter completamente à parte do Judaísmo, em todas as suas manifestações, foram os sacerdotes da linha de Bilga. Um deles, Menelau, no decorrer do tempo, tornou-se o principal executor da política de Antíoco na Judéia.

A atmosfera em Jerusalém estava cheia de tensão, mesmo antes de Antíoco IV ascender ao trono e de sangrentos distúrbios eclodirem nas ruas. Desde que conquistou o poder, Antíoco IV interveio ativamente nos negócios da Judéia e foi sob suas ordens que Onias foi deposto do cargo de sumo-sacerdote, oferecido a seu irmão Jasão. Com a aprovação do rei, Jasão introduziu reformas de longo alcance no governo de Jerusalém e em sua ordem social. Seu propósito era transformar Jerusalém em uma *polis* que seria conhecida como Antioquia. Seu estabelecimento impôs a penetração das instituições públicas e culturais helenísticas na vida da capital judaica.

A mais notável dentre estas instituições era o ginásio – um distintivo de toda cidade helênica e o centro de sua vida cultural. Embora não haja razões para se supor que Jasão tenha introduzido o culto de deuses pagãos em Jerusalém, a própria presença do ginásio era uma grande afronta aos sentimentos dos judeus que eram fiéis à sua religião, posto que o ambiente do ginásio era basicamente grego e idólatra, estando ligado com o culto de Hermes e Hércules. Não se passou muito tempo para que o ginásio substituísse o Templo como centro da vida social em Jerusalém. Com grande amargura, o segundo Livro dos Macabeus descreve como os sacerdotes desertaram o ofício do Templo a fim de assistir às competições esportivas no ginásio.

Jasão não manteve por muito tempo sua posição de sumo-sacerdote e de líder da *polis* de Jerusalém. Quando estourou a guerra com o Egito, Antíoco não o considerou suficientemente leal e ele foi substituído por Menelau, que não pertencia à família dos sumos-sacerdotes. O seu *status* como sumo-sacerdote originava-se, necessariamente, da vontade do rei, o que ia de encontro com a tradição judaica, fato que também constituía uma garantia de sua lealdade. Uma nova página foi pois aberta na história das relações entre o reino selêucida e a nação judaica. O sumo-sacerdote, que antigamente representava o povo judeu diante do rei, tornou-se então o representante do rei na Judéia, algo semelhante a um funcionário de Antíoco e sua mão direita na execução de sua política entre os judeus.

As campanhas guerreiras de Antíoco, no Egito, estavam intimamente ligadas com o que estava acontecendo nesta época na Judéia. Quando de sua volta de uma de suas expedições contra o Egito, o rei, com o apoio de Menelau, saqueou os grandes tesouros do Templo, provocando desta maneira a ira dos judeus, que viam nisto um sério desrespeito aos seus direitos e um ataque deliberado a tudo o que consideravam sagrado. Em 168 a.C. durante a última campanha de Antíoco no Egito, espalharam-se rumores, na Judéia, a respeito da morte do rei. Jerusalém revoltou-se e Jasão, o sumo-sacerdote deposto, voltou à cidade e, temporariamente, assumiu o controle. Depois que Antíoco retornou do Egito, Jerusalém foi reconquistada pelo exército selêucida. Decidiu punir os judeus, por causa da rebelião, e assegurar, para o futuro, o controle efetivo da cidade. Foram trazidos para a cidade colonos estrangeiros e a eles se associaram helenistas radicais da facção de Menelau. Ainda não tinham sido publicados os decretos contra a religião judaica, mas o próprio controle da cidade pelos colonos gentílicos e pelos helenistas radicais, que pouco diferiam deles, alterou completamente o caráter judaico da cidade santa e deu-lhe a aparência de uma cidade idólatra, fervilhando de cultos pagãos.

Sem dúvida, os colonizadores estrangeiros trouxeram seus ídolos consigo. Muitos dos judeus que eram leais à fé de seus pais e estavam acostumados a considerar a Judéia como uma terra que não deveria ser aviltada por cultos pagãos, não podiam se conformar com o novo estado de coisas em Jerusalém. Eles abandonaram sua cidade e fugiram para os desertos a leste e sudeste de Jerusalém ou para as cidades provinciais, a oeste ou noroeste da cidade.

O passo decisivo foi dado em 167 a.C. Naquele ano, a religião judaica estava fora da lei e a observância de seus preceitos era estritamente proibida. Não podemos aceitar a opinião de que os decretos se aplicavam somente aos estreitos limites administrativos da Judéia, que abrangia só a pequena área entre Beit-El ao norte e Beit-Zur ao sul e entre Jericó a leste e a planície de Lod a oeste, e que compreendia somente uma pequena parte da população judaica da Palestina. Mesmo que o edito tenha, originalmente, pretendido se aplicar somente à Judéia, a extensão do território envolvido resultava da presença de uma grande população judaica nos distritos adjacentes aos limites da Judéia. As próprias fontes testemunham a imposição dos decretos, também fora da Judéia. De fato, mesmo Modiin, berço da revolta e a terra natal dos Asmoneus, que responderam com a força das armas à tentativa de impor o edito do rei em sua cidade, estava localizada no planalto de Lod, que estava incluído na Samaria. E, através das instruções de Antíoco para a administração da Samaria, pode-se perceber claramente que a política religiosa do rei também se aplicava àquele distrito. Os samaritanos que viviam em Schechem não eram afetados, não porque estivessem fora da Judéia, mas porque fizeram uma declaração na qual afirmavam que eram diferentes dos judeus e estavam dispostos a seguir os costumes gregos. Dificilmente há qualquer dúvida de que as ordens reais eram também aplicadas aos outros centros de população judaica: na Galiléia e Transjordânia e nos territórios das cidades helenísticas. O que está menos claro é em que extensão os decretos afetaram os judeus que viviam no reino selêucida, fora da Palestina, tais como os de An-tioquia, a capital.

Os decretos reais têm uma série de aspectos. Primeiro, a observância dos preceitos do Judaísmo era proibida. Particularmente, tem-se conhecimento da profanação do Schabat, da proibição de circuncisão e da queima de rolos da Torá. Além disso, os judeus eram obrigados a tomar parte em cultos pagãos, a oferecer sacrifícios nos montes e a comer alimentos proibidos, especialmente porco. Altares pagãos eram erigidos em várias cidades da Judéia, nos quais suínos e outros animais proibidos eram sacrificados. Também nas ruas e nos portões das casas eram oferecidos sacrifícios. Além disso, o Templo sagrado em Jerusalém foi profanado e convertido em um templo do Zeus olímpico. A festa de Dionísio era celebrada na capital da Judéia e os judeus eram obrigados a tomar parte na procissão em homenagem ao deus ornamentado com guirlandas de hera. Sabe-se que também foi designado um lugar para a deusa Atenas no novo culto da cidade de Jerusalém. Nem o culto dos reis, que era bem organizado nas diversas partes do reino selêucida, inclusive os distritos não-judaicos da Palestina, deixou a Judéia intacta. Todo o mês, na data de nascimento do rei, eram levados, à força, para tomar parte nos sacrifícios. Muitos eruditos chegaram à conclusão de que o novo culto que foi imposto à Judéia não era um culto grego, mas sim, oriental; que o Zeus olímpico, a quem era então dedicado o Templo em Jerusalém, era realmente o Baal Schamem, e Dionísio seria simplesmente a tradução de Dusares, deus árabe. No que se refere à reação judaica, isto não faz a mínima diferença, pois o Judaísmo, com seu caráter monoteísta e sua tradição nacional particular, não faz distinção entre um culto estrangeiro e outro. Centenas de anos depois que o politeísmo e a idolatria foram eliminados do solo judeu, era inconcebível que Baal Schamem ou Dusares tivessem qualquer atrativo maior para os habitantes da Judéia, do que o Zeus e o Dionísio dos gregos. Em todo caso, as fontes históricas falam indubitavelmente sobre a penetração dos cultos helênicos. Nos documentos oficiais (*Antiguidades*, XII, 263; *II Macabeus*, 11:24) são feitas menções neste contexto a costumes helênicos, e o mesmo é válido em relação à narrativa histórica em *II Macabeus* (ver, *e.g.*, 6:9). Além do mais, deve-se ter em mente que, neste período, ao contrário dos últimos tempos do mundo antigo, os termos "helenos" e "pagãos" não são coincidentes. É também duvidoso que a descrição de licenciosidade sexual na corte do Templo (6:4) se refira à prostituição cultural, típica da idolatria oriental, mas sim a uma pura devassidão sem nenhum significado de culto.

Os possíveis motivos para os decretos de Antíoco têm sido freqüentemente motivo de interrogação. Posto que o politeísmo não é exclusivo na sua essência e não prega a conversão para redimir almas, o que é típico das religiões monoteístas em seu desenvolvimento, seus representantes não tinham pretextos religiosos que, como questão de princípio, pudessem impeli-los a impor suas crenças e seus cultos aos outros. Por outro lado, é óbvio que mesmo um governo politeísta poderia considerar necessário, tanto para o bem do

Estado, quanto para proteger o bem-estar público pelo qual era responsável, emitir a proibição de certos cultos e costumes dentro da área de sua autoridade e exigir de seus súditos que mostrassem respeito ao deus do Estado e mantivessem seus cultos. Parece, portanto, que considerações deste tipo, mais do que o zelo missionário helênico, eram o que ditava a nova política de Antíoco. É verdade que Antíoco desenvolveu uma ligação pessoal especial para com o Zeus olímpico, ligação essa que também é confirmada pelo material numismático. Mas, não há fundamentos para se concluir que esta atitude o tenha levado a diminuir a importância de outros cultos, sejam gregos ou orientais. Não há a mínima alusão, em nossas fontes, a qualquer tentativa de sua parte de se valer de coerção religiosa entre seus súditos pertencentes a outras nações de seu reino. Somente a religião judaica sofreu perseguições em suas mãos – e com fúria brutal. Aparentemente, o permanente estado de tensão e os distúrbios na Judéia, e a obstinada resistência dos judeus às mudanças no governo e na sociedade, que eram impostas pela iniciativa ou com a ajuda do poder estatal, convenceram-no de que era a lealdade das massas judias à sua religião que estava forjando sua resistência à política do rei. É também provável que o seu conflito com os judeus o tenha levado a desenvolver uma profunda antipatia pessoal pela religião e sistema de vida judaicas, tão estranhos à sua visão do mundo. Esta combinação de considerações políticas e sua aversão pessoal ao monoteísmo judeu, operante e exclusivista, é suficiente para explicar o fanatismo com que Antíoco conduziu sua luta contra o Judaísmo. Também é certo que os decretos obrigando os judeus a adotar certos costumes e cultos, além da proibição que baixou contra a observância dos preceitos do Judaísmo, não eram a expressão de qualquer entusiasmo pela idéia da conversão religiosa, mas serviram, como meio, entre outros, de supressão do Judaísmo. Antíoco foi vista pelos seus contemporâneos como uma personalidade invulgar e ele nunca hesitou em fazer o inusitado e o inesperado. Ele também considerava seu esquema exeqüível, desde que os círculos helenistas extremos, sob a liderança do sumo-sacerdote Menelau, colaborassem com ele em todos os sentidos. De qualquer forma, Menelau nada tinha a perder com a abolição do tradicional culto judaico ou com a erradicação de todas as instituições da sociedade judaica. Para começar, aos olhos dos judeus fiéis à sua religião, Menelau era um usurpador que irrompera no Templo e expulsara a família de sumos-sacerdotes de sua posição. Outros helenistas poderiam, talvez, perder mais, como um resultado da política de Antíoco e da abolição dos privilégios de classe do sacerdócio de Jerusalém e a penetração de uma elite estrangeira em Jerusalém. Mas, o círculo de Menelau, de qualquer forma, rompera seus laços com a sociedade tradicional da Jerusalém judaica. O total consentimento deste círculo à linha de ação do rei levou-o a pensar, erradamente, que todos os membros das mais altas classes judaicas estavam dispostos a lhe dar um apoio firme contra os elementos hostis ao reinado, que provinham principalmente das classes mais baixas.

A execução da política era atribuída à administração real e aos chefes do exército na Judéia As ordens eram executadas com cruel rigor. Qualquer um que possuísse um rolo da Torá era executado, quando descoberto. As mães que circuncidavam seus filhos eram mortas e os bebês enforcados. Muitos eram mortos por se recusarem a ser contaminados por alimentos proibidos, enquanto outros morriam queimados em grutas, onde se reuniam a fim de observar o Schabat.

A política real e sua cruel execução produziram uma reação completamente oposta àquela que o rei e seus conselheiros esperavam. Contrariamente a suas expectativas, a grande maioria da nação permaneceu fiel à sua religião ancestral e os membros das diversas classes demonstraram um firme propósito de sofrer o que quer que lhes fosse imposto, ao invés de se submeter ao decreto real. A entusiástica devoção dos judeus à sua fé era um fenômeno determinado por raízes profundas. Os profetas do Senhor, na época de Elias, que eram assassinados por ordem de Jezebel, podem, talvez, ser considerados como os primeiros mártires da religião judaica. O martírio também tinha o seu lugar no destino dos profetas da Judéia, na época da Primeira Reunião. Mas, agora, pela primeira vez na história da humanidade, somos testemunhos do martírio em massa e a resistência dos santos e pios, na época da perseguição, serviu como um exemplo para ambos, judeus e não-judeus, em todas as gerações vindouras.

O martírio foi acompanhado por tensão escatológica. Cresceu o sentimento, pelo menos em certos círculos, de que o sofrimento sem paralelos anunciava a destruição do reino do mal e a realização das visões do fim dos dias. Como oposição ao espírito de helenização e às ameaças do governo selêucida, foram forjados os ideais dos judeus fiéis, os hassidim. Deve-se observar, entretanto, que, a despeito do fermento escatológico e do anseio pelo fim dos dias, não surgiu nenhum movimento messiânico na Judéia, na época das perseguições nem apareceram videntes ou profetas para proclamar o reino da Casa de Davi. Quando os Asmoneus puseram-se à frente no lançamento da rebelião judaica, eles realizaram seus feitos como uma família de sacerdotes profundamente leal à religião judaica. Seus adeptos os encaravam como uma família a quem a libertação de Israel fora confiada nesta época de confusão e terror. Entretanto, muitos também sentiam que o papel dos Asmoneus persistiria somente até o aparecimento de um profeta.

Embora a religião judaica tenha se encontrado antes em situações críticas, parecia que nunca o perigo de extermínio fora tão grande quanto na época da sangrenta perseguição empreendida por Antíoco Epifânio. Na época da perseguição, a massa da população judaica estava concentrada no território governado pelos Selêucidas, tanto na Palestina quanto fora dela. É verdade que também havia judeus vivendo além das fronteiras do reino selêucida: no Egito, Cirenaica, Ásia Menor e outras partes do Oriente Médio, que naquele tempo estavam sendo gradualmente desligados do centro selêucida. Mas, é duvidoso que os recursos espirituais e materiais destes grupos judeus fossem adequados para capacitá-los a manter o caráter do Judaísmo e a religião monoteísta revelada, em caso de destruição ou diluição do caráter do centro palestino. O posterior desenvolvimento da nação judaica e as conseqüências que isto teve para a história mundial foram assegurados pela luta dos Asmoneus e pela resistência desenvolvida pelos habitantes da Judéia, naquela decisiva década do século II a.C.

A eclosão da luta entre o reino selêucida e os judeus foi, sem dúvida alguma, determinada por uma série de fatores, tanto internos quanto externos. Não obstante o desenvolvimento espiritual, que moldou a imagem da sociedade judaica na Palestina, nas gerações que se seguiram ao retorno da Babilônia teve um papel fundamental. Os ideais que se cristalizaram em Jerusalém e na Judéia, nos séculos que precederam os decretos de Antíoco, penetraram as principais classes da nação. A Torá foi absorvida pela vida cotidiana das dezenas de milhares de agricultores judeus e por eles encarada como condição *sine qua non* de sua existência. Este espírito, que não se restringia aos sacerdotes ou a outros círculos exclusivos, também inspirou as tropas rebeldes com entusiasmo e confiança. Mesmo entre as classes superiores, somente a minoria, o círculo dos filhos de Tobias e de Menelau, manteve-se com Antíoco até o fim. Os helenistas moderados, por outro lado, quando chegou a hora da decisão, puseram seu talento e experiência à disposição da liderança asmonéia, auxiliando-a no prosseguimento da guerra e na formação de laços com poderes estrangeiros.

Como conseqüência deste estado de coisas, logo se tornou óbvio que, embora a revolta dos Asmoneus fosse, em certo sentido, também uma guerra civil, sem a ativa intervenção das forças do reino selêucida a luta teria, indubitavelmente, de terminar com a vitória daqueles que eram fiéis ao Judaísmo. Mesmo a importância das populações helenistas nas cidades da Palestina, fora dos limites da Judéia, não era suficiente para contrabalançar esta situação.

Passo a passo, a Judéia, sob a liderança dos Asmoneus, avançou em direção à liberdade. Judá, o Macabeu, foi bem-sucedido ao rechaçar uma série de ataques lançados pelos generais de Antíoco. O Templo foi purificado e o governo selêucida, mesmo quando Antíoco ainda vivia, reconheceu aos judeus o direito de observar seus costumes religiosos. Os sucessores de Judá, Ionatã e Simão, seguiram seus passos e incluíram na esfera de sua atividade política e militar, várias partes da Palestina e do Sul da Síria. Demétrio II, rei da Síria, reconheceu oficialmente a libertação da Judéia (142 a.C.) e a Grande Assembléia, que se reuniu em Jerusalém dois anos mais tarde, reconheceu os Asmoneus como uma dinastia de etnarcas, sumos-sacerdotes e chefes militares da Judéia (140 a.C.). Começou então o processo de conversão de toda a Palestina em Judéia, que levou à integração dos grupos de população judaica de toda a Palestina no Estado asmoneu da Judéia, à assimilação da população rural não-judia dentro da nação judaica e à anulação da influência das cidades helenistas na Palestina.

A revolta dos Asmoneus pode, evidentemente, ser encarada como um dos eventos característicos do despertar do Oriente como um todo e de sua rebelião contra a hegemonia helênica. Assim como os partas se revoltaram contra o reino selêucida por volta do início do século III, assim como houve uma longa série de revoltas dos nativos no Egito, a começar do fim daquele século e profecias quanto à destruição da odiada Alexandria (o Oráculo do Oleiro), assim também a revolta dos Asmoneus representa um vínculo importante no processo de desintegração do domínio helênico. Pode-se até dizer que a libertação da Judéia aconteceria fatalmente, mesmo sem os decretos e a rebelião, visto que outras partes da Síria, Fenícia e Palestina foram mais tarde libertadas gradualmente do domínio selêucida. Por outro lado, deve-se destacar que o Egito, apesar da efervescência e das insurreições, nunca se livrou do jugo do domínio helenista, mas viu-se imediatamente sob o domínio de Roma. E mesmo por toda a região da Síria, Fenícia e Palestina, a Judéia foi realmente a primeira que conseguiu se libertar da submissão aos Selêucidas (os nabateus nunca foram sujeitos à autoridade dos reis helenísticos). Graças à vitória de sua rebelião, a Judéia se tornou um fator ativo, que acelerou o processo de desintegração da Síria selêucida e, talvez, o de libertação de outros povos e cidades dentro do reino. Entretanto, as cidades tinham, de qualquer forma, um caráter helenístico e, em tal contexto, não podemos falar de uma cooperação consciente entre a Judéia e outros elementos orientais. Da mesma forma como o Baal Schamem não era mais querido do que o Zeus olímpico, não havia muita amizade entre a Judéia e os idumeus, por exemplo. Deve-se sublinhar que, como conseqüência da vitória dos judeus e da integração da massa da Palestina no Estado judeu, houve não somente o avanço da civilização urbana helenística no país subjugado por um longo período, mas, também, a luta pelo caráter étnico e religioso da maioria da população rural do país terminou com uma vitória para os judeus. O nome Judéia adquiriu uma conotação ampla e era usada pelos gentios para designar toda a Palestina: "O interior do país, até os árabes, entre Gaza e o Antilíbano é chamado Judéia", escreveu o geógrafo grego Estrabão, contemporâneo de Augusto (*Geog.* XVI 2:21). Esta situação não mudou mesmo com a conquista romana, no seu primeiro período.

A revolta dos Asmoneus não eclodiu como resultado de nenhum plano preconcebido. Seus porta-estandartes não sairam à luta, nem para conquistar novos ideais nem para estabelecer o Reino de Deus na Terra. Como já foi assinalado, a revolta não foi acompanhada por nenhum movimento messiânico que empolgasse a nação, apesar da atmosfera escatológica que impregnava círculos influentes. A revolta também não foi alimentada, no começo, por uma avaliação real ou sentimentos de que chegara então o tempo de realizar, pela força das armas, as velhas esperanças de restauração da glória de Israel, que se aninhara no coração dos judeus, inclusive daqueles de opiniões moderadas, como Ben-Sira. Não houve uma opinião que tivesse se cristalizado ou previsto que, como questão de princípio, qualquer lei deste mundo deveria se combatida, visão esta que caracterizava os zelotas e os sicários por volta do fim da Segunda Reunião.

Os Asmoneus ergueram as bandeiras da rebelião em Modiin, e um grande número de hassidim e outros judeus fiéis juntou-se a eles, pois a situação tornara-se insuportável e parecia que não havia outro caminho para assegurar a sobrevivência do Judaísmo. Foi somente após as vitórias iniciais dos judeus que eles começaram a manifestar o antigo desejo de romper todos os laços com o odiado governo e a criar mudanças na Judéia e Palestina. A grande conquista da revolta foi a salvação da nação e da religião judaicas. Entretanto, as mudanças que ocorreram na situação política e nas condições que prevaleciam na Judéia causaram novas desordens sociais e religiosas, puseram um fim em tendências que tinham sido fortes na Jerusalém helenística, fortaleceram outras tendências e fizeram nascer novas idéias.

A tensão causada pelas reformas de Jasão no tempo de Antíoco e pela perseguição e revolta, logo se expressou numa séria divisão entre as classes dominantes na Judéia. O fracasso da política real ocasionou a liquidação de Menelau, que serviu como bode expiatório pela derrota, enquanto muitos de seus seguidores foram também degradados. Os adeptos de Menelau, liderados pela Casa de Bilga, sofreram um declínio de prestígio e caíram em desgraça por muito tempo. Mas, é característico do desenvolvimento da sociedade judaica nas gerações seguintes, gerações que não mais conheciam a idolatria, que um dos descendentes da casa dos sacerdotes, que viveu na época da destruição do Templo tivesse se sacrificado entre as chamas do Templo que foi queimado pelos romanos (*The Jewish War*. VI, 280). A antiga casa dos sacerdotes de Iochua, ben-Ieotzadak, sofreu muito com a sublevação e revolta. Esta família, que tinha se tornado uma espécie de dinastia governamental na Judéia, não foi coerente em sua atitude em relação aos grandes problemas religiosos e sociais. Ao lado de Simão, o Justo, e Onias III, que foi executado na época de Antíoco – personalidades que representam fielmente o Judaísmo – encontramos nessa família indivíduos que fortificaram seus laços com a Casa de Sambalá e a Casa de Tobias e que expressavam a política de integração com as classes dominantes da Palestina não-judaica. Não é por mero acaso que o irmão de Onias III, Jasão, liderou a oposição contra ele. O próprio Jasão morreu longe da Judéia e não podemos levar adiante a história da antiga dinastia de sumos-sacerdotes na Judéia. Por outro lado, um glorioso futuro político foi reservado aos descendentes de Onias no Egito, onde serviram como estadistas e generais durante a dinastia ptolomaica. Eles construíram um templo dedicado a Deus, no Egito, e também ajudaram a Judéia do período dos Asmoneus, nos críticos tempos de Alexandre Ianai. As atividades da Casa de Tobias, que na Judéia pré-asmonéia tinha sido mais influente do que qualquer outra família não-sacerdotal, foram definitivamente encerradas, e nada mais sabemos a respeito de qualquer remanescente deste ramo na história do povo judeu. Junto com ela, muitos dos seus seguidores foram também, indubitavelmente, afastados da comunidade nacional.

De outra parte, a revolta colocou novos elementos à testa da sociedade judaica, elementos que apoiaram os Asmoneus e que anteriormente não haviam desempenhado um papel importante na vida pública de Jerusalém. No fim da Segunda Reunião havia famílias, como a do historiador Josefo, que podiam considerar os dias da revolta como o começo de sua grandeza.

Estes novos elementos assumiram o seu lugar na liderança, no Templo e no Sinedrio – que havia tomado o lugar da gerúsia dos pré-asmoneus. Entre os novos elementos ativos no governo e na sociedade sob o domínio asmoneu havia também famílias e indivíduos que se originavam das áreas limítrofes da Palestina, inclusive prosélitos da espécie de Antipater, o idumeu. A integração de uma parte das classes altas da população não-judia da Palestina dentro das classes dominantes da Judéia deu-se, pois, de maneira diferente da que fora introduzida na época da expansão helenística. Entretanto, ao lado da mudança revolucionária, fez-se sentir também um fator de continuidade. Como já acentuamos, parte das camadas mais altas do sacerdócio e da liderança de Jerusalém também se juntou aos Asmoneus em sua luta contra a dominação gentílica. Exemplos destes grupos foram os sacerdotes da Casa de Hakotz. Estes já haviam desempenhado um papel importante na administração financeira na época do domínio persa. Foi um deles, Iohanã, que conseguiu das autoridades selêucidas a ratificação dos direitos de Jerusalém e de suas formas tradicionais de governo. E seu filho Eupolemos, junto com outro sacerdote, Jasão ben-Eleazar assinou o tratado entre a Judéia e a República Romana (161 a.C.), como emissários de Judá Macabeu. Os próprios Asmoneus pertenciam a uma importante família sacerdotal, ligada a Ieoiarib, uma das mais destacadas linhas sacerdotais, e sua vitória não pôs fim, de modo algum, à superioridade da classe sacerdotal da Judéia.

Entretanto, embora tenha o sacerdócio mantido seu lugar de honra na vida da Judéia – e até certo ponto, também sua hegemonia – até o fim da Segunda Reunião, o único desenvolvimento de importância histórica para muitas futuras gerações da sociedade judaica, na Judéia, foi a ascensão dos sábios. " 'Mas o bode peludo é o rei da Grécia...' (*Dan.* 8:21) – trata-se de Alexandre da Macedônia que governou por doze anos – e até agora os profetas profetizaram no santo espírito; de agora em diante volte e ouça as palavras dos sábios" (*Seder Olam Rabá*, Cap. 30). O *status* do sábio tinha suas origens no período pré-asmoneu. Entretanto, parece que, como resultado da polarização ideológica no período que precedeu à revolta e na esteira da própria revolta, a imagem do sábio mudou consideravelmente e ocorreu uma séria divisão entre as classes de líderes sacerdotais de Jerusalém e os sábios: começou então um processo de democratização da mencionada classe (sábios). O estudo da Torá deixou de ser domínio exclusivo dos sacerdotes e qualquer pessoa que fosse qualificada e que desejasse lutar pela "coroa da Torá" poderia, agora, fazê-lo. É verdade que o número de sacerdotes entre os sábios, durante a Segunda Reunião, continuou a ser grande, mas o estudo da Torá e o desenvolvimento da Halahá, que moldou o tipo de vida, culto, governo e direito, no estado da Judéia, atraiu a nata dos poderes espirituais da nação. Ao lado dos sacerdotes, e até em maior escala do que eles, os principais eruditos da Torá neste período são os sábios, que emergem de várias classes da população judaica da Palestina e da dispersão. Além do mais, mesmo os descendentes dos prosélitos ocuparam um lugar na escala mais importante dos sábios. Ser um discípulo de Aarão era mais importante do que ser da estirpe de Aarão. Há um mundo de diferenças entre o sábio descrito no *Eclesiastes* e o sábio que conhecemos durante as útimas gerações da Segunda Reunião.

Os sábios constituíam a espinha dorsal da principal corrente social-religiosa do Judaísmo na Segunda Reunião: a corrente farisaica que marcou toda a história interna da Judéia e que também lançou os fundamentos do Judaísmo talmúdico. Os fariseus continuaram a tendência que tinha começado na época do domínio persa e seus predecessores imediatos foram os grupos de hassidim, que arriscaram suas vidas nos dias de perseguição e revolta. Ser fiel à Torá e ajudá-la a penetrar em todos os aspectos da vida eram os fundamentos do pensamento fariseu. Esta Torá superou a estrutura da Lei Escrita; abrangia a tradição viva da Halahá, na medida em que os sábios fariseus continuaram a cultivá-la de acordo com sua premissa de que a Torá deve encontrar uma resposta adequada, em todos os seus detalhes, a todos os problemas que surgem na vida. As respostas dadas nos círculos fariseus, que às vezes eram opostas à simples interpretação da Lei escrita, abarcavam todos os aspectos da religião, do culto, do direito e da vida social. Na atividade legislativa, a tendência geral dos fariseus era humanizar a lei criminal. Enquanto nas questões teológicas adotavam a posição intermediária, entre a idéia de predestinação e a crença na liberdade absoluta de escolha, duas concepções conflitantes que se expandiram entre outros círculos, no mesmo período. Os fariseus também acreditavam na imortalidade da alma e na recompensa e punição individual, após a morte e compartilhavam das crenças escatológicas do resto da nação. A atividade socioespiritual dos fariseus, sob a liderança dos sábios, preservou o caráter do Judaísmo como religião viva. Os líderes fariseus eram também os principais porta-vozes do movimento proselitista por toda a Diáspora.

A influência dos fariseus expandiu-se muito além de seus adeptos diretos; a maioria das classes da nação estava realmente ligada aos fariseus e via nos sábios fariseus seus líderes naturais e a Halahá farisaica como a expressão natural da religião judaica.

Os principais adversários dos fariseus no período asmoneu foram os saduceus, que só aceitavam a santidade da Lei Escrita e negavam a autoridade dos rabis fariseus. Eles discordavam dos fariseus em muitos aspectos relacionados com o serviço religioso, o direito criminal e a vida diária. Os saduceus também negavam as crenças populares, muito difundidas naqueles tempos, a respeito da ressurreição dos mortos e dos anjos. Socialmente, eles representavam especialmente as classes altas judaicas – os sacerdotes, os membros das famílias ilustres ou poderosas e, em geral, os elementos que haviam governado a Judéia nas gerações que antecederam à revolta. Eles não haviam se ligado a Menelau e aos Toblades, mas, deram apoio aos Asmoneus na luta contra o poder selêucida. Mesmo o seu nome, saduceus (hebraico: *Tzedukim*), parece provir de sua íntima ligação com as famílias de sumos-sacerdotes, cujo nome derivava de Tzadok – "Os saduceus tinham a confiança só dos poderosos, mas não eram seguidos pelo populacho, enquanto os fariseus tinham o apoio das massas" (*Antigüidades*, XIII, 298).

A princípio, a Casa dos Asmoneus foi levada na onda do entusiasmo nacional religioso. Era considerada por muitos como um ramo a quem fora confiada a salvação de Israel. Porém, desde o começo, havia elementos trabalhando pela desunião, posto que os seguidores dos Asmoneus não eram todos da mesma espécie. Nem sempre foi possível encontrar uma linguagem comum entre os piedosos hassidim e os representantes da aristocracia sacerdotal, que se havia juntado aos Asmoneus. No princípio, os Asmoneus foram os líderes naturais daqueles círculos que tinham sido representados e influenciados pelos fariseus. Até a época de João Hircano, era a Halahá fariseica que determinava oficialmente a lei e prática do Estado judeu. Pela primeira vez apareceu uma dissensão entre a Casa dos Asmoneus e os fariseus, durante o governo de João Hircano e se expandiu sob o domínio de seus herdeiros, até que a paz foi novamente restaurada durante o reino da rainha Alexandra.

Um traço foi comum a todas as correntes que desempenharam um papel no desenvolvimento social-religioso, entre a revolta dos Asmoneus e a destruição do Templo: a profunda lealdade de todas as partes da nação judaica na Palestina ao monoteísmo, tal como se expressa na religião revelada e na Torá. Após o fracasso dos extremistas helenistas em adaptar para si as crenças e rituais do mundo externo, ninguém contestou o domínio absoluto da religião de Israel na nação judaica. Pessoas, particularmente entre as classes altas nos países de dispersão helênica, abandonaram, ocasionalmente, a religião de seus pais e, aqui e ali, descobre-se exemplos de sincretismo religioso. Mas, a judiaria palestina permaneceu inflexível, leal ao seu credo ancestral e a idolatria não constituiu mais um dos pecados que se lhe pode imputar. Pode-se encontrar um comentário geral desta orientação, anteriormente, no *Livro de Judite* (8:18). – "Pois não apareceu ninguém em nossa época, nem há qualquer um de nós, hoje em dia, tribo ou parentes consangüíneos, família ou cidade, que venere deuses feitos com as mãos, como havia antigamente" – e tal avaliação seria duplamente verdadeira em relação às gerações posteriores da Segunda Reunião. Nenhum rei helenístico, depois de Antíoco Epifânio, ousou renovar decretos do tipo dos publicados por ele. As autoridades romanas, na sua maior parte, também observaram o máximo cuidado, quando se tratava da religião judaica, sabendo muito bem, que qualquer desrespeito religioso essencial ao

Judaísmo levaria a uma séria conflagração na Palestina e mesmo nas colônias judaicas em outras partes do Império. A prontidão dos judeus em sacrificar suas vidas para não violar os preceitos da Torá, tornou-se, por si mesma, um fator histórico de primeira grandeza. Desde os dias da perseguição de Antíoco, o martírio tornou-se uma das características do Judaísmo e foi extraído do Judaísmo pelas religiões que emanaram de suas fontes. As histórias dos mártires da época de Antíoco – o episódio de Eleazar, o sacerdote, e da mãe e seus sete filhos – que eram recontadas e adaptadas em muitas formas, serviram como inspiração a muitos ramos do Judaísmo helenístico, bem como encorajou os cristãos, nas gerações que se seguiram.

Em certos círculos, o ideal de martírio, em suas várias formas, foi associado a esperanças escatológicas. Para esses, o próprio fenômeno do martírio era um sinal de que o fim dos dias se aproximava. Era esta fé no significado escatológico dos acontecimentos da época que dava ao martírio sua justificativa. Entre as expressões dos anseios escatológicos daqueles tempos, estava a peculiar literatura do período do Segundo Templo, os escritos apocalípticos, para cuja criação o período da perseguição de Antíoco constitui um dos estágios mais importantes. As visões de Daniel, que foram escritas na própria época dos sofrimentos, "qual nunca houve, desde que houve nação até aquele tempo" (12:1), iniciam um novo capítulo na história da criatividade literário-religiosa judaica.

A revolta dos Asmoneus foi, com efeito, a única das muitas rebeliões dos judeus, sob o domínio greco-romano, que culminou com uma vitória judaica, com a libertação do jugo estrangeiro e com a restauração da independência da Judéia. Este fato, junto com a compreensão de que estes foram acontecimentos que salvaram a religião judaica do extermínio, ajudaram a perpetuar os acontecimentos na tradição judaica, através das gerações. Sua memória é preservada em Hanucá, o mais importante dos feriados judaicos, que não estão enraizados no cânone judaico e nas orações ligadas a ele, que exalta a vitória dos poucos contra muitos. Em épocas de desmoralização e perseguição, o significado dos acontecimentos do período de Matatias e Judá Macabeu cresceu cada vez mais. A rebelião, como guerra de libertação nacional, serviu igualmente como símbolo para gerações futuras.

6. A Mensagem Social de Qumran

A religião judaica é baseada no conceito de retidão e a unidade do conteúdo puramente religioso e social do Judaísmo, resultou em duas religiões universais, o Cristianismo e o Islamismo, cujo desenvolvimento tem aí suas raízes. Assim, o enfoque social da vida, pelo Judaísmo, foi não só uma das mais importantes causas do nascimento destas duas grandes religiões, mas, também, através delas, a herança social judaica se manifesta na civilização moderna.

Embora a importância da mensagem social judaica para o homem moderno seja bem conhecida, pode ser provado que houve um impacto judeu-cristão sobre a sociedade moderna, em muitos pontos onde se supõe influência greco-romana. Não queremos minimizar a herança social e cultural do pensamento grego e romano, mas, às vezes, especialmente no pensamento político e social moderno, quando os especialistas citam fontes gregas e romanas, eles as encaram, inconscientemente, através de um prisma de idéias cristãs, embora algumas delas realmente sejam originárias do Judaísmo.

A mais importante fonte destas idéias é, de fato, o Velho Testamento, que se tornou um livro sagrado da cristandade. A outra fonte, o Novo Testamento, provém do Judaísmo posterior. O Cristianismo antigo tendia a aprender com as realizações espirituais do Judaísmo helenístico e as raízes judaicas dos ensinamentos de Jesus e da Madre Igreja de Jerusalém são bem conhecidas. Esta tendência do Cristianismo, que encontra expressão especialmente nos primeiros três Evangelhos, revela uma íntima afinidade com a popular tradição não-sectária judaica, que foi principalmente representada pelos fariseus. O seu grande interesse na justiça social encontrou sua expressão no Evangelho de Jesus e, através do Novo Testamento, em nossa abordagem social moderna.

Esta questão merece ser estudada em sua totalidade, mas o nosso propósito atual é mais limitado. Uma nova fonte judaica do pensamento político e social moderno foi descoberta nos antigos rolos de Qumran, nas vizinhanças do Mar Morto. Muitos especialistas ressaltam, corretamente, que estes são restos da literatura da antiga seita judaica dos essênios, já conhecidos de outras fontes. Esta descoberta, junto com o estudo renovado das fontes históricas a respeito dos essênios, especialmente o historiador judeu Flávio Josefo, abre os caminhos para a elucidação das raízes de algumas idéias sociais e comportamentos modernos, que eram desconhecidas até a descoberta destes veneráveis documentos hebraicos. Não é só do ponto de vista histórico que o conhecimento das raízes das idéias sociais e políticas é importante. Se nós conhecemos a origem de uma idéia, podemos compreender melhor a própria idéia, porque a tendência original de uma idéia, freqüentemente, persiste em suas manifestações subseqüentes.

Na Antigüidade, a comunidade de propriedade dos essênios foi famosa. A existência desta instituição é agora confirmada pelos rolos. É provável que este sistema de vida comunista tenha se originado da estrita observância da pureza ritual, pela seita; seus membros eram proibidos de ter contacto com estrangeiros. Esta prática podia levar à manutenção de depósitos de alimentos comuns e, desde que o dinheiro poderia transmitir impureza ritual, mesmo à comunidade de bens. Outra fonte da comunhão de bens dos essênios era a sua idealização da pobreza. De acordo com sua ideologia, o pobre está mais próximo de Deus do que o rico. Assim, o membro da seita, que não tem propriedade privada, é mais bem visto aos olhos de Deus. Mas, o comunismo econômico dos essênios era também baseado em sua teologia dualista. Eles acreditavam que a humanidade era dividida, pela predestinação divina, no grupo abençoado de Deus e no maldito grupo de Belial. Existe um ódio permanente entre estes dois campos e, no fim, no futuro escatológico, que está próximo, os homens e espíritos maus serão aniquilados, enquanto os predestinados eleitos, receberiam sua recompensa. De acordo com esta teologia, os "filhos da luz" são os próprios essênios e os "filhos das trevas" são seus inimigos – tanto judeus quanto gentios. Naturalmente, a forte crença dos essênios em uma dupla predestinação serve em sua ideologia como uma base teológica para seus sentimentos de eleição, enquanto a corrente dualística é uma justificativa para suas fortes tendências separatistas. Embora saibamos, tanto de

Josefo quanto através de sua própria literatura que os essênios também viviam em grupos fechados, em muitos lugares da Palestina, sua visão separatista levou muitos deles a pensar que tinham que deixar os lugares dos pecadores e ir para o deserto. Foi assim que o centro dos essênios do deserto da Judéia, em Qumran, foi fundado. A teologia dualística serviu aos essênios como motivo para seu isolamento revolucionário, que poderia facilmente levar à propriedade comum, para a qual, como vimos, havia também outras causas. Conseqüentemente, a ideologia essênica estava relacionada com sua forma de organização e sua forma de organização com sua mensagem social.

O autor concorda com os muitos especialistas que encontram uma conexão entre a seita do Mar Morto e João Batista. Parece que João foi diretamente influenciado pelos ensinamentos essênios, mas que não permaneceu na seita por causa de divergências doutrinárias. Evidentemente, ele se recusou a aceitar a idéia de que a salvação poderia ser restrita a membros de uma seita e condicionada pela aceitação de severa disciplina. De acordo com João Batista, só havia uma condição para a salvação – o batismo – e sua teologia do batismo era similar ou mesmo idêntica à dos essênios. Assim, João Batista não exigia das pessoas que batizava que deixassem sua posição na sociedade e que abandonassem sua antiga maneira de viver. A multidão lhe perguntava: "O que faremos pois?" E ele respondia: "Quem tiver duas túnicas, reparta com o que não tem e quem tiver alimentos faça da mesma maneira" (*Lucas* 3: 10-14). Os essênios mantinham a comunhão de bens em uma seita fechada, enquanto João Batista pedia a seus adeptos que dividissem seus bens com os pobres.

A descoberta dos rolos do Mar Morto mostrou que havia elementos essênios na mensagem de Jesus, sendo o Evangelho sinóptico, o principal elo através do qual as doutrinas sociais essênias influenciaram o pensamento moderno. Parece que Jesus conhecia estes aspectos, tal como foram modificados por João Batista. Tal como Batista, Jesus não exigiu que seus seguidores deixassem seu contexto social e não pregava a comunhão de bens. Tudo o que ele dizia era que, se um homem desejasse ser perfeito, deveria dar seus bens aos pobres e segui-lo. (*Mateus* 19:21). O que Jesus queria de seu círculo íntimo de adeptos não era o comunismo econômico mas quase a pobreza absoluta.

A situação mudou após sua morte. A comunhão de bens foi introduzida na Igreja Mãe de Jerusalém e as descrições desta instituição nos Atos dos Apóstolos tiveram grande impacto sobre os movimentos revolucionários cristãos dos taboritas na Boêmia, até os tempos modernos.

A maioria destes grupos cristãos sentia, acertadamente, que havia uma verdadeira conexão entre a comunhão de bens e a valorização da pobreza, como valor religioso e, portanto, sem saber, restauraram o vínculo original entre estes dois conceitos que existia na mensagem social dos essênios. A influência essênia sobre a estrutura social da comunidade cristã de Jerusalém, pode ser encontrada mesmo na terminologia essênia encontrada nos *Atos dos Apóstolos*. Além disso, a influência das seitas comunistas cristãs medievais e modernas sobre movimentos socialistas modernos tem sido objeto de muita pesquisa científica. Assim, os essênios não só foram os precursores destes movimentos socialistas modernos, mas existe mesmo uma conexão histórica entre o socialismo moderno e a antiga seita judaica, cujos escritos foram agora descobertos.

O ideal de pobreza significava para a seita que a prosperidade era um empecilho para a salvação. Seus membros rezam: "...e Tu não colocaste meu sustento no ganho injusto e a riqueza (ganha pela violência) meu (coração não aspira). E Tu não me atribuíste intento carnal... (E a al) ma de teu servo aborrece a rique (za), o ganho injusto e não deseja prazeres os mais refinados. (*Rolo de Ação de Graças* X, 22-30). Já encontramos nos rolos, a frase "pobre de espírito" (ver também *Mateus* 5: 3), que significa "pobre revestido com o Espírito Santo". Este era evidentemente também o significado do termo tal como Jesus o empregou. Como os essênios, Jesus pensava que é difícil que um homem rico entre no Reino dos Céus. Como os essênios, também Jesus trouxe a mensagem de salvação aos pobres, aos tristes, aos perseguidos, aos humildes e simples. A influência da seita sobre esta ideologia de pobreza é clara em outras palavras de Jesus: "Ninguém pode servir a dois senhores; porque ou há de odiar um e amar o outro, ou se dedicará a um e desprezará o outro. Não podeis servir a Deus e a Mamon" *(Mateus* 5:24). Estas palavras não só estão repletas de fraseologia essênia, como também refletem sua tendência dualista. No pensamento essênio, o contraste está entre Deus e seu grupo e Belial e seu grupo, idéia que encontramos na forma cristã, na segunda epístola *Aos Coríntios*, 6:14-16: "Não vos prendais a jugo desigual com os infiéis; porque, que sociedade tem a justiça com a injustiça? E que comunhão tem a luz com as trevas? E que concórdia há entre Cristo e Belial? Ou que parte tem o fiel com o infiel? E que consenso tem o templo de Deus com os ídolos?..." Nas palavras de Jesus, a tendência dualista é mais fraca; em vez do contraste entre Deus e Belial, há aí apenas o contraste entre Deus e a riqueza (hebraico: *mamon*). Através dos Evangelhos, a valorização essênia positiva da pobreza e da vida simples e sua posição essencialmente negativa em relação à riqueza, influenciou o Cristianismo e isto se tornou parte do pensamento social moderno.

Jesus não só se recusou a aceitar a comunidade de riqueza sectária dos essênios, mas se opôs expressamente ao seu separatismo econômico. Os "filhos da luz" essênios restringiram ao mínimo seus laços econômicos com o ambiente. Ninguém deve estar unido a ele (isto é, a um não-sectário), em seus bens e sua propriedade, a fim de que não se cubra do pecado de culpa. Mas, manter-se-á longe dele em tudo... Nenhum dos homens da comunidade deve... nem comer, nem beber algo da propriedade deles, ou aceitar qualquer coisa que seja deles, sem pagar por isto... Pois, todos aqueles que não são incluídos no Seu pacto, eles e tudo o que eles possuem deve ser eliminado. O homem em santidade não deve depender de quaisquer trabalhos insignificantes, pois insignificantes são todos os que não dão importância ao seu pacto. Pois, todos aqueles que rejeitam Sua palavra, "Ele os apagará da terra, pois todos os seus feitos são profanação diante Dele e a impureza se adere a todos os seus bens". (*Manual de Disciplina* V, 13-20).

Como já dissemos, a doutrina social de Jesus foi também influenciada pelos ensinamentos de alguns círculos fariseus judaicos, que representavam o Judaísmo não-sectário e eram naturalmente opostos à doutrina essênia do ódio. O Judaísmo, desde os seus inícios, foi não só uma religião nacional mas, porque o Deus de Israel é o criador do mundo, uma religião universal: Deus não é somente o Rei de Seu povo, mas Seu Reinado se estende por toda a humanidade. Na época da Segunda Reunião, um período notável pelo pensamento teológico, emergiram simultaneamente duas idéias: a idéia de "eclesiologia" judaica e a abordagem universal da humanidade. Um não-judeu que observe os mandamentos morais básicos é, de acordo com a doutrina judaica, tão merecedor de salvação quanto judeus por nascimento ou por conversão. Portanto, era lógico que os círculos fariseus, que não se opunham à abertura aos prosélitos, também desenvolvessem a sublime idéia do amor mútuo entre homens, que eles consideravam como a essência da lei mosaica – e o conceito do amor a Deus em lugar do simples temor ao Criador. Esta visão dos "fariseus do amor" foi sinceramente aceita e desenvolvida por Jesus. Esta noção constitui, evidentemente, um forte contraste com a ideologia do ódio dos essênios que, em oposição ao conceito mais amplo de um Judaísmo não-sectário, desenvolveu uma eclesiologia separatista, de acordo com a qual não há salvação fora da Igreja Essênia, nem mesmo para outros judeus.

Jesus, que seguiu e desenvolveu a doutrina do amor, do Judaísmo da época, naturalmente, opôs-se ao separatismo econômico essênio. Ele disse: "...os filhos deste mundo são mais prudentes na sua geração do que os filhos da luz. E eu vos digo: granjeai amigos com as riquezas da injustiça" (*Lucas* 16:8-9). O "poder da injustiça" é equivalente, na linguagem dos "filhos da luz" de Qumram, a "o poder da injustiça", isto é, da sociedade não-essênia. Portanto, Jesus adotou a atitude positiva dos essênios em relação à pobreza e sua desconfiança em relação à riqueza, mas, em virtude de seu preceito de amor irrestrito, ele se opôs à sua posição econômica e não aceitou o seu comunismo econômico. Porém, no desenvolvimento posterior da sociedade cristã, na Idade Média e nos tempos modernos, não só a valorização positiva dos essênios em relação à pobreza e sua oposição às classes ricas foi aceita por alguns grupos cristãos, mas, como dissemos, o comunismo econômico da primeira Igreja Madre de Jerusalém, tal como se conhece através dos *Atos dos Apóstolos*, foi às vezes combinado com o ideal de pobreza, por estes grupos cristãos, reassumindo, assim, o impacto revolucionário original, que tivera na antiga seita judia dos essênios.

A mensagem de Jesus foi influenciada, em alguns pontos pela doutrina *social* dos essênios. A igreja helênica, representada especialmente por Paulo e João o Evangelista, não aceitou este enfoque social, mas, através de ligações diferentes, tornou-se familiarizada com a *teologia* dualista de predestinação dos essênios. Esta teologia atuou na seita, especialmente para fortalecer a adesão do membro a ela: ele tinha que provar sua eleição através de sua conduta e sua obediência às leis da seita, sendo esta encarada como um corpo político santo, separado do mundo. Pode-se demonstrar que o conceito de predestinação dupla, que aparece de forma velada em alguns escritos do Novo Testamento, tem sua origem na ideologia essênia. Na medida em que é aceito, este conceito tem uma função social semelhante no Cristianismo, tal como na seita. O ponto central pôde não ser aceito pela Igreja, isto é, a idéia da mútua aversão entre "filhos da luz" e os "filhos das trevas" que, de acordo com a opinião dos essênios, era não somente preordenada por Deus, mas, também, um mandamento obrigatório que unia os sectários. Um preceito de ódio em relação ao ambiente circundante é o oposto do preceito de amor de Jesus, cujas raízes estão na doutrina farisaica. Um cristão não pode ser obrigado pela sua fé a odiar um semelhante, mas pode declarar que outros o odeiam como cristão.

Embora o Cristianismo não pudesse aceitar a doutrina de ódio essênia, foi profundamente influenciado por algumas opiniões essênicas a respeito das necessárias reações ao mundo circundante, que emanaram desta doutrina de ódio. Não só a repulsa entre os "filhos da luz" e os "filhos das trevas" era divinamente predestinada, de acordo com a seita, mas também o dia do Juízo Final estava marcado pela decisão de Deus, quando os maus seriam destruídos e todo mal desapareceria, sobrevivendo somente os "filhos da luz", dotados da suprema bem-aventurança divina. Mas, a almejada vitória ainda não tinha chegado. Isto significava para a seita que, pela misteriosa vontade de Deus, os poderes malévolos, que governavam este mundo, prevaleciam na época e que seria por isso um pecado dos "filhos da luz" opor-se a eles. "(Haverá) um ódio eterno contra o homem da perdição, em um espírito de segredo, tal como dar a eles propriedade e trabalho manual, tal como um escravo faz a seu senhor, submisso diante dele, que o subjuga. Assim, ele (o membro da seita) será um homem zeloso das leis e sua época (relação ao verdadeiro conhecimento de Deus), em direção ao Dia da Vingança de tal forma a fazer o que é do desejo (bem de Deus), em todas as atividades e em todo seu governo como Ele (Deus) ordenou. E tudo o que lhe é oferecido é aceito prazerosamente" (*Manual da Disciplina* IX, 21 e ss.).

Isto é tanto o conceito fiel quanto frutífero dos essênios, da "coexistência pacífica", originalmente baseado na doutrina escatológica da predestinação e numa ideologia de ódio. As possibilidades positivas desta atitude tornaram-se manifestas em outra passagem do mesmo documento essênio: "Eu não retribuirei o mal a ninguém, com boa vontade, eu procurarei o homem, pois em Deus está o julgamento de todo ser vivo e Ele é aquele que recompensará o homem por suas obras... E não me ocuparei do julgamento de um homem de perdição até o Dia da Vingança. Mas a minha fúria, eu não a afastarei do homem do pecado e não estarei satisfeito enquanto não estabelecer o julgamento" (*Manual da Disciplina* X, 17-20).

Encontramos idéias semelhantes, mas, é lógico, sem o preceito essênio de ódio na *Epístola de Paulo aos Romanos*, em uma passagem (12:8b-13,7), que está tão imbuída de idéias e fraseologia essênias, que é provável que Paulo tenha feito aqui uso de um documento essênio, que leu em tradução grega. Paulo diz, *inter alia*: "Abençoai aos que vos perseguem, abençoai e não amaldiçoeis. A ninguém torneis mal por mal. Se for possível, quando estiver em vós, tende paz com todos os homens. Não vos vingueis a vós mesmos, amados, mas dai lugar à ira, porque está escrito: Minha é a vingança, eu recompensarei, diz o Senhor. Portanto, se o teu inimigo tiver fome, dá-lhe de comer; se tiver sede, dá-lhe de beber; porque, fazendo isto, amontoarás brasas de fogo sobre a sua cabeça. Não te deixes vencer do mal mas vence o mal com o bem".

Tal como na doutrina essênia, aqui também, a não represália é ligada à visão escatológica da vingança divina sobre os pecadores. A não-resistência aos poderes do mal levou os essênios a uma submissão a todos os governos, pois mesmo a maldade existe de acordo com a predestinação divina. Os essênios juram "que ele será para sempre fiel a todos os homens, especialmente aos poderes que, desde que nenhum governo atinja sua posição, sejam salvos pela vontade divina". (Josefo, *Guerra Judaica*, II, 140). Assim, é lógico que a passagem na *Epístola aos Romanos*, acima citada, termine com as seguintes palavras: "Toda a alma esteja sujeita às potestades superiores; porque não há potestade que não venha de Deus e as potestades que há foram ordenadas por Deus. Por isso quem resiste à potestade resiste à ordenação de Deus; e os que resistem trarão sobre si mesmos a condenação" (*Rom.* 13:1-2). A seguinte conclusão de Paulo (13:3-7) atenua a afirmação anterior.

Palavras de Paulo: "Não te deixes vencer do mal, mas vence o mal com o bem", têm um paralelo quase exato na passagem acima mencionada do *Manual da Disciplina* essênio: "Eu não retribuirei o mal a ninguém; com boa vontade eu procurarei o homem". Através dos canais do Cristianismo, esta maneira de reagir, enraizada no *Weltanschauung* essênio, teve uma influência muito profunda sobre as civilizações européias. Em outro contexto ideológico, quando este conceito está fora do seu contexto de escatologia preordenada e da ideologia de repulsa aos pecadores, o preceito de não-violência pode ser compreendido como um meio de subjugar o pecador através da caridade e de torná-lo melhor. Esta idéia é desenvolvida numa obra apócrifa judaica, *Os Testamentos dos Patriarcas*, especialmente no *Testamento de Benjamim*. Muitos eruditos reconhecem corretamente os fortes laços entre essa obra e os essênios. *Os Testamentos dos Patriarcas* foram compostos por um grupo judeu que, por um lado, estava imbuído de essenismo mas que, por outro, aceitava dos fariseus a idéia do amor recíproco. O grande mandamento de amor ao próximo, tanto quanto o mandamento de amar a Deus, é freqüentemente enfatizado nessa obra, bem como no assim chamado *Dois Caminhos*, a fonte judaica do *Didache* cristão (*Ensinamento dos Apóstolos*), que também apresenta fortes vínculos com a literatura de Qumram. Uma fusão semelhante, do caminho social essênio e da doutrina de amor farisaica, pode ser encontrada na mensagem social de Jesus. Por isso é muito provável que os ensinamentos de Jesus, nestes aspectos, tenham provindo de círculos semi-essênios, nos quais foram compostos *Os Testamentos dos Patriarcas*. Portanto, o desenvolvimento da idéia de subjugar os maus através da caridade, em sua forma mais humanista, nos *Testamentos dos Patriarcas* e na mensagem de Jesus, foi facilitado pela influência dos "Fariseus do Amor" sobre estes círculos semi-essênios.

Assim, neste novo contexto semi-essênio, de amor em lugar de ódio, a idéia de vitória sobre os pecadores recebe um novo significado. "Pois o homem bom não tem um olhar perverso; pois ele mostra misericórdia por todos os homens, mesmo que sejam pecadores. E embora perceba más intenções em relação a si, ao fazer o bem, ele domina o mal, sendo protegido por Deus" (*Test. Benj.* 4:2-2). Tal como no pensamento essênio, aqui também, a não-retaliação é uma arma, mas, agora, torna-se uma luta de amor. "Se alguém pratica a violência contra um homem pio, ele se arrepende; pois o homem piedoso é misericordioso para com aquele que o insulta e mantém sua calma. Se alguém trai um homem justo, o justo ora; assim, por um momento, ele é humilhado, embora, não muito depois, apareça muito mais glorioso, tal como foi José, meu irmão." (*Test. Benj.* 5:4-5).

Ninguém que esteja familiarizado com o Novo Testamento pode, depois de ler estas passagens, fugir da conclusão de que Jesus foi influenciado, neste ponto, pelas idéias marginais do essenismo. Os mais notáveis exemplos desta atitude de Jesus estão no seu Sermão da Montanha: "Eu, porém, vos digo que não resistais ao mal; mas, se qualquer te bater na face direita, oferece-lhe também a outra; e ao que quiser pleitear contigo, e tirar-te o vestido, larga-lhe também a capa... Amai a vossos inimigos, e orai pelos que vos maltratam, para que sejais filhos do vosso Pai que está nos céus..." (*Mateus* 5:39-48).

Embora Jesus tenha proclamado esta doutrina, em nenhuma de suas palavras encontramos a idéia de que, agindo misericordiosamente em relação aos maus, eles seriam subjugados e mudariam seus caminhos. Se a ausência desta motivação nos Evangelhos não era acidental, há então algumas explicações possíveis para a recusa de Jesus em aceitar esta análise racional. Mas, mesmo que Jesus não tenha argumentado como os essênios (e Paulo) que, ao agir bem em relação ao malvado perseguidor, abre-se a porta para a ira de Deus e que a não-resistência às autoridades é uma arma e, mesmo que não tenha, como os *Testamentos dos Patriarcas* semi-essênios, acentuado que através da boa ação reforma-se o homem mau e se o leva ao arrependimento, todos os movimentos que aceitam este ensinamento de Jesus fizeram-no sem conhecer suas fontes nos essênios e, com certeza nem em sua forma semi-essênia. Isto foi verdadeiro para muitas seitas e denominações cristãs, até nossa época, e a não-retaliação como uma arma foi tomada destes círculos cristãos por muitos pensadores modernos, dos quais Tolstói é apenas um dos exemplos. Em sua forma secular, esta atitude originada da seita dos essênios, freqüentemente proporcionou a base ideológica para o pacifismo moderno. Seria bastante proveitoso estudar a sobrevivência da mensagem social essênia na Idade Média. É interessante que, embora estas idéias tivessem sido transmitidas pelo Novo Testamento, só parcialmente, e não como um sistema completo, estes temas tendem a se atrair mutuamente e a reverter à sua primeira forma pré-cristã. O ideal cristão de pobreza foi freqüentemente associado com o desprezo e até com o ódio pelos poderosos e, algumas vezes, com um comunismo econômico. Muitas vezes, estas idéias tornaram-se novamente escatológicas e apocalípticas. Grupos que praticavam a pobreza ou mesmo o comunismo econômico adotaram, comumente, a atitude de não-retaliação e de resistência passiva, como arma para a paz. As vezes, esta idéia era associada à intenção de pleitear que os maus se arrependessem e, nem sempre, excluiu o preceito de ódio em relação às autoridades.

A herança essênia, com todas as suas implicações e ramificações, atuou efetivamente, após a grande crise da Igreja, no fim da Idade Média e durante a Reforma. Quando os cristãos foram perturbados por questões embaraçosas procuraram as respostas nos documentos da primitiva cristandade. Freqüentemente, quando esperavam encontrar no Novo Testamento doutrinas genuinamente cristãs, as doutrinas judias pré-cristãs, essênias ou semi-essênias que eles realmente descobriam os atraíam por seu vigor ideológico e apelo social. Foi então que a herança essênia reviveu, tornando-se ativas suas forças latentes. Em primeiro lugar, Wycliffe descobriu tanto a doutrina da predestinação quanto o ideal de pobreza da Madre Igreja. A doutrina da predestinação, de acordo com a qual a eleição é uma dádiva da graça divina, tornou-se importante para as grandes Igrejas da Reforma, a Luterana e Calvinista, que encontraram nela uma forte base para sua separação da Igreja Católica. O ideal de pobreza e as esperanças escatológicas tornaram-se importantes para grupos e seitas que recrutavam seus membros dentre a população simples e pobre. Nestas denominações, a idéia da não-resistência aos poderes malignos tornou-se, muito freqüentemente, uma arma em sua luta social e seu modo de vida. Assim, com a Reforma, os velhos temas essênios não só foram revividos em seu sentido mais ou menos original, mas, também, preencheram uma nova função nos vários ramos das novas igrejas. Na moderna sociedade secular, a herança essênia assumiu amiúde uma função secular, ao procurar as soluções para problemas sociais e políticos.

A mensagem social essênia não morreu: vive tanto no movimento cristão quanto no secular. O mundo moderno, com seus problemas políticos e sociais e suas grandes massas, oferece-lhe, em suas diferentes formas e variedades, um campo de atividade. Não podemos dizer se esta herança essênia será uma bênção ou uma maldição, se solucionará nossos problemas ou os complicará, mas a longa história e a eficácia desta mensagem através dos anos mostram que uma antiga e pequena seita judaica, através de sua habilidade para compreender os problemas da sociedade humana, podia colocar questões e propor soluções que são frutíferas mesmo em nossos dias.

7. Caráter e Autoridade do Sábio Talmúdico

O período da história judaica ligado ao primeiro Templo de Jerusalém é facilmente caracterizado pelos atos dos profetas. O mesmo não se verifica quanto à era da Segunda Reunião Hebraica. Nela encontramos uma nova categoria de líder espiritual – os Hahamim – que exerceram uma influência suprema no governo de Eretz Israel e no judaísmo babilônico. Na verdade, esta situação continuou, *mutatis mutandis*, através de toda a Diáspora dos tempos medievais até o alvorecer da era moderna. Entretanto, apesar de os profetas terem deixado uma marca inequívoca na cena histórica dos reinos de Israel e Judá após a divisão do reino, sua ascendência não foi exclusiva, nem suas opiniões foram sempre decisivas. Houve reis e príncipes, sacerdotes do Templo e "aqueles que mantinham a lei", assim como falsos profetas. Contra esses e seus associados os grandes profetas hebraicos dirigiram suas mensagens coléricas. Todavia, subsiste o fato de que apenas as orações e visões, condenações e consolações dos últimos sobreviveram e foram expostas em escritos. Associadas à Lei Moisés e outros escritos inspirados, assumiram o *status* de sagrada escritura, sendo os escritos canônicos da Bíblia. Este corpo se formou em conseqüência das deliberações dos Hahamim, para os quais a Bíblia, com sua tripla divisão em Torá, Profetas e Hagiografia, constituía o principal objeto de estudo e contemplação. Foi a Bíblia como uma disciplina que determinou seu caráter, num processo gradual que devia culminar quase ao final da Segunda Reunião Hebraica. Por esse tempo, que coincidia com o estágio definitivo da canonização das Escrituras, a imagem do Haham apresentava-se em plena maturidade. Era uma imagem complexa, incluindo os esboços de vários funcionários da comunidade judaica que nem sempre viam as coisas do mesmo modo. A diversidade tipológica dos Hahamim dificilmente poderia ser julgada apenas por diferenças do caráter individual. Refletiam antes os elementos residuais de vários tipos de autoridade que se diversificavam tanto na função como na perspectiva.

II

Os mantenedores da Sagrada Escritura (*sefarim*) assumiram o título de Escribas (*soferim*). Originariamente, sua função era documentar ou copiar a sagrada literatura e garantir a transmissão fiel à posteridade desse corpo de escritos. Autoridades posteriores assim definiram seus deveres: "Os antigos eruditos eram chamados *soferim* porque costumavam contar todas as letras da Torá" (*Kiduschin* 30a). Essa tradução de "sofer" do sentido original de sua raiz "safar" – contar – apesar de dificilmente possuir significado etimológico, é não obstante correta. Os escrutinadores de textos, que possuíam autoridade específica, tiravam seu sustento dos fundos do Templo e parecem ter sido de origem clerical[1]. Pertencendo ao Templo ou trabalhando fora de seus limites, esses escribas, seja como for, eram homens abastados.

Ben-Sira, que escreveu durante os anos de 190-170 a.C., pouco depois da passagem de Eretz Israel do domínio ptolomaico para o selêucida, considerava a especialidade dos escribas como um recurso que, conquanto realçasse sua sabedoria, não contribuía para sua situação social e apreço geral. Pois, aqueles que se dedicam a essa arte, como os artesãos em geral, "não serão consultados pela opinião pública e na assembléia não gozam de nenhuma prioridade".

O Haham, por outro lado, carecia de uma vocação definida. Ocupando assento na justiça, sua mente dirigia-se para a contemplação da lei e eqüidade "que serve entre os grandes homens e comparece diante de príncipes". Em seu papel de explicadores da Torá, os escribas interpretavam e disseminavam a escritura sagrada. Todas essas conotações do termo "sofer" podem realmente ser encontradas nas fontes. Tanto pelo escopo de sua atividade como pelo método de procedimento, os escribas podem ser comparados com a escola alexandrina dos gramáticos e intérpretes gregos de Homero, que floresceu durante o século III a.C. Os Hahamim, por outro lado, como foi descrito por Ben-Sira, eram homens ricos que encaravam sua

---

1. *Jer. Schekalim*, cap. 4, Hal, 3, p. 48a.

atividade como escolhida para cumprir uma missão. Serviam nos tribunais de justiça e eram membros do conselho supremo. Esta era a gerousía mencionada no despacho de Antíoco III em 190 a.C. junto "aos sacerdotes e escribas do Templo"[2].

Como seus predecessores, os homens da "Grande Assembléia" ou seus descendentes, os sacerdotes do Sanedrim, assim os membros da Gerúsia exerciam suas funções judiciais e outras sem remuneração. O contraste nas respectivas posições, dos escribas e dos Hahamim, não era diferente das que conhecemos pelos anais do Direito Romano durante o período clássico. De um lado, havia os juristas, árbitros e legisladores e, de outro, homens que interpretavam o antigo corpo de leis. Assuntos judiciais, entretanto, não constituíam o exclusivo interesse dos Hahamim. Nas palavras de Ben-Sira (38: 20-30), deviam eles ponderar a vontade do Todo-Poderoso, meditar sobre os escritos dos profetas e aprofundar-se na sabedoria dos antigos. Seus espíritos apoiavam-se nos discursos de eminentes autoridades, suas parábolas e elocuções esotéricas. Essa atividade intelectual era, além disso, imbuída do temor a Deus, expressava-se através de preces, ações de graças e um agudo senso de propósito moral. Esperava-se que o Haham retratado por Ben-Sira, não menos que o representado no livro dos *Provérbios*, fosse sem dúvida imbuído do temor ao Senhor e zeloso no cumprimento de seus mandamentos (1:23; 19:20; 25:14-15). Devia fugir da companhia de homens violentos e iníquos e buscar a dos homens de virtude. Em caso algum, todavia, o Haham parece misturar-se com setores mais amplos da sociedade. Apesar de sua capacidade e sabedoria poderem ser exaltados pelo povo em geral, ele sempre mantém distância. Nem se ouve falar do Haham agindo dentro da comunidade pelo bem-estar da maioria. O caráter *e o status* do Haham no período helenístico que precede a revolta asmonéia torna-se evidente na seguinte máxima do contemporâneo Iossef ben-Joezer: "Que a tua casa seja uma casa de encontro para os sábios e que te sentes entre a poeira de seus pés e bebas em suas palavras com sede" (*Avot* 1:4). Realmente, outro contemporâneo – o jerosolimita Iossef ben-Iohanã – desenvolveu um argumento totalmente diferente: "Que tua casa fique completamente aberta e que os necessitados sejam membros de tua família" (*Ib.* 1:5). Todavia, embora a última afirmação acentue o apelo à caridade e à ajuda de preferência à sabedoria, não tem caráter menos aristocrático e filantrópico. Ambos os apelos são significativamente dirigidos ao dono da casa.

2. Josefo, *Antigüidades*, cap. 12:3, 8.

III

Ao dobrar o século II a.C., a Palestina foi atingida por revoltas com conseqüências de longo alcance. Ocorreram as medidas repressivas de Antíoco Epifânio contra a religião judaica no ano 167, seguidas de incontáveis ações de martírio. Levantou-se então a bandeira da revolta sob a chefia da família asmonéia dos sacerdotes em Modiin. Juntaram-se a eles "muitos daqueles que estavam procurando a honradez e a justiça", assim como "um grupo de Hassidim, homens poderosos de Israel que prontamente se puseram a serviço da Lei"[3]. As vitórias militares dos Macabeus e o conseqüente aumento do poder judaico tiveram significado decisivo para o subseqüente curso da história judaica.

Esta foi a primeira rebelião dirigida contra a repressão religiosa. A luta dos grupos de Hassidim, fiéis adeptos da Torá, foi travada igualmente contra o poder hostil externo como contra os helenizantes internos, que tinham absorvido um modo de vida estrangeiro.

Uma nova direção nacional emergiu na esteira do triunfo militar macabeu e que resultou no aumento do poder do Estado judeu. A solene proclamação do ano 140 a.C. pela "Grande assembléia de sacerdotes, o povo, líderes da nação e anciãos da terra", que designou Simão como Sumo-sacerdote e etnarca, anunciava o nascimento da era asmonéia com todas as suas esperanças e desilusões, amargos conflitos sociais, políticos e espirituais. Menos evidentes são as modificações efetuadas na esfera da autoridade institucional. A supremacia asmonéia sem dúvida acarretou o deslocamento de famílias privilegiadas de helenizadores extremistas e a ascensão de fiéis batalhadores pela causa asmonéia a posições de influência.

A substituição da família de sumos-sacerdotes zadoqueus por sacerdotes de linhagem asmonéia, apesar de ser politicamente significativa, não indica a essência da transformação que havia ocorrido. De maior repercussão foi ter-se desintegrado a distribuição das condições e funções existentes até então. É verdade que ainda havia sacerdotes, escribas e o judiciário para tratar dos delitos, mas suas posições não eram assumidas pelos Hahamim. Doravante havia sacerdotes-Hahamim, escribas-Hahamim, juízes-Hahamim e santos-Hahamim.

De acordo com os dados mais antigos que possuímos, o aparecimento dos Hahamim sobre a cena histórica não é diferente daquele dos antigos profetas como Natan, Gad, Ahia e Elias, que protestaram contra os reis e príncipes. Mas enquanto a liderança profética era

---

3. *I Macabeus* 2:29 e *ib.* 41.

de natureza carismática e seu apelo radicava no chamado divino, os Hahamim extraíam sua autoridade de sua posição intelectual. Isto acarretou sucessivamente um conhecimento íntimo da Torá e Halahá, cuja disciplina e prescrições traziam à tona sua irrestrita lealdade.

A fonte material à nossa disposição chama nossa atenção para o primeiro Haham da era asmonéia – Simão ben-Schetach. Encontramo-lo assentado ao tribunal de justiça a fim de pronunciar julgamento sobre um servo do rei Alexandre Ianai, acusado de homicídio. De acordo com o regulamento haláhico, o mestre deveria comparecer à corte e o rei foi convocado por Simão ben-Schetach: "O rei, conseqüentemente, veio e sentou-se, então Simão ben-Schetach disse: "levanta-te, Rei Ianai, e deixa as testemunhas deporem contra ti..." "Eu não agirei de acordo com o que dizes, mas de acordo com o que teus colegas dizem", ele respondeu. Simão então voltou-se primeiro para a direita e depois para a esquerda, mas todos eles olharam para o chão. Então disse-lhes Simão ben-Schetach: "Estais concentrados em vossos pensamentos? Deixai o Mestre dos pensamentos vir e pedir-vos explicações!"[4].

Os outros membros do Sanedrim, apesar de compartilhar com Simão suas funções no tribunal, não parecem ter compartilhado do mesmo modo de suas opiniões e coragem.

As medidas de Simão visavam à melhora do processo legal existente. Provas disso encontram-se em seus pronunciamentos haláhicos no exame dos testemunhos, a rejeição de veredictos baseados em provas circunstanciais e a punição de falsos testemunhos[5]. Prescrevia-se aos juízes seguir os seguintes princípios gerais: "Examina os testemunhos diligentemente e sê cauteloso com tuas palavras para que delas não se aprenda a jurar falsamente" (*Avot* 1:9). Seu decreto, ordenando ao marido incluir no contrato matrimonial uma cláusula que tornasse todas as suas propriedades ligadas à esposa, como uma garantia, foi entendido como uma barreira para o divórcio precipitado. A cláusula agia igualmente como uma salvaguarda do compromisso econômico da mulher pela separação[6]. De acordo com uma fonte, foi Simão ben-Schetach quem ordenou que "as crianças devem ser mandadas à escola"[7]. A natureza exata dessa cláusula e sua relação com outras tradições, concernentes à instituição de um sistema educacional, não é suficientemente clara. A notícia desses esforços do Haham na esfera da educação popular é em si mesma de notável significação devido ao objetivo desse ponto de vista. Do

---

4. B. Sanedrim, p. 19a.
5. *Jer. Sanedrim,* cap. 6, Hal, 5, p. 23a; *B. Haguigá,* p. 16b.
6. *B. Schabat,* p. 14b; *B. Ketuvot,* p. 82b.
7. *Jer. Ketuvot,* cap. 8, Hal, 11, p. 32c.

mesmo modo encontramos Simão ben-Schetach interessado em capacitar os indigentes nazaritas a libertar-se de seus votos e providenciando os sacrifícios exigidos[8]. Como o profeta Elias, ele também é mencionado por ter diligentemente agido pelo Rei quando, como medida de emergência, ordenou a execução de oitenta mulheres julgadas culpadas de feitiçaria e convivência com orgias licenciosas em Ascalon[9]. No Talmud encontram-se igualmente relatos tradicionais de relações amistosas entre Simão ben-Schetach e o Rei Ianai[10]. Assim o Haham senta-se ao lado do rei numa recepção oferecida aos enviados do rei da Pérsia que se lembravam das palavras de sabedoria de Simão em visitas anteriores. A atmosfera geral retratada nesses relatos consegue ser jovial, não obstante apontarem o espírito inflexível do Haham. Sua conversação, apesar de cordial, não omite uma nota irrefutável de censura. Pode-se perfeitamente supor que várias medidas de Simão deram origem neste período a estreitas relações com a realeza. A posição exaltada e a reverência que lhe eram concedidas eram atribuídas pelo Haham caracteristicamente ao seu conhecimento da Torá. Para obter seu sustento ele trabalhava como cardador de linho. No trato com seus semelhantes estava permanentemente atento à necessidade de agir de uma maneira que levaria à santificação do Senhor; que as pessoas pudessem dizer: "Abençoado seja o Rei dos Judeus"[11].

IV

Ainda que fragmentárias, nossas fontes referentes a esse antigo Haham contém valiosa informação quanto aos atributos básicos que configurariam os Hahamim para as futuras gerações. Foram as normas de conduta de Simão ben-Schetach que a posteridade viria a considerar ideais para serem encarecidas e emuladas.

As atividades do Haham e sua influência como líder dentro da comunidade não eram necessariamente relacionadas com o exercício de um cargo público. Ocupando ou não uma posição de poder, o Haham sentia-se obrigado a instruir o povo e guiar suas ações. A força de sua autoridade derivava primordialmente de seu conhecimento da Torá. Assim também era sua atitude em relação às potestades existentes ou aos ricos, em todos os tempos determinados tão-

8. *Jer. Berahot*, cap. 7, Hal, 2, p. 11b; *Jer. Nazir*, cap. 5, Hal, 2, p. 54b.
9. *Mischná Sanedrim* 6:6; *Jer. Haguigá*, cap. 2, Hal, 2, p. 77d; *Jer. Sanedrim*, cap. 6, Hal, 9, p. 23c.
10. *B. Berahot*, p. 48a, cf. nota 8.
11. *Jer. Baba Metzia*, cap. 2, Hal, 5, p. 8c.

somente por sua moralidade. Ele não buscava nem evitava sua companhia, mas estava atento em manter sua posição de independência, ganhando o sustento através de uma ocupação manual. O princípio diretor contido na máxima do discípulo de Simão, Schemaiá: "Amar o trabalho e odiar o poder e não procurar entendimento com o governo" (*Avot* 1:10), pode perfeitamente refletir as lições tiradas da história pessoal de seu mestre, cuja conduta construiu o modelo da atitude dos Hahamim para com o trabalho, autoridade e governo. Os Hahamim empenharam-se numa reforma na condução dos negócios comunais, na distribuição da lei e da justiça, posição familiar e educação familiar. Tudo devia ser impregnado pelo espírito da Torá e temor a Deus.

Os traços de Simão ben-Schetach discerníveis em nossa escassa fonte material são instrutivos nas suas implicações positivas. Mas aprendemos não menos dos elementos e qualidades omitidas nos relatos de seus feitos, tais como o contemplativo e místico, ou o sobrenatural e miraculoso. Não pretendemos com isto inferir que Simão ben-Schetach deva ter rejeitado tais manifestações; contudo, isto indica que não eram traços dominantes da sua personalidade. Em sua companhia são também encontrados milagreiros. Assim foi Honia, o do Círculo que, como Elias anteriormente, invocava preces a fim de libertar o povo dos horrores de uma seca severa. Sua súplica a Deus: "Juro pelo teu grande Nome que eu não me moverei até que tu tenhas piedade de teus filhos" e a ênfase sobre sua pessoa expressa nas palavras: "Teus filhos voltaram suas faces para mim" eram estranhas ao espírito de Simão ben-Schetach. Na verdade a prece de Honia mostrou-se eficaz, mas isto não impediu que Simão lhe dirigisse uma mensagem em que o reconhecimento se misturava à reprovação: "Não fosses Honia, eu teria pronunciado uma excomunhão contra ti! Mas que posso fazer a ti? – importunaste a Deus e ele realizou tua vontade como um filho que importuna seu pai e este faz sua vontade"[12]. Uma certa dose de reprovação à ação de Honia é manifesta nessas palavras. Ao mesmo tempo, entretanto, Simão não podia senão reconhecer a posição especial usufruída por Honia na presença de Deus. Ele pode igualmente ter ficado impressionado pela reverência com que Honia era tratado por grandes setores da população.

Simão ben-Schetach foi o legítimo herdeiro de um importante aspecto da tradição profética, assumindo a prerrogativa de intervir em assuntos de Estado, admoestando reis e governantes e travando uma luta sem trégua contra toda corrupção. Mas Honia, o do Círculo

---

12. *Mischná Taanit*, 3:8; *Tossefta ib.*, cap. 3, Hal. 1; *Jer. ib.*, cap. 3, Hall 11, p. 66d; *B. ib.*, p. 23a.

– o primeiro de uma longa linhagem de santos e homens virtuosos conhecidos por nós pelo nome – herdou um elemento não menos autêntico da antiga profecia, a saber, a habilidade de invocar o sobrenatural e realizar feitos miraculosos. Na verdade, os antigos profetas combinavam ambos os aspectos, enquanto em nosso caso aparecem separadamente. Não obstante, os dois elementos continuaram a funcionar sob um ou outro teto. O povo comum parece ter considerado Honia como uma imagem de Elias e quando as chuvas caíram, em resposta às preces de Honia, isto simplesmente reforçou sua popularidade. Quanto a Simão, limitou-se a explicar a situação com uma definição própria: Deus acedeu ao desejo de Honia como um pai acederia ao apelo de seu filho. O tratamento de Simão ben-Schetach a Honia mostrava uma tendência típica dos Hahamim nas relações com grupos e correntes cujas tendências e princípios não concordavam totalmente com os seus. Ao invés de desafiar tais facções, os Hahamim tentavam influir sobre suas atitudes interiormente, modificando assim tais opiniões até que coincidissem com as suas. Com tais intenções, os Hahamim não se apressavam em banir grupos e eliminar manifestações que não pudessem sancionar, mesmo quando estavam em condições de fazê-lo. Pode-se comprová-lo nos relatos sobre as relações entre os Hahamim e os saduceus. Quando estes constituíam o partido dominante, procuraram identificar seus adversários com a seita dos cismáticos (*Porschim*), daí a designação "fariseus" (*Peruschim*). O mesmo não se dava com os Hahamim que, mesmo quando a situação mudou a seu favor, não procederam à banição dos saduceus. De qualquer forma, não se observa a mesma tendência no teor geral de suas disputas ou nos relatos registrados destas[13]. Se, contudo, encontramos uma crescente severidade contra os hereges, isto foi o resultado da dissidência da parte de indivíduos e seitas, isto é, os judeus-cristãos do século II da era cristã[14]. Esta seita, embora pleiteasse a abolição de Israel como uma congregação separada, pedia seu reconhecimento como herdeira legítima do Judaísmo.

Os Hahamim aspiravam à direção e instrução da camada mais ampla da população, cujo modo de vida desejavam moldar. Uma razão considerável do êxito de sua reivindicação era o fato de que os Hahamim efetivamente provinham de todas as classes e posições. Havia aristocráticos sacerdotes, prósperos, filhos de grandes proprietários, assim como artesãos pobres, servos, agricultores, empreiteiros

---

13. *Mischná Makot* 1:6; *Mischná Iadaim* 1:6-8; *Mischná Eruvin* 6:2; *Tossefta Iomá*, cap. 1, Hal, 8.

14. *Tossefta Berahot*, cap. 3, Hal, 24; *Jer. ib.*, cap. 2, Hal, 4, p. 5a; *Tossefta Schabat*, cap. 13, Hal, 5; *Jer. ib.*, cap. 16, Hal, 1, p. 15c; *B. ib.*, p. 115b.

e filhos de convertidos. Em seu empenho em moldar o caráter do povo e guiar os destinos da nação, os Hahamim abrangeram toda a gama de classes e camadas. A máxima de Hilel: "Não ficai afastado da congregação" (*Avot* 2:5) já havia servido a seus mentores Schemaiá e Avtalião que recusaram um juramento de fidelidade a Herodes. O dito de Schemaiá "não procure entendimento com o governo" era, contudo, complementado com o de Avtalião: "Vós, Sábios, dai ouvidos a vossas palavras, a fim de que não incorrais na penalidade do exílio" (*Avot* 1:11).

Essa falta de prudência na escolha das palavras era sempre sujeita a ser condenada ao exílio ou às minas por dirigentes despóticos do tipo de Herodes. Era errado fornecer a um tirano um subterfúgio pronto para que se descartasse de homens que reconheciam a verdadeira natureza de seus motivos e assim privar o povo de seus líderes naturais. Uma medida da popularidade dos dois sábios e sua relação com o Sumo-sacerdote – possivelmente o asmoneu Aristóbulo ou alguém indicado por Herodes – pode ser extraída da seguinte história: "Aconteceu com um Sumo-sacerdote que quando voltava do santuário foi seguido por todo o povo, mas quando viram Schemaiá e Avtalião, abandonaram-no e passaram a segui-los. Schemaiá e Avtalião visitaram-no para despedir-se do Sumo-sacerdote. Disse-lhes este: – Possam os descendentes dos gentios vir em paz! A que responderam: – Possam os descendentes dos gentios que fazem o trabalho de Aarão vir em paz, mas o descendente de Aarão que não faz o trabalho de Aarão, este não virá em paz![15].

Ambos os sábios desejavam prestar homenagem ao sumo-sacerdote. Mas quando o último reage zangadamente à preferência dispensada pelo povo aos Hahamim, apontando insolentemente sua descendência estrangeira, sua réplica está à mão. O que importava não era uma ascendência pessoal, fosse ou não de estirpe aarônica. O problema real era se seus feitos se conformavam aos padrões aarônicos. Esse mesmo espírito informou o apelo feito pelo discípulo de Hilel: "Seja característico dos discípulos de Aarão amar a paz e buscá-la, amar a humanidade e trazê-la junto à lei" (*Avot* 1:12). Aqueles imbuídos com tais virtudes são considerados como discípulos de Aarão e são mais nobres do que seus descendentes físicos que não seguem os passos de seu antepassado.

Dentro dos limites do templo estavam as residências das famílias dos sumos-sacerdotes, que ocupavam posições dirigentes como tesoureiros e ministros mais velhos. Com a passagem do tempo surgiram os donos de casa, os quais durante gerações mantiveram o monopólio

---

15. *B. Iomá*, p. 71b.

do cargo. Possuíam igualmente um conhecimento próprio quanto a certas formas de rituais do templo, cujos segredos deviam ser transmitidos de uma geração à seguinte. Próximo à destruição do Segundo Templo vivia em Jerusalém um Haham de nome Saul ben-Batnit, um lojista, que atacava essas famílias sacerdotais por sua exclusividade na ocupação das principais posições e por seus hábitos violentos. Eis suas palavras: "Livrai-me da Casa de Elischa, livrai-me de seus punhos, livrai-me da Casa de Ismael ben-Piabi, que são sumos-sacerdotes e seus filhos são tesoureiros e seus genros ministros do Templo e seus servidores que caem sobre nós e nos batem com seus cajados"[16].

Uma acusação semelhante encontra-se em outra fonte sobre os "poderosos entre os sacerdotes" que adentram o Templo e violentamente removem as peles dos sacrifícios, impedindo assim uma justa distribuição do pagamento dos sacerdotes oficiantes[17]. As famílias dos iniciados, que se recusavam a ensinar seus conhecimentos a outros, despertam a exprobração dos Hahamim como pessoas dedicadas mais ao cultivo de sua própria glória do que à do Todo-Poderoso[18]. Ademais, o zelo excessivo das leis da pureza do ritual dos sacerdotes também foi condenado pelos Hahamim, havendo sacerdotes para os quais "a sujeira ritual de uma faca era mais importante do que o derramamento de sangue"[19]. Todavia, os Hahamim não se satisfaziam em simplesmente expressar sua desaprovação a certos atos. Eles se empenhavam ativamente em propagar suas opiniões dentro do recinto do Templo e imprimir suas noções sobre o ritual que devia se conformar a seus próprios costumes e tradições.

V

Hilel, que veio da Palestina à Babilônia, conseguiu convencer aos Bnai Betera, provavelmente também imigrantes babilônicos, que haviam sido indicados por Herodes para uma posição importante no Templo, após a deposição do rei dos asmoneus do sumo-sacerdócio. Hilel valeu-se, na polêmica com os Bnai Betera, dos sete princípios hermenêuticos aplicados à interpretação da Torá, a fim de provar que o sacrifício pascal substitui o Schabat quando o 14° dia de Nissan cair no 7° dia. Tal era a preceituação que ele recebera de seus mentores, Schemaiá e Avtalião. Essa Halahá retrocedera à obscuridade, deixando o assunto aberto a diferenças de opinião, por-

---

16. *Tossefta Menahot*, cap. 13, Hal, 20.
17. *Tossefta Zebahim*, cap. 11, Hal, 16.
18. *Mischná Iomá* 3:11; *Jer. ib.*, cap. 3, Hal, 9, p. 41a.
19. *Tossefta Iomá*, cap. 1, Hal, 12.

quanto apenas muito raramente a véspera da Páscoa coincidia com o Schabat. A concepção de Hilel ganhou notoriedade, não só obtendo autoridade tradicional a seu favor, como também porque as multidões de peregrinos de Jerusalém parecem ter partilhado sua opinião. Assim, quando os Bnai Betera argumentaram: "O que será do povo que não tiver trazido ao Templo suas facas e oferendas pascais?", Hilel estava preparado para considerar: "Deixai-os sozinhos, o Santo Espírito está sobre eles e se não são profetas, são filhos de profetas". Para assegurar-se, o povo resolveu o problema levando seus cordeiros pascais e facas matadoras em sua ascensão ao templo, como haviam feito anteriormente seus ancestrais[20].

A singular combinação feita por Hilel da prova da Escritura com a tradição rabínica e o costume popular foi um fator significativo para a aceitação geral de suas concepções. Finalmente sua autoridade patriarcal foi igualmente aceita pelos Bnai Betera no regulamento haláhico do ritual do templo.

Prova do predomínio de Hilel é igualmente obtida através de um decreto a respeito do tesouro do templo. O último servia, entre outras coisas, como um centro de transações financeiras, não tendo nenhuma influência direta sobre o templo enquanto tal. Ele era controlado pelos ministros do templo e tesoureiros. A fim de evitar a prescrição bíblica, que habilita o vendedor de uma casa numa cidade murada a resgatar sua propriedade cada doze meses, alguns compradores se escondiam no último dia, tornando assim irrevogável sua aquisição. Por causa disso: "Hilel, o Ancião, ordenou que aquele que vendê-la deve depositar seu dinheiro na Câmara do Templo"[21].

A fim de pôr em execução o decreto, várias práticas bancárias tinham de ser efetuadas pelos funcionários do templo encarregados do tesouro, por exemplo, registrar o nome do depositante e o do comprador, a cujo crédito a soma deveria ser atribuída. Uma pessoa obrigada a vender sua casa estava sem dúvida em sérias dificuldades e foi para prevenir o surgimento de condições sob as quais jamais pudesse resgatar sua propriedade que a ordenação de Hilel foi concebida. De maneira análoga, a promulgação do Prosbul por Hilel radicava na preocupação do Haham com os interesses dos artesãos pobres, lojistas e pequenos comerciantes continuamente necessitados de crédito "a fim de que os futuros prestatários não encontrassem a porta de seus benfeitores fechadas à sua frente"[22]. Essa prescrição, apesar de abolir virtualmente as prescrições sabáticas acerca da re-

---

20. *Tossefta Pessahim,* cap. 4, Hal, 1-2; *Jer. ib.,* cap. 6, Hal, 1, p. 33a; *B. ib,* p. 66a.
21. *Mischná Arahim* 9:4.
22. Mischná Scheviit 9:3; B. Guitin, p. 36b.

missão de débitos, mantinha-se contudo realmente atenta à idéia e espírito fundamental da instituição sabática.

Como foi observado acima, os atos dos sacerdotes e seus costumes relativos ao serviço do templo nem sempre conformavam-se às noções e padrões dos Hahamim. Há pouca dúvida acerca da importância histórica de Hilel para o período no relato mischnaico dos anciãos do Beit Din que conjurava o sumo-sacerdote a não se desviar de suas instruções relativas ao culto do templo[23].

Por sua capacidade pública e judicial Hilel revelou-se um homem de ação competente, cujas penetrantes e previdentes faculdades mentais ganharam-lhe inevitavelmente uma posição de influência. Dentre as mais notáveis são os tradicionais relatos dos mais íntimos aspectos de sua personalidade, com suas proverbiais qualidades da mais rara paciência e humildade. Essas sem dúvida facilitaram grandemente seus esforços para atrair homens à Torá. Prova de suas realizações foram os muitos discípulos que acorriam a ele, assim como os neófitos aos quais a sabedoria de Hilel era o pórtico de entrada para o Deus de Israel.

É nos tradicionais relatos de Hilel que encontramos pela primeira vez duas noções fundamentais que instruem o mundo espiritual dos Hahamim. A primeira delas foi o conceito de *"Torá Oral"* aplicado a todas as tradições rabínicas, interpretações das Escrituras e compreensões homiléticas, em contraposição à *"Torá Escrita"*. É a Hilel que a tradição atribui a concepção de que a *"Torá Escrita"* não deve ser concebida somente como elaborações e amplificações da "Torá Oral"[24]. Em si mesma, a necessidade da exegese e decretos suplementares não constituíram um empreendimento dos Hahamim farisaicos. Os saduceus também possuíam seus métodos de interpretação e homiléticas, como o tiveram os essênios e outras seitas. A prova disto é prontamente encontrada na literatura apócrifa assim como nos Pergaminhos do Mar Morto. O contraste entre os Hahamim e as doutrinas sectárias se expressa tanto na substância das Halahot como nos vários conceitos que as sustentavam. Nos escritos sectários, como por exemplo o Livro dos Jubileus, as Halahot emergem como lei que emana da era patriarcal. Um método diferente foi empregado nos recém-descobertos pergaminhos intitulados "A Torá de Deus". Nestes as Halahot surgem como parte integral da escritura bíblica, obscurecendo assim a distinção entre texto e exposição. Ambos são apresentados como a palavra de Deus. Os Hahamim farisaicos, por outro lado, consideravam suas tradições e in-

---

23. Mischná Iomá *1:2;* Tossefta *ib.*, cap. 1, Hal, 8.
24. *B. Schabat,* p. 31a; *Avot* de R. Natã, vers., A., cap. 15, vers. B., cap. 29; Ed. Schechter, pp. 61-62.

terpretações homiléticas como um saber oral, que não devia ser igualado com a Torá escrita. Apenas o último era definitivo e assim não poderia sofrer modificação. A estrutura dos decretos e cláusulas existia sem dúvida no seio da jurisdição dos Hahamim, como também a interpretação e elucidação do texto bíblico. Em tempo algum, entretanto, seus pronunciamentos foram encarados como lei bíblica definitiva – "Divrei Torá". Uma distinção foi mantida totalmente entre os últimos e os "Divrei Sofrim" ou "Divrei Hahamim". O princípio de manter as Escrituras livres das interpolações das tradições orais foi meticulosamente observado. Novamente é nos pronunciamentos de Hilel que encontramos pela primeira vez a noção de vida num mundo futuro como uma recompensa pelos feitos do homem na terra. A observação de Ben-Sira (41:18): "A preocupação do homem com seu corpo é vã, mas o nome do pio não desaparecerá. Teme por teu nome, pois este permanece por mais tempo para ti do que milhares de tesouros preciosos" é equivalente à de Hilel: "Se alguém adquire por si mesmo um bom nome ele adquire algo para si mesmo". Mas acrescenta: "Se alguém adquirir para si mesmo conhecimento da Torá, ele adquire para si vida no mundo do futuro" (*Avot* 2:7). Com Hilel nenhuma dicotomia entre corpo e alma, carne e espírito estava implícita na noção de paraíso, tampouco na de ressurreição dos mortos. Tampouco subscreveu o conceito ascético da liberação da alma do corpo. Isto certamente não implica em qualquer tendência da parte de Hilel de perdoar a procura desenfreada de prazer ou indulgência descontrolada na luxúria. Uma clara indicação de sua atitude quanto ao materialismo encontra-se em sua elocução: "Para um máximo de carne, o máximo de vermes, para um máximo de posses, o máximo de preocupações, para um máximo de esposas, o máximo de sortilégios..." (*Avot* 2:7). Por outro lado, a gratificação das exigências físicas de alguém devia ser considerada menos como uma simples necessidade do que como uma efetiva Mitzvá. Esta concepção encabeça a seguinte história que é também indicativa dos métodos didáticos de Hilel: "Certa vez quando ele deixou seus discípulos, estes disseram-lhe: "Aonde vais?" Ele replicou: "Praticar uma boa ação". Perguntaram-lhe: "O que poderá ser?" Respondeu: "Tomar um banho". Disseram: "Isto é uma obra piedosa?" Ele disse: "Sim, pois se o homem a quem é atribuída a tarefa de polir e lavar as imagens dos reis erguidas nos teatros e anfiteatros recebe suas rações para fazê-la e é elevado à consideração entre os maiores do reino, tanto mais é obrigatório para mim polir e lavar meu corpo, uma vez que fui criado à imagem e semelhança divina"[25]. Tendo sido criado à ima-

---

25. *Levítico Rabá* 34:3.

gem de Deus, o homem é igualmente obrigado a ter o devido cuidado com a limpeza de seu corpo e seu bem-estar geral.

Dizem, a respeito de Hilel, que todas as suas ações eram executadas "por amor do Senhor"[26] e tal era realmente sua confiança em Deus que esta bania nele todo temor e ansiedade.

Sua tolerância, amor pela humanidade e busca da paz não diminuiu a força de seus princípios religiosos e morais. O homem devia ser olhado como um ser inteiramente responsável, que devia empenhar-se pela perfeição pessoal, tanto quanto o bem comum. Era necessário ao homem agir porque: "Se eu não for por mim, quem o será?". Ao mesmo tempo pouco poderia ser realizado em solitária segregação. O homem devia manter em mente: "E sendo por mim mesmo, o que sou eu?". Nem deve ele esquecer que sua permanência sobre a terra é limitada, não deixando tempo para procrastinações. Assim: "Se não agora, quando?" (*Avot* 1:14). As relações interpessoais deviam ser guiadas pelo sublime preceito: "Aquilo que é odioso a ti não o faça a teu semelhante". Além do mais, o homem deve refrear julgamentos apressados acerca de seu próximo e a absolvição injustificável de sua própria pessoa. Assim: "Não confie em ti mesmo até o dia de tua morte" e "Não julgue teu camarada até que tenhas ficado em seu lugar" (*Avot* 2:4). Ao mesmo tempo a humildade do homem e consciência de suas limitações não devem servir como um pretexto para afastar-se dos encargos da maioria: "Não te afastes da comunidade" (*ib.: ib.*), Hilel adverte, acrescentando: "E onde não houver nenhum homem, esforça-te por ser um homem" (*ib.:* 5). Nesta busca da religião o homem deve estar sempre imbuído do medo do pecado e da santidade. Essas qualidades, entretanto, não podem ser alcançadas sem a aquisição da substância da Torá, porquanto "O rústico não é temente ao pecado, o Am Ha-aretz não pode ser um santo". O discípulo de Hilel, Rabi Iohanã ben-Zakai, expressou a relação entre a sabedoria e temor ao pecado pela seguinte comparação: "Um homem sóbrio impregnado do temor ao pecado... é como um artesão com os instrumentos de seu ofício nas mãos; um homem sábio destituído de temor ao pecado... ele é como um artesão que não domina os instrumentos de seu ofício; o temente ao pecado que não é sábio... ele não é um artesão mas os instrumentos do seu ofício estão com ele"[27].

VI

A impressão total extraída dos tradicionais relatos de Hilel, seus pronunciamentos e ações, é o de um Haham ideal, em quem a san-

---

26. *B. Betzá*, p. 16a; *B. Berahot*, p. 60a.
27. *Avot* de R. Natã, cap. 22, p. 74.

tidade e humildade são os traços característicos. As tônicas nesse tipo de santidade são a simplicidade e a frugalidade, ainda que diferentes das práticas extravagantes do ascético e do eremita. Ademais, apesar de ser a humildade um tema constante, não é nunca permissível acarretar a extinção da individualidade humana. Tampouco exige a anulação da propriedade privada. Um santo é o que declara: "O que é meu é teu e o que é teu é teu" (*Avot* 5:13), enquanto aquele que afirma a posse comum dizendo: "O que é meu é teu e o que é teu é meu" nada mais é do que um grosseiro.

O estudo e a instrução eram as principais funções do Haham, a caridade e a bondade do amor, suas principais características. Sendo parte da comunidade, ele aspira a um papel decisivo na formação do caráter das instituições nacionais supremas, tais como o Templo, o Sanedrim e o Sacerdócio. Tinha de ser a voz da autoridade em todos os assuntos de Halahá. A fonte de sua influência reside contudo apenas em seus poderes espirituais. Foram as qualidades e obras do Haham que determinaram sua posição entre o povo. Josefo, quase contemporâneo de Hilel, elucida-nos acerca do caráter do Haham na parte final de suas *Antigüidades:* "Pois nosso povo não estima aquelas pessoas que dominaram a fala de muitas nações, ou que adornam seu estilo com delicadezas de expressão... Mas dá crédito à sabedoria apenas àqueles que têm um conhecimento exato da lei e que são capazes de interpretar as Sagradas Escrituras". Em outra referência aos Hahamim, Josefo sustenta que "Mesmo quando eles dizem algo contra o rei ou sumo-sacerdote, suas palavras ganham aceitação imediata"[28].

Uma feição característica no setor dos Hahamim durante a Segunda Reunião até os dias de Hilel é a ausência de qualquer organização burocrática. Não havia nenhum processo estabelecido de escolha, graus de promoção e, de fato, nenhum salário. Ademais, não havia nenhum sistema de treinamento do Haham, nem mesmo uma definição de suas funções. Foi com o surgimento de Hilel que o *status* dos Hahamim viria a sofrer profunda modificação. Isto em larga medida foi conseqüência dos resultados impressionantes alcançados por Hilel em suas obras. Foi efetivamente durante esse período que encontramos pela primeira vez a designação "Beit Hilel" com sua conotação dinástica. Isto não diminuiu com o fato de o filho de Hilel, Simão, seu neto, Gamaliel e o bisneto, Simão, não terem governado como patriarcas, no sentido em que o fez o asmoneu Simão. Nem mesmo eles se igualaram aos patriarcas hilelitas no período subseqüente à destruição do Segundo Templo. Todavia, não resta

---

28. *Antigüidades*, 13, p. 288.

dúvida de que desfrutavam de uma situação especial no Sanedrim e que em certos campos possuíam função específica. Tanto o crescimento do número de discípulos pertencentes a Beit-Hilel como o caráter hegemônico que assumiu, intensificou o contraste entre essa escola e Beit-Schamai. Quando a Segunda Reunião encaminhou-se para seu fim trágico, o sectarismo político e a polêmica mortal começaram a introduzir-se igualmente no reino dos Hahamim. Entretanto, quando o templo finalmente cai em ruínas e a autoridade central se despedaça deixando a nação acéfala, o elemento redentor aparece na pessoa do Rabi Iohanã ben-Zakai. As circunstâncias alteradas clamavam pela recriação de um corpo dirigente supremo e a esta finalidade o Rabi Iohanã devotou toda sua energia e habilidade. O registro histórico deixa-nos às escuras sobre a questão de sua situação, assim como sobre a natureza do Sanedrim acadêmico a que ele deu existência. Subsiste o fato de que em sua sucessão imediata encontramos, em Iavné, o hilelita Rabã Gamaliel assumindo o papel de Patriarca, além de ser Av Beit Din. O fato de ter recebido sanção do procônsul romano da Síria demonstra a natureza de sua posição externa. Internamente ele também aparece como uma dominante figura nacional, não apenas como Haham e Av Beit Din mas também em virtude de sua linhagem hilelita. De fato a preeminência da dinastia hilelita dos patriarcas era tal – subseqüentemente estabelecida como um descendente davídico – que seu reino resistiu por trezentos anos até o último Rabã Gamaliel (o 5° ou 6°), que morreu sem herdeiro durante o reinado de Teodósio II, cerca de 425 da era cristã. O fato de essa suprema instituição ter permanecido por tão longo tempo, em face das vicissitudes sem conta desse período, nas mãos de uma única família, é por si mesmo um testemunho eloqüente da superioridade e elasticidade do patriarcado.

O *status* do patriarcado variou sem dúvida consideravelmente com o caráter e personalidade do encarregado particular, sua erudição e habilidade administrativa. Em grande medida, ele dependia também das relações com o poder estrangeiro, isto é, as autoridades romanas. A real diversidade na estatura e realizações dos patriarcas individuais e as freqüentes mudanças na atitude dos dirigentes estrangeiros para com os judeus e suas autoridades são uma prova suplementar da constância dessa instituição. Um exame mais acurado do patriarcado através das fontes à nossa disposição, entretanto, revela que é apenas por uma visão superficial que podemos falar de estabilidade. Efetivamente ele sofreu muitas crises durante o longo curso de sua história. Na verdade os reais fatores que agiram para sua grandeza como um símbolo da permanente liberdade e independência foram os que militaram para seu desfavor. Por isso, desde que a liderança se definiu entre as fileiras dos Hahamim, arriscaram-se eles a geralmente ser identificados com o poder e as perversidades e defeitos que implicam. Este perigo foi evitado largamente devido à circunstância de que em cada geração houve indivíduos entre os Hahamim que estavam preparados para continuar a luta contra os excessos dos sumos-sacerdotes e potentados. Nessa conjuntura, entretanto, o confronto era entre o poder e a autoridade dos líderes que, emergindo das fileiras dos Hahamim, estavam agora empenhados em afirmar sua ascendência sobre eles. As circunstâncias políticas modificadas conferiram aos patriarcas funções até então exercidas por outras pessoas. A supervisão dos pronunciamentos haláhicos nas esferas judiciárias e religiosas era mantida pela centralização dos cargos e escrutínio na escolha de discípulos. Na opinião de Rabã Gamaliel II de Iavné, era tarefa dos patriarcas erguer um sistema judicial controlado centralmente que operaria nas cidades e aldeias. A manutenção das ligações com a dispersão judia deveria igualmente ser cuidada pelos patriarcas. Isto significava mais do que as jornadas para Roma empreendidas pelo patriarca na companhia dos anciãos. Deviam ser enviados emissários aos centros ultramarinos na Árabia, Cilícia, Galátia, Capadócia e Gazaka em Média. Tudo isso requeria a escolha de funcionários e a colocação dos negócios comunais nas mãos de funcionários públicos. O controle da decisão haláhica introduzida pelo Rabã Gamaliel II levou a uma colisão frontal entre o patriarca e aqueles dentre os Hahamim que insistiram no direito da desenfreada exposição haláhica. Quando Gamaliel II valeu-se de medidas punitivas para firmar sua autoridade, deu-se uma rebelião que acarretou a deposição do patriarca. Conseqüentemente, um acordo foi buscado para erigir uma liderança oligárquica, por assim dizer, mas isto também não conseguiu esclarecer a injustificada concorrência dos Hahamim que não toleravam qualquer interferência na luz de sua própria razão. Como é evidente dessa confrontação, assim como das crises que estavam ainda por surgir, a opinião majoritária em nenhum caso deveria permitir que o antagonismo se desenvolvesse até o ponto de romper o elo entre a Casa de Hilel e o patriarcado. A oposição expressou-se meramente em enfáticas condenações verbais de patriarcas, cujas ações e conduta exigiam censura.

VII

O problema da manutenção dos Hahamim nos cargos públicos viria a causar profunda transformação na posição social e econômica de muitos dentre eles, tendo mesmo ameaçado afetar a imagem moral do Haham, cujo salário não podia ser adjudicados a partir dos fundos públicos. Visto que ele não era próspero, sua subsistência dependia da do principal patrão do povo – o patriarca – cujos recursos deveriam prover um número sempre crescente de Hahamim. Esta condição foi um fator decisivo para nutrir nos Hahamim uma consciência de classe social. Como o conhecimento da Torá tornou-se sinônimo de seu trabalho, os Hahamim passaram a ser olhados como uma entre outras classes de profissionais. Esta nova associação da Torá com uma ocupação humana igualmente levou a noção de que, como outros ofícios, deveria ser transmitido como herança de pai a filho. À luz desses desenvolvimentos devem ser vistas as proclamações que depreciavam a tendência entre certas famílias a encarar a Torá e a dignidade e privilégio que ela confere como uma substância que pudesse ser transmitida hereditariamente. O verdadeiro estabelecimento numa escala nacional de uma liderança espiritual em quem a divulgação da Torá e a exposição da Halahá combinasse com a assunção do cargo público e autoridade constituiu um novo processo da prática tradicional. A recém-surgida hierarquia produziu um novo tipo de Haham o qual, junto às funções espirituais, também controlava os negócios da comunidade e cuja autoridade passava para sua descendência. Não estavam ausentes todos os ornamentos do poder, sua pompa e circunstância, no procedimento da nova classe dirigente. Foi em virtude de semelhantes desenvolvimentos que os Hahamim, nas proximidades do período tanaítico e durante todo o período amoraíta, distinguiram-se como classe à parte. O indivíduo Haham era reconhecido até por seu "modo de andar, maneira de falar e aspecto exterior"[29]. É digno de nota que provas de desavença seriam encontradas no exato momento em que o encarregado do patriarcado não era outro senão o Rabi Iehudá, o Príncipe, conhecido como "Rabi" ou professor por excelência. Conduzindo seu cargo com rara dignidade, conseguiu restabelecer a posição de seu povo, muitíssimo abalada. Sua estatura religiosa assim como sua autoridade haláhica ganharam reconhecimento universal. Atacando o "Rabi" por sua "veneração do rico", modo de viver, hábitos de governo e aspecto magnificente de sua corte, seus oponentes dirigiram restrições ao patriarcado de Eretz Israel assim como ao exilarcado babilônico[30]. O próprio "Rabi" não era inconsciente da natureza contraditória dos elementos que a direção procurava combinar. De um lado estava o Haham Talmid, cuja vida de conhecimento da Torá e boas ações visavam ao Reino do Todo-Po-

---

29. *Sifre Deuteronômio*, par. 343 e cf. *Jer. Bikurim,* cap. 3, Hal., 3, p. 65c; *Jer. Nedarim,* cap. 11, p. 42b.
30. *B. Sanedrin*, p. 38b. I. J. Neusner, *A History of the Jews in Babilonia*, Leiden, 1968, III, pp. 41-94.

deroso e o mundo do espírito. De outro estavam o poder e a prosperidade – elementos palpáveis da ascendência política. Assim, em sua mensagem à posteridade, o grande patriarca decidiu favorecer a separação das funções do patriarca e as do cabeça da Academia. A separação da suprema autoridade nacional-política, isto é, o patriarcado, da presidência das academias era efetivamente mantida mesmo quando o patriarca era um homem com grande conhecimento da Torá. Esta devia perdurar depois de "Rabi" por todo o período remanescente do patriarcado. Semelhante divisão da autoridade prevaleceu no grande centro judaico babilônico, onde os cabeças das academias mantiveram suas prerrogativas *vis-à-vis* do exilarca, cuja influência começou a ser sentida apenas ao final do governo do Rabi Iehudá.

Provas crescentes das tensões e conflitos que marcam as relações entre os Exilarcas e os cabeças das Academias colocaram-se à frente com a informação básica hoje disponível sobre a vida judaica nos dias da diáspora babilônica. As diferenças convergiam sobre a questão dos poderes relativos assim como sobre o estilo de vida e desempenho de autoridade da parte daqueles que estão no poder. A divisão dos poderes não extinguiu a contenda dos Hahamim em seu próprio domínio visto que muitos deles mantinham ligações familiares com as dinastias dos patriarcas de Eretz Israel ou exilarcas babilônicos. Vários Hahamim ademais receberam cargos públicos desses governantes e exerceram seu ofício junto a autoridades centrais. É bastante claro que tais Hahamim teriam evitado ao máximo assumir uma atitude crítica, identificando-se cada vez mais com os homens do poder. O conflito tornou-se assim inevitável com aqueles Hahamim que manifestavam desaprovação extrema pelos poderes, ou seja, cuja recusa de tolerar manifestações perniciosas levavam-nos a esquivar-se de todo contato com a autoridade. Entretanto, havia também um aspecto positivo nas recriminações mútuas e estritas que se originaram dos dois focos de dominação. Eles evitaram um declínio do fervor moral e religioso dos Hahamim, salvaguardando o caráter distinto de sua ascendência. Por causa deles não havia nenhuma lei arbitrária ou autoridade institucional. Foi o triunfo da personalidade e devoção sincera ao estudo e disseminação da Torá. Nisto residia a fonte da qual toda a nação iria extrair seu apoio, sem consideração por categoria ou classe.

VIII

A veneração do Haham era antes de tudo o resultado de sua mestria da Torá tanto escrita como oral. A erudição tradicional transmitida pelos Hahamim de uma geração à seguinte compreendia as Halahot, decisões legais, instruções, decretos, medidas preventivas e usos. Mas continha igualmente exposições e interpretações homiléticas relativas às histórias bíblicas, elocuções proféticas e a sabedoria dos antigos. O estudo da Halahá e da Agadá estava sempre sintonizado com as condições dominantes sociais, econômicas e políticas. As evoluções nestas esferas refletiam-se na linguagem, estilo e método empregado pelos Hahamim. Novas realidades imprimiam-se assim sobre a verdadeira substância tanto da Halahá como da Agadá, positivamente pela assimilação no corpo do Judaísmo, ou negativamente, por sua total rejeição.

A erudição judaica chegou a incorporar as seis ordens da Mischná, divididas em 63 tratados. Esses foram editados por "Rabi" por volta de 200 da era cristã. A isto seguiu-se a redação das Baraitot ou ditos extramischnaicos dos tanaim, isto é, Hahamim do período de Hilel a Judá. Paralelamente aos Talmudes palestino e babilônico, surgiu uma série de compêndios agádicos relativos ao texto bíblico. Ao lado dos relatos tanaíticos, continham esses as deliberações e tentativas exegéticas de Eretz Israel e amoraim babilônicos até o começo do século VI. Este vasto corpo de literatura abarca muito mais que assuntos religiosos e legais e, realmente, cobre os mais variegados aspectos da realidade da existência. Essa abundante fonte material forneceu dados inestimáveis para a investigação de muitas esferas importantes, como a situação da agricultura e métodos de cultivo, ou flora e fauna da Palestina e regiões vizinhas. Nesta encontramos relatos das condições de moradia, estilo de construções e vários produtos domésticos. Há revelações significativas sobre a cerâmica e indústria de instrumentos de metal, sobre os hábitos alimentares, comidas e maneiras de preparo do alimento. As numerosas páginas dessa literatura igualmente abrigam uma profusão de informações sobre roupas, as indústrias de tecelagem e tingimento, joalheria e outros itens de adorno e indústrias de condimentos e cosméticos. Temos conhecimento de instrumentos de escrever e métodos de preparo de pergaminhos, pesos, medidas e moedas, assim como de métodos de transporte e comunicações. Além disso, esses registros das deliberações dos Hahamim revelam a extensão de seu conhecimento e abarca muitos campos, como a medicina e anatomia, matemática, geografia e etnologia. Ao mesmo tempo não devemos esquecer que todos esses campos de investigação eram meramente subordinados à discussão dos tópicos haláhicos, tais como o Schabat e as datas fixas; ações de graça e preces; o regulamento do serviço do templo e sacrifícios; situação pessoal e vida familiar; leis de propriedade; delitos e contratação de escravos e trabalhadores. De significado histórico semelhante são as considerações haláhicas do processo do tribunal e do código penal; leis de limpeza e não-limpeza rituais; o lançamento de contribuições e dízimas; distribuições para o pobre; assistência aos pobres e ações humanitárias. Finalmente, nossa compreensão do mundo espiritual dos Hahamim é iluminada por uma riqueza de reflexões homiléticas entremeadas na Torá Oral. Elas recobrem muitos temas como a natureza e atributos da divindade; o interesse de Deus pelo mundo e a atenção por suas criaturas; o caráter do homem e seu papel na vida; o destino do homem virtuoso e do malvado; a recompensa e a punição; a natureza da predestinação de Israel, suas fortunas passadas e o destino futuro; a idade messiânica e o mundo vindouro. Esperava-se geralmente que os Hahamim se ocupassem de todos os setores da Torá escrita ou oral e alcançassem uma fundamentação básica, mesmo quando sua proficiência num determinado campo ganhasse ênfase especial. Efetivamente encontramos os mais célebres tanaim e amoraim preocupados com todos os costumes de "Derech Eretz" – caminhos do mundo. O último conceito, deve-se observar, significava toda a envergadura do esforço humano e da conduta individual: como marido nas relações conjugais, como pai e como pessoa responsável suportando nos ombros os encargos próprios da situação de membro da congregação. Vários Hahamim devotaram-se ao mesmo tempo à pregação e exposição homilética das Escrituras e da Agadá. Alguns ostentavam um modo de pensar contemplativo e místico. O escopo dos talentos intelectuais requeridos do sábio judeu era na verdade universal. Esperava-se mesmo que ele se familiarizasse com deuses estrangeiros e seus modos de adoração e atingisse um conhecimento de várias seitas e mistérios. Tinha de inteirar-se das práticas utilizadas nas festas pagãs, assim como das fórmulas e métodos de mágica e feitiçaria. E, coisa não menos importante, o Haham tinha de experimentar os caminhos do impostor e dos que sonegavam taxas e impostos. "Que os impostores não possam dizer "os eruditos não estão ao par de nossas práticas"[31].

Ben-Zoma define o Haham como "Aquele que aprende com todos os homens" (*Avot* 4:1). Na verdade, observamos que durante os tempos tanaíticos "os Hahamim consultavam os médicos"[32] e sem dúvida aprenderam grandemente com eles. Em sua consideração sobre uma controvérsia entre judeus e homens de saber gentios, a respeito do curso do sol, "Rabi" conclui com característica urbanidade: "E sua opinião é preferível à nossa"[33]. Os Hahamim não tinham tampouco aversão por aprender de um criado

31. *Mischná Kelim* 17:16; *Tossefta ib. Baba Metzia*, cap. 7, Hal., 9.
32. *B. Nidá*, p. 60b.
33. *B. Pessahim*, p. 94b.

da casa de "Rabi" o significado das palavras difíceis da Bíblia e da Mischná[34]. Um erudito de projeção como Rabi Ioschua ben-Hananiá, que competia com os mais importantes cidadãos de Atenas, Alexandria e Roma, aceitou o desafio verbal do imperador e sua filha[35] e dizem ter afirmado: "Ninguém jamais me superou a não ser uma mulher, um menino e uma menina"[36]. Um amorá chamado R. Iohanã preceituou: "Todo o que diz uma coisa sábia, ainda que não seja um judeu, é chamado sábio"[37]. Por significativas que possam ser essas citações diretas para o estabelecimento da extensão da comunicação intelectual dos Hahamim com as culturas circundantes e as mais longínquas, elas são sobrepujadas pelos testemunhos lingüísticos dos próprios textos. Esses são abundantes em termos gregos, romanos e persas correntes entre os Hahamim[38], que igualmente faziam livre uso dos aforismos prevalecentes nessas línguas. Algumas das parábolas com que os Hahamim ornavam suas elocuções pertenciam ao domínio dos ditados populares e folclore e eram de caráter internacional[39]. No entanto, outras, por exemplo as "parábolas reais" emergiram da cena social e política. Elas nos habilitam a reconstruir vários aspectos notáveis das vidas dos imperadores romanos: o modo como impunham sua autoridade, a hegemonia exercida pelas legiões e seus comandantes; os hábitos das damas da corte e concubinas reais e as práticas de seus escravos e servos[40]. Um terreno comum entre os Hahamim e os gramáticos gregos e "Retores" pode ser revelado nos métodos idênticos de exegese empregados por ambos. Quando lhes convinha, os últimos valiam-se igualmente do idioma corrente entre os intérpretes dos sonhos ou alcançavam seu objetivo com a ajuda de chiste e humor[41]. A fim de dramatizar e dar uma cor local a uma mensagem especial das Escrituras, eles invocavam diálogos entre os heróis bíblicos personificados. No seu empenho educacional, os Hahamim não viam nenhum mal em se utilizar do equipamento intelectual empregado pelos adeptos do

---

34. *Jer. Scheviit*, cap. 9, Hal., 1, p. 38c; *B. Rosch Haschaná*, p. 26b.
35. *B. Behorot*, p. 8b; *B. Nidá*, p. 69b; *B. Schabat*, p. 119a; *B. Hulin*, p. 53b.
36. *B. Eruvin*, p. 53b.
37. *B. Meguilá*, p. 16a.
38. S. Krauss, *Griechische und lateinische Lehnwoerter im Talmud, Midrash etc.*, Berlim, 1899; S. Liebermann, *Greek in Jewish Palestine*, New York, 1942; S. Telegdi, Essai sur la Phonétique des Emprunts iraniens en Araméen Talmudique, *Journal asiatique*, 1935, pp. 177-256.
39. L. Ginzberg, *The Legends of the Jews*, 1925, vol. V, Pref. p. VII.
40. I. Ziegler, *Die Koenigsgleichnisse des Midrasch beleuchtet durch die roemische Kaiserzeit*, Breslau, 1903.
41. S. Liebermann, *Hellenism in Jewish Palestine*, 1950, pp. 46-82.

popular estoicismo em suas diatribes. Tampouco evitavam adotar formas artísticas prevalecentes no tempo, tolerando mesmo a hipérbole e o divertimento quando uma determinada passagem da Agadá o exigia. A constatação mais profunda da Agadá contudo permaneceu eminentemente séria e dificilmente poderia ser superestimada. Assim: "Se tu quiseres conhecer aquele cujas palavras geraram o universo, aprende a Agadá, pois deste modo alcançarás o conhecimento do Santíssimo, abençoado seja, e ingressarás nos seus caminhos"[42]. Nesse objetivo supremo da Agadá reside também o critério de aceitação ou rejeição de substância estrangeira. Em questões de Halahá também os Hahamim seguiam um processo semelhante. As leis bíblicas e os mandamentos, é preciso notar, nem sempre especificam a maneira exata de sua execução. Havia então problemas levantados pelas condições permanentemente mutáveis de uma sociedade viva e dinâmica que a Bíblia não tivera oportunidade de considerar. Ademais, houve um crescimento de tradições orais, decretos-leis e cláusulas do Beit Din, frases específicas de contratos e outros documentos legais, servindo às decisões de tribunais famosos como precedentes jurídicos e finalmente uma riqueza de tradições locais e costumes praticados por grupos particulares. Nas Academias dos tanaim, os eruditos empenhavam-se em tirar conclusões das Escrituras assim como em associar Halahot dominantes com passagens bíblicas importantes. Isto era realizado por meio da exegese, uma engenhosa inferência textual, analogia e a reconciliação de passagens discrepantes. Para esta meta valiam-se prontamente das explicações fornecidas pela filologia, assim como do livre uso de princípios correntes do raciocínio lógico.

Assim era a disciplina mental empregada na interpretação das concepções sustentadas pelos antecedentes tanaim, como se registra na Mischná ou nas compilações das Baraitot. Obscuras Halahot enunciadas num estilo lapidar foram abertas a várias interpretações. Havia também muitas contradições entre fontes datadas de diferentes períodos e diferenças de opiniões entre os Hahamim da mesma geração. Tais contrastes exigiam uma reconciliação e escolha da concepção normativa. Levantando os pontos de discordância, versões divergentes e colocando problemas de natureza casuística, formaram-se efetivamente as novas Halahot. Estas eram aparentadas ao texto bíblico nos tênues terrenos de uma "alusão" ou "sugestão". A cuidadosa escolha de minúcias e colação de elementos díspares acarretou a formulação de normas gerais e princípios abstratos que sus-

---

42. *Sifre Deuteronômio* 10:49.

tentam as Halahot em esferas tão distintas como divórcio, fixação da dízima e o sacrifício do cordeiro pascal.

IX

As deliberações eruditas nas academias dos Hahamim eram conduzidas dentro de um espírito desinibido. Apesar da autoridade da Torá escrita e do caráter impositivo das tradições e das Halahot de autoridades anteriores sobre os eruditos, estes gozavam de uma larga margem de autoridade. Esta manifestava-se no próprio ato de interpretação que arrogavam como prerrogativa sua. Uma expressão enérgica, embora paradoxal, da independência dos eruditos é encontrada na máxima: "Não leia 'Harut' (esculpida nas tábuas) (*Êxodo* 32:16) mas 'Herut' (liberdade)" (*Avot* 6:2). Ela igualmente emerge desta notável Agadá, na qual Moisés é conduzido à Academia do Rabi Akiva. Ouvindo o douto discurso do grande mestre, Moisés, o Legislador, fica completamente desorientado quando não consegue compreender as elocuções que o taná profere para a Torá de Moisés[43]. Esta história do Rabi Akiva, contada simplesmente por Rab – o deão dos amoraim babilônicos – constitui um ponto culminante na prolongada contenda entre duas linhas opostas de abordagem. De um lado estavam os tradicionalistas que se restringiam aos preceitos venerandos da herança oral, enquanto de outro estavam os protagonistas do direito a uma exposição livre tanto da Torá escrita como oral. Enquanto os mestres do Rabi Akiva – Rabi Eliezer ben-Hircano e Rabi Iossef – se apoiavam principalmente na tradição transmitida oralmente[44], os anteriores decidiram-se em favor de um método exegético em que a inovação e a compreensão espontânea eram os elementos principais. As interpretações rabínicas e decretos-leis baseados nas minúcias do texto bíblico eram encarados por ele como parte essencial da Torá revelada a Moisés no Sinai[45]. A Agadá sobre a visita de Moisés ao Rabi Akiva expressa o triunfo da última escola na qual sua concepção inovadora é justificada pelo próprio Deus.

A pesquisa erudita e as discussões nas academias dos tanaim e amoraim eram conduzidas numa atmosfera marcada pela falta de inibição. Assim também a qualidade que caracterizava as relações entre mestres e discípulos. A Halahá era decidida sobre os méritos do caso aduzido em discussão[46], sem qualquer consideração de ida-

---

43. *B. Menahot*, p. 29b.
44. *Mischná Pará* 1:1; *Mischná Nazir* 4:4; *Mischná Nidá* 3:1, *B. Suká*, p. 27b.
45. *Sifra Levítico, Behukotai* 8:12.
46. *B. Baba Batra*, p. 146b.

de. Na verdade, havia discípulos cuja erudição excedia à dos mestres. Em tempo algum a autoridade decisiva foi concomitante ao cargo ou classe. Era incumbência de homens que demonstrassem um completo domínio das fontes em razão de uma excelente memória e de eruditos que possuíssem mentes penetrantes e grande habilidade dialética. Ambas qualidades intelectuais eram raramente encontradas numa única pessoa. As diferenças resultantes do tipo de abordagem freqüentemente levavam a tensões, como é evidente nos diversos discursos que avaliam os relativos méritos do proficiente Sinai (o erudito comparado ao Monte Sinai) e "removedores de montanha" de mentes alertas. Ambas as alternativas são consideradas válidas: o louvor ou a depreciação. Disputas intensas algumas vezes levavam ao desprezo de um discípulo ou colega. Também a injúria não deixou de aparecer no calor da discussão. Isto poderia mesmo acarretar o banimento de um oponente ou outras formas de punição[47]. Uma causa suplementar das relações tensas era a rivalidade em atrair estudantes dotados que costumavam perambular de uma academia para outra. Essas manifestações eram familiares numa sociedade que conferia um alto prêmio à capacidade intelectual, fenômeno predominante no mundo acadêmico. Ao mesmo tempo, contudo, é preciso ressaltar que choques e rivalidades entre os Hahamim não foram nunca estimulados por considerações de progresso material. Isto não acontecia porque eles não recebiam salário para ensinar. Tampouco suas atividades acadêmicas dependiam do apoio de uma posição oficial. Ademais, a admissão de um discípulo na classe dos Hahamim por ordenação, enquanto conferia o direito de ensinar e explicar a Halahá também lhe conferia as várias preocupações e encargos da comunidade.

A divulgação do conhecimento não se limitava aos estritos limites da academia. A conversa trivial entre os Hahamim era também considerada como Torá. Mesmo o extremista Rabi Schimeon ben-Iohai, que viveu numa época em que "Os homens desesperam da Torá", para quem o estudo da Torá tinha precedência sobre o que quer que fosse, que rejeitava toda ocupação verbal e, ao contrário de seu mestre Rabi Akiva, considerava mesmo a visita a um doente como ocupação supérflua[48], ele também concluía: "... servir a um mestre da Torá é mais importante do que o seu estudo"[49]. A intensa preocupação dos Hahamim com assuntos jurídicos, sua análise penetrante de casos e problemas do domínio dos delitos e outras rei-

---

[47]. *Jer. Berahot*, cap. 7, p. 10c, *Jer. Schekalim*, cap. 3, Hal., 2, p. 47c; *Jer. Moed Katã*, cap. 1, Hal., 1, p. 81 b-c; *B. ib.*, pp. 16a-17a.
[48]. *Sifre Deuteronômio* 10:42; *Jer. Berahot*, cap. 9, p. 13d; *B. ib.*, p. 35b; *Avot de R. Natã*, vers. A., cap. 41, p. 130, e cf. *B. Nedarim*, p. 40a.
[49]. *B. Berahot*, p. 7b.

vindicações civis, não ofuscavam os aspectos mais profundos de sua vocação. Estas conservavam-se sobranceiras em suas mentes. Dificilmente se poderia negar as influências alheias sobre a estrutura da lei haláhica. Investigações a respeito desta revelam elementos da legítima aproximação do antigo Oriente e os conceitos jurídicos da Grécia e em menor extensão de proveniência romana. Isto se confirma pela predominância de termos emprestados, por exemplo: *apotheke* (penhor), *diatheke* (disposição de propriedade), *apotropos* (tutor), *omologia* (recibo) e outros semelhantes. Além disso, a indicação dessa tendência pode ser resumida pela linguagem de documentos legais, declarações e normas, como também através de referências a instituições dentre as quais todas eram desconhecidas até então[50]. Foi pelo processo de integração e adaptação ao sistema existente que essas noções alienígenas poderiam funcionar para responder a novas necessidades assim como no preenchimento das rupturas sofridas pela estrutura original. Os Hahamim entendiam, porém, que por mais esclarecidos e astutos que fossem os administradores da lei, o princípio de legalidade em si mesmo não poderia compreender totalmente a noção de justiça. Por tal motivo o homem gozava de ampla liberdade para provar seu valor fazendo "aquilo que é direito e bom" de acordo com o preceito bíblico (*Deut.* 6:18). Ainda que ensinada em termos genéricos, essa exortação moral levou à formulação de várias Halahot[51]. Em seu próprio caso os Hahamim renunciariam ao título, mesmo em favor daquilo que eles poderiam legalmente reivindicar como direito. Assim, influenciados pelo princípio da super-rogação[52], esperavam que outros seguissem o exemplo. Isto é ilustrado pela seguinte história: "Alguns carregadores quebraram negligentemente um barril de vinho que pertencia a Rabá, filho de R. Huna. Por causa disso, ele apreendeu suas vestes; por isso eles foram e se queixaram ao Rab. "Devolva-lhes suas vestes", ordenou. "É esta a lei?", inquiriu. "Ainda assim", ele acrescentou. "Para que andes pelo caminho dos bons" (*Prov.* 2-20). Devolvidas as vestes eles observaram: "Somos homens pobres, trabalhamos o dia todo e somos necessitados. Não vamos ganhar nada?". "Vão e paguem-no", ordenou. "Esta é a lei?", perguntou. "Ainda assim", foi a resposta "e conservem-se no caminho do justo"[53].

50. A. Gulak, *Das Urkundenwesen im Talmud und Midrasch im Lichte der griechisch-aegyptischen Papyri und des griechischen und roemischen Rechts*, Jer., 1935; R. Yaron, *Gifts in Contemplation of Death*, Oxf., 1960; B. Cohen, *Jewish and Roman Law, A Comparative Study*, New York, 1966, vols. I e II.
51. *B. Baba Metzia*, p. 35a, p. 108a.
52. *B. Baba Kama*, p. 99b; *B. Baba Metzia*, p. 24a, p. 30b; *B. Ketuvot*, p. 97a.
53. *B. Baba Metzia*, p. 83a. A expressão traduzida por "Ainda assim" falta em alguns manuscritos do Talmud; cf. *Jer. Baba Metzia*, cap. 6, Hal., 8.

Sobre o próprio Rab conta-se que ele era guiado mais pelo princípio da Hassidut (santidade) do que pela estrita justiça. Dessa forma, Rabi Hisda, um discípulo de Rab, também referiu-se a determinadas Halahot da Mischná, dizendo: "Fala aqui de conduta pia"[54], a saber, que governa acima da estrita letra da lei. Na própria Mischná já havia sido estabelecido que "Os sábios ficarão bem satisfeitos com"[55] quem quer que escolha seu próprio caminho. Todavia, esperava-se, além da Mischná comum, que os eruditos agissem de acordo com a Mischnat Hassidim, o indefinido código do pio e santo[56]. Nas deliberações amoraicas menciona-se a Mischná dos Hassidim Rischonim (antigos santos) e seus pronunciamentos concernentes aos delitos. O amorá Rab Judá declarou: "Aquele que deseja ser piedoso deve cumprir as leis de Nezikin"[57]. O ideal de santidade era estimado como o *summum bonum* até por certos amoraim, cujos nomes aparecem no Talmud exclusivamente ligados a problemas de caráter decididamente jurídico, homens cujas principais qualidades residem nos sutis discernimentos e análise perspicaz. Assim como seus predecessores, os amoraim também não consideravam os princípios da lei e justiça como base exclusiva para a realização do ideal do santo Haham. Na concepção do amorá de Eretz Israel Rabi Alexandri (fim do terceiro século), "Um homem que permanece silencioso mesmo ao ouvir que o insultam é chamado "santo"[58] e, segundo uma fonte anônima, a qualidade de santidade se expressa no constante temor ao pecado até quando não houver qualquer causa aparente para tal ansiedade[59]. Alguns amoraim extraíram conclusões extremas da doutrina do Rabi Akiva que sustentava que a amável aceitação do castigo era a suprema meta para o devotado adorador do Senhor[60]. Testemunhos do período amoraico assinalam o predomínio de ações de renúncia e abstinência. Mas essas práticas ascéticas, ou por assim dizer "exercícios", nunca foram levados ao extremo da rejeição total deste mundo. Geralmente atos de mortificação eram evocados pelo temor do pecado. Não há nenhuma indicação de que alguma vez tenham sido tolerados em proporções desmesuradas. Ninguém jamais desafiou a opinião sustentada pelo Rabi Akiva segundo a qual não era permitido ao homem infligir corporalmente injúria sobre sua própria pessoa, nem mesmo quando santifica o nome do Senhor

---

54. *Jer. Schavuot*, cap. 10, Hal., 9, p. 39d; *B. Schabat*, p. 150a; *B. Baba Metzia*, p. 52b; *B. Hulin*, p. 130b.
55. *Mischná Schevüt* 10:9; *Mischná Baba Batra* 8:5.
56. *Jer. Terumot*, cap. 8, Hal., 10.
57. *B. Baba Kama*, 30a.
58. *Midrasch Salmos*, 16:11.
59. *Midr. Tankhuma Hukat*, 25, e cf. *B. Nedarim*, p. 10a.
60. *B. Berahot*, p. 61b; *Tr. Semahot*, cap. 8.

durante o martírio[61]. Por outro lado, muitos eruditos rejeitaram o ascetismo ainda que de forma moderada. Referindo-se aos votos de autocastigo, o Rabi Dimi (século IV) declarou: "Não basta que te abstenhas daquilo que é proibido na Torá, que tu procures te abster de outras coisas"[62]. Resch Lakisch, além disso, duas gerações antes, menciona explicitamente os Hahamim nesta lei: "Um erudito não pode afligir-se pela abstinência porque reduz assim seu trabalho sagrado"[63].

O viver dos Hahamim era marcado pela constante preocupação com a Bíblia. Sua afirmação de uma vida criativa, vívida narrativa humana e relato poético dos fenômenos naturais, penetraram sua mais secreta existência. Além disso, eram continuamente obrigados a lutar com os problemas da vida real, da Halahá. Tudo isto teve como efeito natural a salvaguarda contra o extravagante ascetismo. Entre a maioria dos Hahamim de fato a atitude resultante foi de deleite na vida e alegre gozo de seus frutos. Um pertinente exemplo disso é a máxima de Rab: "Os homens serão chamados para prestar contas do que quer que seja que seus olhos tenham observado e de que ele não participou"[64]. Seu discípulo Rab Judá igualmente declarou que alguém que vir as árvores em plena floração durante o mês de Nissan deve proferir a invocação: "Bendito seja Ele que não deixou faltar nada ao Seu mundo e nele criou criaturas bondosas e árvores para a alegria da humanidade"[65].

Dois elementos básicos de extremo ascetismo, isto é, total abstinência de sexo e uma vida de solidão, estavam inteiramente ausentes do mundo dos Hahamim. Estes viviam toda sua vida entre o povo e não se separavam de suas famílias. Nessa esfera eles se esforçavam por executar os altos-padrões que haviam erguido para um ideal moral e vida religiosa. Os Hahamim estavam totalmente conscientes do poder das inclinações malignas do homem e da força de suas paixões. Nunca subestimaram essas forças. Compreendiam que "Mesmo o mais piedoso dentre os piedosos deve ser apontado como um guardião contra a não-castidade"[66].

O conhecido herói era aquele que sobrepujava seu impulso malfazejo, disse o taná Ben-Zona (*Avot* 4:1). Esse princípio era corroborado pelos amoraim em razão de sua própria experiência de vida, que demonstrava que "Quanto maior o homem, maiores as inclina-

---

61. *Mischná Baba Kama* 8:6; *B. A vodá Zará*, p. 18a.
62. *Jer. Nedarim*, cap. 9, Hal., 1, p. 41a.
63. *B. Taanit*, p. 11b.
64. *Jer. Kiduschin.*, cap. 4, Hal., 12, p. 66b.
65. *B. Berahot*, p. 43b.
66. *Jer. Ketuvot*, cap. 1, Hal., 1, p. 25d.

ções malignas"⁶⁷. Os Hahamim falavam abertamente sobre problemas de sexo, não existindo nunca um falso senso de pudor na discussão do assunto. Proferiam na sua pregação moral contra o impulso do mal advertência complacente. A fim de restringir o assaltante interno, os Hahamim recomendavam o método de "repelir com a mão esquerda e acenar com a direita"⁶⁸. A defesa mais forte contra esse conflito moral era, contudo, o estudo da Torá. Nisto residem os meios mais poderosos para manter acuadas as paixões. Era através de sua sublimação que a vitória poderia ser atingida.

X

No seu papel de líderes espirituais e pastores morais, os Hahamim defrontaram-se com um dilema: Como deveriam tratar seu rebanho e o povo em geral? De um lado, aspiravam a uma relação próxima com a massa e tentavam obter sua confiança e afeição sendo acomodatícios. Por outro lado, tinham que admitir que as boas relações não eram alcançadas através de princípios de renúncia. Uma opinião extrema dessa situação foi adotada pelo amorá babilônica Abaie do século IV que afirma que se um discípulo dos Hahamim é olhado com afeição por seus concidadãos isto não indica sua excelência, mas antes sua recusa em denunciar suas desonestidades⁶⁹. Mas a exortação não era a única causa de atrito entre os Hahamim e vários setores da população. Para ser exato, havia uma pronunciada tendência ao igualitarismo e à abolição de barreiras sociais, tanto no domínio da Halahá como na prática geral. São do Rabi Akiva as declarações: "Todos os israelitas são filhos de Reis" e "Toda Israel é merecedora dessa distinção"⁷⁰. Ao mesmo tempo, todavia, pedia a máxima reverência aos Hahamim. Expressava corajosamente tal exigência na homília: "O Senhor teu Deus temerás" (*Deut.* 6:13) – isto se aplica aos discípulos dos Sábios"⁷¹. Não obstante, pronuncia uma admoestação não menos severa a seus colegas eruditos sobre a necessidade de evitar a indulgência para com o orgulho autocomplacente. Suas próprias experiências do tempo em que ainda era iletrado ensinaram-lhe como uma conduta arrogante é enganadora. Isto produzia entre a gente simples aversão pelos Hahamim. Assim, declarou: "Quem quer que se vanglorie através das palavras da Torá,

67. B. *Suká*, p. 52a.
68. B. *Suká, ib.*; B. *Berahot,* p. 5a.
69. B. *Ketuvot,* p. 105b.
70. B. *Baba Batra*, p. 155a; B. *Baba Metzia*, p. 113b.
71. B. *Pessahim*, p. 22b.

a que se assemelha? A um cadáver atravessado na estrada; cada um que passa por ele põe a mão no nariz e vai embora buscando distância"[72].

A procura do Haham de equilibrar o desejo de inspirar respeito por sua pessoa e, assim, pela Torá, e a fuga ao orgulho[73] teve seus altos e baixos. A contínua existência por centenas de séculos de uma elite intelectual criou por si mesma uma série de problemas. Crescera entre amplos setores da comunidade o costume de conceder aos proeminentes Hahamim uma série de privilégios e concessões. Com o correr do tempo estes passaram a ser considerados como privilégio de classe e eram mesmo incorporados à Halahá. Nenhuma tentativa de interromper tais práticas foi feita pelos Hahamim, o que equivaleria à desonra e degradação[74]. Por outro lado, os Hahamim não se cansavam jamais de apontar e salientar a extensão da responsabilidade que recaía sobre o Haham. Suas ações e modo de vida em geral e, mais especialmente, o desempenho de suas funções públicas estavam sob constante vigilância. Na opinião do Rabi Iehudá ben-Ilai, um discípulo do Rabi Akiva, os pecados não-intencionais de um discípulo dos Hanamim eram considerados como atos voluntários, enquanto as ações imorais da gente comum eram encaradas como cometidas inadvertidamente[75].

Durante todo o período tanaítico, os discípulos dos Hahamim são obrigados a cultivar uma linguagem, porte e estilo que os distinguiam. Isto, conseqüentemente, desenvolveu um verdadeiro código de maneiras a serem seguidas pelo Haham no seu aspecto público. Dessa forma, o Rabi Iohanã advertia que "qualquer erudito sobre cujo vestuário se observe uma mancha de gordura, é digno da morte"[76]. Havia finalmente apenas um critério pelo qual o procedimento de um Haham podia ser julgado: seus feitos e comportamento levavam à santificação ou profanação do nome do Senhor. Esse princípio, cuja origem é atribuída a Simão ben-Schetach, continuou vigente durante todo o período ora considerado. Isto deu margem a uma quase infindável variedade de interpretações e especificações. É apropriadamente repetido na seguinte Baraíta divulgada pelo amorá Abaie: "Como foi ensinado: 'Amarás pois o Senhor teu Deus' (*Deut.* 6:5), ou seja, que o nome do Senhor seja amado por sua causa. Se alguém estuda as Escrituras e a Mischná e confia nos

---

72. *Avot* de R. Natã, vers. A., cap. 11.
73. *Jer. Iebamot*, cap. 13, p. 13a.
74. *B. Kiduschim*, p. 70a; *B. Baba Batra*, p. 8a; *B. Sanedrim*, p. 99b e cf. *B. Schabat*, p. 119b.
75. *B. Baba Metzia*, p. 33b.
76. *B. Schabat*, p. 114a.

discípulos dos Sábios, é honesto nos negócios e fala agradavelmente às pessoas, que diz o povo sobre ele? 'Feliz o pai que lhe ensinou a Torá, feliz o professor que lhe ensinou a Torá; ai do povo que não estudou a Torá, pois este homem estudou-a – vede como são belas as suas maneiras, como são justas suas obras!' Dele diz a Escritura: E Ele disse sobre mim: 'Tu és meu servo, Israel, no qual serei glorificado'. Mas se alguém estuda a Escritura e a Mischná, confia nos discípulos dos Sábios, mas é desonesto nos negócios e descortês nas relações com o povo, o que se diz sobre ele? 'Ai daquele que estudou a Torá, infeliz de seu pai que lhe ensinou a Torá; infeliz de seu professor que lhe ensinou a Torá! Este homem estudou-a, vede como suas ações são corruptas, como seus modos são feios...' "[77]

Sempre que houvesse o temor de que uma situação pudesse acarretar a profanação do nome de Deus era necessário afastar todas as considerações de posição pessoal e prestígio. Devia-se manter em mente que "sempre que uma profanação envolve o nome de Deus não se tem qualquer consideração para com o professor"[78].

A cuidadosa atenção pela conduta do Haham individual[79] movia-se pela consideração do *status* e honra de toda a corporação dos Hahamim e suas instituições e finalmente pela glória da própria Torá. Sendo inconfundível tanto no caráter como na aparência exterior, os Hahamim ficaram como grupo sempre exposto ao exame público. A tendência era de imputar os pecados, fraquezas e ambições do indivíduo à instituição como um todo. Manifestações de tal desconsideração pelos Hahamim entre certos setores da comunidade são relatadas pelo membro da Abadia Rava nestas palavras: "De que serventia são os Rabis para nós?"[80].

A situação nacional e a influência dos Hahamim por todo o período talmúdico derivava de dois traços fundamentais no seu trabalho e caráter. Um deles era a constituição democrática da academia talmúdica, cujas portas permaneciam abertas tanto aos ricos como aos pobres. Como salientamos anteriormente, não se levava em consideração qualquer privilégio de linhagem. Nesse espírito devem ser entendidas as palavras do taná R. Iossef: "Prepara-te para o estudo da Torá, pois ela não te pertencerá por herança" (*Avot* 2:12). Essas palavras significavam uma advertência para os Hahamim não darem importância excessiva à ascendência. Na verdade, é digno de nota que por toda a era talmúdica essa tendência prevaleceu e não encontramos "famílias" de Hahamim como entre os So-

---

77. *B. Iomá*, p. 86a, cf. *B. Pessahim*, p. 113b.
78. *B. Berahot*, p. 19b; *Baba Batra*, p. 57b, e cf. a nota 29.
79. *B. Taanit*, p. 7a; *B. Moed Katã*, p. 7a.
80. *B. Sanedrin*, p. 99b.

ferim dos tempos antigos. Ademais, em várias ocasiões, quando pais e filhos eram Hahamim, os últimos sobrepujavam os primeiros em erudição e era a fama do filho que recaía sobre a honra do pai. Considerando isto um paradoxo, os amoraim dos séculos IV e V indagaram: "E por que não é usual entre os eruditos gerarem filhos que sejam eruditos?" As soluções propunham: "Isto não poderia ser mantido – a Torá é seu legado" e "Que eles não deveriam ser arrogantes para com a comunidade"[81], realmente assinalavam antes o efeito do que a causa dessa manifestação. A real acessibilidade das academias talmúdicas e a livre competição entre elas evitavam a intrusão do privilégio de classe e família no domínio da Torá. Da mesma maneira, garantiam a provisão de uma constante corrente de intelectos vigorosos e não-convencionais.

O outro fator de decisivo significado na formação do caráter dos Hahamim pode ser encontrado nas profundas palavras do salmista: "O temor do Senhor é o princípio da sabedoria" (*Salmos* 111:10). O peso dessa tão importante mensagem da insuficiência da aprendizagem da Torá, quando não reforçada pelo temor ao Senhor, foi repetida em todos os tempos com aplicação incessante; assim, o renomado amorá Rava declarou: "O objetivo da sabedoria é o arrependimento e as boas ações"[82]. Conseqüentemente, encontramos no Talmud Hahamim que não são credenciados por nenhum pronunciamento haláhico ou agádico, mas são notados pela santidade de seu caráter e seus feitos. Ademais, o Talmud não é contrário a referências a manifestações de bondade, justiça e amável benevolência; assim como da fé inocente e temor a Deus, quando partem da gente mais simples ou mesmo dos mais humildes elementos da periferia da congregação judaica[83].

Em sua admiração por esses traços e práticas populares, certos amoraim dirigiram-se à congregação de Israel com as palavras: "Os transgressores em Israel estão tão cheios de boas ações quanto uma romãzeira"[84]. Por toda sua extensa carreira espiritual, os Hahamim consideravam-se – e eram considerados por seus ouvintes – não apenas como professores e instrutores de membros individuais da comunidade, mas também como mentores e guias espirituais da congregação de Israel como um todo.

---

81. *B. Nedarim*, p. 81a, cf. *Baba Metzia*, p. 85a, e *Baba Batra*, p. 59a.
82. *B. Berahot*, p. 17b e *B. Schabat*, p. 31b; *B. Iomá*, p. 72b.
83. *Jer. Taanit*, cap. 1, Hal., 4, p. 64a; *Levítico Rabá* 9:3; *B. Taanit*,, p. 24a.
84. *B. Eruvin*, p. 19a; *B. Haguigá*, p. 27b; *Cânticos Rabá*, 4:3.

XI

O povo judeu, apesar de composto por vários elementos, era considerado pelos Hahamim como uma entidade singular. Como tal é ele qualificado para o título da nação escolhida por Deus e como tal carregou durante todas as vicissitudes da história as responsabilidades e fadigas conferidas por sua posição. Inspirados pelas palavras da Torá "como um homem castiga a seu filho, assim te castiga o Senhor teu Deus" (*Deut.* 8:5) e pelas palavras do profeta *Amós* (3:2) "De todas as famílias da terra a vós somente conheci; portanto, todas as vossas injustiças visitarei sobre vós", os Hahamim entendiam a idéia de eleição essencialmente nos termos de crescente responsabilidade. Uma prova de ter havido uma escolha de Israel era vista por Rabi Akiva não só na sua designação bíblica como "filhos de Deus" mas também no fato de terem recebido "um precioso instrumento", isto é, a Torá (*Avot* 3:18). A responsabilidade nacional pela manutenção da Torá deu origem à idéia de um mútuo compromisso. O Rabi Schimeon ben-Iohai interpretou a lei "Todos os israelitas são responsáveis uns pelos outros"[85] da seguinte maneira: "Isto pode ser comparado a um grupo de homens num barco. Um deles toma uma verruma e começa a abrir um buraco junto a seu pé. Seus companheiros dizem a ele: "Por que você faz isto?" Ele responde: "Que importa a vocês, estou perfurando embaixo do meu próprio lugar". Esses dizem: "Mas você está inundando o barco para todos nós"[86]. A idéia de um compromisso mútuo teve um significado especial para o Haham. O taná Rabi Nehemia sustentava "Filho meu, se ficaste por fiador do teu companheiro, se deste a tua mão ao estranho" (*Prov.* 6:1) referindo-se aos Hahamim: "Isto se dizia de eruditos comuns (Haverim); enquanto uma pessoa não passa de um erudito comum, não tem nada a ver com a congregação e não deve ser punido por seus erros; mas se ele é designado chefe e assume as vestes da liderança, já não pode dizer: "Vivo por meu próprio benefício, não me importo com a congregação" mas toda a carga da comunidade está sobre seus ombros. Se vir um homem que causa sofrimento a outro ou transgride a lei e não o previne, então ele é considerado culpado. O Santo Espírito então exclama: "Filho meu, se tu te tornaste fiador de teu vizinho" tu és responsável por ele porque "Tu deste a tua mão ao estranho" – *le-tzar* (*Ib.*). O Santíssimo, abençoado seja, disse-lhe: "Tu, assumindo o cargo, te colocaste na arena (*letzirá*) e aquele que se coloca na arena fica para fracassar ou vencer"[87].

---

85. *Sifra Levítico Behukotai*, cap. 4.
86. *Levítico Rabá*, 4:2.
87. *Êxodo Rabá* 27:9; cf. *Midrasch Salmos*, 8:3.

Todavia, pressupunha-se que o judeu comum também considerasse suas ações como de importância decisiva, não só na determinação de seu próprio destino pelo bem ou pelo mal, como também na de seu povo e, na verdade, do mundo todo[88]. A mútua responsabilidade significa disposição para sacrificar-se pelo bem-estar físico e espiritual de um semelhante, uma comum boa vontade "para comprometer-se pelo benefício de outrem"[89]. Tais princípios só poderiam ser executados onde o povo se considerasse como parte de um corpo unido – "quando estão ligados num único grupo e não em vários grupos"[90]. A unidade nacional seria um instrumento eficaz para obliterar diferenças nos padrões morais e religiosos de várias camadas da população, assim como também para suavizar a sorte do fraco e do atrasado. Uma expressão homilética dessa noção é encontrada nas observações de um pregador anônimo sobre a prescrição bíblica das "quatro operações" requeridas nas festas dos Tabernáculos (*Lev.* 23:40): "Frutos de formosas árvores" – símbolo de Israel: tal como a cidra tem sabor e fragrância agradável, assim há em Israel homens que são ao mesmo tempo instruídos e rigorosamente vigilantes. "Um ramo de palmeira" – símbolo de Israel: tal como o *lulav* cujos frutos são saborosos mas sem fragrância, assim existem aqueles que são instruídos mas não são totalmente praticantes. "Ramos de murta" – símbolo de Israel: como a murta tem um odor agradável mas é sem sabor, assim também há homens de boas ações que não possuem erudição. "Ramos de salgueiro" – símbolo de Israel: como o salgueiro que não é nem comestível nem possui fragrância agradável, assim existem aqueles que não são nem instruídos nem possuidores de boas ações. E que faz o Santíssimo, louvado seja, para eles? Destruí-los não é possível. Portanto, disse o Senhor: "deixai-os encerrados dentro de um grupo e eles expiarão uns pelos outros"[91].

Observando o longo e tortuoso curso da história judaica, os Hahamim – tanto os tanaim como os amoraim – adquiriram uma total compreensão do caráter do povo judaico[92]. Eles não recuaram diante da revelação de alguns dos mais prejudiciais ou embaraçosos traços dos judeus mas rejeitaram a direta denúncia. Neste ponto discordavam mesmo dos profetas, criticando algumas de suas generalizações como equivalentes a uma "difamação de Israel"[93]. Embora

---

88. *Tossefta Kiduschin*, cap. 1, Hal., 14; *B. ib.*, p. 40b.
89. *Mekilta* de R. Ismael, ed. Horovits-Rabin, Tratado Bahodesch, cap. 1, p. 206; *ib.*, cap. 5, p. 219.
90. *Sifre Deuteronômio*, par. 346.
91. *Levítico Rabá*, 30:13.
92. *Jer. Schekalim*, cap. 1, Hal., 1, p. 45d; cf. *B. Betzá*, p. 25b; *B. Meguilá*, p. 16a.
93. *B. Iebamot*, p. 49b; *Pessikta* de R. Kahana, 14, ed. Mandelbaum, p. 246, e *Cânticos Rabá*, 1:6.

censurando indivíduos judeus quando se fazia necessário, os Hahamim foram defensores constantes da nação como um todo.

Aos olhos dos Hahamim a existência judaica nacional era um pré-requisito essencial, não só para o cumprimento imediato da lei e fé judaicas, como também das visões proféticas de um ideal futuro. Era uma condição prévia para a realização das noções proféticas da perfeição humana e a harmonia universal num mundo imbuído pelo espírito de Deus. "E o Senhor será rei sobre toda a terra; naquele dia um será o Senhor e um será o Seu nome" (*Zacarias* 14:9).

Os Hahamim prezavam tais ideais e perpetuavam-nos na sublime linguagem de sua liturgia. Aplicaram às elocuções proféticas todos os seus talentos exegéticos e ricas imagens homiléticas. Estavam de acordo com o profeta Ezequiel (20: 32-34) ao afirmar o indiscutível dever de cada indivíduo judeu em agir pela preservação da nação judaica com seu compromisso com a promessa divina. Um pregador do século IV, que viveu na Palestina, expressou-o da seguinte maneira: "Disse o Santíssimo, louvado seja, a Israel: "Se não proclamardes minha divindade entre as nações do mundo eu vos pedirei explicações"[94].

Foi essencialmente num messianismo de tipo regenerador que os Hahamim acreditaram e propagaram. Deviam nutrir a esperança no renascimento da antiga glória. Os Hahamim desta maneira previam o restabelecimento da monarquia israelita, redenção da servidão estrangeira, reunião de exilados, e finalmente a reconstrução do Templo em Jerusalém. As aspirações dos Hahamim não eram inteiramente isentas das tendências utópicas e apocalípticas cultivadas em certos círculos. Algumas dessas idéias dificilmente poderiam ser absolvidas de uma propensão contraditória e anárquica. Entretanto, as noções soteriológicas dos Hahamim mantiveram fundamentalmente sua orientação realista para uma restauração religiosa-política nacional[95]. O renascer nacional judaico era uma *conditio sine qua non* para a realização dos princípios universais que deviam unir as nações até então hostis e abrir caminho para uma nova era em que a bondade reinasse suprema. Era um desenvolvimento histórico a culminar no mundo ideal do futuro.

Os Hahamim consideravam-se a si mesmos como defensores da integridade nacional e fé de um povo ligado a Deus por um único compromisso. Da manutenção desse contrato singular dependia a existência futura e a missão desse povo. O cumprimento de sua principal função permaneceu predominante nas mentes dos Haha-

---

94. *Levítico Rabá*, 7:6.
95. G. Scholem, Zum Verstaendnis der messianischen Idee im Judentum, *Judaica*, 1963, pp. 1-71.

mim, obscurecendo qualquer consideração sobre sua situação pessoal na comunidade. Os grandes, os constantes e devotados dentre eles eram todavia reconhecidos pelo povo, que lhes conferia a mais alta distinção, sendo a "coroa de um bom nome" (*Avot* 4:17). De todos os emblemas, este era reputado o mais nobre, ao qual nem as coroas do sacerdócio e realeza poderiam superar.

8. Educação Elementar: Significação Religiosa e Social no Período Talmúdico

Segundo um acordo geral entre os eruditos, o encerramento do Período Talmúdico, em todos os seus aspectos, é situado na época da redação final dos Talmudes palestino e babilônico, em fins do século IV, na Palestina, e aproximadamente um século mais tarde na Babilônia. O início do período é menos preciso; sua definição depende não somente do ponto de vista e da atitude particular de cada pesquisador, mas também do problema tratado. Com referência à questão do ensino, parece melhor começar pelas últimas gerações da Segunda Reunião, ou mesmo um pouco antes, na época em que se difundiu a lei concernente à obrigatoriedade da educação infantil, com a fundação de escolas nas cidades e aldeias da Palestina e, posteriormente, da Babilônia.

Nesse período, a cultura judaica desenvolveu-se dentro dos amplos moldes da cultura helenística-romana. Na maioria das cidades gregas espalhadas ao longo da costa, na Transjordânia e em alguns pontos da Palestina central, a vida cultural foi formada de acordo com o modelo helenístico, com suas instituições educativas para jovens e crianças. Como em outros setores da vida, poderiam ser certamente encontrados pontos de contato e similaridade entre as instituições educacionais das cidades gregas e as instituições educacionais judaicas; contudo, a fim de compreendermos o lugar que a educação judaica ocupava na vida do povo, bem como sua posição em relação à cultura que a cercava, faz-se mister indicarmos de antemão os traços distintivos da escola judaica. As escolas das cidades helenísticas, assim como suas outras instituições culturais, eram essencialmente urbanas e discriminatórias, servindo a uma camada mais ou menos restrita de sua população, e jamais se destinaram a abranger todos os residentes das cidades gregas. Certamente, a esmagadora maioria da comunidade rural, nascida no Egito ou em algumas outras regiões helenizadas, jamais alcançou qualquer estrutura educacional[1]. A escola judaica, em contrapartida, como veremos claramente, destinava-se a todas as crianças, visto que a lei judaica obrigava todos os pais e todos os povoados a cuidarem da educação das crianças.

A escola helenística, em todos os seus níveis, ensinava a ler, a escrever e, geralmente, algumas outras matérias que preparavam o estudante para a vida cívica[2], ao passo que a escola judaica, como veremos, destinava-se a instruir o discípulo na leitura e no entendimento da Escritura Sagrada, e no conhecimento das tradições da Lei Oral, de modo a prepará-lo para o estudo da Torá e para o Culto Divino. A importância e significação dessa educação elementar em vários setores da vida serão melhor compreendidas analisando-se as fontes principais em seu contexto histórico.

A primeira menção referente à obrigatoriedade da educação elementar, isto é, à organização geral da educação elementar, consta de uma tradição preservada pelo Talmud Palestino que afirma concisamente: "Foi Simão ben-Schetach quem iniciou três coisas... e que as crianças freqüentassem a escola"[3]. Não se deve simplesmente concluir que, nos tempos de Simão ben-Schetach (no início do século I a.C.), a educação obrigatória tenha sido estabelecida e que, a partir de então, todas as crianças tenham passado a "freqüentar a escola". O processo de expansão do ensino e a instituição do ensino obrigatório não se iniciou nos dias de Simão ben-Schetach e, como veremos mais adiante, tampouco se encerrou naquele período. Não se deve, contudo, rejeitar de imediato a tradição explícita; nos tempos de Simão ben-Schetach foi certamente dado um passo concreto para a expansão do ensino elementar obrigatório, embora não possamos apurar qual foi a inovação especial por ele introduzida nesse campo. No Talmud Babilônico, encontramos uma tradição ainda mais claramente enunciada, que data dos últimos dias da Segunda Reunião:

> Disse Rabi Iehudá em nome do Rav: Verdadeiramente, o nome daquele homem, isto é Ioschua ben-Gamala, deve ser abençoado, pois se não fora por ele, a Torá estaria esquecida em Israel. Em primeiro lugar, se um menino tinha pai, seu pai o

1. Vide A. H. M. Jones, *The Greek City*, 1940, pp. 220-226, M. P. Nilsson, *Hellenistiche Schule*, 1955, pp. 85-92.
2. Vide Aristóteles, *Pol.* VIII, 1338a, pp. 15-17, 3640; H. I. Marrou, *A History of Education in Antiquity*, 1956, p. 155 e ss., p. 172 e ss.
3. *P. Ket*, fim do 8.

ensinava, e se ele não tivesse pai, nada estudava... instituiu-se posteriormente um decreto para que professores de crianças fossem nomeados em Jerusalém... Mesmo assim, porém, se um menino tinha pai, seu pai o levaria para Jerusalém onde o mandaria educar, e, em caso contrário, ali não iria estudar. Instituiu-se, portanto, a nomeação de professores em cada prefeitura, e que os meninos ingressassem para a escola aos 16 ou 17 anos (assim fizeram) e, quando o professor os punia costumavam rebelar-se e abandonar a escola. Finalmente, veio Joshua ben-Gamala e decretou que professores de meninos fossem nomeados em cada distrito e em cada cidade, e que as crianças ingressassem na escola aos seis ou sete anos de idade[4].

A tradição que chegou até nós passou por uma estilização literária; não deveríamos, portanto, considerar como fato histórico todos os detalhes ou etapas por ela descritos; sua essência, entretanto, é certamente histórica. Foi relatada por Rav, um amorá babilônio que passou muitos anos na Palestina e que trouxe consigo, ao regressar, tradições fidedignas. Não é com freqüência que a tradição talmúdica atribui atos meritórios aos sumos-sacerdotes dos últimos dias da Segunda Reunião.

Pode-se, portanto, aceitar como fato histórico que, na época do sacerdócio de Ioschua ben-Gamala, nos últimos anos da Segunda Reunião (63-65 d.C.), um importante passo foi dado para estender a obrigatoriedade da criação de escolas a todas as cidades. Fontes tanaíticas dos anos que se seguiram à destruição do Templo, 70-135, incluem a escola entre as instituições essenciais que cada cidade é obrigada a estabelecer[5]. Várias Halahot deste e de períodos posteriores aceitam como um fato a existência, nas cidades, de escolas para crianças e o pagamento de "salários aos escribas e repetidores"[6]. Rabi Schimeon ben-Iohai, que viveu em meados do século II, censura a destruição das aldeias durante a rebelião de Bar Kochba pelo fato de não "efetuarem os pagamentos aos escribas e repetidores"[7]. Em uma fonte de fins do século III, lemos que três dos mais eminentes sábios daquela geração foram enviados pelo Patriarca Rabi Iehudá "para percorrer as cidades da Palestina e nomear escribas e repetidores". Numa localidade onde não encontraram "nem sequer um escriba ou repetidor", censuraram os habitantes por sua negligência[8].

4. *B. BB.*, 21a.
5. Em *B. Sa.*, 17b, a baraíta conta dez instituições que cada cidade é obrigada a propiciar. A lista data de antes da geração de Rabi Akiva (que faleceu aproximadamente em 135 d.C.), já que ele acrescenta um detalhe a essa lista que foi estabelecida definitivamente antes de sua época.
6. P. *Hag.*, 1:76c e em outras partes.
7. *P.*, ibid.
8. *Ibid.*, e paralelos. Compare *B. Schab.*, 119b onde a tradição determina que uma cidade que não estabelece escolas deve ser condenada.

Quando as fontes talmúdicas procuram descrever a preeminência ou o aumento de população de uma cidade, mencionam o número de escolas e o grande número de alunos ali encontrados. No que concerne aos últimos dias de Jerusalém antes de sua destruição por Vespasiano, uma lenda relata, com certo exagero, a existência de 480 sinagogas; cada sinagoga tinha uma escola para o estudo da Escritura Sagrada e uma academia para o estudo da Mischná[9]. Tal descrição ocorre também no caso de Beitar, que se expandiu nos sessenta irregulares anos que medeiam a destruição do Templo e a rebelião de Bar Kochba[10].

As fontes talmúdicas falam em geral do estabelecimento e existência de escolas nas "cidades"; não se deve, contudo concluir que as aldeias estivessem excluídas da rede das escolas. Na distinção entre "cidades" e "aldeias", não se faz uma divisão entre os grandes núcleos urbanos, como os visualizamos hoje, e os pequenos núcleos que se dedicam à agricultura. Na realidade, essa distinção é estabelecida entre os núcleos organizados, de médias ou pequenas dimensões, que se dedicam a vários ofícios ou à agricultura, de um lado, e de outro lado, os pequenos núcleos que não sustentam instituições públicas organizadas, pelo fato de sua população ser muito pobre e reduzida. Essa distinção entre aldeia e cidade não somente não se adapta à nossa concepção de "aldeia" e "cidade", como tampouco corresponde ao conceito grego. Escolas existiram em todas as "aldeias" (de acordo com os conceitos administrativos greco-romanos), e também sabemos da existência de dezenas de eruditos, durante todo o período do Talmud, que foram criados e trabalharam nessas aldeias. Esse fenômeno é certamente inexplicável, a menos que se aceite a existência de instituições educacionais em todos aqueles núcleos, nos quais puderam ser criados homens de Torá e cuja população tais eruditos puderam instruir depois de adultos. Em todas as suas manifestações, a cultura e a literatura judaica no período talmúdico não são "urbanas" no sentido helenístico-romano, nem em suas carreiras, nem em suas formas ou conteúdos.

No que se refere ao ensino da Torá aos adultos, notamos diferentes atitudes; houve os que pensavam que não se devia ensinar a Torá ou formar discípulos, salvo entre os idôneos, habilitados e "puros de coração", e havia os que ensinavam qualquer homem e não examinavam abertamente aqueles que vinham estudar Torá[11]. Contudo, no que se refere ao ensino da Torá às crianças, estava claro que se devia incluir todas as crianças – o filho de um mendigo ou

---

9. *P. Meg.*, 4: 73d e paralelos.
10. *P. Ta.*, 4: 69a e cf. *B. Guit*, 58a.
11. Vide *Avot* de Rabi Natã, versão II, cap. 4 e *B. Ber*, 28a.

de um homem rico, o filho de um *Haver* (indivíduo) ou de um personagem ilustre da cidade, juntamente com os filhos dos homens ignorantes e pessoas de baixa estirpe ou mesmo os filhos de vários malfeitores e homens perversos. A educação não era ministrada gratuitamente e os pais tinham de pagar os honorários do professor, mas a cidade participava de uma ou outra maneira, pagando os escribas e repetidores e possibilitando, assim, a educação dos filhos dos muito pobres, bem como a dos órfãos que nada podiam pagar. Em todo caso, não sabemos de nenhuma censura ou queixa que tenha sido formulada pelos eruditos quanto ao fato de as crianças pobres não poderem freqüentar a escola ou serem expulsas da escola devido à sua pobreza[12].

A educação e o ensino, que eram considerados obrigatórios para todos, incluíam duas principais etapas: a leitura dos trechos substanciais da Bíblia e, em segundo lugar, a Lei Oral, que significava principalmente o estudo da Mischná. Nossas fontes distinguem claramente entre o "escriba" e o repetidor (da Mischná que, originalmente, era transmitida oralmente) e havia mesmo instituições separadas – uma escola para Torá e uma "academia" para a Mischná[13]. Os estudos começavam entre os cinco e os sete anos de idade e, aos doze ou treze, o discípulo concluía os seus estudos. De acordo com a Mischná, o período de estudos é dividido em duas fases. Aos cinco anos, começa-se o estudo da Torá, aos dez anos o estudo da Mischná[14]. A tradição referente à fundação de escolas por Ioschua ben-Gamala também diz que "São trazidos à escola aos seis ou sete anos de idade". O amorá Rav recomenda a um dos famosos professores de crianças em sua geração (a primeira parte do século III), Rabi Schmuel bar Schilat, o seguinte: "Com menos de seis não os aceites; aos seis anos, aceita-os e empanturra-os (com Torá) como bois"[15]. A lei exige que o pai se interesse pela educação de seu filho até a conclusão da primeira fase dos estudos:[16] em meados do século II, entretanto, os rabis de Uscha preceituaram "que um pai deveria sustentar seu filho até os 12 anos" e somente então é que deveria começar a fazê-lo participar de seu (do pai) trabalho ou estudo de um ofício[17]. No período dos amoraim (do século III até o final do século V), este se tornou o costume predominante: enviar o filho à escola até os doze ou treze anos de idade[18].

12. Vide *B. Betz*, 17a. e *B. Ta.* 24a.
13. *P. Maas.* 3, 50d e outros.
14. *Av.*, fim 5.
15. *B. BB.*, 21a; *B. Ket.*, 50a.
16. *B. Kid*, 30a.
17. *B. Ket.*, 50a.
18. *Gên. Rabá*, cap. 63 e outros.

De modo geral, era esse o sistema para a educação obrigatória. Um jovem que desejasse prosseguir seus estudos e tivesse provado sua capacidade nos anos precedentes, começava sentando-se aos pés de professores de Torá em sua cidade ou nas adjacências, como faziam os adultos que estudavam Torá depois do trabalho à noite, durante a semana, e especialmente aos sábados e feriados. O talento e a persistência nos estudos durante esses anos capacitaria tal jovem, antes ou mesmo depois de seu casamento, a ir estudar Torá com um dos conhecidos sábios ou ele poderia ir viver durante alguns anos em um dos centros para o estudo da Torá[19]. Um sistema educativo formal, semelhante ao da escola secundária de hoje, ao que se saiba não existiu em Israel nesse período. Os jovens em sua maioria eram educados nas escolas para o estudo das Escrituras e, em menor escala, naquelas para o estudo da Lei Oral[20]. Essas duas instituições formam a espinha dorsal do sistema educacional elementar que moldou a cultura da maior parte da sociedade judaica.

Nessas escolas a educação e instrução destinavam-se integralmente a inculcar o conhecimento da Torá e a educar a criança para as boas ações, respeito cívico e atitude filial. Os dirigentes de Israel acreditavam que o conhecimento da Torá levasse ao comportamento religioso e social adequado. Hilel, o Ancião, um dos grandes mestres do Judaísmo Talmúdico, costumava dizer: "Uma pessoa inculta não é temente do pecado nem é um piedoso *Am-Ha-Aretz*"[21]. Por volta de 130 da era cristã (próximo à época da rebelião de Bar Kochba) levantou-se e discutiu-se entre os sábios o problema de saber se o "estudo" era mais importante do que as "ações" ou se estas eram preferíveis àquele; "todos concordaram em que o estudo tinha primazia, pois conduz às ações"[22].

19. Em fontes tanaíticas, encontramos opiniões divididas no que concerne à situação recomendada para um jovem; deve ele casar-se antes e depois estudar a Torá, ou deve antes estudar Torá? No período amoraico, os rabis da Babilônia determinaram que o homem podia casar-se antes – aqui, a situação econômica era melhor. Mas na Palestina, uma das principais autoridades durante o período de anarquia no século III, Rabi Iohanã, ordenou "que o homem não deve casar-se antes" visto que "o fardo (de prover ao sustento de esposa e família) estaria sobre os seus ombros", quando ele deveria estar estudando Torá. Vide: *T. Beh.*, 6:10 e *B. Kid.*, 29b.
20. In *Lev. Rabá.*, cap. 2 e paralelos: Na realidade uma centena de homens inicia e prossegue os estudos das Escrituras, uma centena estuda a Mischná etc.
21. *Av.* 2:5.
22. *Sifrei, Eikev*, parágrafo 41 e paralelos nos dois Talmudes. Os historiadores tendem a admitir que essa discussão se deu nos dias das perseguições religiosas que se seguiram à rebelião Bar Kochba, quando as autoridades proibiram o estudo da Torá, a observância dos preceitos e todo o estilo de vida judaico. A esse tempo os sábios reuniram-se para discutir sobre as questões a que um judeu deveria dedicar-se; decidiram que devia ser dada prioridade ao estudo da Torá acima da observância de

Em todos os seus estágios a instrução destinava-se como um todo a inculcar a Torá em seus vários ramos e apenas isto. Outras ciências, como a Matemática (*Guemetriot* como a chamavam) ou a Astronomia não estavam incluídas no currículo e pareciam "não essenciais à sabedoria", isto é, conhecimento da Torá[23]. Esta atitude não impediu o estudo dessas ciências mais tarde.

Recentemente surgiu certa divergência de opiniões entre os estudiosos da história e cultura judaica quanto ao impacto da cultura helenística sobre a judaica, tanto espiritual como material. Os eruditos discordam quanto ao grau de semelhança, evidência de contato e transmissão de padrões intelectuais e idéias filosóficas que se possam encontrar entre a cultura acima mencionada e a vida e pensamento judaicos no período e área considerados. Há igualmente desacordo a respeito da extensão de conhecimento e uso efetivo do grego na Palestina. Uma série de fatos distingue-se claramente: a língua e cultura gregas eram estudadas na Palestina apenas pelos estreitos círculos aristocráticos junto à corte patriarcal ou a outros centros dirigentes; consideravam essa cultura parte de sua educação para a direção, tarefa que incluía as necessidades e problemas da Diáspora judaica helenístico-romana e o contato com os governantes e autoridades gentílicos. O sistema geral da escola judaica não se ocupava nem com a cultura grega nem com sua língua[24].

Durante esse período, a educação e instrução escolar tinham um caráter específico tanto em seus objetivos como em seus métodos. A educação tencionava no conjunto capacitar a criança a ler os livros da Torá e os Profetas e conduzi-la a uma compreensão de modo a que o conhecimento da Torá fosse suficiente para servir como base à absorção da tradição da Lei Oral. Como veremos a seguir, a in-

---

outros preceitos. Entretanto, quase todos os tanaim que são mencionados nessa controvérsia (Rabi Tarfon e Rabi Iossi Hagalili, p. ex.) não sobreviveram aos dias dos cruéis decretos que se seguiram à rebelião e, conseqüentemente, ninguém poderia afirmar que essa reunião dos sábios fosse possível na época desses decretos na casa de Ari, na cidade de Lud na Judéia, que servia de lugar de reunião dos eruditos, antes da rebelião. Essa decisão, de que o estudo precedia o ato, de que o estudo conduz à ação, era parte da cristalização de uma visão do mundo do Judaísmo Tanaítico, vigente no período Iavné, período intermediário entre a destruição do Templo e a rebelião de Bar Kochba (70-132). Os sábios ensinavam dentro dessa orientação e gerações posteriores por ela se guiaram.

23. *Av.*, fim, cap. 3.
24. *P. Schab.*, 8: 7d; *B. Sot.*, 49b e ver especialmente os livros de S. Liebermann, *Hellenism in Jewish Palestine* e *Greek in Jewish Palestine* e seu artigo, "How Much Greek in Jewish Palestine". In: *Biblical and other Studies* 1963, I, pp. 123-141. Ver igualmente a réplica de G. Alon à opinião de Liebermann na *Collection of Researches in the History of Israel*, II, pp. 248-277 (que deverá aparecer proximamente em tradução inglesa).

tenção básica era fazer a criança participar do estudo público da Torá e encorajá-la a participar do desenvolvimento e expansão da tradição oral. A leitura não era ensinada através da escrita ou com sua ajuda, mas antes pela aprendizagem da forma das letras, pela repetição dos sons que representavam e, a seguir, pela repetição de palavras de capítulos inteiros. As tradições da Lei Oral, não é preciso dizer, eram adquiridas ouvindo as palavras do professor e pela repetição e memorização. Não se estudava a escrita nas escolas. A cópia das letras e, num estágio posterior, a cópia de sentenças completas e capítulos das Escrituras, era feita pelo professor e não pelo aluno. A escrita era ensinada separadamente não como parte do currículo escolar; não obstante era razoavelmente difundida e o conhecimento da leitura certamente tornava-se mais fácil. Indivíduos copiavam livros para si mesmos ou preparavam livros para o uso de seus filhos, mas o conhecimento da escrita não alcançou a extensão do da leitura que era posse comum de todos. Havia eruditos, mesmo os mais notáveis de sua geração, que não conheciam essa técnica e um dos sábios da primeira metade do século III sustentou a opinião de que um erudito devia adquirir o conhecimento da escrita para usá-lo no interesse da comunidade[25].

A área de difusão da educação e suas realizações formais e materiais distingue-se claramente em algumas das principais fontes; escolheremos para nosso propósito fontes que emanam de diversos círculos sociais na Palestina e Babilônia. Josefo acentua em várias passagens o grande papel social e nacional da educação; ela é formadora da devoção do povo à Torá e a seus preceitos. Fala dos proveitos culturais desses estudos: "Entre nós, não há sequer um homem para quem não seja tão fácil recitar todas as leis de cor como pronunciar seu próprio nome, uma vez que as aprendemos a partir do momento em que atingimos a idade da compreensão até quando elas se gravam em nossos corações"[26].

Trezentos anos depois dele, o padre da Igreja Jerônimo, que foi viver na Palestina, escreveu acerca do conhecimento dos judeus em geral e do seu conhecimento de história desde os tempos do primeiro homem até o período de Zerubavel; ou seja, do Livro do Gênesis aos últimos livros da Bíblia[27]. Uma passagem do Talmud babilônico, que discute as leis de impureza, conta que essas estavam totalmente esquecidas por alguns e eram transgredidas além da ignorância. A passagem demonstra surpresa diante da ignorância dos homens: "Haverá um homem que não possua ensinamento escolar?" E continua

---

25. *B. Hul*, 9a.
26. *Contra Apion*, I, 12; *ibid.*, II, 18.
27. *Carta a Tito*, III, 9.

para explicar que tal situação podia ocorrer "no caso de uma criança que tivesse sido mantida como cativa entre os gentios"[28]. Várias fontes literárias indicam que em muitas casas particulares na Palestina foram encontrados livros durante todo o período em questão[29].

A história e caráter da educação judaica, se entrelaça com a da história da cultura e da fé no período da Segunda Reunião no tempo em que a Torá assume uma importância maior na vida do povo e no desenvolvimento da sociedade e das relações sociais. Com o predomínio do puro monoteísmo, com estrita adesão à Lei desde os tempos do Exílio babilônico, e início da Volta a Sião, emerge predominantemente um dos traços característicos desse período: a importância da Torá na vida do povo. Iniciando-se com as primeiras gerações da Segunda Reunião, a Torá não apenas forma a base do direito civil e modo de vida individual, mas é igualmente o livro de estudo e meditação para todo o povo. As Escrituras e a Tradição Oral fundadas sobre ela fundem-se como uma força conjunta, que moldou e formou não só o direito civil e religioso, mas também o código individual e padrão de comportamento desde o nascimento até a morte, em sua vida familiar e seu meio ambiente. Cada problema, fosse de ordem prática ou teórica, era remetido ao texto sagrado para uma solução autorizada. Algumas vezes o texto era utilizado apenas para confirmação formal, e outras vezes para nele se buscar uma resposta direta. Assim o Espírito do Senhor falava-lhes, por assim dizer, através da Escritura e da tradição hermenêutica. Levantou-se nas escolas tanaíticas o problema que encontramos também na literatura grega e em outras, dos dois homens "que andavam no deserto e só possuíam, na sua opinião, água suficiente para um deles; apenas um deveria beber para que pudesse alcançar um lugar habitado, pois, se ambos bebessem, então ambos morreriam. Decidiram-na ou pelo menos fundamentaram sua resposta à questão no verso da Torá "e que teu irmão viva contigo" (*Levítico* 25:35)[30]. Buscavam nas Escrituras conhecer o futuro da nação e o destino de suas esperanças, procurando boas-novas sobre Israel e toda a humanidade. Ademais, as Escrituras, a seus olhos, era o livro Divino da vida escrito para toda e qualquer geração, que refletia toda a experiência e seus problemas e soluções periódicos, em resumo, o caminho que todas as gerações deviam seguir. Os filhos de cada geração deviam saber ler, interpretar e expor o texto escrito para poder nele descobrir as circunstâncias de sua vida e nele se aprofundando

---

28. *B. Schav.*, 5a.
29. Ver Blau "Studien zum althebraeischen Buchwesen". *In: Jahresbericht der Landesrabbinerschule in Budapest*, 1902, pp. 84-97.
30. *Sifra Behar*, cap. 6 e paralelos.

encontrar as palavras do Senhor ditas e profetizadas para aquela mesma geração.

Essa concepção de santidade, eternidade e realidade, combinada na Palavra de Deus e prefigurada na Lei Oral, trouxe como corolário a tendência a incluir o mais amplamente possível um setor da população no conhecimento de sua Lei e destino, passado, presente e futuro, e conseqüentemente uma expansão contínua da educação. No tratado *Avot* encontramos uma lista dos principais sábios das gerações precedentes e alguns dos ditados que ensinaram e transmitiram. Encabeçando essa "cadeia de sábios" situa-se não um nome individual mas o de um *collegium*, cujos membros eram chamados "Anschei Knesset Hagdolá" (os homens da grande sinagoga)[31]. Eles teriam ordenado: "Fazei muitos discípulos". Essa prescrição era honrada nos incessantes esforços das Academias e professores, em todo esse período, para multiplicar o número de estudiosos. Conta-se, a respeito de uma das personalidades mais notáveis e significativas na história da Tradição Oral, Rabi Akiva, que ele possuía doze mil pares de alunos vindos de Gvat a Antipatras, isto é, da Terra de Judá, um exagero que indica a importância conferida ao número de alunos. De acordo com a tradição, todos os seus alunos morreram ou foram mortos na rebelião de Bar Kochba, como o afirmam muitos eruditos, embora Rabi Akiva tentasse, com idade já avançada, formar novos discípulos[32].

Os sábios ensinavam não só nos postos de ensino. Ensinavam onde quer que as pessoas se reunissem e quisessem ouvir suas palavras. Iam de um lugar para outro, sozinhos ou acompanhados por um grupo de seus principais alunos; ensinavam nos pátios do Templo de Jerusalém, em casas particulares, no mercado ou nos portões da cidade, nos campos, "sob as oliveiras" ou "sob a figueira". Nas primeiras palavras do tratado *Avot* lemos: "Que vossa casa seja um ponto de encontro para os sábios"[33]. Rabi Iehudá I, o Patriarca, que viveu no final do século II, tentou restringir o ensino à praça do mercado; todavia, depois dele, os rabis continuaram a lecionar na praça do mercado e em outras áreas públicas, embora houvesse eruditos que considerassem impróprio ensinar a Torá exceto no lugar a isto destinado, no Beit-Midrasch[34]. O mesmo quadro emerge do

---

31. Há diferentes opiniões quanto ao caráter dessa corporação ou instituição e a definição de sua era, ver Englander, The Men of the Great Synagogue, *Hebrew Union College Jubilee Volume*, 1925, pp. 145-169.
32. *B. Ieb.*, 62b.
33. *Av.*, 1:4.
34. A maioria das fontes foram coletadas em Büchler, Learning and Teaching in the Open Air in Palestine. *J.Q.R.*, IV, (N.S.), pp. 485-491, 1914, e ver *Tankhuma Behukotai*, cap. 10:3.

relato evangélico concernente a Jesus que peregrinava com seus discípulos e pregava nas cidades de Palestina e em outros lugares até que veio a ensinar nos pátios do Templo de Jerusalém: isto não difere, na forma ou na estrutura aparente, daquilo que fizeram os sábios antes ou depois de seu tempo.

A ocasião aceita para o ensinamento público da Torá era o sermão proferido por um sábio para uma vasta audiência nos Schabats e feriados ou outro tempo qualquer de reunião pública como na proclamação de uma abstinência pública ou qualquer infortúnio que pudesse ocorrer. O sermão sabático baseava-se no trecho da Torá ou no capítulo do profeta que era lido naquele dia durante as preces. Havia sermões que incluíam apenas matéria da Agadá: uma interpretação desenvolvida das palavras da Escritura, uma lição relacionada com os problemas reais da comunidade e da nação: isto é, problemas de natureza social, moral e política referentes à conexão entre Israel e as nações e suas esperanças. Nessas prédicas, os rabis propunham problemas e indicavam igualmente soluções para os problemas do homem como indivíduo ou como membro de um grupo social com auxílio de suas regras hermenêuticas e meios homiléticos, levando algumas vezes longe demais o texto em que se basearam. Alguns sermões partiam de ou ligavam-se a assuntos legais (Halahá), fornecendo explanações morais ou conceituais. O sermão ampliava o problema haláhico formal para suas dimensões religiosas e humanas mais gerais. Na sua maioria esses sermões chegaram até nos incompletos, em forma de fragmentos. São tradições ou notas parciais, transmitidos de geração a geração e escritos apenas mais tarde, amiúde depois de quase duzentos ou trezentos anos. No tratado *Schabat* (Fol. 31) do Talmud babilônico encontra-se um sermão preservado quase que integralmente; temos a oportunidade de ver, a partir desse exemplo, a estrutura usual de um sermão do início ao fim. Começa com uma pergunta de Rabi Tankhum de Navé: "É permissível no Schabat acender uma vela por uma pessoa doente?" O pregador expõe um extenso arrazoado recorrendo a versos de todas as partes da Bíblia relativas ao valor do homem vivo quando comparado com o corpo morto, o mérito dos pais (que a prole beneficia), o caso de Davi que procurou construir o Templo mesmo quanto isto só era permitido a seu filho Salomão, o problema do pecado e do arrependimento, matéria agádica sobre a morte de Davi. Concluindo, após essa profusão de citações e alusões, com a matéria em questão: "Quanto à questão proposta: uma vela é uma vela, a alma do homem é também chamada uma vela; é preferível que a vela feita pelo homem se apague do que aquela que foi criada pelo Santíssimo, Abençoado seja Ele". Portanto, o sermão não deve ser encarado somente como uma pregação mas antes como uma leitura hermenêutica a respeito das palavras da Torá feita em público: o pregador recorreu a vários recursos com a finalidade de enfatizar suas palavras, tais como parábolas e algumas vezes hipérbole e várias imagens, uma vez que se dirigia a uma larga audiência que incluía mulheres e crianças. Todavia, o sermão mantinha seu elemento básico de ensino escolar assim como sua essência didática e conceitual.

O conhecimento da Torá, que era portanto difundido e diversificado, procurava sempre ativar alunos e ouvintes e não se contentava com uma audiência passiva simplesmente. A tradição no tratado *Avot* relata que Rabi Iohanã ben-Zakai disse a cinco de seus mais importantes alunos que "fossem e averiguassem qual o caminho correto que deve um homem seguir" e então: "Disselhes que fossem e averiguassem qual o caminho do mal que o homem deve evitar"[35]. O pregador costumava também sugerir perguntas a seus ouvintes; tal categoria de literatura sermônica pode ser encontrada em remanescentes bastante comuns no *Ielamdenu Midraschim* que começa com a fórmula *Ielamdeinu Rabeinu* (que o Mestre nos ensine). O sermão não passa, em sua estrutura, de uma resposta ampliada à questão proposta inicialmente. Pode-se aprender mais a respeito da participação ativa do público no sermão considerando-se que eventualmente o pregador sugere uma idéia durante a interpretação do texto e o público não aceita suas palavras[36].

Muito tem a literatura talmúdica a dizer com relação ao grande interesse que mostra o erudito pelas perguntas de seu discípulo e ao grau de progresso no estudo da Torá evidenciado por tais perguntas. Rabi Hanina, um dos grandes amoraim da primeira geração após a codificação da Mischná, depois de 220, declarou certa vez: "Aprendi com meus mestres muito e com meus amigos aprendi mais que com meus mestres, mas com quem mais aprendi foi com meus discípulos"[37]. Antes do Rabi Iohanã ben-Zakai ter se mudado para Jerusalém, nas últimas décadas da existência do Templo, residiu dezoito anos em *Arav*, na Galiléia. A certa altura denunciou veementemente o povo da Galiléia, que raramente costumava fazer-lhe perguntas sobre a Torá: "Ó galileus, vós que recusais a Torá, favoreceis os cobradores de impostos (romanos)"[38].

O estudo público da Torá e o aumento do número de discípulos dependia certamente da educação elementar que abrangia a grande maioria dos jovens de sexo masculino e dava-lhes pelo menos um conhecimento básico dos livros da Bíblia. Muitas vezes o sermão

---

35. *Avot*, 11:9.
36. *Gên. Rabá*, 28:2; *Tankhuma Bereischit*, ed. Buber, 10a.
37. *B. Ta.*, 7a.
38. *P. Schab*, fim, 17.

baseava-se no texto da Bíblia ou narrativa bíblica, não só porque buscasse a autoridade das Escrituras ou porque fosse usada como uma autoridade para a inovação, mas também porque as palavras da Torá e dos Profetas eram familiares à grande maioria dos ouvintes, quanto ao conteúdo e linguagem, narrativa e leis. Os Sábios interpretavam as Escrituras, estendiam-se sobre suas palavras e continuavam, por assim dizer, a narrativa na Bíblia a partir do ponto em que o texto deixava de ser explícito; suas palavras eram bem recebidas por seus auditores e se inscreviam em sua memória.

Todavia, ainda não dissemos tudo acerca do papel da Torá na vida do povo nem explicamos a importância da educação elementar nesse contexto.

Desde a época do Segundo Templo, acentua-se a ênfase sobre o estudo da Torá como um meio de relacionar o indivíduo e a comunidade a seu Deus. Estuda-se é claro para adquirir conhecimento, mas isto constitui ao mesmo tempo uma experiência religiosa, um mandamento por si mesmo, uma parte da adoração pública de Deus. O *Salmo* 119, que podemos atribuir ao início da Segunda Reunião, descreve esse conceito do estudo da Torá: "Os teus estatutos têm sido os meus cânticos no lugar das minhas peregrinações" (54); "Oh! quanto amo a tua lei! é a minha meditação em todo o dia" (97); "Faze resplandecer o teu rosto sobre o teu servo, e ensina-me os teus estatutos" (135). Muitas centenas de ditados que expressam esse conceito do estudo da Torá são encontrados por toda a literatura judaica da Segunda Reunião e sem interrupção até o fim do período em questão. Esse conceito vem expresso em formas literárias várias. A obrigação do estudo da Torá é a mesma para o rico e para o pobre, humilde ou poderoso, eruditos ou homens simples; como não existe uma hora especial ou um padrão prescrito, segue-se que um homem é obrigado a estudar em qualquer hora que estiver livre para isso; além disso, todo lugar é próprio para o estudo, seja na casa de ensino ou quando se percorre uma estrada: "Para essas matérias não há medida: o *peá* (parte do campo que se deixa ao pobre), os primeiros frutos, a peregrinação ao Templo, atos de caridade e o estudo da Torá"[39]. Desde que a criança aprende a falar, "seu pai lhe ensina o *Schmá* e a Torá – "Moisés ordenou que (estudássemos) a Torá, uma herança da congregação de Jacó" (*Deuteronômio* 33:4)[40]. E a partir dessa época o homem sentia-se obrigado a estudar a Torá durante a vida inteira. Tal atitude serviu para tornar o estudo da Torá uma realidade concreta para círculos mais amplos, pois um sem-número de pessoas praticavam-no quer como estudiosos ou

---

39. *Pe.*, no início.
40. *T. Hag.*, início, cap. 1; *B. Suk.*, 42a.

como professores, cada qual com sua capacidade intelectual, seu grau de adesão à *Mitzvá* (mandamento) e sua persistência. Uma expressão característica dessa realidade foi o clamor que partiu da primeira assembléia pública em Uscha que se seguiu ao leve abrandamento dos cruéis e devastadores decretos posteriores à rebelião de Bar Kochba: "Todo aquele que ensina, que venha e ensine". Aquele que for capaz de ensinar e não o fizer rejeita a palavra do Senhor e furta-a, por assim dizer, a seu amigo: "Rabi Iehudá disse em nome de Rav (começo do século III): quem quer que sonega a Lei a um aluno, é como se a tivesse roubado da herança de seus pais, como foi dito: "Moisés ordenou que (estudássemos) a Torá, uma herança da congregação de Jacó". (*Deut.* 33:4); é uma herança para todo Israel desde os seis dias da Criação". E antes dele Rabi Meir disse (meados do século II): "Aquele que estuda a Torá e não a ensina, rejeita a palavra do Senhor" (*Números* 15:31)[41].

O mesmo quadro emerge dos padrões regulares para o estudo da Torá entre os essênios, que estudavam "um terço de todas as noites do ano"; isto torna-se evidente pelas descrições assim como pelos escritos da própria seita. Não há diferença essencial em relação à lei geral em Israel, exceto que os essênios, como era seu estilo em outras questões, deram a essa lei uma forma rígida e dura[42].

A mais clara expressão da realidade do estudo público da Torá é a forma assumida pela literatura talmúdica em sua totalidade. Quase nenhuma obra de um único autor sobreviveu. Quase todas as obras remanescentes da Lei Oral são criações coletivas. A edição das principais coleções da literatura talmúdica também não é trabalho de um só indivíduo mas de uma Academia dirigida por um homem ou por um pequeno grupo de eruditos. O próprio ato de formação de uma nova coleção consistia não tanto em recolher as palavras dos eruditos de muitas gerações, mas antes nos problemas e acréscimos apostos por estudantes e não-estudantes e até pelo *Amei Ha-Aretz* (povo), cujas palavras eram aceitas nas academias. Nessas casas de ensino, as palavras eram transmitidas pelo estudo de geração a geração e incluía coleções da Lei ou os sermões. Ditos, assim como controvérsias entre os sábios das gerações precedentes, eram por assim dizer reformulados e modificados no processo de adição e cristalização através do estudo nas academias por todo o período. Uma história entre muitas servirá para ilustrar esse modelo de um mosaico da literatura talmúdica: "Um *Am Ha-Aretz* disse certa vez a Rabi Hoschia (no início do século III): "Se eu tivesse de contar-lhe algo bom, você o transmitiria publicamente em meu nome? – O que

---

41. *Cântico dos Cânticos Rabá,* cap. 2: 5; *B. San,* 91b; *ibid.,* 99a.
42. Filo, *Every Good Man is Free,* par. 80-82; *The Scroll of Conduct,* VI.

é? – perguntou o rabi. Ele explicou que todos os presentes que nosso pai Jacó deu a Esaú serão no futuro devolvidos pelos gentios ao Rei Messias que ainda está por chegar. Qual a razão? (A prova está contida no verso:) "Os reis de Tarsis e das ilhas devolverão o tributo" (*Salmos* 73:10). "Devolverão" está no texto e não "trarão".– Juro que é uma boa coisa e vou transmiti-la em seu nome"[43]. Rabi Hoschia ouve uma idéia que se baseia numa implicação atribuída à escolha de uma dicção de um texto bíblico e aceita essa tradição de um homem comum e até mesmo concorda em pregá-la em seu nome.

Era simplesmente natural, para uma sociedade que tinha tal atitude para com a aprendizagem, que a escola para crianças possuísse um valor moral e religioso de direito, acima e além de sua situação prática e institucional. O estudo da Torá pelas crianças é totalmente puro, pois jamais provaram o pecado. "O mundo resiste apenas por amor do hálito (da boca) das crianças da escola... hálito em que não há pecado."[44] Os sábios consideravam a manutenção regular das escolas o segredo da sobrevivência e força do povo. Quando os inimigos de Israel vieram deliberar com o malvado Balaão sobre se deviam surpreender Israel e destruí-lo, ele lhes disse: "Ide e observai as sinagogas e casas de ensino e se as crianças lá estiverem tagarelando então não os dominareis; pois seus pais lhes asseguraram dizendo: "A voz é a voz de Jacó, mas as mãos são as mãos de Esaú." (*Gênesis* 27:22). Enquanto a voz de Jacó se achar nas sinagogas e nas casas de ensino as mãos de Esaú não terão qualquer efeito sobre vós; mas se (a voz) não estiver lá – as mãos de Esaú levarão a melhor"[45]. As pressões para suspender os estudos nas escolas, nas circunstâncias em que estava Israel nesses dias, não foram superficiais – por um curto ou um longo período; todavia, os professores públicos resistiram vigorosamente a esse tipo de pressão. Em nome de Rabi Iehudá Hanassi, Patriarca em meados do século III, diz-se: "Ninguém deve suspender os estudos da escola para crianças, ainda que seja para a construção do Templo"[46].

A educação elementar teve importância esmagadora para as disposições religiosas da vida quotidiana dessa sociedade. Essas disposições baseavam-se na prece e na leitura da Torá com participação de toda a congregação, de modo que um membro da congregação dirigia a prece ou leitura e não necessariamente um sacerdote ou um sábio[47]. Essa estrutura "leiga" da sinagoga ultrapassava os limites de seu recinto.

43. Gên. Rabá, cap. 78: 12.
44. B. Schab, 119b.
45. Gên Rabá, cap. 65: 20 e paralelos.
46. B. Schab, 119b.
47. Ver Elbogen, *J. Der Jüdische Gottesdienst*, 155-205.

A sinagoga era uma das mais influentes instituições socioreligiosas na vida pública, tanto na Palestina quanto na Diáspora. Não se poderia imaginar um povoado judeu de alguma importância na Palestina ou na Diáspora, pelo menos nos dois ou três séculos da Segunda Reunião, sem sua própria sinagoga; havia várias delas nas grandes cidades. Não temos qualquer prova quanto à existência da sinagoga na Primeira Reunião, nem qualquer justificativa para a suposição, que prevaleceu totalmente entre os historiadores, a começar pelo último século, de que a sinagoga foi fundada para substituir o Templo destruído; conseqüentemente, seu início é atribuído aos tempos do Exílio Babilônico. Tal suposição baseia-se na noção de que a sinagoga deve ser encarada primeiramente como um lugar de prece e sugere que, após a destruição do Templo, quando não mais podiam oferecer sacrifícios, os exilados judeus na Babilônia construíram a sinagoga como um lugar para o culto a Deus de um novo modo. Entretanto, o objetivo inicial da sinagoga era servir como local de leitura pública da Torá; e, somente num período posterior, a oração foi ligada a ele. Por isso não poderia ser uma substituição do culto sacrifical no Templo. Além disso, não possuímos nenhuma alusão válida à existência de uma sinagoga no Exílio Babilônico ou no começo da Segunda Reunião. Os inícios da sinagoga devem ser vistos nas reuniões do povo nos pátios do Templo nos dias de Esdras e Neemias, onde escutavam as palavras da Torá. Na atividade de Esdras encontramos, pela primeira vez, a leitura da Torá como modo de culto ao Senhor e a partir disso a prática parece ter-se espalhado para as cidades restantes da Palestina e tornou-se depois difundida na Diáspora. Assim, a sinagoga foi, de fato, o resultado do aprofundamento da experiência religiosa pública. Nos dias posteriores à Segunda Reunião encontramos muitas sinagogas construídas em Jerusalém e algumas até mesmo nos pátios do Templo[48].

Dois elementos da sinagoga constituem um ponto decisivo na história da religião e da sociedade em Israel: 1) todo o culto divino é feito pela meditação sobre a Torá ou oração pública, e não por sacrifícios; 2) o ensino e orientação do culto são feitos por leigos, enquanto no Templo eram sacerdotes e outras pessoas consagradas que oficiavam. O *status* e a santidade da sinagoga eram determinados apenas pela reunião da congregação cultuante, para a qual eram necessários pelo menos dez homens. Nem mesmo o rolo da Torá que devia encontrar-se na sinagoga era essencial; desde os primeiros tempos até aproximadamente o final do século III, o rolo não tinha lugar determinado na sinagoga; era guardado num pátio e trazido

---

48. Ver S. Krause, *Synagogale Altertümer*, p. 52 e ss., e 66 e ss.; Safrai. *A Peregrinação nos Dias da Segunda Reunião*, 8, (em hebraico).

para a sinagoga apenas quando devia ser lido, isto é, semanalmente, às segundas e quintas-feiras, e no primeiro dia de cada mês; três ou quatro homens eram convocados nessa ocasião para esse trabalho. No Schabat eram chamados pelo menos sete homens para proceder à leitura do pergaminho e nesse dia incluía-se a leitura dos Profetas. Até o fim do período em discussão, não havia na sinagoga nenhum leitor especial para a Torá; cada um que era convocado lia seu trecho em voz alta, enquanto outro se postava ao seu lado e traduzia suas palavras, em geral para o aramaico, a fim de que todo o povo, incluindo mulheres e crianças, pudesse entender as palavras do Senhor. Geralmente os que eram chamados para ler eram leigos. Nas discussões haláhicas fala-se de um tipo de sinagoga em que somente um ou dois homens estavam qualificados para ler a Torá e há igualmente exemplos de indivíduos convidados à leitura que não estavam preparados para tanto ou de indivíduos que não estavam habilitados a ler o trecho escolhido por virem de uma sinagoga em que o ciclo de leitura era diferente; comumente, todavia, os homens chamados para a leitura da Torá e os Profetas estavam preparados e apresentavam-se e liam o trecho escolhido diante da congregação[49].

Prática semelhante era utilizada quanto à oração. Aqui também não havia um *Hazã* (cantor) fixo na sinagoga desse período. O *Hazã*, freqüentemente mencionado na literatura talmúdica e nas inscrições greco-judaicas, não era um funcionário que dirigia o culto como nos períodos posteriores, mas antes um supervisor da sinagoga. O homem que conduzia as preces era então chamado o *Shaliach Tzibur*, um leigo convidado a dirigir todo o ofício ou uma parte dele nos dias da semana, Schabats, e feriados; leigos eram igualmente convidados a proferir orações especiais nos dias de infortúnio quando era proclamado jejum e ordenavam-se orações excepcionais. No período em discussão, a forma final das preces não estava ainda cristalizada. Mais tarde, no período talmúdico, as orações tornaram-se cada vez mais fixas. Já estava estabelecido que a prece das dezoito bênçãos por exemplo começasse com três bênçãos de glorificação, devendo seguir-lhes doze de súplica e terminar com três de agradecimentos. Entretanto, não havia ainda um texto unificador das bênçãos individuais, de modo que alguns as abreviavam e outros recitavam uma fórmula mais extensa. A prece estava sujeita a mudanças, especialmente nas mãos do *Shaliach Tzibur* nos rituais para ocasiões especiais; ele tinha liberdade de acrescentar muitos versos da Escritura e de formular orações adequadas à ocasião e dia de

---

49. Nos capítulos 3 e 4 de *Meg.* são estabelecidos os principais regulamentos relativos à leitura da Torá e confrontados *Lucas* 4:17 e *Atos* 13:15.

reunião⁵⁰. Nem todo o mundo estava capacitado a oficiar em tais circunstâncias como *Schaliach Tzibur*: de fato, em relação à abstinência pública, está explicitamente estabelecido que o povo enviava à Arca um homem que era "sábio (ou ancião) e versado (em preces)". Mesmo essa exigência não indica o monopólio dos sábios ou eruditos sobre o ofício de *Schaliach Tzibur*; na verdade, era um leigo quem oficiava na maior parte das vezes. Além disso, há muitas tradições acerca de homens que não eram instruídos e sobre outros que pareciam pecadores empedernidos, embora essas pessoas tivessem se apresentado diante da Arca da Torá e suas orações tivessem sido aceitas⁵¹.

A reunião na sinagoga era, portanto, a estrutura mais importante para a atividade comunitária e social; a participação na leitura da Torá e na oração pública devem ser vistas também pelo seu aspecto comunal e não apenas pelo caráter de participação no ritual religioso. O povo se reunia na sinagoga também por outras solicitações. As corporações administrativas públicas, especialmente as que possuíam um caráter mais geral, também se congregavam na sinagoga. Pareceria que a cerimônia do *Mussaf* no primeiro dia do mês – que mais tarde se tornou parte da oração geral que toda a comunidade assim como os indivíduos costumavam recitar – era proferida no período mais antigo apenas quando os notáveis se reuniam – os *Hever Hair*⁵².

O nexo Torá-prece-saber é bem ilustrado pela instituição das *Maamadot*. De acordo com a tradição e opiniões dos fariseus, os sacrifícios obrigatórios, oferecidos nos dias da semana e festividades determinadas, só podiam ser comprados com dinheiro público vindo do meio-siclo que toda Israel era obrigada a pagar como contribuição. A fim de enfatizar que os oferecimentos diários pertenciam a toda a comunidade, foi concebido que cada sentinela sacerdotal que subisse ao Templo para servir na semana de sua responsabilidade deveria ser acompanhado pela delegação de seu distrito e essa delegação permanecia aquela semana no Templo; essa sentinela e seu distrito eram chamados *Maamad* (= a presença). Os sacerdotes dividiam-se para o ofício do Templo em vinte e quatro sentinelas e toda Palestina estava dividida em vinte e quatro *Maamadot*. Os homens do *Maamad*, além de assistir à oferenda do sacrifício, eram encarregados principalmente, durante sua semana no Templo, da leitura da Torá e de orarem juntos várias vezes por dia. Paralelamente à ocupação da delegação em Jerusalém, os homens da região reu-

50. *B. Meg*, 17b; *B. Ber*, 34a.
51. *Ta.* II, 2 e em *P. Ta.*, 1:64b um conjunto de contos são narrados a respeito de pessoas simples que se apresentaram diante da Arca da Torá e cujas preces foram recebidas.
52. *Ber.*, 4:7.

niam-se nas cidades para lerem a Torá[53]. É claro, todavia, que disposições públicas e religiosas baseavam-se numa ampla camada de indivíduos das aldeias e cidades que possuíam pelo menos a habilidade de ler a Torá sem vocalizar, o que exigia grande treino e completo domínio do texto. (A leitura da Torá começou antes que a tradição de vocalização estivesse estabelecida, além de que o texto dos pergaminhos não é vocalizado até hoje.) Em outras palavras, subentende-se que, para tomar parte em certas atividades públicas e religiosas e numa certa medida na liderança pública também, era previamente necessário possuir um completo conhecimento do texto, fluência na Escritura e algum conhecimento da tradição.

Na Segunda Reunião, o Judaísmo cristalizou sua substância social e espiritual através de contínuas lutas que já eram patentes nas primeiras gerações do Retorno a Sião. Os remanescentes do estabelecimento judaico na Judéia, Transjordânia, e Samaria, que incluía pessoas influentes e líderes, acrescidas de vários círculos aristocráticos da população gentílica e semijudaica – por exemplo os samaritanos – tentaram impedir o estabelecimento daqueles que retornaram do Exílio. A razão desse antagonismo era que esses haviam permanecido na Palestina e não haviam participado da evolução espiritual e religiosa, que pusera de lado os judeus que haviam experimentado o exílio babilônico e se mantido fiéis à Torá, ao seu ensinamento e legado para o povo. Não é nosso propósito obscurecer ou minimizar a importância de outros elementos políticos e sociais que se revelaram nessas lutas. Buscamos, todavia, indicar e dar destaque ao elemento social e cultural nos conflitos que continuaram, mesmo depois do período descrito nos livros de Esdras e Neemias e que emergem, ainda que em narrativa desconexa, na apresentação de Josefo. Essas lutas, em suas várias manifestações e aspectos, prosseguiram durante a maior parte do período no meio da sociedade judaica e evoluíram principalmente nas proximidades de Jerusalém e do Templo, que servia como o centro da vida espiritual e social judaicas e da atividade formativa. Elas continuaram não só em conflitos abertos, acompanhados por violência em tempos de contendas, mas essas tensões podem também ser observadas em dias normais e pacíficos. Pouco depois da guerra asmonéia pela liberdade, e durante a própria guerra, esses antagonismos socioreligiosos tomaram a forma de uma luta entre os escribas e os Piedosos (*Hassidim*) contra os helenizadores.

Durante os últimos dois séculos de existência do Templo, temos amiúde notícia de lutas entre os saduceus e fariseus, que devem ser

---

53. *Ta*, 4:2, 3 e *T. ibid.*, e os dois Talmuds.

vistas como uma luta entre um pequeno mas poderoso grupo centrado à volta da aristocracia sacerdotal e a plutocracia e, de outro lado, o *stratum* social mais amplo, cujos líderes eram escribas e professores de Torá. Ligados a essa luta do partido popular estavam outros desígnios que envolviam conceitos religiosos conflitantes e tradições acerca de muitos aspectos da vida cívica, religião e lei. Em contraste com épocas antigas em Israel, a batalha não foi travada entre os fiéis ao Deus de Israel e Sua Torá contra os que divergiam completamente deles num ou noutro aspecto, pois os escribas e fariseus, em sua luta com os saduceus, e em larga medida mesmo os pietistas *vis à vis* dos helenizadores não se opunham a grupos que recusassem reconhecer a Torá e as palavras dos Profetas, ou considerassem a si mesmos afastados delas. Durante a Segunda Reunião, todas as correntes da comunidade judaica, ou pelo menos todas as que são discutidas nas fontes históricas, proclamavam sua devoção à Torá e a reconheciam como autoridade suprema. A luta entre fariseus e saduceus residia sobretudo na interpretação da Torá e como devia ser ensinada ao povo. Os fariseus sustentavam nas suas opiniões a tradição oral, crenças e comentários sobre a Torá e seus sábios julgavam-se autorizados a interpretá-la, ao mesmo tempo que exigiam a sua divulgação entre as camadas mais gerais da população. Os saduceus, que se mantinham a distância em seus próprios círculos, consideravam a Torá "lacrada e colocada sobre um pedestal" e aderiam estritamente à interpretação literal da Torá escrita, recusando-se a participar de qualquer processo formativo da Lei Oral ou a ensiná-la publicamente. Os saduceus negavam as crenças dos fariseus quanto à ressurreição e outros elementos do credo farisaico que não estavam explícita e claramente mencionados na Bíblia; rejeitavam ademais todos aqueles regulamentos práticos que os fariseus deduziam de seus comentários e a amplificação das palavras da Torá.

Nas últimas décadas da Segunda Reunião, e numa larga medida mesmo antes dessa época, testemunhamos a larga influência dos fariseus entre o povo; assim, mesmo que o alto sacerdócio fosse principalmente saduceu, era forçado no Templo e em outros assuntos públicos a seguir a prática dos fariseus, pois eram "mais acatados pelo povo e por isso todos os assuntos religiosos referentes a preces ou oferecimento de sacrifícios eram feitos de acordo com sua interpretação"[54]. Após a destruição do Templo, os saduceus desapareceram completamente como um grupo ou movimento social que aspira à influência e liderança na vida do povo, apesar de eventualmente aparecer, nas fontes, um saduceu ou saducéia. O movimento fari-

---

54. *Antigüidades*, XVIII, 1, 3.

saico, que já durante a Segunda Reunião foi uma das forças decisivas na configuração da cultura e sociedade judaicas, tornou-se, com a destruição do Templo, o único movimento a configurar o Judaísmo nas gerações que se sucederam. Sem dúvida, muitos fatores combinaram-se para efetuar a força e triunfo do Judaísmo farisaico. A essa altura podemos notar entre esses fatores a existência de escolas em toda parte, assim como a obrigatoriedade de estudo, que se tornou cada vez mais disseminada durante as últimas gerações da Segunda Reunião e após a destruição do Templo. A própria idéia de divulgar a Torá e ensiná-la em público é básica para a visão do mundo dos fariseus. Sem dúvida, o estabelecimento do sistema escolar e a formulação e inculcamento da obrigatoriedade do estudo, como acima mencionados, foram devidos à influência e estímulo dos sábios farisaicos, quer atribuamos ou não o regulamento específico a Simão ben-Schetach ou ao alto sacerdócio, que não era numeroso entre os fariseus. Apesar de não possuírmos nenhuma prova direta, parece mais verossímil que a grande maioria dos professores de Escritura e certamente os professores da Lei Oral provinham dos círculos dos fariseus e de seus discípulos. Além disso, a grande influência desses professores de Escritura e de Lei Oral era sentida no caráter e no estilo de seu ensinamento. As leis da Torá e as palavras dos Profetas recebiam uma interpretação farisaica nas escolas e isso sem dúvida contribuiu para o triunfo do judaísmo farisaico[55].

Nas últimas gerações da Segunda Reunião, ocorre um fenômeno, uma espécie de corrente social de *Amei Ha-Aretz* (gente do povo), cuja estrutura de organização é vagamente definida. Um *Am Ha-Aretz* não nega nem contradiz a Lei Escrita ou Oral, nem é comumente suspeito de cometer pecados ou ser descuidado no desempenho dos preceitos da Torá. Das muitas leis que tratam do relacionamento entre os *Haverim* (membros da corporação) e os *Amei Ha-Aretz* e das várias definições estabelecidas em diferentes gerações com relação a esse fenômeno, essa corrente parece ter-se caracterizado por dois traços principais: 1) negligência das leis da pureza e impureza (cuja estrita observância foi também insígnia dos essênios) e, em parte, das leis relativas aos diferentes dízimos sobre os produtos da terra e o gado; 2) retraimento da educação e conhecimento da Torá: "Quem é um *Am Ha-Aretz?* Todo aquele que for incapaz de ler o capítulo de *Schmá* nas orações matutinas e vespertinas... e todo aquele que possui filhos e não os cria no estudo da Torá"[56]. Em algumas gerações o elemento da ignorância é mais enfatizado na

---

55. Muito se escreveu sobre o caráter dos fariseus. Um sumário encontra-se no ensaio de Baeck, Leo, "Die Pharisaer", na coleção *Aus drei Jahrtausenden*, 1938.
56. *B. Ber.*, 47b.

descrição do fenômeno de *Am Aratzut*, enquanto em outras gerações acentua-se de preferência o elemento de negligência no desempenho de determinados preceitos. O fenômeno espiritual e social do *Am Ha-Aretz* foi menosprezado por seus oponentes mais instruídos e por outros que empregaram eles mesmos as leis do *Haverut* (corporação). Essa inimizade recíproca era agravada por aqueles que afirmavam sua *Am Aratzut*, convertendo sua conduta numa questão de princípio. Isto é especialmente verdadeiro quanto ao período Iavné (70-135 da era cristã), uma ou duas gerações após a destruição do Templo. Esses dias foram marcados pela crescente cristalização da vida do povo e o desaparecimento das várias seitas de modo que a remanescente tensão entre os eruditos e o povo cresceu, por assim dizer. Apenas no período amoraico (depois de 220) é que diminuiu e efetivamente, após esse período, nossas fontes testemunham uma reaproximação e identificação entre os homens da Torá e o povo[57]. No Midrasch do *Levítico Rabá* lemos: "Como as folhas da videira cobrem os cachos das uvas assim também em Israel; os Amei Ha-Aretz cobrem os eruditos"; em outra parte no mesmo Midrasch: "Recolherás em casa o pobre humilde" (*Isaías* 58:7) – esses são os eruditos que entram nas casas da gente do povo e satisfazem sua sede de palavras da Torá"[58].

Os que possuíam apenas um conhecimento superficial da Torá nunca desapareceram inteiramente de Israel, mas o fenômeno de um *stratum* social com uma consciência *Am Aratzut* à parte, que intencionalmente se afastava dos homens da Torá, desprezava-os e procurava usurpar seu lugar, desapareceu durante o período dos amoraim.

Relativamente ao *Am Ha-Aretz*, é possível sugerir várias explanações para a diminuição desse fenômeno e sua eliminação definitiva. Numa larga medida, o fim gradual das práticas de pureza e impureza no posterior período amoraico tornou-a possível. A observância do rito da purificação incluía a possibilidade para alguém de se limpar de graves impurezas, como a que decorre de tocar um cadáver, aspergindo água purificadora, isto é, água pura da nascente, espalhando ao mesmo tempo uma pequena quantidade de cinzas da novilha na água. A partir da destruição do Templo, uma pequena quantidade dessas cinzas foi preservada para as gerações seguintes, mas uma vez que o Templo não mais existia, não era possível preparar novas cinzas e assim o suprimento consumiu-se e com ele as práticas de purificação desapareceram igualmente. A severidade das

---

57. Muitas das fontes importantes sobre esse problema são discutidas *in* A. Buchler, *Der galilaeische Am-ha-Ares*, 1906, mas nossas opiniões divergem de suas conclusões.

58. Cap. 36b, *ibid.*, 34, 13.

leis de pureza era uma das causas da tensão entre os *Haverim* e os *Amei Ha-Aretz* e por isso a interrupção da prática dessas leis naturalmente levou ao fim do conflito. O desaparecimento da divisão entre os *Amei-Ha-Aretz* e os eruditos efetuou-se também pelos esforços desses eruditos que freqüentemente falavam ao povo e o guiavam. Não obstante, não pode haver dúvida de que, enquanto durou os períodos tanaítico e amoraico, a divulgação da educação serviu como uma das causas importantes para o desaparecimento do *Am Ha-Aretz* como grupo distinto e criou um sentimento de igualdade social e espiritual entre todos os setores da população.

BIBLIOGRAFIA

BACHER, W. "Das alt-jüdische Schulwesen". In: *Jahrbuch für Jüdische Ceschichte und Literatur*, 1903, VI, pp. 48-82.
DRASIN, W. *History of Jewish Education from 515 B. C. E. to 220 C. E.*, 1940.
EBNER, E. *Elementary Education in Ancient Israel*, 1956.
MORRIS, W. *The Jewish School from the Earliest Times to the Year 500*, 1937.
PERLOW, J. *L'Éducation et l'Enseignement chez les juifs à l' epoque Talmudique*, 1931.
SWIFT F. H. *Education in Ancient Israel from Earliest Times to 70 C. E.*, 1919.
WISSEN, J. *Geschichte und Methode des Schulwesens im Talmudischen Altertum*, 1892.

LISTA DE ABREVIATURAS

B.	Talmud Babilônico	*Ket.*	Ketuvot
P.	Talmud Palestino	*Kid.*	Kiduschin
T.	Tossefta	*Lev.*	Levítico
Av.	Avot	*Maas.*	Maassrot
Ber.	Berahot	*Meg.*	Meguilá
BB.	Baba Batra	*Pe.*	Peá
Beh.	Behorot	*San.*	Sanedrin
Betz.	Betzá	*Schab.*	Schabat
Gên.	Gênesis	*Schav.*	Schavout
Guit.	Guitin	*Sot.*	Sotá
Hag.	Haguigá	*Suk.*	Suká
Hul.	Hulin	*Ta.*	Taanit
J.Q.R.	Jewish Quartely Review	*Ieb.*	Iebamot

9. A Sociedade e as Instituições Judaicas sob o Islamismo

O Islamismo, cujo aparecimento e expansão mudaram o curso da história mundial, afetou também os destinos do povo judeu em todos os aspectos. Menos de uma centena de anos após a morte do fundador da nova religião, a maioria dos judeus passou a viver dentro do império dos califas. E cerca de trezentos anos após o surgimento do Islamismo, a Bíblia hebraica havia sido, mais de uma vez, traduzida para o árabe, as doutrinas de fé judaica haviam sido expostas na linguagem da teologia islâmica e o direito rabínico formulado com a ajuda dos termos jurídicos muçulmanos. Próximo ao final do mesmo período a comunidade judaica progredira em muitas direções: uma certa ascensão econômica e social foi seguida de um florescimento espiritual e um aumento na autoridade das instituições religiosas centrais. Como, portanto, poderíamos explicar esse contraste aparente: um alto grau de assimilação ao novo ambiente árabe-muçulmano de um lado e o rejuvenescimento e vigorosa autoafirmação de outro.

Tentar responder a essa questão com os meios à nossa disposição presentemente seria uma tarefa arriscada. Os duzentos ou os anos imediatamente anteriores e posteriores ao advento do Islamismo são os mais obscuros da história judaica pós-bíblica. Quase nenhuma fonte datada desse período foi preservada. As fontes islâmicas, a começar com o próprio Corão, contêm muitas referências aos judeus, algumas das quais são detalhadas e relativamente objetivas. Mas é natural que falem dos judeus apenas quando problemas muçulmanos estão envolvidos – como a ajuda oferecida pelos judeus aos conquistadores árabes – e apenas na medida em que os observadores muçulmanos estavam interessados em observar e aptos a entender uma população estranha a eles. Além disso, exceto o Corão, as fontes muçulmanas chegaram até nós na forma em que foram fixadas durante o terceiro século islâmico, quando já estavam entremeadas com muito material lendário tendencioso. Uma comparação da pesquisa histórica atual com a da geração anterior dá a impressão de que o trabalho de desenredamento crítico do âmago histórico dos acréscimos posteriores antes regrediu do que progrediu.

As dificuldades específicas do historiador judaico são constituídas por outras deficiências da moderna historiografia: a falta de investigações adequadas a respeito do destino, durante os primeiros séculos do Islamismo, da população súdita em geral. A velha lenda da difusão do Islamismo a ferro e fogo foi há muito descartada. Mas não pode haver dúvida de que as guerras de conquista devem ter sido uma experiência traumática para os povos em questão e os anos subseqüentes de governo por uma casta guerreira, que considerava as massas por ela governadas como um butim concedido por Deus, devem ter sido igualmente duros. Lemos a respeito de tesouros fabulosos reunidos pelos conquistadores; esses representavam, é claro, a propriedade arrancada de um sem-número de pessoas. Muitos dos eruditos e literatos muçulmanos do século II da Hégira eram netos de pessoas que haviam sido reduzidas à escravidão durante as guerras de conquista e arrastadas de uma ponta do califado à outra. Apenas para citar dois exemplos importantes: Ibn Ishaq, o autor da clássica biografia do profeta Muhammad, era o neto de um homem (cuja religião não conhecemos) que foi capturado no Iraque e levado para Medina, na Arábia. O avô de Abu Hanifa, fundador da mais famosa escola de direito muçulmana, foi trazido por seu proprietário árabe do distante Kabul no Afeganistão a Kufa, no Iraque. Seu nome era Zuta (Mr. Small), um nome judeu comum, mas as fontes não se preocuparam é claro em notar a religião do escravo. O ilimitado fornecimento de escravas e concubinas, evidente na literatura árabe durante os dois primeiros séculos do Islamismo, também só pode ser explicado pela suposição de que os homens ligados a essas infelizes mulheres tenham sido mortos ou reduzidos à escravidão ou tenham sido despojados de seus filhos. A ilustração mais tangível do impacto da conquista islâmica é fornecida pelo obscurecimento total que efetuou sobre a literatura persa. O grande povo do Irã, que governara durante séculos desde o Eufrates até o Indo, ficou tão atordoado pelo árabe que pelo menos trezentos anos após esse acontecimento crucial não aparece uma única reflexão em lingua persa. Uma vez que a maior parte do povo judeu viveu na época da conquista árabe no território ocupado pela Pérsia, não é de surpreender que encontremos uma escassez de informação semelhante na literatura hebraica contemporânea.

Renunciamos, portanto, à descrição dos efeitos *imediatos* do advento do Islamismo na sociedade e instituições judaicas. Temos de fazer outra restrição, talvez de maior alcance. O Islã não representa uma civilização unificada. Depois dos turbulentos períodos de conquista, colonização, e multímodas tentativas de consolidação, prevaleceu um certo grau de uniformidade no Islã durante o assim chamado período clássico, aproximadamente entre 900 e 1200 da era cristã. Posteriormente, desenvolveram-se culturas regionais, devendo sua origem a fatores específicos geográficos, lingüísticos e outros[1]. As comunidades judaicas que participavam dessas culturas regionais diferiam entre si consideravelmente e participaram também das mudanças dos tempos tanto quanto, se não mais, do que seus vizinhos muçulmanos. Pense-se na sociedade judaica de Istambul por volta de 1500 comparando-a com a do Iêmen no mesmo período ou faça-se o contraste entre os judeus do Egito durante o século XI e os mesmos como apareceram no século XV. Uma tentativa de delinear um quadro geral dos judeus sob o Islã seria vã e resultaria numa imagem esquemática que em nenhuma parte era real. Limitar-nos-emos aqui à sociedade judaica durante o período clássico do Islã e comentaremos os desenvolvimentos ocorridos na era anterior à conquista e consolidação, o período subseqüente das culturas regionais e os tempos modernos apenas quando o requererem razões específicas.

Próximo ao ano de 900 o Islã chegara à maioridade como uma civilização inconfundível levada pelos três séculos seguintes à completa maturidade. Durante o mesmo período, o Judaísmo desenvolveu-se e cristalizou-se em todos os aspectos. O direito judaico, o ritual e liturgia foram sistematizados num corpo de regulamentos e textos muito bem organizado, uma atividade que culminou no código de Moisés Maimônides. Cismas sectários agitavam o pensamento religioso, condensado em tratados teológicos de autoridade permanente. A língua hebraica era cientificamente estudada e seu uso adequado foi estabelecido, fornecendo uma base segura para uma compreensão exata do texto bíblico. A poesia neo-hebraica, subproduto dessa atividade, preencheu funções importantes tanto na vida social como na sinagoga e alcançou em algumas de suas criações a grandeza dos Salmos. Os judeus tomaram parte também nos estudos seculares, como matemática, astronomia e filosofia e, acima de tudo, medicina e farmacologia.

1. S. D. Goiten, A Plea for the Periodization of Islamic History, *Journal of the American Oriental Society*, p. 87, 1967.

Naturalmente tais atividades espirituais tinham de ser sustentadas por uma sociedade estável, gozando certo grau de prosperidade econômica e liberdades cívicas. Felizmente possuímos sobre esse período uma fonte histórica que retrata com pormenores essa sociedade: os documentos da Geniza do Cairo. São manuscritos na maioria em caracteres hebraicos mas predominantemente em língua árabe. Foram originalmente preservados numa sinagoga, e também parcialmente num cemitério de Fustat (Antigo Cairo), a antiga capital do Egito Islâmico, e posteriormente dispersos em muitas bibliotecas no mundo inteiro. Esse material procedeu não só do Egito mas também de outros países islâmicos na área mediterrânica, inclusive da rota marítima para a Índia e compreende a correspondência oficial, comercial e privada, registros de tribunal e outros documentos jurídicos, contratos, relatórios, recibos e inventários, editais de casamento, divórcio, alforria e coisas semelhantes[2]. Em muitos aspectos o material da Geniza é de valor sem igual também para a história da sociedade islâmica, pois fornece informações sobre a vida das classes média e inferior, inacessíveis em outras fontes[3]. O Autor tentou transmitir uma idéia do rico conteúdo dos documentos da Geniza do Cairo numa obra de três volumes, o primeiro dos quais deveria surgir em fins de 1967. Para as fontes manuscritas das afirmações que se seguem, o leitor é remetido a essa obra[4].

O primeiro problema que preocupa o estudioso de um grupo minoritário é seu aspecto demográfico, seu tamanho em comparação com a população principal. E. Ashtor deu especial atenção a esse problema[5] e, embora seus dados necessitem eventualmente de uma revisão[6] estou propenso a aceitar seus resultados gerais, nos quais,

2. Ver Shaul Shaked, *A Tentative Bibliography of Geniza Documents*. Paris – Haia, 1964; Norman Golb, Sixty Years of Genizah Research. *Judaism*, 6, 1967, pp. 3-16.
3. Ver *Encyclopaedia of Islam*, segunda edição, s.v. "Geniza". Também S. D. Goitein, "The Documents of the Cairo Geniza as a Source for Islamic Social History". In: *Studies in Islamic History and Institutions*, Leiden, 1966, pp. 279-294.
4. *A Mediterranean Society: The Jewish Communities of the Arab World as Portrayed in the Documents of the Cairo Geniza*, University of California Press, Berkeley e Los Angeles, 1967.
5. E. Ashtor, Prolegomena to the Medieval History of Oriental Jewry. *Jewish Quarterly Review* 50, 1959, pp. 55-68, pp. 147-166. Também E. Ashtor, "O Número de Judeus na Espanha Muçulmana". *Zion*, 28, 1963, pp. 34-56 (em hebraico).
6. A hipótese de Jacob Mann, *The Jews in Egypt etc*. I, n. 1, p. 88, aceita por Ashtor. *JQR*, 50, p. 58 (ver nota anterior) de que havia 300 cabeças de famílias judaicas em Alexandria, baseia-se numa interpretação falsa do texto que diz "Enviastes-nos (para o recenseamento de cativos) 200 dinares, que foram tão úteis como se nos houvessem enviado 300".

Não é certo que, além de Benjamin de Tudela, não haja prova da existência de uma comunidade judaica em Palmira, ver Ashtor. *JQR*, 50, p. 63. Existem muitas re-

pode-se observar de passagem, ele está de acordo com um estudo mais antigo sobre a população judaica do Egito Fatímida feito por D. Neustadt (agora: Ayalon)[7]. O número de povoações judaicas no Egito era consideravelmente mais elevado que o registrado por Ashtor[8]. Os documentos de Geniza parecem também indicar que o tamanho médio de uma família era maior do que o suposto por ele[9]. Predomina uma grande incerteza quanto à extensão populacional do Egito muçulmano ou outros países islâmicos, como a Síria ou Espanha. Pode-se supor, entretanto, com certo grau de plausibilidade, que a comunidade judaica do Egito ou da Espanha durante a Alta Idade Média não atingia mais que um por cento da população total – com a importante característica que, nas cidades e municípios onde viviam os judeus, estes formavam uma porcentagem muito maior dos habitantes.

Quanto à composição das comunidades judaicas que se reflete nos documentos de Geniza, uma grande parte, se não a maioria, dos judeus do Egito eram imigrantes ou descendentes de imigrantes. No século XI, de que possuímos informações especialmente pormenorizadas, pode-se notar uma camada mais antiga de elementos vindos do Iraque e Irã e mesmo da Ásia Central, de pontos tão distantes quanto Nishapur e Samarcand, lado a lado com uma camada mais recente e mais vigorosa, da Tunísia e Sicília. Havia um influxo permanente da Palestina e Síria e um punhado de recém-chegados de todas as partes da diáspora judaica, inclusive a França, Itália e Bizâncio.

Pergunta-se o que contribuiu para o número relativamente limitado de judeus na área considerada. Gostaríamos de saber especialmente se se perdeu muita substância nesse período inicial pela conversão ao Islamismo. No caso da população cristã, que foi reduzida a uma minoria no decurso de dois ou três séculos, essa perda não só é evidente por si mesma como é atestada por fontes históricas. Em contrapartida, o apego inabalável dos judeus à sua

---

ferências: R. Gottheil e W. H. Worrell, *Fragments from the Cairo Genizah in the Freer Collection*, New York, 1927, N°. XIII, p. 66 linha 11; TS. Taylor-Schechter Collection of the University Library, Cambridge, 13 J 20, f. 2; S. Schechter, *Abraham Berliner Jubilee Volume*, 1903, pp. 110-112, onde Tadmor deve ser lido a despeito da observação de J. Mann, in *Jews in Egypt*, II, p. 341. Palmira foi uma das comunidades a que se dirigiu o Gaon Samuel ben-Eli (1164-1193), ver S. Assaf, *Letters of Samuel b. Eli.*, Jerusalém, 1930, 50.

7. *Zion*, 2, 1937, p. 221.

8. Ashtor, *JQR*, 50, p. 60. Ver N. Golb, "The Topography of the Jews of Medieval Egypt". In: *Journal of Near Eastern Studies*, 24, 1965, pp. 251-270 (a ser continuada).

9. Esse assunto é tratado no volume III de *A Mediterranean Society*, ver nota 4.

fé é testemunhada na época de Muhammad e na da conquista do Egito. É também digno de nota que em regiões tão separadas como Iêmen, Marrocos e Bucara, contendo todas elas comunidades cristãs importantes, antes do surgimento do Islamismo, somente sobreviveram redutos judaicos. A esse fato, que já apontei previamente[10], desejo agora aduzir uma explicação referente em especial ao Iêmen. As fontes muçulmanas tratam longamente da expulsão dos cristãos de Najran na Arábia do Sul, mas não fazem qualquer menção a medidas semelhantes contra os judeus da Arábia do Sul. Na verdade, cartas escritas pelo chefe de uma academia judaica no Iraque dão-nos a conhecer que as comunidades judaicas estavam espalhadas por todo o Iêmen e Iamama (Arábia Central) no quarto século do Islã[11]. Como é bem conhecido, essa situação prevaleceu até o êxodo em massa dos judeus do Iêmen em 1945/50[12]. Estou inclinado a atribuir o tratamento preferencial aos judeus nesse caso ao simples fato de que estavam amplamente dispersos no país, como artesãos e artífices, imperceptíveis e indispensáveis, enquanto os cristãos pertenciam à mais bem situada classe mercantil e estavam concentrados na cidade (sede do bispado). Assim, sua expulsão não apresentava qualquer problema administrativo, porquanto havia suficientes negociantes árabes para tomar seu lugar[13]. O tamanho reduzido da população judaica em muitos países islâmicos era ou pré-islâmico ou causado pela revolta que acompanhou e seguiu a conquista árabe, ou ambas as coisas.

A ecologia dos judeus sob o Islamismo, isto é, sua distribuição com referência a suas fontes de sustentação, é especialmente bem ilustrada nos documentos de Geniza. Não havia guetos em Fustat, Alexandria, Jerusalém ou Kairouan (então a capital do país atualmente conhecido como Tunísia) ou nas cidades provincianas. Contratos e outros documentos provam que casas pertencendo a judeus limitavam em toda parte com propriedades muçulmanas e/ou cristãs. Os muçulmanos viviam junto com locatários judeus em casas pertencentes a judeus e vice-versa. Por outro lado, são encontrados em toda parte vicindários judeus em torno de uma sinagoga. Portanto

---

10. S. D. Goitein, *Jews and Arabs: Their Contacts through the Ages*, 2. edição, New York, 1964 (também em brochura), p. 65.
11. The Contribution of the Jews of Yemen to the Maintenance of the Babylonian and Palestinian Yeshivot and of Maimonides' School. *Tarbiz*, 31, 1962, pp. 357-370.
12. Investigações por mim efetuadas entre os emigrantes do Iêmen para Israel em 1949 e depois mostram que eles eram naturais de mais de mil e cinqüenta localidades diferentes.
13. Os relatórios muçulmanos sobre a expulsão dos cristãos de Nadjran são muito confusos. Ver a literatura discutida por A. Moberg no artigo "Nadjran" na *Enc. of Islam*.

havia suficiente contato físico com os gentios para prevenir a segregacão mas também suficiente concentração para o crescimento sadio da intensiva vida comunal.

Tampouco havia um gueto ocupacional. Nesse campo, o das ocupações judias e seu papel dentro da vida econômica da sociedade islâmica em geral, o estudo dos documentos de Geniza é de molde a revolucionar nossos conceitos tradicionais. Israel Abrahams, em seu encantador livro *Jewish Life in the Middle Ages*[14], enumera trinta e três "profissões dos judeus do Levante, Pérsia, Síria e Oriente em geral (principalmente no final do século XII)". Dessas, apenas dez eram manuais. Contra isso, os documentos de Geniza fazem menção a cerca de 250 ocupacões manuais exercidas pelos judeus e a outros 170 tipos de atividades no comércio, profissões, educação e administração. Por outro lado, a declaração de Abrahams: "trabalhadores agrícolas (muitos)" deve ter sido verdadeira para o Iraque nos primeiros tempos islâmicos. No Egito, no período aqui considerado (900-1200), os judeus possuíam terras agrárias e supervisionavam em pessoa a colheita e é claro operações como a prensagem da uva e o fabrico do queijo que envolviam tabus religiosos, mas o solo era lavrado exclusivamente por felás não-judeus. Mesmo os pomares que pertenciam à comunidade judaica eram arrendados aos muçulmanos contra pagamento anual. Os judeus tinham um papel importante no beneficiamento do linho, na exportação da matéria-prima do Egito, mas apenas depois que os camponeses o cortavam, embebiam e secavam. As ocupações manuais dos judeus eram as de artesãos e artífices.

A esse respeito é necessário afastar certas noções que aparecem repetidamente em nossos escritos históricos, a saber, que os judeus se concentravam especialmente nas ocupações desprezadas pelos muçulmanos. Essa concepção errônea tem origem numa outra, já censurada por nós, nomeadamente aquela que se refere à longa história do Islã como uma unidade única e não dispensa a devida atenção às diferenças de tempo e nível geral de cultura. Em períodos de declínio e opressão islâmica, as pessoas achavam uma válvula de escape para sua própria humilhação e miséria na degradação ainda maior das minorias desamparadas que viviam em seu meio. Numa época, em séculos recentes, em que Bucara, Marrocos e Iêmen estavam num estágio muito atrasado, os judeus desses países eram forçados a apanhar os conteúdos dos monturos, secá-los para serem usados como combustível nas casas de banho (outros combustíveis eram escassos nesses países). As comunidades locais tinham a in-

---

14. Ed. Meridian Books, 1958, pp. 245-246 baseadas sobretudo nas *Responsa* dos Gaonim e Benjamin de Tudela.

cumbência de fornecer pessoas para essa odiosa tarefa. Todavia, mesmo assim, a situação não era absolutamente simples. Tomando o Iêmen ainda como exemplo, o judeu era totalmente humilhado como membro de uma outra religião, mas era honrado em sua capacidade de artesão, que preenchia uma função indispensável na primitiva economia da região. Costumava-se intitular o judeu *Usta* ou "mestre", supondo-se que ele era competente em sua profissão e também possuía múltiplas habilidades adicionais. É digno de nota que as desprezadas profissões de limpadores de fossas ou de atendentes de casas de banho nunca aparecem nos documentos de Geniza como sendo desempenhadas por judeus. Se a comunidade judaica de Fustat incluísse tais pessoas, algumas teriam de aparecer em muitas listas de indigentes assistidos pelo erário comunal.

Relativamente aos primeiros tempos islâmicos, muito se comentou acerca de uma passagem do escritor muçulmano do Traque, al-Jahiz (por volta de 850) que afirma que os judeus seguiam apenas as profissões inferiores – curtidores, tingidores, sangradores, açougueiros e remendões – em oposição aos cristãos, que eram funcionários do governo, médicos e guarda-livros[15]. Analogamente, os judeus de Isfaã no Irã foram descritos como comprometidos com profissões sujas, como curtidores e açougueiros[16]. Curtir e tingir são mencionadas como ocupações judias – ao lado de outras e sem a pecha de baixeza relativamente à Síria e Palestina (fim do século X)[17].

Essas passagens freqüentemente citadas devem ser vistas em suas próprias perspectivas. O curtimento e a tinturaria são ocupações muito evidentes, pois as peles e os tecidos são estendidos para secar em lugares abertos dentro ou fora da cidade[18]. Os muçulmanos geralmente não prestavam muita atenção aos judeus, mas os curtidores e tingidores judeus não podiam permanecer despercebidos por causa da evidência de seu negócio. Desse modo, os muçulmanos estavam propensos a afirmar que a maioria dos judeus dedicava-se a tais ocupações. Os documentos de Geniza habilitam-nos a aferir esses

15. Al-Jahiz, *Thalath Rasa'il*, Cairo, ed. J. Finkel, 1344 A. H., 17, trad. *Journal of the American Oriental Society*, 47, 1927, pp. 327-328; ver Salo Baron, *W. Social and Religious History of the Jews*, IV, n. 17, p. 318.
16. Citado por A. Mez, *Die Renaissance des Islams*, Heidelberg, 1922, p. 35, n. 3, de acordo com um manuscrito de Leiden da história da cidade de Isfaã. Esse manuscrito foi nesse meio tempo editado por S. Dedering, Leiden, 1931, mas a edição não me é acessível presentemente.
17. Al-Muqaddasi, ed. de Goeje, Leiden, 1906, p. 183.
18. O A. lembra-se nitidamente dessa visão durante sua visita ao Protetorado de Aden em 1949: a primeira coisa que atrai a atenção do visitante para uma cidade muçulmana tradicional eram esses materiais amplamente expostos e as pessoas que os observavam.

dados e a estabelecer uma espécie de estatística. Para um período de 300 anos (965-1265) notei por enquanto apenas seis pessoas descritas como curtidores e o sobrenome Curtidor foi atribuído nesse período apenas a um proprietário de navio muçulmano e a eruditos também muçulmanos. As referências acima citadas devem de qualquer modo ser tomadas como uma prova de que no Islã clássico essa profissão era especificamente judaica.

Quanto à tinturaria a situação era diferente. Cores (e não corte) eram o orgulho do traje medieval. A tinturaria era uma das maiores e mais centrais indústrias desse período e não há dúvida de que os judeus eram muito importantes nesse ramo tanto nos países islâmicos como nos cristãos. Ao lado do preparo de drogas, tingir era a profissão judaica mais comum, mas de modo algum lhes era exclusiva. O sobrenome Tingidor era comum entre muçulmanos e judeus. Devido à amplitude da profissão, comportava tanto famílias pobres como prósperas. Caracterizá-la como desprezível ou inferior é uma generalização injustificada.

É bem possível que a maioria dos judeus conhecidos por al-Jahiz tivesse uma posição humilde na sociedade. Provavelmente eram os descendentes de camponeses que formavam uma parte do novo proletariado urbano, como muitos outros membros da população agrícola que foram forçados a abandonar suas fazendas por causa de uma tributação opressiva. É igualmente possível que os judeus em certos quarteirões de Isfaã tivessem vivido em condições miseráveis no século XI, tal como ainda (ou novamente) em 1966. Mas do mesmo modo que a existência de alguns grandes mercadores judeus em Bagdá, no século X, capazes de garantir ao governo grandes empréstimos, não nos deve induzir a acreditar que os judeus eram os Rothschilds no mundo islâmico, assim também não poderíamos afirmar que todos eram indigentes no período de al-Jahiz. É verdade que o grande teólogo muçulmano Ghazzali (m. 1111) descreve os judeus como ricos, de um modo violento que lembra a moderna litetatura anti-semítica. Mas ele, como al-Jahiz 250 anos antes dele, estava impressionado pelo óbvio, mas num sentido contrário.

Em resumo, no que concerne ao período clássico do Islã, onde quer que tenhamos informações pormenorizadas e dignas de confiança e não apenas observações casuais e por vezes tendenciosas, verificamos que os judeus eram mais proeminentes em algumas artes e ofícios que em outros, mas que não estavam confinados a ocupações específicas afastados pelos muçulmanos. Sobre um assunto a cujo respeito Israel Abrahams pôde fornecer algumas linhas, e agora possível escrever um vasto livro.

Uma vez isto feito, as artes e ofícios judeus durante o apogeu do Islã serão revelados em sua posição social adequada e em toda sua rica variedade. O constrangimento de uma humilhação profissional é o produto de um período posterior de decadência e intolerância.

Uma revisão desse gênero é necessária no que se refere a nossas noções sobre o comércio judeu e negócios bancários na época do domínio islâmico. Desde que L. Massignon publicou seu artigo sobre os banqueiros judeus[19], idéias exageradas sobre a importância econômica dos judeus na sociedade islâmica – formadas a partir de certos envolvimentos, quer na Europa medieval, quer na moderna – vieram a ser muito difundidas. Tanto eruditos islâmicos bem-intencionados[20] como os menos amigáveis tomaram idênticas posições. Num ensaio anterior tentei descrever o surgimento da burguesia do Oriente Médio como um desenvolvimento islâmico interno, tornando-se a classe mercantil a verdadeira construtora da cultura religiosa islâmica. A subseqüente transformação econômica e social dos judeus num elemento urbano era entendida como um subproduto desse desenvolvimento[21]. Esse estudo deve ser complementado em dois aspectos. As pesquisas arqueológicas de Robert C. Adams nas planícies do baixo Diyala, a leste de Bagdá, revelaram um grande número de construções urbanas desde o período Sassânida (que precedeu à conquista árabe) "excedendo de muito qualquer coisa anterior *ou posterior*"[22]. Tal grau de urbanização é impensável sem uma classe mercantil forte. Portanto, devemos admitir que nesse, como em outros aspectos, o Islã continuou as condições pré-islâmicas, apesar de nossas fontes nos deixarem no escuro quanto aos detalhes desse desenvolvimento, devido ao *black-out* acima descrito.

Quanto ao aspecto judaico do problema, gostaria de mencionar que alguns dos mais antigos e importantes eruditos do Talmud babilônico, Abba, o pai de Samuel (fundador da orientação espiritual babilônica) e Hiyya Rabba eram comerciantes de seda, atacadistas, estabelecendo o último, nesse trabalho, o intercâmbio entre Palestina e Tiro[23]. O fato de os judeus babilônicos terem ingressado no comércio

---

19. L. Massignon, "L'influence de l'Islam... sur la fondation et l'essor des banques juives". In: *Bulletin de l'Institut Français de Damas*, 1932, pp. 4 e ss.
20. E. g. Dr. Shaikh Inayatullah, *Islamic Culture, its Growth and Character*. Lahore, 1957, 13.
21. *Journal of World History*. III, 1957, pp. 583-604, também em *Studies in Islamic History and Institutions*, pp. 217-241.
22. Robert C. Adams, *Land behind Baghdad*, Chicago, 1965, p. 69. As duas últimas palavras na citação foram grifadas por mim.
23. *Midrasch Samuel*, 10:3, ed. S. Buber, p. 35. *Gênesis Rabá*, 79:9, ed. Theodor-Albeck, p. 946. Essas passagens freqüentemente citadas são discutidas na sua verdadeira perspectiva histórica em Jacob Neusner. *A History of the Jews in Babylonia*. Leiden, I, 1965, pp. 88-89.

não é de surpreender, uma vez que já alguns dos judeus exilados por Nabucodonosor adotaram essa profissão. O fato de tais mercadores terem sido os construtores da erudição judaica, fato corroborado por uma passagem da vida siríaca referida por Adday, é um ponto relevante. "Mesmo os judeus especializados na Lei de Deus e nos Profetas, que negociavam com seda, também convenceram-se e tornaram-se discípulos (i. e., cristãos)[24]. Parece, desse modo, que o Islã antes promoveu que iniciou o desenvolvimento desse notável tipo de erudito-mercador que era economicamente independente e portanto capaz de criar uma lei religiosa independente do Estado.

Os judeus, assim como nas artes e ofícios, eram proeminentes em alguns ramos de comércio mais que em outros, mas não monopolizaram nenhum deles. Distinguiam-se nos tecidos, especialmente no linho e seda (ver acima), assim como em peles e artigos de couro; em muitos tipos de produtos orientais, como especiarias, perfumes, materiais de tinturaria e polimento; em produtos farmacêuticos de origem oriental e mediterrânea; em metais de todos os tipos, inclusive matéria-prima para cunhagem de moedas; em gêneros alimentícios como óleo, mel e frutas secas; finalmente, numa grande variedade de mercadorias específicas, como corais, exportados do Mediterrâneo Ocidental e caurim, vindos das regiões do Oceano Índico. Tinham pouca participação no comércio de trigo e cevada e nenhuma no de cavalos, mulas, vacas e outros animais ou no de armas. Há em muitos aspectos uma correlação direta entre os ramos de comércio e as artes e ofícios favorecidos pelos judeus nos tempos islâmicos clássicos (tintureiros, farmacêuticos, ourives em ouro ou em prata, trabalhadores em cunhagem e nas indústrias alimentícias, em particular na produção de açúcar). Muitos judeus eram vidreiros. De acordo com isso, encontramos grande quantidade de vasos de vidro exportados por uma firma judia do Tiro para o Egito pouco antes de 1011[25], ou copos vermelhos de Beirute e copos locais egípcios encomendados do Cairo por um mercador judeu em Aden por volta de 1140[26].

No campos de dinheiro e finanças os judeus eram ativos como contadores do governo, alto e baixo (*jahbadh*, depois *naqqad*) e

24. W. Cureton, *Ancient Syriac Documents*, Londres, 1864, p. 14, citados por J. Neusner, *op. cit.* (nota precedente), p. 89.
25. S. Assaf, *Tarbiz*, 9, 1938, p. 196, l. 15: 37 cestas de vidro. (No texto, a palavra hebraica para "vidro" é sublinhada como se fosse de leitura incerta. Conferi os manuscritos e posso confirmar que a interpretação está acima de qualquer dúvida).
26. *India Book* (uma coleção dos documentos de Geniza relativos ao comércio da Índia preparada pelo Autor para publicação), n. 50.

também como cambistas e banqueiros (*sayrafi*). As contas de um banqueiro judeu do século XI mostram que o número de colegas seus banqueiros muçulmanos com os quais tinha negócios excedia de muito o de judeus[27]. Ambas são amiúde mencionadas na literatura árabe como profissões exercidas pelos muçulmanos. Os judeus tomavam ocasionalmente empréstimos a juros dos muçulmanos quando tinham necessidade e o mesmo sucedia no sentido inverso. Empréstimos a juros para fins comerciais eram raros até a metade do século XII e mesmo depois eram de pouca monta, pois os negócios eram financiados por meio de sociedades. Alguns grandes banqueiros comerciais judeus aptos a emitir suftaias ou letras de câmbio, são-nos conhecidos a partir do século XI, mas vemos igualmente judeus tomando suftaias de muçulmanos[28].

Uma vez que a questão da participação judaica no comércio internacional do período clássico do Islã é de considerável interesse para a história mundial em geral, e visto que os documentos de Geniza fornecem informação pormenorizada particularmente sobre esse ponto, é conveniente um sumário de nosso atual estado de conhecimentos.

A bem conhecida passagem do geógrafo muçulmano Khurradadbeh (século IX) sobre os mercadores judeus radanitas, que viajaram da França através do território muçulmano para a Índia e China e trocavam as mercadorias dos países por eles atravessados, deu origem à noção de que os judeus serviam de intermediários entre os mundos cristão e muçulmano. Numa certa medida pode ter sido o caso, mas num tempo anterior à data em que Khurradadbeh escreveu seu livro[29]. Próximo ao fim do século X, quando se tem acesso às primeiras informações detalhadas nos documentos de Geniza, emerge um quadro totalmente diverso. Compactos e contínuos intercâmbios comerciais ocorrem entre o litoral norte e sul do Mediterrâneo mas os judeus neles tiveram pouca participação. O comércio judaico desenvolveu-se principalmente dentro dos domínios do Islã. Os Rum, europeus com que negociavam os judeus, eram exclusivamente cristãos. Havia estreitas conexões sociais e culturais entre os judeus da Europa e os dos países islâmicos, mas

---

27. S. D. Goiten, Bankers Accounts from the Eleventh Century. *Journal of the Economic and Social History of the Orient,* 9, 1966, pp. 28-60.
28. The Business Correspondence of Ibn 'Awkal, *Tarbiz,* 36, n. l, linha 32, 1967.
29. O mais recente sumário desse tema tão freqüentemente tratado é encontrado em *The World History of the Jewish People, The Dark Ages,* ed. Cecil Roth, Tel Aviv, 1966, pp. 23 e 386, 11 e 12 que, todavia, deixa de mencionar o provocante artigo de Claude Cahen. Y a-t-il eu des Rahdanites?, *Revue des Études Juives,* 3 (123), pp. 409-505, 1964. Cahen supõe que os Radanitas pertenciam a um período mais antigo.

nenhuma relação comercial. Nenhuma carta comercial de um judeu europeu dessa época foi conservada nos documentos de Geniza.

Quanto ao comércio judeu dentro do Islã, havia mútua cooperação entre muçulmanos e judeus no nível até mesmo de conclusão de sociedades formais. Mas o grosso dos negócios interterritoriais refletidos na Geniza era efetuado por um grupo de mercadores judeus, amplo, mas intimamente interligado, que, na primeira parte do século XI, tinham sua base em Cairuã. Dali difundiam-se por todos os países muçulmanos do Mediterrâneo. Essa "Hansa" judaica progrediu não por causa de seu grande capital mas por sua mobilidade e estreita cooperação. O mercador judeu podia negociar com uma grande variedade de mercadorias, pois possuía amigos nos negócios que o assistiam com seu conhecimento experimentado de compra e de venda. Ele, ou um de seus sócios, supervisionava pessoalmente o andamento dos produtos destinados à exportação (como o linho egípcio), acompanhava as mercadorias prontas em sua arriscada viagem pelos mares e ainda estava habilitado a vender, no porto de chegada, a conhecidos de negócios, relações travadas por ele pessoalmente ou recomendadas por seus amigos (ou parentes). Apesar dos meios limitados, ele prosperou pois era capaz de oferecer bons serviços.

É difícil aquilatar a participação dos judeus nesse comércio islâmico ultramarino, apesar de ser certo que excedia de muito sua porcentagem na população total. Em três casos os judeus formavam quase dez por cento dos mercadores que viajavam em navio ou comboio. Relativamente poucas grandes casas, tanto Caraítas como Rabanitas, distinguiam-se da parte dos judeus. Com raras e duvidosas exceções, os judeus não possuíam navios no Mediterrâneo durante o século XI, numa época da qual temos bastantes conhecimentos sobre suas atividades econômicas[30]. Os navios, e com eles as riquezas, pertenciam a pessoas que faziam parte do governo ou tinham relações com ele – como sultões, governadores, generais, cádis – ou mercadores abastados e industriais de fé muçulmana.

As correspondências das grandes casas judaicas, como a de Ben 'Awkals e Tustaris no Antigo Cairo ou os Tahertis em Cairuã, ou as referências a elas nas cartas de outros, mostram-nos que o volume de seus negócios estava muito além do alcance do comerciante judeu médio. Há também indicacões que seu poder econômico era usado por eles às vezes de um modo arbitrário. Suas riquezas exprimiam *status* social que ocasionalmente se expressava no tom extremamente respeitoso das cartas a eles endereçadas. Mas muitas outras cartas

---

30. Durante o século XII encontramos judeus proprietários de navios na rota da Índia (Aden-Índia-Ceilão). Os judeus de Cairene que possuíam o título de *nakhuda* (proprietário de navio) adquiriram-no no comércio da Índia e não no mediterrânico.

não são especialmente respeitosas; o poderoso de modo algum desdenhava participar de especulações comerciais de escopo limitado ou atender a pequenos assuntos pessoais de seus menos ilustres colegas de negócios. No conjunto, as cartas de Geniza transmitem a impressão de que, na sociedade judaica, o grande mercador era *primus inter pares* e não um membro de uma oligarquia segregada.

A situação socioeconômica que se reflete nos documentos de Geniza é também visível na organização da comunidade judaica como nos aparece no clássico período islâmico. É evidente que, em relação à organização comunal, como em outros aspectos, o ambiente islâmico não poderia deixar de ter influência. Num ensaio recente E. Ashtor sublinhou esse ponto com bastante ênfase[31]. Contra essa consideração inteiramente justificada, outras, tão se não mais importantes, podem ser feitas. Os judeus (e cristãos) que viviam dentro do Islã durante a Alta Idade Média formavam comunidades de um caráter muito específico. Havia um Estado não só dentro do Estado mas também além do Estado porque deviam lealdade aos dirigentes e corpos centrais de suas respectivas denominações, mesmo se estivessem em regiões muito distantes. Ocupavam-se com a conservação de suas casas de oração, sedes de conhecimento religioso e tribunais. Os serviços sociais, que são atualmente proporcionados pelas autoridades locais e estaduais, eram naquela época de responsabilidade da Sinagoga: educação das crianças pobres, cuidados com as pessoas de idade, indigentes, órfãos e viúvas, provisão de abrigos para viajantes necessitados e resgate para cativos, assim como ajuda em muitos casos especiais. Para satisfazer a essas necessidades, a comunidade judia tinha suas instituições e organizações locais, territoriais e ecumênicas, que eram pré-islâmicas, quando o Islã não possuía nada comparável à *Kehila* judaica. A sociedade muçulmana era uma massa amorfa, governada autocraticamente, sendo a mesquita mais um lugar de encontro que uma unidade organizacional. Assim, tanto por sua história como por seu próprio caráter, a comunidade judaica diferia essencialmente de seu ambiente islâmico. Com o declínio econômico, social e numérico dos judeus, que coincidiu com a ascendência do feudalismo militar e o clericalismo e fanatismo muçulmanos (século XIII), a *Kehila* perdeu sua vitalidade, o *daian* judeu, como o cádi muçulmano, começou a reunir em suas mãos funções que previamente eram preenchidas por membros eleitos da laicidade. A seguir tentaremos esboçar a vida comunal judaica durante o período que precedeu seu declínio[32].

31. E. Ashtor, alguns aspectos das comunidades judaicas no Egito Medieval. *Zion*, 30, pp. 61-78, 128-157, 1965 (em hebraico).
32. Este tema é tratado no vol. II de *A Mediterranean Society*. Por ora, cf. S. D. Goitein, Jewish Community Life in the Light of the Cairo Geniza Documents.

Quando o pano sobe sobre a cena judaica iluminada pelos documentos de Geniza ela é dominada pelas *Ieschivot*, as "academias" judaicas e seus chefes, os Gaonim. A submissão da comunidade local à academia palestina ou a uma das duas academias babilônicas não indica por si só que ela seguisse o rito e a liturgia adotados por essa sociedade. Significava muito mais. O Chefe da *Ieschivá*[33] era a autoridade religiosa, comunal e jurídica suprema. Os *daianim* locais, ou rabis, e os líderes leigos eram escolhidos e confirmados por eles em seus cargos e eram considerados representantes da *Ieschivá*. Os líderes espirituais locais eram amiúde *haverim*, isto é, ou haviam sido realmente membros da *Ieschivá* por algum tempo ou haviam sido recebidos como membros honorários. Nesses primeiros tempos o título de *haver* era reservado aos eruditos, enquanto, por outro lado, as *Ieschivot* eram mais inventivas em criar e outorgar títulos honorários como uma distinção para doadores liberais e padrinhos.

As *Ieschivot* insistiam para que em cada região houvesse um representante principal para quem todos os fundos coletados deviam ser remetidos, que selecionavam e passavam pelos interrogatórios submetidos pelos eruditos e que tomavam imediatamente decisões em assuntos urgentes. Não é da alçada desse artigo indagar se essa organização diocesana era influenciada pelo modelo da Igreja ou se é de origem pré-cristã. Certamente influenciou desenvolvimentos subseqüentes do domínio islâmico, onde encontramos autoridades territoriais das comunidades judaicas, conhecidas em certas regiões e tempos, sob o título de Naguid.

Naguid era um título originalmente conferido por uma *Ieschivá* babilônica a um patrocinador particularmente meritório pertencente a uma família gaônica. O primeiro chefe comunal fora do Iraque a receber esse título foi Avraham ben-Ata, um médico da corte do governador da Tunísia, a quem foi conferido, ao que parece, no verão de 1015. Foi seguido em 1027 pelo famoso Schmuel Ha-Naguid da Espanha e subseqüentemente pelo filho deste último. No Egito, o título não aparece no início do período fatímida (969, como se afirmou freqüentemente), mas uma centena de anos depois. O primeiro chefe oficial da comunidade judaica do império fatímida, do qual temos conhecimentos detalhados como portador do título

---

Zion, 26, pp. 170-179; The Local Jewish Community, etc. *Journal of Jewish Studies* 12, pp. 133-158; The Social Services of the Jewish Community as reflected in the Cairo Geniza Records. *Jewish Social Studies*, 16, pp. 3-22, pp. 67-86, 1964; The Title and Office of Nagid. *Jewish Quarterly Review*, 53, pp. 93-119, 1962; The Qayrawan United Appeal etc. Zion, 27, pp. 156-165, 1962.

33. Este (e não Gaon) era seu título oficial em hebraico e árabe *(Ra's al-Mathiba)*.

de Naguid, foi Mevorach ben-Saadia (cerca de 1100). No século seguinte, vários chefes oficiais da comunidade judaica, incluindo Maimônides, não eram intitulados Naguid. Apenas a partir de Avraham, filho de Maimônides, foi o título de Naguid ligado permanentemente ao de Ra'is al-Iahud, ou Chefe dos Judeus.

Sabe-se em que época exatamente o governo fatímida começou a indicar um Ra'is al-Iahud. Os abundantes testemunhos dos documentos da Geniza provam que durante a primeira metade do século XI a comunidade judaica do Egito, Palestina e Síria estava sob a jurisdição do Chefe da *Ieschivá* de Jerusalém e que este foi confirmado pelo governo fatímida. Um documento inédito, escrito em caracteres árabes, que visava garantir a aprovação do governo para um Gaon, mostra que se supunha que ele tivesse todas as prerrogativas que, de acordo com fontes islâmicas posteriores, eram outorgadas ao Ra'is al-Iahud. Assim, é evidente que o cargo do Ra'is al-Iahud foi criado ou, pelo menos, recebeu sua completa significação, quando a *Ieschivá* de Jerusalém perdeu gradualmente seu *status*, graças à conquista de Jerusalém pelos Seljuks (1071), e a outras calamidades. Mas quando o Chefe da *Ieschivá* palestina Masliá mudou-se para o Cairo em 1127, ele serviu como Ra'is al-Iahud, como é comprovado por muitos documentos surgidos sob sua autoridade, assim como pelos títulos que lhe foram dados pelo governo (como é relatado em outro documento árabe da Geniza ainda inédito).

Diversamente das *Ieschivot*, o Rosch Ha-Golá, ou Chefe da Diáspora, era de limitada importância ecumênica. Sua pretensão de ser um descendente da casa de Davi (o que era igualmente admitido pelos gentios) dava aos judeus satisfação, comparável ao papel desempenhado pelo califa no Islã, mas sua influência efetiva, do mesmo modo que a do califa, limitava-se a Bagdá e a seus arredores. Vários membros da casa do Rosch Ha-Golá, os chamados Nesiim, comparáveis aos Alids na sociedade islâmica, tornaram-se ocasionalmente influentes em várias partes da diáspora judaica[34].

As comunidades judaicas locais centralizavam-se em torno das sinagogas, mas a maior parte partilhava suas cortes rabínicas, serviços sociais e representação diante do governo e questões públicas semelhantes. Nesse aspecto havia altos e baixos. O separatismo congregacional e o partidarismo alternavam com o espírito de cooperação e com o senso comum[35]. No todo, os documentos da Geniza transmitem a impressão de uma vida comunal extremamente intensa.

34. "The Nesi'im of Mosul etc.", *Braslavy Jubilee Volume*, Tel Aviv, 1968, em que é fornecida uma literatura suplementar sobre o assunto.
35. Congregation versus Local Community, *Schirmann Jubilee Volume*, Jerusalém, 1968.

O tamanho pequeno das comunidades tornava possível a qualquer pessoa participar das deliberações e, muitas vezes, também das decisões tomadas para o bem comum. Os plutocratas judeus não eram nem abastados nem suficientemente interessados em impor sua liderança exclusiva nas congregações. Os líderes que vemos efetivamente à frente das comunidades durante décadas eram principalmente eruditos e não pessoas que devessem sua posição à riqueza ou à situação ocupada na sociedade gentílica. Essa reverência à erudição é de fato o aspecto mais característico (e mais agradável) da vida pública judaica manifesta no período da Geniza. O ambiente islâmico, que estava então em seu estádio mais criativo, certamente favoreceu essa tendência.

Nas páginas anteriores, foram feitas repetidamente referências aos períodos de decadência que sobrevieram ao Islã e, num grau ainda maior, às comunidades judaicas que estavam dentro de sua órbita. As condições pavorosas sob as quais viviam os judeus em alguns países islâmicos, mesmo no século XX, foram amiúde descritas. As causas específicas de tais situações em cada caso devem ser investigadas. Indaga-se, todavia, se a religião do Islã como tal tem participação nesse lamentável estado de coisas. A resposta deve ser afirmativa. De acordo com o Islamismo, os membros de outra fé devem ser mantidos em degradação. Muitas leis nesse sentido são encontradas nos códigos religiosos islâmicos. O Islã reparte essa atitude com todos os grupos, religiosos e outros, que consideram a si mesmos certos e todos os demais errados. Necessariamente, sob uma legislação dessa natureza, embora aplicada de maneira incompleta, a vida não poderia ser boa para um não-muçulmano em tempo algum. De fato, como sabemos pelos pronunciamentos de grandes representantes da "Idade de Ouro" na Espanha ou os humildes escritores das cartas de Geniza, estava quando muito em segundo plano.

BIBLIOGRAFIA

CAHEN, Claude. "Dhimma", in *Encyclopaedia of Islam*. Leiden, 1965. II, pp. 227-231, arrola a literatura sobre a posição legal e efetiva dos judeus (e cristãos) no domínio islâmico.
BARON, Salo W. *A Social and Religious History of the Jews*. New York 1957-1960, III-VIII.
GOITEIN, S. D. *Jews and Arabs: Their Contacts through the Ages*. New York, 1964 (também em brochura).
_____. *Studies in Islamic History and Institutions*. Leiden, 1966.
Para os recentes artigos de E. Ashtor não relacionados *in* Cahen e Baron, ver acima, notas 5 e 30.

10. Aspectos da História Social e Cultural da Judiaria na Provença

As observações que se seguem – fatos e generalizações, conclusões e hipóteses – devem ser lidas como prolegômenos a um estudo geral da história social e especialmente cultural dos judeus na França do Sul (Provença)[1] durante a Idade Média (cerca de 1100-1400). Apenas recentemente a erudição começou a explorar e iluminar vários aspectos desse rico e fecundo período e provavelmente teremos ainda de esperar algum tempo até que um trabalho de síntese integre a produção literária heterogênea e poliglota do período ao mesmo tempo que analise suas instituições e condições sociopolíticas[2].

1. A área considerada pode ser designada como Provença (*Provincia Narbonensis*) apenas se compreendida como a que cobre limites territoriais mais amplos do que aqueles a que essa expressão é aplicada, incluindo o baixo Languedoc, Roussillon, Comptat Venaissin, Cerdagne e outras regiões. Ver H. Gross, *Gallia Judaica*. (Paris, 1897), pp. 489 e ss.; ver o breve e principalmente arqueológico levantamento de M. Lowenthal, "The Southlands of France". *In*: A *World Passed By*, NewYork, 1933, pp. 101-119 e o levantamento histórico-literário de A. M. Haberman, "Mi-schut be-Eretz Provence", *Otzar Iehudei Sefarad*, VI, pp. 17-31, 1963. Sobre Avignon, Carpentras Cavaillon e L'Isle-sur-Sorgue, ver A. Temko, "Four Holy Communities", *Commentary*, pp. 223-242, março de 1959. Alguns dos maiores centros são: Aix, Argentière, Avignon, Bagnols, Beaucaire, Béziers, Bordeaux, Carcassonne, Carpentras, Cavaillon, Lunel, Marseille, Montpellier, Narbonne, Nîmes, Orange, Perpignan, Posquières, Salon, Tarascon, Toulouse, Trinquetaille.

2. Ver a observação de L. Zunz mencionada por A. Z. Eshkoly *in* Zion, X, 1945, p. 107. Exemplos de significativos progressos dos estudos sobre várias frentes serão citados mais adiante. A importância da Provença sempre foi apreciada; ver H. Malter,

A história judaica no Sul da França, freqüentemente vista apenas como um epiciclo das esferas de influência da Espanha e da França do Norte, atrai a atenção dos estudiosos tanto por seu valor intrínseco e essencial como por sua relevância metodológica que se transcende a si própria. De um lado a envergadura cronológica do período é mais claramente delimitada e conseqüentemente alicerça as esperanças de uma visão geral significativa ou uma abordagem sinótica de todo o período e, de outro, a produtividade cultural é suficientemente impressionante e extensa de modo a apresentar um microcosmo colorido da história judaica intelectual da Idade Média. A atividade literária e intelectual independente surgiu em meados do século XI – com as obras de R. Moschè Ha-Darschan de Narbonne[3] – e continua ininterruptamente, vigorosa e intensamente, até o começo do século XIV – com as obras de R. Menahem Ha-Meiri de Perpignan[4]. Nos séculos intermédios há uma notável floração da cultura judaica na Provença: estudos da literatura rabínica, filosofia, misticismo, ética, exegese, gramática e lexicografia, poesia e belas-letras são cultivados. Certas tendências clara-

---

JQR, I, p. 153, 1910. "Como centro desse difundido conhecimento do período, a Provença fica em segundo plano apenas para a Espanha. Sua situação geográfica transformou-a no ponto de encontro para a cultura científica desenvolvida sob a influência árabe na Espanha e o conhecimento talmúdico dos judeus franceses. Na Provença viveu o último dos compiladores da Hagadá. Ali, desde o tempo de Tibon, numerosos tradutores ocupavam-se com obras árabes e ali o conhecimento secular no século XIII continuou a ser cultivado com zelo e entusiasmo. Ali também apareceram muitos eruditos famosos, que aliavam um extenso conhecimento do Talmud com o amplo conhecimento geral e que exerceram duradoura influência em épocas posteriores."

3. Ver A. Epstein, *R. Moses ha-Darshan,* Viena, 1891, *Midrasch Bereschit Rabati.*, ed. Ch. Albeck, Jerusalém, 1940 e a tradução francesa de Jean Joseph Brierre-Narbonne, Paris, 1939. É digno de nota que essa preocupação com o midrasch, que operou em diferentes níveis e com diferentes métodos de interpretação, persiste na França do Sul como indicam, por exemplo, os trabalhos de Moschè Tibon e Iedaia Ha-Penini Bedersi no fim do século XIII e começo do XIV. Ver também Kaspi *in Hebrew Ethical Wills*, ed. I. Abrahams, p. 155.

4. Ver a extensa introdução de S. K. Mirsky à edição de Ha-Meiri, *Hibur Ha-Teschuvá*, New York, 1950. Escolhi R. Menahem Ha-Meiri como figura terminal por causa da sua indiscutível importância, da centralidade e versatilidade de sua atividade e porque a data de sua morte (*c*. 1315; v. M. N. Zobel, *in Eder Ha-lekar: S. A. Horodesky Jubilee Volume*, 1947, pp. 93-96) pode facilmente ser sincronizada com a expulsão dos judeus da França (1306). Para sermos exatos, os judeus continuaram a viver e criar depois de 1306 nos Estados papais (próximo de Avignon) e outras áreas do Sul (p. ex. Arles, Marseille) ainda não incorporadas ao domínio real, mas com menor vigor, escopo mais restrito e crescente mal-estar. Sobre a expulsão de 1306, ver I. Loeb, "Les Expulsions des Juifs de France au XIVe siècle". *In: Jubelschrift H. Graetz*, Berlim, 1887, pp. 39-56; S. Schwarzfuchs, "The Expulsion of the Jews from France (1306)", *JQR Seventy-fifth Anniversary Volume* (1967), pp. 482-490.

mente nativas amadurecem enquanto ocorre uma apropriação de novos motivos e tendências intelectuais. Dificilmente existe uma faceta da experiência religiosa e intelectual judaicas geral que não se retrate – e todas num período de tempo compacto. Há legistas que enriqueceram todos os gêneros maiores da literatura haláhica e aceleraram o desenvolvimento de um novo método crítico-comparativo do estudo talmúdico, que se tornaria um sustentáculo do pensamento e escrita haláhicos[5]. Há estudiosos de filosofia e filósofos e devotos da filosofia, assim como patronos e protagonistas, responsáveis pela preservação e transmissão do acumulado conhecimento filosófico e científico da judiaria de fala árabe como também da interpretação, divulgação e extensão de suas fronteiras[6]. Há cabalistas que – no início esporádica e reservadamente, depois corajosa e secretamente – mobilizaram a experiência e especulação místicas para o centro do palco: alguns dos mais antigos textos cabalísticos conhecidos foram redigidos e aí circularam primeiramente e os primeiros devotos das novas doutrinas se organizaram na Provença nessa época[7]. Poetas ocuparam-se vivamente de seu ofício e entusiasticamente o defenderam – produzindo explicações da arte poética, articulando a consciência do artista e definindo seu lugar na sociedade[8]. Exegetas contribuíram de modo duradouro com o campo do comentário da Escritura e estenderam seu escopo

---

5. Ver B. Z. Benedict, "Le-Toledotav schel Merkatz Ha-Torá ben-Provence", *Tarbiz*, XXII, pp. 85-109, 1951; I. Twersky, *Rabad of Posquieres*, Cambridge, 1962, fontes manuscritas da literatura rabínica – comentários, códigos e *responsa* – estão sendo publicadas em rápida, quase vertiginosa, sucessão, graças ao diligente trabalho de S. H. Atlas, J. Blau, M. Hershler, J. Kapah, A. Sofer e outros. Tais figuras, como R. Meschulam b.-Mosché (*Sefer Ha-Haschlamá*), R. Meir Ha-Kohen (*Sefer Ha-Meorot*) e R. David b.-Levi (*Sefer Ha-Miktam*) apenas agora estão emergindo à plena luz da história.
6. Ver, em geral, S. Munk, *Mélanges de Philosophie juive et arabe*, Paris, 1859; S. Steinschneider, *Die hebraeischen Uebersetzungen des Mittelalters*, Berlim, 1893; E. Renan e A. Neubauer, *Les Écrivains juits français du XIVe siècle*, Paris, 1893, E. Myers, *Arabic Thought and the Western World*, New York, 1964, cap. VII, fornece um catálogo de tradutores pelo qual se pode ter uma boa idéia do papel dos tradutores judeus.
7. Ver G. Scholem, *Reschit Ha-Cabala*, Jerusalém, 1948 e a edição revista alemã *Ursprung und Anfaenge der Kabbala*, 1962; S. Baron, *Social and Religious History*, VI, pp. 29-42; *Rabad of Posquieres*, pp. 286-300.
8. Ver L. Zunz, "Die Jüdischen Dichter der Provence". In: *Zur Geschichte und Literatur*, Berlim, 1845, pp. 450-483; H. Schirmann, *Ha-Schirá Ha-Ivrit Bisefarad uve-Provence*, Jerusalém, 1956, 2 vols.; I. Davidson, *Parody in Jewish Literature*, esp. pp. 15-29; J. Chotzner, *Hebrew Humour and Other Essays*, Londres, 1905, cap. 8 (sobre I. Bedersi), cap. 11 (sobre Kalonimos b.-Kalonimos). No início do século XIII Iehudá al-Harizi (*Tachkemoni*, cap. 18) está em condições de elogiar a poesia provençal enquanto no início do século XIV Imanuel de Roma (*Machberot*, p. 43) faz eco e intensifica a esse peã. V. I. Penini, "Sefer Ha-Pardess". In: *Otzar Ha-Sifrut*, III (1890), secção 6, pp. 1-17.

combinando a interpretação midráschica com a alegoria filosófica e compreensão filológica[9]. Polemistas e apologistas ordenaram a erudição e engenho em sua defesa do Judaísmo contra as persistentes acusações teológicas e ataques socioeconômicos[10].

No conjunto pode-se observar aqui muitos aspectos dinâmicos da história judaica como o confronto de preocupações culturais com o novo conhecimento secular, o relacionamento ou integração de disciplinas aparentemente díspares, o papel das forças carismáticas e racionalistas dentro da estrutura das instituições comunais tradicionais, oposições e polêmicas de personalidades. Além disso, a interação do desenvolvimento cultural geral com o judaico – *e.g.*, poesia trovadoresca e escritos beletrísticos[11] – é significativo e, finalmente, a influência uniforme das circunstâncias sociais, políticas e econômicas relativamente favoráveis sobre a criatividade cultural é digna de nota. Assim, a Provença dessa época proporciona um estudo de caso para a análise da ascensão e queda da cultura judaica no ambiente estrangeiro[12].

II

A história da cultura judaica desenrola-se sobre um fundo político instável, no qual uma situação de relativo conforto e tolerância, em que os judeus desfrutavam de privilégios e oportunidades políticos e econômicos definidos, é substituída por um "declínio do *status* político e prosperidade econômica, crescente insegurança e massacres generalizados e crises de intolerância governamental"[13]. O destino políti-

---

9. Um estudo dos comentários de David Kimkhi, Samuel e Mosché ibn Tibon, R. Menahem Ha-Meiri, Iossef ibn Kaspi, Levi b.-Gerson e outros sustentaria essa generalização. Ver, p. ex., M. Barol, *Menachem ben Simon aus Posquieres und sein Kommentar zu Jeremia und Ezechiel,* Berlim, 1907; W. Bacher, Joseph ibn Kaspi als Bibelerklaerer, *Judaica:* Festschrift zu Hermann Cohen, Berlim, 1912, pp. 119-135.

10. V. p. ex.: F. R. Talmage, "David Kimhi as Polemicist", *HUCA*, XXXVIII, pp. 213-235, 1967; M. Stein, Me'ir b. Simeon's Milhemeth Misvah, *JJS*, X, pp. 45-63, 1959.

11. Ver os estudos de H. Schirmann, "Gorni Isaac, poète hébreu de Provence", *Lettres Romanes,* Lovaina, III, pp. 175-200, 1949; "Iunim be-Kovetz Ha-Schirim veha-Melitzot schel Abraham Bedersi". *In: Sefer Iovel Le-Itzhak Baer,* Jerusalém, 1951, pp. 154-173; S. Durã, *Maguen Avot,* Leipzig, 1855, p. 55b, menciona o fato de que os judeus franceses apropriavam-se de melodias dos trovadores.

12. Cf. F. Baer, *History of the Jews in Christian Spain,* Filadélfia, 1961, vol. I, p. 2 (trad. inglesa).

13. S. Baron, *Social and Religious History of the Jews,* X, p. 117. Os fatos e vicissitudes da vida sociopolítica dos judeus foram cuidadosamente revistos por Baron, *op. cit.*, pp. 82-91 (v. esp. pp. 82-83 e 87 como generalizações de trabalho) e XI,

co da Provença e seus habitantes judeus liga-se a forças diversas e conflitantes: a sempre crescente centralização do domínio real da França, as tendências expansionistas dos dirigentes de Catalunha e Aragão[14], as vicissitudes sacerdotais e imperiais do papado e a obstinada independência de suseranias poderosas e municipalidades antigas. Expulsões (nacionais e locais, atingindo sucessivas etapas de um mesmo objetivo em 1306, 1394 e 1500), insurreições populares e movimentos sociais revolucionários (*e.g.*, os Pastoureaux de 1320), libelos e acusações, humilhações e discriminações pessoais, exploração e aborrecimentos fiscais crônicos – tudo isto pontua a história dos judeus até mesmo no relativamente hospitaleiro ambiente do Midi. No conjunto, arriscando uma esquematização um tanto simplificadora, o gráfico do destino sociopolítico da Judiaria Provençal pode ser traçado com linhas nitidamente descendentes. Deve-se, contudo, lembrar que em todos os períodos os judeus sofreram na Provença humilhações e discriminações, sua posição era precária, injúrias sociais eram comuns, o processo de restrição compulsória das esferas de atividade econômica produzia seus efeitos e a consciência do exílio nunca foi atenuada ou dessensibilizada[15].

Enquanto tal situação de início possibilitou o envolvimento e proeminência no comércio, medicina, negócios comunais e muitos judeus, em razão de sua grande prosperidade e concomitantemente alta posição social, subiram na hierarquia política, não parece ter havido uma contrapartida provençal para a "aristocracia" hispano-judaica. O fenô-

---

pp. 212-225. Há um breve sumário da situação do século XII *in Rabad of Posquieres*, pp. 20 e ss.

14. A inter-relação da Espanha do Norte e a França do Sul teve igualmente repercussões culturais: ver adiante, p. 200. Os escritores hebreus da Catalunha e Provença freqüentemente chamam a atenção sobre a sua unidade geográfica e isolamento do resto da Espanha; ver por exemplo as referências de R. Zerahiá Ha-Levi. *Sefer Ha-Maor*, e Nachmânides, *Milikhamot sobre Berahot*, 11a. Os contatos íntimos entre as duas regiões durante a controvérsia acerca da filosofia podem também ser vistos à luz desses fatos. As judiarias do Sul da França e Norte da Espanha eram, pois, ligadas por conexões pessoais, econômicas, políticas (algumas vezes) e intelectuais.

15. Ver *Rabad of Posquieres*, p. 21; J. Katz, *Exclusiveness and Tolerance*, Oxford, 1961, p. 128. Um poema de Schem Tov b.-Iossef Palaquera fornece uma eloqüente descrição do espírito e da realidade da época:

"Pode o desamparado judeu ser feliz, quando/ Amaldiçoada é sua sorte entre os homens?/ Pois, se hoje sua riqueza é maior/ Do que a areia na praia do oceano/ Amanhã lá vai ele despojado e magoado./ Que justiça pode haver para o judeu,/ Sendo seu adversário juiz e júri ao mesmo tempo?/ Ou como levantaria Israel a cabeça/ Chafurdando em sangue e situado na dor?/ Ó Deus, redime o estado de teu povo,/ E glorifica e defende/ Teu nome que os inimigos agora profanam!" Ver Malter, *JQR*, I, p. 156, 1910. Os materiais de arquivo analisados por R. Emery, *The Jews of Perpignan in the Thirteenth Century*, New York 1959, sugerem uma visão renovada das realidades econômicas desse período.

meno dos judeus de corte não é importante na França do Sul, especialmente depois da cruzada albigense quando os príncipes do Norte adquiriram suserania sobre o Languedoc e a Provença e os judeus foram oficialmente excluídos dos postos administrativos. Isto precisa ser sublinhado à luz da importância atribuída à *intelligentsia* aristocrática hispano-judaica na história das idéias e à evolução de um corrosivo e antitradicional racionalismo nas comunidades judaicas na Espanha. A Provença não possuía nenhuma classe palaciana fortificada e contudo tornou-se a sede do racionalismo[16].

O fato sociocomunal, entretanto, que parece ter tido repercussões culturais mais significativas foi a relativa abertura da sociedade, os básicos contatos entre judeus e cristãos, a naturalidade do intercâmbio social, e a ligação cultural iniciadas entre os intelectuais judeus e cristãos. Um escritor fica francamente orgulhoso da presença de notáveis cristãos e sacerdotes no casamento de seu filho[17]. Um proeminente talmudista registra suas discussões com um cristão e nota o conseqüente estímulo que recebeu pela composição de uma extensa obra sobre a teoria e prática do "arrependimento"[18]. Temos notícia de ardorosos estudiosos judeus de Averróis que viveram durante dois dias – a pão e água – na casa de um filósofo cristão a fim de copiar parte de um manuscrito inacessível em outra parte[19]. Essa harmonia intelectual ajuda-

---

16. Ver Baer, *op. cit.*, pp. 189, 237, 241 e *passim*. Ele nota de passagem (p. 241) que a Provença era diferente – mas não tira conclusões disto no que concerne à sua tese maior a respeito da relação dos interesses socioeconômicos e posições culturais-ideológicas; ver a crítica de I. Sonne, no *JSS*, IX, pp. 61-80, 1947. De fato, pode-se utilizar a Provença para ilustrar uma abordagem mais idealística, pois desde o início – quando R. Meschulam b.-Iaakov (v. mais adiante, p. 212) proporcionou tranqüilidade e sustento aos tradutores e outros eruditos – não há qualquer explanação social-econômica convincente para a entusiástica recepção e vigorosa difusão da literatura filosófica na Provença. Alguns de seus patronos e devotos eram, para sermos exatos, abastados, mas outros – especialmente Levi b.-Haim, sobre quem se deve consultar L. Baeck no *MGWJ*, XLIV, pp. 24-41, 1900 – eram lamentavelmente pobres. Alguns – *e.g.* Iaakov Anatoli ou Kalonimos – aceitaram convites de Frederico II ou Robert d'Anjou para passar o tempo na corte como "eruditos visitantes" – ver Steinschneider, "M. Robert von Anjou und sein Verhaeltnis zu einigen gelehrten Juden", *MGWJ*, XLVII, pp. 713-717, e Willy Cohn, "Jüdische Uebersetzer am Hofe Karls I. von Anjou... (1266-1285)", *MGWJ*, LXXIX: 246-60; outros jamais deixaram sua comunidade. No conjunto, a tese do Prof. Baer precisa de modificação. A diferenciação, que ele sugere (p. 304) de passagem, entre os interesses dos membros das profissões liberais – médicos, tradutores, literatos – e a aristocracia social é válida e, na verdade, modifica de modo significativo sua tese geral.

17. Iehuda ibn Tibon in *Hebrew Ethical Wills*, ed. I. Abrahams, Filadélfia, p. 67. Ver J. Katz, "Sublanut Datit be-Schitato schel R. Menahem Ha-Meiri", *Zion*, XVIII, p. 29, 1953.

18. Ha-Meiri, R. Menahem, *Hibur Ha-Teschuvá*, p. 2.

19. Ver L. Berman, "Samuel b.-Judah of Marseille". In: *Jewish Medieval and Renaissance Studies*, Cambridge, ed. A. Altmann, 1967, p. 297.

ria a esclarecer e contribuir para um alterdirecionamento na atividade filosófico-científica dos judeus provençais – uma consciência da imagem dos judeus "aos olhos das nações" e uma necessidade para projetar continuamente a imagem de um "sábio e compreensivo povo" – e na verdade forneceria um motivo persuasivo para a maior parte de sua atividade[20]. Um povo ocupado com filosofia e ciência, apesar de seus compromissos profundamente particularistas, deve ter um senso de universalidade, uma identidade de interesses que completa interesses histórico-religiosos sem suplantá-los, uma convicção de que "todas as nações compartilham das ciências e que essas não se restringem a uma nação específica"[21]. O desejo de ser "sábio aos olhos das nações", especialmente nas áreas cultivadas conjuntamente pelas nações, pode ser poderoso catalisador para a atividade cultural.

III

Provavelmente, o fato mais notável a respeito do desenvolvimento da cultura judaica é a maneira pela qual uma comunidade centrada na Torá, muito respeitada por toda a Europa judaica por sua extensa erudição rabínica e sua religiosidade profundamente enraizada, cujos sábios eram constantemente requisitados para conselhos e orientação eruditos, voltaram-se com extraordinário interesse e gosto para o cultivo da filosofia e outras disciplinas extratalmúdicas. Esse dinamismo cultural e interação nas esferas do conhecimento religioso e secular impregna o período, produz tensões e atritos tanto quanto realizações essenciais em muitas áreas. Dadas as limitações de espaço deste artigo, parece melhor enfocar essa característica dinâmica que se entrelaça na verdadeira textura da história judaica na Provença: suas contri-

20. Ver mais adiante, pp. 207-208.
21. Este é o depoimento de Schem Tov Palaquera; ver Malter, *op. cit.*, p. 169. Notar a declaração análoga de Ibn Khaldun citada por M. Mahdi, *Ibn Khaldun's Philosophy of History*, Chicago, 1957, p. 76. Essa idéia sublinha naturalmente o aforismo "Aceita a verdade de quem quer que a expresse" que se encontra em Maimônides. *Eight Chapters*, New York, ed. Gorfinkle, p. 36 e p. 6, 1912, Intr. (secção hebraica), assim como em Ha-Levi, R. Zerahiá, *Sefer Ha-Maor*, Intr. e torna-se praticamente o lema de escritores subseqüentes – *e.g.* Iaakov Anatoli (*Malmad Ba-Talmidim*, Introdução, fim), Schem Tov Palaquera (Malter, p. 168, n. 31), Iossef Kaspi (Abrahams, *Ethical Wills*, I, p. 155), Profiat Durã (*Maassei Efod*, p. 25) e muitos outros. A idéia da universalidade do conhecimento filosófico é vigorosamente enunciada por R. Eliahu Mizrahi, *Sheelot u-Teschuvot*, n. 57, p. 176. Naturalmente, o iluminismo do século XVIII – pode-se igualmente procurar antecedentes medievais – leva a uma situação em que a universalidade dos interesses filosóficos realmente suplantaram os compromissos religiosos particularistas.

buições multifárias para o conhecimento rabínico, seu papel primeiro como um receptáculo, depois como um centro criativo para o saber filosófico e ampla cultura humanística, e suas tentativas turbulentas para preservar harmoniosa e frutiferamente ambos. Suas realizações e triunfos – na verdade, até mesmo suas frustrações e derrotas – suas controvérsias e compromissos deixaram sua marca na evolução da cultura judaica.

A Provença, nos primeiros séculos, é inarticulada, quase muda[22]. Temos documentos e tradições acerca do estabelecimento da academia em Narbonne, temos escassas informações sobre certos eruditos provençais – mas não há vestígios literários ou monumentos de erudição[23]. É um período de estudo oral, apropriação e disseminação. A Provença está marcando passo, preparando-se para seu *début* no fim do século XI e início do século XII. Este se consuma com grande intensidade e originalidade, e o século XII (continuando nas primeiras décadas do XIII) é marcado por um dinâmico estudo da literatura talmúdica e midráschica e a inovação nas idéias haláhicas, métodos e gêneros literários. Uma poderosa sucessão de talmudistas é forjada[24]. Eles compõem códigos e comentários, estudos dos códigos existentes ou resumos do Talmud e tratados do próprio Talmud, direito costumeiro e, naturalmente, volumosas *responsa*. Sua atividade literária, assim, abarcou todos os gêneros tradicionais ou literatura rabínica e a maior parte desses sábios obtiveram posições honoríficas na galeria das celebridades talmúdicas imortais. Suas obras não são meramente de interesse antiquário; são ainda estudadas e debatidas. Até mesmo seu caráter corporativo é reconhecido e sua influência coletiva é reverentemente admitida em designações como "sábios da Provença", "anciãos

---

22. Durante esse período a literatura rabínica irrompe na Espanha sob a égide de Hasdai ibn-Schaprut (fal. 975) e nas façanhas pioneiras de R. Mosché (o Cativo), seu filho R. Hanoch, e R. Iossef ibn Abitur e atinge seu primeiro ponto alto nos códigos e comentários de R. Schmuel Ha-Naguid (fal. 1056), para ser seguido por R. Itzhak ibn Guiat, R. Isaac Alfassi e R. Iehudá b.-Barzilai e a judiaria franco-germânica se aquece nas brilhantes realizações de R. Gerschom a "luz do Exílio" (fal. 1040), seus discípulos lotaríngios e Raschi (fal. 1105).

23. Ver Benedict, *op. cit.*, pp. 97 e ss.

24. R. Avraham b-Isaac (*Eschkol*), R. Meschulam b.-Iaakov, R. Mosché b.-Iossef, R. Zerahiá Ha-Levi (*Sefer Ha-Maor*), R. Avraham b.-Davi (*Hassagot*), R. Isaac b.-Aba Mari (*Itur*), R. Ionatã Ha-Kohen (Comentário Alfassi), R. Isaac Ha-Kohen, R. Mosché Ha-Kohen (*Hagahot*), R. Avraham b.-Natã Ha-Iarhi (*Ha-Manhig*). R. Meschulam b.-Mosché (*Haschlamá*) e Meir Ha-Kohen (*Meorot*). Além disso, alguns talmudistas provençais assumiram posições de liderança em outras partes – *e.g.* R. Meschulam b.-Natã, que se fixou em Melun e tornou-se um antagonista inflexível de R. Tam; R. Pinkhas b.-Meschulam e R. Anatoli b. Iossef, que se tornaram juízes em Alexandria e eram altamente estimados por Maimônides; e antes deles, R. Iossef Tov 'Elem (Bonfils) que deixou Narbonne por Anjou.

de Narbonne", "homens sábios de Lunel" encontradas em crônicas posteriores e textos rabínicos.

Dada a larga margem de uniformidade (formal e conceitual), e freqüente repetição, na literatura rabínica, como se pode avaliar os trabalhos individuais desse gênero e que traços distintivos se deve procurar para identificá-los? Eu sugeriria o seguinte: 1) inovações haláhicas na teoria ou prática; 2) avanços metodológicos; 3) reflexão sobre realidades sociais ou históricas; 4) algumas vezes, matéria de áreas cognatas de conhecimento não-haláhico (*e.g.* filosofia, filologia, exegese). Em todos esses aspectos, a literatura rabínica do Sul da França, grande parte da qual apenas recentemente foi publicada e tem ainda de ser analisada apropriadamente, é sugestiva e significativa.

Algumas observações especiais sobre essa produção literária devem ser feitas agora. Os fatos cronológicos referentes ao surgimento dessa literatura significam que a escrita provençal defronta-se inicialmente com uma respeitável e influente literatura espanhola, que tem de superar e assimilar mas contra a qual precisa sustentar suas próprias tradições orais acumuladas, tendências e costumes[25]. Um dos resultados dialéticos disto é a evolução de uma "escola" provençal distinta e uma literatura haláhica nativa. De R. Mosché b.-Iossef[26] até R. Menahem. Ha-Meiri[27] os eruditos rabínicos contrariaram as tentativas da escola espanhola, representada primeiro pelas monumentais obras de R. Isaac Alfassi e R. Iehudá b.-Barzilai e depois pelos agressivos discípulos de Nachmânides, de dominar a França do Sul e eram constantes na preservação das tradições provençais em face das importações e inovações estrangeiras. Era uma atitude de reverência temperada com liberdade; muitas interpretações e práticas foram adotadas mas a cor local não se apagou e os costumes nativos não se obliteraram.

Essa situação reflete-se de outro modo no especial relacionamento dos comentadores e críticos provençais às duas maiores obras

---

25. Há, naturalmente, influências da França do Norte – a recente escola tossafísta representada por R. Schmuel b.-Meier e R. Iaakov Tam – igualmente (ver *Rabad of Posquieres*, pp. 232 e ss.) mas o impacto crescente é diverso. Rabad, por exemplo, censura R. Zerahiá Ha-Levi por ser um satélite dos escritores franceses, particularmente Raschi; ver *Rabad of Posquieres*, p. 233. R. Tam (*Sefer Ha-Iaschar*, p. 89), por outro lado, acusa R. Meschulam de agressividade na propagação de opiniões provençais e costumes – agressividade que é encorajada pela modéstia e fragilidade dos eruditos franceses.

26. Benedict, R. Moses b.-Joseph, *Tarbiz*, XIX, pp. 19-34, 1948.

27. Ha-Meiri, *Maguen Avot*, Londres, ed. I. Last, 1909, ver *Rabad of Posquieres*, pp. 11, 236 e ss. e meu artigo *in Harry Wolfson Jubilee Volume*, Jerusalém, pp. 179-180, 1965 (secção hebraica).

rabínicas do judaísmo sefárdico – as *Halahot* de R. Isaac Alfassi e a *Torá Mischné* de Maimônides. Pode-se afirmar que ambas foram "lançadas" em suas carreiras na Provença. O fato é que a atividade mais alimentada e frutífera no campo da literatura rabínica é o estudo das *Halahot* e a *Torá Mischné*. As *Halahot* difundiram-se rapidamente, substituindo algumas vezes o Talmud como o texto básico de estudo ganhando logo o epíteto de "Talmud em miniatura"; devemos compreender em seu contexto o fato de ter a Provença produzido um rol de trabalhos-comentários de todo tipo, crítica, defesa, comentário e suplemento, enquanto expunha as leis metodológicas iniciais e critérios para o estudo das *Halaho*[28]. É digno de nota que todos os trabalhos sobre Alfassi, não obstante o ponto de partida, sejam parcialmente aprovadores e parcialmente críticos. Não se encontra nem crítica geral, total dependência ou absoluta independência. Ao invés disso, coexistem crítica severa e complementação.

O mesmo se dá quanto à receptividade e divulgação da *Torá Mischné*. Do momento em que chega à França do Sul, área na qual Maimônides fixou suas esperanças na sobrevivência da erudição rabínica[29]. Os principais contornos de sua influência futura e estudo são fixados. Seus poderes e deficiências são quase instantaneamente notados. Seu valor como comentário assim como código foi apreciado prontamente. Críticos e comentadores – *e.g.* R. Avraham b.-Davi, R. Mosché Ha-Kohen, R. Ionatã Ha-Kohen de Lunel, R. Meschulam b.-Mosché, R. Manoach – trabalham lado a lado no exaustivo estudo, procurando análise e avaliação honesta da *Torá Mischné* que se tornou assim um "instrumento de progresso legal" altamente recomendado[30].

Como uma conseqüência concomitante – e parcial – dessa fecunda atividade, os sábios provençais contribuíram para o desenvolvimento de uma abordagem crítico-conceitual ao estudo do Talmud. Descrevi

---

28. S. Baron, *Social and Religious History.* VI, pp. 86-89; *Rabad of Posquieres*, pp. 230, 248. O epíteto "Talmud em miniatura" (*Talmud katã* e posteriormente *Guemará tzeira*) e usado pela primeira vez por Avraham ibn-Daud em *Sefer Ha-Cabala*. R. Menahem b.-Zerach (*Tzedah le-Derech*, 6) nota que no tempo de R. Meir Ha-Levi Abuláfia apenas as *Halahot* de Alfassi eram estudadas. Ver igualmente o testemunho de R. Iossef Rosch Ha-Seder, citado por Goitein, *Sidrei Hinuk*, Jerusalém, p. 148, 1963. Profiat Durã, *Maassei Efod.*, Viena, p. 19, 1865, tem indubitavelmente todas essas obras em mente quando fala das "Halahot de Alfassi e os comentários dos rabis de Catalunha".

29. *Kobetz Teschuvot Ha-Rambam*, II, p. 44. Sobre a cronologia da correspondência de Maimônides com os sábios da Provença, ver S. M. Stern, Halifat Ha-Miktavim ben Ha-Rambam ve-Hachmei Provence, *Zion*, XVI, pp; 18-29, 1951.

30. S. Baron, VI, p. 107; ver meu artigo sobre "The Beginnings of Mishneh Torah Criticism". *In*: *Biblical and Other Studies*, Cambridge, ed. A. Altmann, 1962, pp. 161-183. Ha-Meiri, *Beit Ha-Behirá*, introdução, refere-se ao uso da *Torá Mischné* com finalidade de comentário.

anteriormente esse método da crítica haláhica da seguinte maneira[31]. Os estudiosos provençais aprofundam-se nos estratos internos da lógica talmúdica, definem os conceitos talmúdicos fundamentais e formulam as disparidades assim como as semelhanças entre as várias passagens à luz da análise estrutural... Eles realizaram para o estudo haláhico algo parecido com aquilo que Aristóteles executou para o pensamento filosófico pelo método da abstração. Eles foram não só expositores do texto mas também pesquisadores. Estavam "constantemente procurando novos problemas, descobrindo dificuldades, levantando objeções, erguendo hipóteses e soluções alternativas, testando-as e opondo-as umas às outras"[32]. Esse método coloca-nos em sintonia com os rumores de contradições, mas nos persuade também de que todas as contradições são solúveis[33].

Lançando um rápido olhar para o século XIII podemos isolar o fato de haver muita tensão a respeito do estudo correto do Talmud. De um lado, muitos talmudistas continuaram ou dobraram ou aparentemente aperfeiçoaram as tendências mais pronunciadas do século XII: comentário crítico sobre as *Halahot* e a *Torá Mischné*, estudo independente e explicação do Talmud em profundidade, composição de novos códigos atualizados[34]. Assim como, numa larga medida, posteriormente, a literatura filosófica hebraica pós-maimonidiana é uma espécie de diálogo entre filósofos – em virtude das citações, discussões, endosso ou refutação de opiniões clássicas – a literatura rabínica possuía também esta característica: a maior parte dos escritos gira em torno das concepções de R. Zerahiá, R. Avraham b.-Davi (Rabad), R. Ionatã Ha-Kohen e, naturalmente, Alfassi e Maimônides – e algumas vezes R. Iaakov Tam e seu colega Tossafistas. Ainda que a literatura rabínica do século XIII se mova num *plateau* – cuja elevação foi fixada pelos gigantes do século precedente – conservou suficiente vitalidade e originalidade para merecer o respeito de R. Sehlomo ibn Adret na Barcelona[35].

31. *Rabad of Posquieres*, pp. 62-64.
32. H. A. Wolfson, *Crescas*, p. 26.
33. Esta última sentença é mais ou menos a formulação do meu cunhado Haim Soloveitchik num documento não publicado.
34. E.g. R. Davi b.-Levi, *Sefer Ha-Miktam*; R. Iehudá Lattes, *Baalei Assufot*; Ha-Meiri, R. Menahem, *Beit Ha-Behirá*; b.-Schmuel d'Estella, R. Davi, *Sefer Ha-Batim*; Ha-Kohen, R. Aaron, *Orkhot Haim*; B.-Meschulam, R. Ieruham, *Toledot Adam ve-Havá*.
35. *Teschuvot*, I, 624. O volume de *responsa*, *Teschuvot Hachmei Provence*, publicado por A. Sofer, Jerusalém, 1967, exatamente quando este artigo estava sendo completado, fornece informações muito importantes referentes às relações entre ibn Adret e os eruditos provençais de seu tempo. Espero analisar esse material em outra oportunidade. Sobre a noção de diálogo na literatura pós-maimonidiana, ver o artigo de S. Pine sobre "Jewish Philosophy" no novo *Philosophical Dictionary*, 1967.

Por outro lado, muitos intelectuais provençais questionaram a prudência desse estudo convencional, açambarcador e que conseqüentemente consumia um tempo enorme, em vista da utilidade dos resumos e códigos – especialmente o de Maimônides – que, no seu entender, satisfazia todas as necessidades básicas e exigências do estudo talmúdico[36]. Os eruditos são criticados nas fontes contemporâneas pelas investigações repetidas das sutilezas e dialética da discussão talmúdica, por procurarem elaborar provas e explanações das leis, em vez de aceitar as tradições codificadas de Maimônides que eram perfeitamente seguras e mais convenientes[37]. Essa ênfase restritiva, de orientação pragmática, é mais intensamente delineada por Iossef ibn Kaspi que nem mesmo recua diante da mais radical sugestão de que a grande erudição talmúdica não precisava ser o mais alto ideal, o fim supremo a ser ardentemente desejado e perseguido por todos os estudiosos do saber judaico[38]. Uma soma de conhecimento filosófico é mais universalmente indispensável.

IV

Os judeus provençais estavam inicialmente imersos dos pés à cabeça no conhecimento tradicional – exegese bíblica, *midrasch,* estudo talmúdico, pensamento pietista, poesia litúrgica – e dedicavam-se exclusivamente ao seu desenvolvimento. Ao contrário de seus correligionários na Espanha muçulmana, onde, além do conhecimento rabínico, os eruditos judeus acolheram bem e absorveram a cultura dos muçulmanos e com eles rivalizaram no cultivo da poesia não-litúrgica, lingüística comparada, filosofia e ciências naturais, os rabis da Provença eram pouco abertos à literatura secular e sua cultura era de preferência monolítica – com todas as vantagens e deficiências inerentes a tal situação[39]. Uma passagem tirada das obras de um dos que introduziram a cultura judaico-hispânica na França descreve exatamente a condição do saber judaico na Provença como ele a encontrou como exilado da Espanha na metade do século XII. Vindo da terra dos muçulmanos,

---

36. Por exemplo, Iossef Ezobi, Kaarat Kessef; Iaakov Anatoli, *Malmad Ha-Talmidim*: Palaquera, Schem Tov. *Sefer Ha-Mevakesch* e outros, ver S. Assaf, *Mehorot le-Toledot Ha-Hinuk*, II, pp. 30, 43 e *passim*.
37. Ver "Beginnings of Mishneh Torah Criticism", p. 172, n. 51.
38. *Hebrew Ethical Wills*, ed. I. Abrahams, p. 138, Iavetz, *Or Ha-Haim*, cap. 9, compreendeu as totais implicações disto e denunciou Kaspi por denegrir o estudo do Talmud.
39. Cf. a caracterização da judiaria germânica feita por G. Scholem, *Major Trends in Jewish Mysticism,* New York, p. 80. (Trad. bras.: *As Grandes Correntes da Mística Judaica*, São Paulo, Perspectiva, 1972.)

que é habitualmente descrita em hebreu como a "terra de Ismael" e referindo-se aos judeus que viviam sob o regime cristão pela convencional frase medieval "os judeus de Edom", ele diz a respeito dos judeus do Sul da França:

> Também nas terras dos cristãos havia um refúgio para nosso povo. Desde os primeiros dias (de sua fixação) havia entre eles eruditos proficientes no conhecimento da Torá e do Talmud, mas eles não se preocupavam com as outras ciências porque seu estudo da Torá era sua (única) profissão e porque os livros sobre as outras ciências não eram acessíveis nessas regiões[40].

Avraham ibn Ezra, que visitou Béziers e Narbonne, também tem razão ao contrastar "Edom" e "Ismael"[41]. De forma semelhante, outro escritor judeu espanhol, um astrônomo e filósofo que viveu na Provença por uns tempos, recorda com patente desaprovação a ignorância dos estudiosos franceses a respeito dos problemas matemáticos e geométricos[42].

A demarcação claríssima que essas observações oferecem – a súbita e muito intensa revelação no meio-século – torna possível traçar o curso dessa cultura extra-rabínica na Provença desde seus inícios, através de seus períodos de ascendência e conflito, até a época de declínio e exaustão.

---

40. Iehudá ibn Tibon, Introd. a *Hovot Ha-Levavot*, ed. A. Zifroni, Jerusalém, 1928, p. 2. No testamento dirigido a seu filho Schmuel ele deduz que não havia tutores para estudos seculares disponíveis na Provença e que teve por isso de importar, por um alto custo, um instrutor especial do exterior: ver *Hebrew Ethical Wills*, ed. I. Abrahams, p. 57. Notar também Avraham ibn Daud, *Sefer Ha-Cabala*, ed. A. Neubauer, I, 78.

41. Ver o quarteto *in* D. Rosin, *Reime und Gedichte des Abraham ibn Ezra*, Breslau, 1885, p. 87 e em geral o importante estudo de J. L. Fleischer, "R. Avraham ibn Ezra be-Zarfat", *Mitzrach U-Maarav* IV, pp. 352-360, 1930, V, pp. 38-46, 217-224, 289-300, 1931. Ibn Ezra de fato ajudou a iniciar aquele progresso que iria mudar a compleição cultural do judaísmo provençal. Iehudá ibn Tibon já chama a atenção sobre o papel significativo de ibn Ezra na transmissão de conhecimento, especialmente gramatical, para a Provença; ver sua Introdução a *Sefer Ha-Rikma*, pp. 4-5. Iedaia Ha-Penini Bedersi relata uma tradição familiar que descreve a alegria com que os "pios e rabis" da Provença receberam ibn Ezra que "começou a abrir os olhos (do povo) em nossas regiões"; ver seu *Igueret Ha-Hitnatzlut, Teschuvot Ha-Raschbá*, 418. Assim não apenas ibn Ezra – como Bar Hia – escreveu em hebreu e desse modo tornou seus trabalhos científicos acessíveis ao Ocidente de fala não-árabe mas também aumentou e vivificou sua influência literária por contato pessoal direto.

42. Bar Hia Avraham, *Hibur Ha-Meschihá Veha-Tischboret*, Berlim, ed. Guttmann, 1913, p. 2. A respeito da influência dessa obra sobre o desenvolvimento do conhecimento científico na Provença ver a introdução de Guttmann e S. Gandz, "Studies in Hebrew Mathematics and Astronomy". *In: Proceedings of the American Academy for Jewish Research*, 1939, IX, pp. 5-55.

A transmissão das realizações judeu-arábicas na filosofia e filologia da Espanha para a Provença resultou da confluência de dois fatores: a chegada a Narbonne e Lunel de Iehudá ibn Tibon e Iossef Kimkhi, *emigrados* da invasão almóada da Espanha, que carregaram consigo seu conhecimento secular e saber arábico, e o notável gosto dos judeus da Provença pelo conhecimento filosófico e escritos hebreus sobre assuntos não-talmúdicos. Pois, enquanto Avraham bar Hia, que esteve de passagem no Sul da França[43], condena a indiferença e ignorância dos estudiosos franceses a respeito de geometria e álgebra, quase no mesmo instante observa brandamente que não havia absolutamente livros hebraicos disponíveis sobre essas matérias e que os sábios provençais instavam-no repetidamente para que os munisse de textos hebreus, traduzidos ou no original[44]. A mesma discrepância entre seu restrito conhecimento e seu intenso desejo pelas obras filosóficas é indicada posteriormente por Schmuel ibn Tibon na sua introdução para a tradução hebraica de *Moré Nevuhim*. Por um lado, ele observa, não se preocupavam com ciências seculares, enquanto, por outro lado, o anelo desses homens sábios por uma maior sabedoria leva-os a pleitear junto a Maimônides por uma cópia de suas obras filosóficas[45]. A caracterização feita por Iehudá al-Harizi dos eruditos de Marselha[46], assim como a carta de R. Ionatã de Lunel para Maimônides, sobre a tradução do *Moré Nevuhim*[47], sublinham ambas a tensão estimulante entre o viável e o desejável. O zelo e a impaciência do círculo de Lunel, do qual R. Meschulam b.-Iaakov é representativo, pelo saber que não possuíam também foi descrito por Iehudá ibn Tibon numa declaração que citaremos mais adiante.

Foi portanto em tal conjuntura, quando a ambição intelectual dos judeus da Provença era grande e alto o quociente de receptividade, que Iehudá ibn Tibon e Iossef Kimkhi, dois entusiastas da cultura ju-

---

43. Zunz, *Zur Geschichte und Literatur,* Berlim, 1845, p. 483, Graetz (IV, p. 128) e Renan, *L'Histoire Littéraire de la France,* 1877, XXVIII, p. 523 sustentam que Avraham bar Hia estava na Provença. Gross, *GJ*, p. 369, põe isto em dúvida. Cf. Guttmann, *op. cit.*, IX, nn. 2-3 Introd. Parece certo que ele teve contato direto com os eruditos provençais e com toda probabilidade lá viveu por uns tempos.
44. Cf. suas reveladoras introduções a *Tzurat Ha-Aretz*, Offenbach, 1720 e *Sefer Ha-Ibur*, Londres, 1851. Essas foram compostas a pedido e graças aos sábios provençais. Também a introdução à sua enciclopédia *Iessodei Ha-Tevuná*, publicada na Alemanha por Steinschneider, *ZfHB*, VII, p. 336, n. 12.
45. Schmuel ibn Tibon, introdução a *Moré Nevuhim.*
46. Introdução à versão hebraica do Comentário Mischná de Maimônides. Ver igualmente nota n. 56.
47. A. Freimann, *Teschuvot Ha-Rambam.* Jerusalém, 1934, LII-LXI. Ver também o elogio de Ionatã feito por Schmuel ibn Tibon *in Guinze Jerusalém*, Jerusalém, ed. S. Wertheimer, 1899, p. 33; introdução a *Sefer Ha-Rikma.*

deu-árabe que não poupariam esforços para preservá-la, apareceram. Uma mudança decisiva, para a qual estava amadurecido o tempo, se verificaria sob a égide de R. Meschulam b.-Iaakov de Lunel cuja casa servia como uma espécie de agência de informações e centro para versões do árabe para o hebreu. Sua casa e escola eram, geralmente, o dínamo do saber religioso e secular. Iehudá ibn Tibon fixou-se em Lunel aproximadamente em meados do século XII e tornou-se muito amigo de R. Meschulam e de sua família, principalmente de seus dois filhos, Aaron e Ascher. Em metáforas brilhantes ele descreve R. Meschulam como "o puro candelabro, luz de comando e da Torá, o grande rabi, uma pessoa santamente piedosa, Rabi Meschulam... O óleo de seu entendimento é puro e batido (pela luz) para fazer a lâmpada da sabedoria queimar continuamente. Ele ansiava por livros de sabedoria e de acordo com sua habilidade, reuniu, divulgou e mandou traduzi-los..."[48]

O novo conhecimento que ibn Tibon e outros emigrados carrearam deve ter sido, como já observamos, entusiasticamente recebido. A poesia hebraica de Gabirol e Ha-Levi, tanto quanto o poema filosófico de Bahia, foi, presume-se, conhecida na Provença, apesar de, ao que parece, não ter sido incorporada em sua liturgia; Berechiá Ha-Nakdã, por exemplo, usa a poesia de Gabirol[49]. Os comentários de Avraham ibn Ezra completaram aquilo que eles sabiam acerca de Saadia Gaon dos excertos hebreus correntes de seus escritos. Assim sendo, em suas discussões com estudiosos provençais interessados, Iehudá ibn Tibon provavelmente informou-os de que esses mesmos autores haviam também escrito obras teológicas e éticas em árabe. Transmitiu-lhes o conteúdo dessas obras. É muito significativo que, antes de Iehudá ibn Tibon ter produzido uma versão escrita de *Hovot Ha-Levavot* de Bahia, R. Meschulam lhe haja encomendado a tradução oral do primeiro capítulo[50]. O mesmo se deu com o *Tikum Midot Ha-Nefesch* de Gabirol. Iehudá primeiro discutiu o conteúdo desse opúsculo com Ascher b.-Meschulam, um de seus mais estimados alunos. Depois, por solicitação de Ascher, cuja alma piedosa estava fascinada pelas máximas morais contidas em sua obra, Iehudá produziu uma tradução escrita

---

48. Iehudá ibn Tibon, introdução a *Hovot Ha-Levavot*. Ver também Benjamin De Tudela, *Itinerary*, p. 3 e Berechiá Ha-Nakdã, *Ethical Treatises*, Londres, ed. H. Gollanez, 1902, texto hebraico, p. 1. Numa data posterior, defensores da filosofia muito se beneficiaram do fato de o grande R. Meschulam, respeitável erudito e generoso mecenas da cultura judaica, ter encorajado a divulgação metódica do saber filosófico e científico da judiaria espanhola para a francesa ver a carta de Iaakov b.-Makir para R. Schlomo ibn Adret, *Minkhat Kenaòt*, Pressburg, 1838, p. 85.

49. J. Guttmann, "Zwei Jungst edirte Schriften des Berachja ha-Nakdan", *MGWJ*, XLVI, p. 545, 1902.

50. Iehudá ibn Tibon, Introdução.

completa[51]. Pouco depois, aderindo aparentemente a uma atitude semelhante, Schmuel ibn Tibon traduziu sem método seleções do *Moré Nevuhim* para Ionatã Ha-Kohen e seus colegas, ávidos e cheios de curiosidade intelectual. Depois de terem testado a alta qualidade dos escritos filosóficos de Maimônides e experimentado pessoalmente a maturidade e profundidade de suas faculdades especulativas, solicitaram a Schmuel que realizasse uma tradução não-abreviada[52]. Esses exemplos sugerem a existência de textos complementares de divulgação que completavam e também preparavam o terreno para obras literárias. Os espanhóis *émigrés* levaram consigo tradições orais e faziam circular verbalmente as novidades científicas que haviam trazido. Muitas opiniões e teoria sobre ciência, ética e filosofia teriam sido divulgadas dessa maneira. Além disso, tal atmosfera aumentou o apetite de muitos por informações mais precisas e diretas e por traduções hebraicas mais seguras.

Conseqüentemente, estimulado e encorajado por R. Meschulam, Iehudá ibn Tibon empreendeu um programa de traduções para 25 anos. Selecionou suas obras, metódica e prudentemente, pois estava escrevendo para o consumo popular. Suas traduções revelam uma progressão – por demais marcada para ser inadvertida – do ponto de vista da dificuldade. O mesmo se verifica como Iossef Kimkhi, que procurou igualmente obras fáceis para traduzir, duplicando assim muitas das obras de Iehudá ibn Tibon[53]. Em 1161 Iehudá ibn Tibon traduziu o primeiro capítulo do *Hovot Ha-Levavot (Al Hidayah ila Faraid al-Kulub)* de R. Bahia ibn Pakuda por solicitação de Meschulam. Apenas o primeiro capítulo da "Unidade de Deus" era efetivamente de natureza filosófica e introduziu novos termos e conceitos, enquanto os nove capítulos restantes dessa obra popular tratavam de ensinamentos morais conven-

---

51. Ver a carta-dedicatória de ibn Tibon a Ascher in *The Improvement of the Moral Qualities,* New York, ed. S. Wise, 1902. Dispõe-se de um excerto mais longo *in* A. Geiger, *Nachgelassene Schriften,* I, p. 16.

52. Schmuel ibn Tibon, Introdução. Mais tarde, Kalonimos b.-Kalonimos descreve as circunstâncias em que se deu sua tradução do *Igueret Baalei Haim* (traduzido do vigésimo primeiro tratado da Enciclopédia dos Irmãos da Pureza) de maneira semelhante; ver *Igueret Baalei Haim,* Jerusalém, ed. M. Haberman, 1949, p. 1.

53. Ambos traduziram o *Hovot Ha-Levavot* e o *Mibkhar Ha-Peninim*; ver A. Marx, "Gabirol's Authorship of the Choice of Pearls and the Two Versions of J. Kimhi's Shekel ha-Kodesh", *HUCA*, IV, pp. 438-448, 1927. Sobre as "traduções-duplicatas" do árabe para o hebreu, ver I. Sonne *in MGWJ*, LXXII, p. 67 e J. I. Teicher, "The Latin Hebrew School of Translators in Spain". *In: Homenaje a Millas-Vallicrosa,* Barcelona, 1946, II, pp. 440-443. Sobre o trabalho criativo dos tradutores – "Ministros armados de ilimitada plenipotência" – ver a bela declaração *in* P. Hazard, *The European Mind,* New York, 1963, p. 72. Deve-se acrescentar, todavia, que os tradutores não só têm poderes plenipotenciários na arte de traduzir, mas na própria seleção dos textos que determina o que será acessível ao leitor médio.

cionais, talvez usando ocasionalmente uma nova terminologia. Que Iehudá considerava Bahia principalmente um moralista mais do que um filósofo – questão ainda debatida por eruditos modernos – é evidente pela história resumida desse gênero literário ao qual pertence o livro traduzido e que ele esboça em sua introdução[54]. Seu primeiro impulso foi de não traduzir os nove últimos capítulos, pois ele acreditava que seu conteúdo estava sucintamente exposto numa única obra estritamente ética de Solomon ibn Gabirol: o *Tikun Midot Ha-Nefesch*. Escolhendo o caminho mais fácil e desejando ao mesmo tempo preencher as exigências de Ascher b.-Meschulam, procedeu à tradução da composição moral de Solomon ibn Gabirol em hebraico. Entrementes, Iossef Kimkhi tirou proveito dessa omissão da parte de Iehudá ibn Tibon. Achando que apenas o capítulo filosófico do tratado de Bahia havia sido traduzido, Kimkhi apressou-se em completar os capítulos restantes e então em retraduzir o primeiro capítulo igualmente. A tradução de Kimkhi era obviamente imperfeita e aqueles poucos eruditos competentes, *émigrés* da Espanha mais provavelmente, que conheciam e podiam denunciar as falhas, não tardaram em criticar esse trabalho, propagando suas deficiências e convencendo o povo de sua fraqueza. Como resultado, encontramos Rabad apressando Iehudá a prosseguir sua tarefa a fim de que os leitores do Sul da França não tivessem de recorrer à insatisfatória produção de Kimkhi. Iehudá prefaciou o segundo lançamento de sua tradução do *Havot Ha-Levavot* com um longo discurso sobre a inteligência e os loucos que assumem tarefas desproporcionais à sua habilidade – referência a Iossef Kimkhi, como fica evidente a partir dos parágrafos imediatamente seguintes[55].

Entrementes, Iehudá voltou-se para o *Cuzari* (*Kitab al-Khazari*), já traduzido em hebraico por volta de 1166. A esse primeiro período de traduções pertence quase certamente a tradução do *Mibkhar Ha-Peninim* de Solomon ibn Gabirol, uma espécie de antologia ética que Gabirol pretendia utilizar como base para seu mais extenso tratado de ética[56]. Compilações de ditados proverbiais gozavam imensa popularidade entre os judeus dos tempos pós-bíblicos e o contato com os escritos árabes forneceu simplesmente um ímpeto especial para esse

---

54. Ele discute com brevidade várias obras sobre ética, indicando desse modo a grande necessidade do trabalho de Bahia.
55. Iechudá ibn Tibon, introdução ao cap. II de *Hovot Ha-Levavot*, p. 55.
56. Para uma revisão do histórico ceticismo e excessivo agnosticismo textual que envolveu tanto o autor como o tradutor dessa obra, cf. A. Marx, "Gabirol's Authorship of the Choice of Pearls", *HUCA*, IV, pp. 438-448, 1927; Stern, *Zion*, XVI, pp. 19-28, aduzira uma nova e importante prova tanto para a autoria de Gabirol como para a tradução de ibn Tibon.

tipo de literatura gnômica. A tradução de ibn Tibon do *Mibkhar Ha-Peninim*, ao lado da tradução-paráfrase em versos de Kimkhi intitulada *Schekel Ha-Kodesch*[57] é pois representativa do venerável gênero literário que estava alcançando renovada importância. A tradução hebraica de Alharizi da obra de Honein b.-Ischak, *Mussrei Ha-Filosofim*, preparada por solicitação dos sábios de Lunel, também obteve considerável voga como uma das famosas coleções árabes de aforismos éticos[58].

Seguiu-se um prolongado interlúdio na tradução de literatura filosófica, durante o qual Iehudá ibn Tibon produziu traduções hebraicas dos tratados gramático-lexicográficos (1171) de ibn Janach e Kimkhi estava provavelmente ensinando e escrevendo obras originais, pois deve-se observar, entre parênteses, embora tenhamos nos referido aqui primeiramente ao seu trabalho como tradutor, que a atividade essencial de Kimkhi como divulgador e transmissor do hebraico manifestava-se em seus ensinamentos e suas obras hebraicas originais baseadas nos escritos árabes, em contradição com Iehudá ibn Tibon que granjeou sua reputação através de traduções profissionais, sendo suas composições originais raras e de valor efêmero. Ibn Tibon finalmente efetuou uma tradução do *Emunot ve-Deot* de Saadia (1186)[59]. Isto ocorreu depois que o público leitor da Provença havia sido exposto a obras filosóficas mais leves e estava agora, presumia-se, preparado para atacar uma obra técnica de filosofia amadurecida que representasse a quintessência da especulação de Kalam.

Deve-se lembrar que, antes dessa fiel e literal tradução, outro tradutor e vulgarizador, Berechiá Ha-Nakdã, que era também membro do ilustre círculo de Meschulam, havia resumido o *Emunot ve-Deot* à base das primeiras traduções. Berechiá, comissionado por R. Meschulam – que antecipou a esse respeito o patrono renascentista que teria reunido vários escritores encarregando-os de traduzir as obras clássicas – para escrever e traduzir, produziu igualmente uma paráfrase hebraica das *Quaestiones Naturales* de Adelardo de Bath.

Ademais, tal como Iehudá ibn Tibon era o principal mas não o único tradutor, assim também R. Meschulam era o mais importante mas não o exclusivo diretor e iniciador de traduções. Vimos, por exem-

---

57. Ed. Herman Gollanez, Oxford, 1919; J. Davidson, *JQR*, XI, 1922-1923, pp. 507-512. Cf. J. Weill, *REJ*, LXX, 1920, pp. 216-223. Marx. *op. cit.*, supõe muito plausivelmente possuirmos duas versões completamente diferentes dessa tradução e não apenas dois manuscritos divergentes.

58. Ed. A. Loewenthal, Frankfurt sobre o Meno, 1896; Steinschneider, *Die Hebraeischen Uebersetzungen des Mittelalters*, p. 350.

59. 1186 é a data encontrada no colofão da edição de Constantinopla de 1562, Malter, *Saadia Caon*, p. 370.

plo, como Rabad constrangeu ibn Tibon a desconsiderar Iossef Kimkhi e produzir uma tradução literal e exata dos nove últimos capítulos do *Hovot Ha-Levavot*. Davi Kimkhi (filho de Iossef), importante autor e divulgador, com todo o direito também encorajou a atividade de tradução em seu tempo. Na introdução à tradução do *Sefer Ha-Iessodot* de Isaac Israeli, Avraham b.-Hisdai, tradutor hebraico do famoso *Ben Ha-Melek veha-Nazir*, nos informa que consentiu nesse empreendimento como resultado da persistente solicitação do "grande erudito", Davi Kimkhi. Além do desejo de cumprir a determinação desse, cuja elevada intenção e aspiração era disseminar o conhecimento filosófico, nosso autor indica um motivo adicional para sua tradução: salvar o livro da perdição. O meio lingüístico contemporâneo não era favorável à preservação de textos árabes ininteligíveis: sua única oportunidade de sobrevivência estava na tradução[60]. O mesmo Avraham também traduziu a obra ética de Algazali, *Motzene Tzedek* (*Mizan al-' Amal*).

Em suma, dos pensadores judeu-espanhóis importantes, Avraham ibn Ezra e Avraham bar Hia escreveram em hebraico e suas obras eram imediatamente acessíveis para os monolíngües no Sul da França. Os livros de Solomon ibn Gabirol, *Mibkhar Ha-Peninim* e *Tikun Midot Na-Nefesch*, foram traduzidos para o hebraico. O *Hovot Ha-Levavot* e o *Cuzari*, obras ambivalentes capazes de estimular tanto a especulação filosófica como mística, foram definitivamente traduzidos na década de sessenta. Ao lado dessas produções espanholas, a primeira obra maior de filosofia do judaísmo medieval, de origem oriental mas de inestimável importância no Ocidente – o *Emunot ve-Deot* de Saadia – tornou-se disponível também numa tradução completa. Essa atividade foi coroada pela tradução hebraica do *Moré Nevuhim*. Além disso, vários comentários sobre o *Sefer Ietzirá* de Schabetai Donnolo, Saadia Gaon e Iehudá ben-Barzilai estavam em circulação. Com base nisto, concluímos que nas últimas décadas do século XII um judeu provençal, que fosse honesto e dedicado estudioso do hebreu, poderia já começar a acumular certa soma de conhecimento a respeito de filosofia, mesmo se ignorasse o árabe, algo que, apesar de todas as limitações procrastinadoras, era radicalmente novo e anteriormente inconcebível. No decorrer do século XIII muitas das

60. *Sefer Ha-Iessodot*, ed. S. Fried, Frankfurt sobre o Meno, 1900, p. 3. Posteriormente, o célebre talmudista R. Nissim Gerondi – numa carta escrita em benefício de um certo Isaac, descendente da famosa família Tibônida – sublinha o mesmo motivo de impedir que uma "obra de verdade seja corrompida em lábios gaguejantes e numa língua estranha" e "dar-lhe uma imorredoura redenção" por via da tradução no hebraico. Ver S. Assaf, *Mehorot U-Meharim*, Jerusalém, 1946, p. 181. Esse contínuo processo de intercâmbio lingüístico resultou também na tradução para o hebraico de obras rabínicas – *e.g.* o *Sefer Ha-Mitzvot* de Maimônides.

obras originais de Aristóteles com os escritos do maior de seus comentadores, Averróis, foram traduzidas em hebraico de modo que "a literatura hebraica tornou-se também um repositório de toda a herança aristotélica da filosofia grega"[61]. Deve-se acrescentar, além disso, que, empenhando-se pela fidelidade de interpretação mais do que pela felicidade de expressão, os tradutores no conjunto conquistaram uma exatidão na transmissão literária que permitiu a outros alcançar exatidão na compreensão filosófica[62].

V

Os próximos passos – algumas vezes dados simultaneamente por muitos do mesmo grupo envolvido no processo de tradução e transmissão – acarretaram a produção de comentários sobre clássicos filosóficos e a composição de obras filosóficas independentes. Tradutores e comentadores, filósofos e cientistas, enciclopedistas e divulgadores[63] são representantes desse desenvolvimento multidimensional no qual o Sul da França passa ligeiramente do estádio receptivo para o criador, do de preservação para o de inovação, e surge no século XIII como o principal centro da atividade filosófica[64]. Não só Saadia Gaon e Maimônides, mas também Al-Ghazali e Averróis, e nem é preciso dizer, Platão e Aristóteles, tornaram-se nomes familiares para os escritores hebreus em conseqüência do trabalho de tradução, paráfrase, comentário e crítica desse grupo[65].

61. Wolfson, *Cresca's Critique of Aristotle,* Cambridge, 1929, IX.
62. Cf. *ibid.,* p. 7.
63. Figuras como Iaakov Anatoli, Schmuel ibn Tibon, Levi b.-Haim, Iaakov b.-Makir (ibn Tibon), Avraham Bedersi, Isaac Albalag, Mosché Narboni, Schem Tov Palaquera, Iedaia Ha-Penini Bedersi, Gerschom b.-Schlomo de Salon, Schmuel b.-Iehudá de Marselha, Levi b.-Gerson (Gersônides), Aba Mari b.-Eligdor.
64. Na verdade, e difícil traçar limites precisos entre a Catalunha e a Provença que, algumas vezes unidas politicamente, aparecem regularmente como uma esfera cultural. A localidade relativa a alguns desses indivíduos – *e.g.,* Isaac Albalag – não pode ser determinada precisamente; ver Vajda, G. *Isaac Albalag: Averroiste Juif,* Paris, 1960.
65. Ver H. A. Wolfson, "Revised Plan for the Publication of a Corpus Commentatorium Averrois in Aristotelem", *Speculum,* XXXVII, pp. 88-89, 1963. A maior parte dos comentários a Averróis, por exemplo, foi traduzida por Mosché ibn Tibon e Kalonimos b.-Kalonimos. Sobre a importância de Palaquera para a história da filosofia ver M. Plessner *in Homenaje,* II, pp. 161-186, A. Marx, "The Scientific Work of Some Outstanding Medieval Jewish Scholars". *In: Linda Miller Essays and Studies,* New York, 1928, pp. 117-171, possui informação sobre muitas dessas pessoas. Para exemplos de estudos recentes, ver G. Vajda, "An Analysis of the Ma'amar Yiqqawu ha-Mayim by Samuel b. Judah ibn Elbbon", *JJS,* X, 137-151, 1959; S. Pines, "Ha-Tzurot Ha-Ischiot be-Mischnato schel Iedaia Bedersi". *In: Harry Wolfson Jubilee Volume,*

É especialmente notável a extensão com que o material filosófico penetra outros gêneros literários mais convencionais. Comentários da Bíblia, estudos do Talmud, homílias, códigos, poesia – todos estão saturados em graus diversos de motivos filosóficos, terminologia e tendências intelectuais. À parte sua importância essencial – e nenhuma história do pensamento filosófico judaico será completa sem a incorporação do abundante material engastado nessas fontes díspares – essas referências, citações, análises e digressões contribuíram significativamente para o processo de popularização. Esses escritores cumprem a função de corretores intelectuais e intermediários que ajudaram a manter vivo, e em todo o vigor, o espírito de racionalismo enquanto familiarizavam o leitor médio com as estimulantes teorias filosóficas[66]. Algumas são reminiscências dos últimos panfletários e jornalistas. Algumas vezes é exatamente a exposição *nonchalante* – a gradual familiarização – da audiência com os padrões intelectualísticos de pensamento e métodos exegéticos que é amplamente determinante[67]. Essa penetração é tão vasta que mesmo os oponentes ao movimento filosófico – *e.g.* Aba Mari de Lunel e R. Schlomo ibn Adret[68] são um pouco versados em literatura filosófica e seus próprios escritos contêm material para a história das idéias. Eles usam frases do vocabulário do Racionalismo e introduzem conceitos do campo filosófico. São poucos os que não refletem consciência e conhecimento de filosofia. Mesmo os cabalistas, muitos dos quais são injuriosos na condenação da filosofia e de suas conseqüências perniciosas, não escapam a isto[69]. Poder-se-ia concluir que, considerando os vários graus de profundidade e superficialidade, o racionalismo e hábitos racionalistas estavam entrincheirados nas comunidades provençais e inextricavelmente entrelaçados no tecido de sua cultura religiosa[70].

---

secção hebraica, pp. 187-203; A. Ivry, "Moses of Narbonne's Treatise on the Perfection of the Soul: A Methodological and Conceptual Analysis", *JQR*, LVII, 271-97, 1967; L. Berman refere-se ao fato acima *in* n. 18.

66. *E.g.* Davi R. Kimkhi, *Judges*, IX: 13 (sobre a teoria dos atributos) ou *Jeremias*, VII: 22 (explanação dos sacrifícios). A exegese das escrituras é talvez o maior veículo para a expressão filosófica popular.

67. *Sefer Ha-Miktam sobre Pessahim*, Jerusalém, ed. A. Sofer, 1959, p. 433 ou *Orkhot Haim*, I, p. 102a. A longa introdução de Ha-Meiri para o *Beit Ha-Behirá* é dessa natureza.

68. *Minkhat Kenaot*, n. 96; ver *Teschuvot Ha-Raschbá*, I, pp. 9, 60, 94.

69. I. Tzinberg, *Toledot Sifrut Israel*, vol. II, dá muitos exemplos. Ver também G. Scholem, *Major Trends...*, pp. 203, 398.

70. Incoerências e equívocos aparentes na última controvérsia são mais inteligíveis à luz desse fato. É claro, por exemplo, que foram feitas tentativas para envolver ibn Adret no debate racionalístico e comprometê-lo com certas questões. Ver *e.g. Teschuvot Ha-Raschbá*, I, pp. 395, 413.

A impressão geral é de que houve poucas figuras originais ou heróis intelectuais na Provença – Gersônides, *e.g.*, é uma óbvia e expressiva exceção – mas muitos deles, sensíveis, extraordinariamente diligentes e versáteis, insistente e zelosamente incumbiram escritores de divulgar e defender a filosofia, provar que ela não era uma disciplina arrogante contrária às preocupações filosóficas[71]. Eles defenderam a causa da filosofia com elegância e persuasão, algumas vezes com um toque de lirismo, sempre com paixão. E, principalmente, não há apenas força de convicção mas até mesmo agressividade em seu temperamento. Como disse Iossef ibn Kaspi, "não há lugar para timidez ou modéstia quando se trata da verdade"[72]. Seus adeptos deveriam possuir integridade intelectual e coragem. Crentes filosóficos poderiam ser tão fanáticos quanto ingênuos. Em sua *apologia pro scientiae* procuravam prevenir seus correligionários contra qualquer eventual erro a respeito da legitimidade e respeitabilidade religiosa da filosofia. De fato, afirmavam inequivocamente a primazia da experiência intelectual e capacidade cognitiva no Judaísmo e, conseqüentemente, o caráter indispensável da filosofia. O conhecimento filosófico como um dever era a noção nuclear de seu programa[73]. Eles não dissimulavam o fato de que achavam a piedade superficial ou o tradicionalismo irrefletido inadequado e que o talmudismo rotineiro, divorciado da vivacidade espiritual, não estava no alto de sua escala de valores. O racionalismo é aí uma postura vertical e uma disposição militante e segura. Eles ensinaram (*e.g.*, Levi B.-Haim), pregaram (*e.g.*, Iaakov Anatoli), propagaram (*e.g.*, Iossef Kaspi e Kalonimos ben Kalonimos), interpretaram (*e.g.*, Mosché Narboni) e exploraram novas áreas (*e.g.*, Levi b.-Gerson) com verve e gosto.

Um componente importante da apologia filosófica é o desejo, na verdade a compulsão, para mostrar ao mundo (isto é, colegas intelectuais) que o Judaísmo não perdeu suas pretensões ou habilidade na filosofia e ciência. A visão do Judaísmo contemporâneo que escritores como Schmuel ibn Tibon, Iaakov b. Makir, Iossef Kaspi ou R. Menahem Ha-Meiri evocam – com boa vantagem polêmica – é de uma diminuição da versatilidade filosófica, de decadência intelectual e resultante perda de prestígio[74]. O Judaísmo, fonte de boa parte da inspiração

---

71. Já se disse que a história – ou historiografia – gosta de elevar mediocridades. Efetivamente, não há necessidade de elevá-las; basta reconhecer sua importância para a história intelectual, na qual podem superar grandes pensadores "clássicos".
72. *Hebrew Ethical Wilis*, I, p. 152.
73. Cf. neste contexto H. A. Wolfson, *The Philosophy of the Church Fathers*. Cambridge, 1956, pp. 99-100.
74. *Ikavu Ha-Maim*, p. 173; *Minkhot Kenaot*, n. 39 e introdução à tradução hebraica de Euclides (*Sefer Ha-Iessodot*); *Amudei Kessef*, introdução; *Hoschen Mischpat. In:Zunz Jubelschrift (Tiferet Sevá)*, p. 192.

religiosa e sabedoria filosófica da humanidade, sofre com a atrofia, indiferença e tola hostilidade à filosofia. Isto é responsável, em sua opinião, pela atitude pejorativa e condescendente dos não-judeus para com os judeus, que são retratados como carentes de sofisticação e habilidade. Essa atitude deve ser corrigida. É uma das últimas realizações de Maimônides ter ele ajudado a restaurar o brilho e dignidade do Judaísmo por merecer a atenção respeitosa dos cristãos e maometanos. O fato de citarem e confiarem regularmente nos escritos de Maimônides intensifica a importância dos judeus aos olhos dos não-judeus e renova triunfalmente o rótulo "um povo sábio e compreensivo" (*Deuteronômio* 4:7) que permaneceria como a designação apropriada ao povo judeu[75]. A relativa abertura da sociedade intelectual e os contatos bastante freqüentes entre judeus e cristãos dão maior peso a essa causa[76].

Esses devotos da filosofia acreditavam ingenuamente – ou se convenciam satisfatoriamente – que combinavam harmoniosamente piedade e devoção ao estudo da Torá com o cultivo das disciplinas filosófico-científicas. Repudiavam apaixonadamente a acusação de serem fracos na observância religiosa ou deficientes no conhecimento tradicional por causa de sua dedicação a filosofia. A Torá e *hochmá* eram unha e carne na Provença, onde os eruditos tinham interesses diversificados e proficiência[77]. Os definidos proponentes do Racionalismo, por exemplo Iedaia Penini, Ha-Meiri, Kaspi, Kalonimos – até Mosché Narboni – geralmente descreviam-se a si próprios como o partido central, guerreando em dois *fronts*: contra os alegoristas extremados ou realmente filósofos destreinados que parecem estar, quer queiram quer não, abrindo caminho para a destruição religiosa – aqueles que se pretendem filósofos mas não o são – e contra os

---

75. Ha-Meiri, in *Hoschen Mischpat*, *loc. cit.*, Iedaia Bedersi, *Igueret Ha-Hitnatzlut*, *Teschuvot Ha-Raschbá*, n. 418, final; Kaspi, *Hebrew Ethical Wilis*, p. 154. Ver, em geral, J. Guttmann, "Der Einfluss der maimonidischen Philosophie auf das christliche Abendland". *In*: *Moses b. Maimon*, Leipzig, 1908 e D. Kaufmann, "Der 'Führer' Maimunis in der Weltliteratur". *In*: *Gesammelte Schriften*, vol. II, 1898.

76. A afirmação de Schmuel ibn Tibon (*Ikavu Ha-Maim*, p. 175) de que a filosofia estava mais difundida entre os cristãos do que entre os muçulmanos seria boa razão para intensificar e ampliar o conhecimento filosófico entre os judeus no Sul da França. O Professor S. Pines tentou recentemente documentar a extensão da influência da Escolástica sobre filósofos como I. Bedersi, I. Kaspi e Levi b.-Gerson.

77. Ver *e.g.* Ha-Meiri, *op. cit.*, pp. 162-163. Há duas partes em sua declaração: 1. Os eruditos provençais combinavam Talmud e filosofia – e poder-se-iam citar facilmente muitos exemplos desse tipo intelectual; 2. mesmo aqueles que não dedicavam muito tempo ao Talmud e eram muito proficientes em filosofia eram homens piedosos e de integridade religiosa. Uma das conseqüências foi o método e alcance da racionalização dos preceitos religiosos; ver *e.g.* Ha-Meiri, *Commentary on Abot*, pp. 129-130.

constantes literalistas que complicam seriamente o empenho religioso e violam as exigências e a essência da fé – aqueles que se pretendem sábios mas não o são. Os que têm uma concepção verdadeira do papel da filosofia e a sua relação com a fé repudiam firmemente os grupos dissidentes e afirmam intrepidamente o centralismo de sua própria posição. Essa espirituosa afirmação é um tema periódico na literatura hebraica desde R. Davi Kimkhi até R. Menahem Ha-Meiri[78]. Todo aquele que argumentasse de modo diferente era mal-intencionado ou havia sido enganado por uma falsa representação flagrante da realidade provençal[79].

O fato é que, entretanto, eles não tinham uma interpretação única ou monolítica de sua própria posição e criticavam-se mutuamente por discordâncias e extremismo – o que é confirmado pelas diferenças entre Kalonimos b.-Kalonimos e Iossef Kaspi[80]. Há realmente um largo *spectrum* com posições que se obscurecem umas às outras. Seus oponentes – *e.g.*, R. Schlomo ibn Adret, R. Ascher B.-Iehiel, Aba Mari de Lunel – igualmente não liam pela mesma cartilha e representavam tendências diversas, algumas vezes incongruentes. Adeptos da filosofia partilhavam muitas convicções com os oponentes da filosofia. Aqueles propunham mais ou menos as mesmas restrições e invocavam as mesmas defesas que estes. Sua atitude comum para com Maimônides era quase de pura admiração e reverência – e a crítica a Maimônides era habitualmente expressa em termos apologéticos. O fato de não estarem claramente definidos os limites teve resultados conflitantes: as atitudes de ambos os lados podiam ser conciliadoras a fim de evitar exacerbar ofensas, rivalidades e antagonismos ou outras emoções poderiam ser despertas, temperamentos excitados e a tolerância diminuída, a fim de proteger a posição de alguém.

---

78. *E.g.*, Kimkhi, *Kobetz Teschuvot Ha-Rambam*, 3. ed., III; I. Bedersi, *Igueret Ha-Hitnatzlut*, início; Kaspi, *Mishné Kessef*, cap. 5; Meiri, *loc. cit., Minkhat Kenaot*, p. 48. Ver as sugestivas declarações de Moschê Narboni (referentes a Abner de Burgos) citadas por F. Baer, *op. cit.*, p. 332 e I. Tzinberg, *op. cit.*, II, p. 116.

79. Essa era a arremetida da resposta de Bedersi a ibn Adret. Ver agora A. Halkin, "Yedaiah Bedershi's Apology". In: *Jewish Medieval and Renaissance Studies*, pp. 165-184.

80. Ver a carta de Kalonimos, ed. F. Perles, Munique, 1879. A literatura contemporânea medieval, para ser exato, retrata tipos absolutos. A grande tensão espiritual entre eles é cuidadosamente espelhada nos debates aparentemente estereotipados apresentados em livros como o *Sefer Ha-Mevakesch* de Palaquera e *Even Bohan* de Kalonimos; também I. Polqar, *Etzer Ha-Dat*, parte II e Aldabi, Meir, *Schebile Emuná*, secção 8, ver igualmente Profiat Durã, *Maassei Efod*, introdução. Oponentes posteriores da filosofia confundiram da mesma forma seus antagonistas – *e.g.* I. Albalag, M. Narboni, I. Kaspi, Gersônides –. Ver I. Iabetz, *OrHa-Haim*: Schem Tov b.-Schem Tov, *Sefer Ha-Emunot*, e outros.

Fora desses moldes a bem conhecida controvérsia sobre a filosofia se expande. Os fatos foram freqüentemente revistos na moderna literatura[81]. Os oponentes da filosofia repetem o ataque de que os limites foram transgredidos. Crenças básicas e os costumes parecem estar se desintegrando. Os filósofos são censurados por suas opiniões destrutivas, alegorismo desmedido e indiscriminada publicação dos mesmos. Todas as partes concordam em que a natureza injustificadamente exotérica da atividade filosófica era culpada: despender ensino e pregação que subjugava uma audiência inadequada, que não precisava e além disso não poderia apreciar a abordagem filosófica[82]. Os adeptos da filosofia concordavam em que havia raros exemplos de extremismo injustificável e em que o envolvimento das massas era particularmente lamentável, mas uns poucos lapsos não poderiam ser levados em consideração para desqualificar a empresa racionalista. Seus oponentes argumentaram que esses fatos negativos estavam bastante difundidos, eram terrivelmente censuráveis e potencialmente corruptores da tradição judaica. A redução do direito a categorias pragmático-utilitárias foi considerada um prelúdio ao antinomismo. Eles temiam a vitória do "Deus de Aristóteles" (como foi definido por Iehudá Halevi), afastado e indiferente aos problemas humanos, inacessível pela prece e que não interviria milagrosamente nem o poderia fazer no curso natural dos acontecimentos. Os postulados, assim como os objetivos do movimento filosófico, estavam assim se enfraquecendo. Numa palavra, as razões para a oposição à racionalização religiosa, tal como articulada na introdução a *Emunot ve-Deot* de Saadia, eram ainda aplicáveis: "Há pessoas que desaprovam tal ocupação por julgarem que a especulação leva à incredulidade e conduz à heresia"[83]. Os argumentos e contra-argumentos, incriminações e recriminações, interdições e contra-interdições alongaram-se durante anos e foram abruptamente interrompidos pelo edito de expulsão de Filipe, o Belo, datado de 1306[84]. Quanto ao destino do Racionalismo na Provença, I. Penini parece ter tocado a nota mais característica: o movimento da filosofia era irreversível e, na verdade, a regressão te-

---

81. J. Sarachek, *Faith and Reason,* Williamsport, 1935; F. Baer, *op. cit.* I, pp. 289 e ss. (e bibliografia); A. Neuman, *The Jews in Spain,* Filadélfia, II, pp. 97-146, 1948.

82. Ver, *e.g. Minkhat Kenaot,* pp. 48, 94, 134, 175; I. Bedersi, *Igueret Ha-Hitnatzlut, passim*: Kaspi, *Hatzotzrot Kessef,* p. 104; *Hoschen Mischpat, op. cit.* p. 167; *Malmad Ha-Talmidim,* introdução, p. 92.

83. Tr. S. Rosenblatt, New Haven, 1958, p. 26. Cf. H. A. Wolfson, "The Jewish Kalam", *JQR Seventy-Fifty Anniversary Volume*, pp. 554-555. Tal argumento é igualmente citado por Iaakov Anatoli, *op. cit.*

84. Ver, *e.g.*, D. Kaufmann, "Deux Lettres de Simeon b.-Joseph", *REJ,* 29, 1894, especialmente pp. 225-228.

ria sido lamentável[85]. As realizações de Gersônides – para citar apenas um – demonstram que de fato a proibição não constituiu um freio. A Filosofia, a Astronomia, a Matemática, a Medicina permaneceram populares. A predição de I. Penini foi inicialmente confirmada e finalmente refutada apenas devido a desenvolvimentos externos. O debate foi deixado em suspenso.

CÓDIGO

JQR – Jewish Quarterly Review
JSS – Jewish Social Studies
MGWJ – Monatsschrift für Geschichte und Wissenschaft des Judentums
ZfHB – Zeitschrift fur hebraeische Bibliographie
HUCA – Hebrew Union College Annual
REJ – Revue des Éttudes Juives

---

85. "É certo que se Ioschua, o filho de Nun, tivesse proibido aos judeus provençais o estudo das obras de Maimônides, dificilmente o teria conseguido. Pois eles tinham a firme intenção de sacrificar suas fortunas e até mesmo suas vidas na defesa das obras filosóficas de Maimônides." Tr. *in* Abrahams, *Jewish Life of the Middle Ages*, p. 371.

11. A Comunidade Judaica da Europa do Norte e seus Ideais

Na Idade Média, em seu período formativo, a comunidade judaica da Europa do Norte viveu inteiramente dentro das muralhas da cidade cristã. Seu destino dependia em larga escala da boa vontade ou da hostilidade dos cidadãos. Suas instituições, jurisdição e funções eram em muitos casos moldados pelos da comuna. Sua atividade e vida social, suas decisões e estatutos conformavam-se aos propósitos cívicos usuais. Até certo ponto pode-se encará-la como uma cidade judaica acossada, arrastando uma existência precária paralelamente à da cidade cristã, já que incapaz constitucionalmente e relutante em ser absorvida por ela, em virtude do caráter religioso da vida cívica nessa época. Contudo, a comunidade judaica nessas terras e cidades ocidentais tinha raízes e problemas antigos e uma estruturação socioeconômica especificamente sua que, combinados, moldavam seu caráter e ideais de um modo inteiramente diverso daquele de sua "cidade-hospedeira".

As opiniões se dividem quanto ao problema dos primórdios do estabelecimento contínuo das comunidades judaicas no Ocidente, ao norte dos Pireneus. Alguns pretendem que sua existência tenha sido ininterrupta desde o século IV, iniciando-se com a comunidade de Colônia, mencionada num edito imperial de 331, enquanto outros consideram que sua continuidade ter-se-ia quebrado com a destruição resultante da invasão germânica desses distritos. Seja como for, a partir do século VI há provas suficientes da presença de considerável número de judeus nas cidades dos reinos francos; nas *diplo-*

mata do imperador Luís, o Pio, conferidos antes de 825, não apenas indivíduos judeus obtêm direitos consideráveis como também dois judeus de Lyon recebem os privilégios *cum pares eorum*, ou seja, quase equivalentes àquele conferidos uma comunidade de iguais. Já nesse primeira quartel do século IX, esses judeus estavam isentos do irracional sistema probatório por qualquer tipo de ordálio – *et nullatenus volumus, ut praedictos ad nullum iudicium examinandum, id est nec ad ignem nec ad aquam calidam seu etiam ad flagellum* – progresso só muito posteriormente alcançado quando a comunidade cristã se voltou para um sistema jurídico probatório racional, adequado a seu modo de vida e pensamento; convém lembrar naturalmente que no caso dos judeus teria havido não só uma tradição legal bem sedimentada como também o efeito de sua aversão e oposição de natureza religiosa aos ordálios a "mostrar" o poder do ritual cristão. A importantíssima cláusula a essa isenção nas *diplomata* carolíngias que seria retomada como um princípio genérico e central em várias formulações e em inúmeros privilégios outorgados aos judeus durante a Idade Média – *nisi liceat eis secundum illorum legem vivere vel ducere* – pode ser encarada como uma espécie de reformulação aceitável para os governantes cristãos (que não admitiriam que os judeus na era cristã estivessem seguindo os passos de seus ancestrais) do antigo direito concedido pelos reis helenísticos às comunidades judias na Diáspora para "viver de acordo com as leis dos pais" (*tóis patríois nómois khréstai*). Quaisquer que fossem os elementos de tradição e inovação da mentalidade mercantil e do direito e religião judaicos existentes nessas fórmulas legais requeridas e obtidas por grupos judaicos, já no período carolíngio, estavam indubitavelmente ajustados à vida social e econômica e às funções dessas comunidades judaicas pioneiras no solo noroeste da Europa. Eles chegaram e foram aceitos como mercadores; o comércio internacional deu-lhes seu nicho na sociedade e deve ter moldado seus hábitos e ações organizacionais.

Por outro lado, do ponto de vista da história e desenvolvimento institucional e constitucional há motivos para considerar a comunidade local da Europa Norte-Ocidental, não só como um processo novo, mas até mesmo revolucionário. O venerável e consagrado passado judeu conhecera a liderança de homens santos e carismáticos – profetas, "juízes", sacerdotes – ou de carisma e sacralidade institucionalizados – dinastias reais, como a casa de Davi e famílias de sumos-sacerdotes do Templo. As cidades de Eretz Israel assim como as sinagogas e comunidades da Diáspora greco-romana haviam desfrutado formas e graus de autonomia locais variados, por volta do fim da era do Segundo Templo e nos séculos subseqüentes à sua destruição. Seitas e grupos ascéticos plasmaram seus próprios padrões de autonomia, em alguns casos muito intricados, por exemplo, os essênios, a seita judaica de Cumran e as primitivas comunidades cristãs. Exatamente ao mesmo tempo e nas mesmas regiões surgiram as funções do Escriba e do Sábio, cujo carisma se originava em seu saber e santidade. Individualistas e autoritárias por natureza, desde logo vieram a ser institucionalizadas em Academias e famílias patriarcais, reivindicado para si o carisma real, através de suposta descendência davídica. Com exceção das seitas, as instituições e tendências autônomas tendiam a subordinar-se, pelo menos ideológica e formalmente, às forças e instituições carismáticas e centralistas. A Diáspora Ocidental e Eretz Israel experimentaram relativamente cedo os efeitos frutíferos e extenuantes da tensão entre a autonomia local e a autoridade central.

Poderia parecer que não houvesse igual desenvolvimento da liderança local na Diáspora "Babilônica" ou oriental, entre as massas de judeus que viviam sob o regime parto-persa, ao menos até onde vai o testemunho documental disponível. Posteriormente, ao tempo do regime islâmico nessas regiões, encontramos a sociedade judaica no Califado organizada num sistema notável de liderança centralista até o âmago em teoria e quase sempre e na maior parte dos lugares também no campo da prática, até a metade do século XI. Era essencialmente uma tentativa, em larga porção bem-sucedida por alguns séculos, de combinar os princípios e modos de carisma escolástico, sucessão hereditária a esse carisma, e estrita estrutura hierárquica na forma de duas Academias sagradas, cujos membros eram em geral recrutados entre os filhos de um estreito círculo de "famílias de Sábios" cujos cabeças – os Gaonim – vinham via de regra de um círculo bem mais estreito de dinastias "gaônicas". Exceções a essa regra, quando ocorriam, eram tidas como uma violação e raridade nas crônicas contemporâneas. Havia lugar aí para o princípio real; o sistema incluía o Exilarca, oriundo de uma família de pretensa descendência davídica, que era muito honrado, embora sua parte na liderança fosse freqüentemente contestada pelos chefes das Academias. Esse sistema não dava margem à autonomia local. As nomeações de dignitários e juízes locais eram feitas pelas Academias através de seus Gaonim e pelo Exilarca. Os ensinamentos e fama desse sistema, assim como suas veneradas instituições e chefes eram conhecidos na parte Noroeste da Europa.

Na verdade, como o demonstrou I. Baer, há algumas provas de que mesmo no apogeu desse sistema houve uma espécie de existência "subterrânea" de autonomia local. A regra do centralismo era algumas vezes infringida, especialmente quando a autoridade central começou a enfraquecer-se a partir da segunda metade do século X. Apesar de tudo isso, há ainda uma importante mudança quando se passa deste centralismo para um sistema em que a liderança local da comunidade judaica é a regra e as tendências e elementos centralistas são a exceção.

II

As dificuldades referentes à transição da autoridade centralista para a local estão naturalmente expressas com clareza na comunidade "do sul" em que a designação de cima residia na ascendência até o século X. Numa coletânea de preceitos legais, reunidos por um judeu natural de Barcelona, o Rabi Iehudá (fls. fim do século XI e início do século XII) encontramos uma norma extraída, segundo esse colecionador, de "algumas versões antigas"; deduz-se ter sido a mesma formulada por volta do século X. Relaciona-se com a eleição e o alcance da autoridade de um chefe comunal. Sua escolha dá-se "na presença de todos os membros de nossa comunidade... grandes e humildes lado a lado". É de sua competência tratar de assuntos religiosos e morais e tem o poder de punir os transgressores. Do ponto de vista do desenvolvimento institucional e ideacional, o principal interesse reside no preâmbulo dessa fórmula. Grande cuidado é aí tomado em enfatizar que o estado crítico dos costumes e dos negócios justifica a eleição de seu próprio chefe por uma comunidade. O povo tornou-se como "um rebanho sem pastor; algumas de nossas comunidades andam sem vestimentas decentes, algumas proferem obscenidades; outras se misturam com os gentios, partilham de sua comida, assimilaram-se a eles num grau tal que apenas o nome de judaísmo os diferencia" (*Sefer Ha-Schetarot*, Berlim, ed. S. J. Halberstamm, 1898, pp. 7-8). O modo correto e legítimo consistiria em que alguma autoridade central lhes indicasse um chefe. Apenas o fato de se achar em terríveis dificuldades poderia justificar a ousadia de julgar-se auto-suficiente com base na liderança local. A dificuldade devia ser composta por questões religiosas, nacionais, morais e sociais, pois assim é o caráter da comunidade judaica.

Esse complexo de traços e problemas característicos é válido igualmente para a comunidade "do norte", em que a única diferença entre norte e sul reside apenas nas circunstâncias que envolvem a emersão da comunidade local para um papel de direção. Há uma diferença sempre presente e difusa por toda parte entre a comunidade cristã, de um lado, e qualquer comunidade judaica, de outro. A primeira, nas suas origens, é uma associação, "artificial" e voluntária, embora religiosa e amiúde autoritária; a outra é, em sua própria opinião, acima de tudo uma unidade "natural", uma célula de um antigo organismo, disperso mas não dissolvido. Essa diferença criou variações básicas concernentes à expressão e manutenção da identidade e pertinência coletiva, do que falaremos adiante.

Voltando ao fenômeno da rápida ascensão da comunidade local, não há no Norte dos Pireneus nenhum sentimento da necessidade de desculpar-se por sua bem definida autonomia, ao menos até onde vão as provas documentais. Esses grupos de mercadores que ousaram construir seu estilo de vida judeu sem uma base de apoio em uma fixação agrícola judaica, e que careciam de contato direto com as sedes da tradicional e sagrada liderança centralista, certamente não tinham intenção de estabelecer centros e tradições similares na sua relativamente jovem dispersão do Noroeste. Não apenas esses não se ajustavam à sua função e estrutura econômica como também as condições nessas regiões cristãs eram pouco favoráveis a tal transplantação das instituições judaicas centralistas e sacras do Oriente. Deve-se considerar a possibilidade de que esse desenvolvimento espontâneo, por assim dizer, de autonomia local não foi tanto uma quebra das tradições babilônicas – que certamente existiu até certo ponto – como uma revivescência e adoção dos estilos de liderança e modos de organização usuais em tempos clássicos posteriores nas sinagogas da Diáspora Ocidental (que estavam afinal mais próximas em posição e estilo de vida às das comunidades do Norte Ocidental do século X) e da autonomia que as cidades de Eretz Israel haviam desfrutado antes do Califado. (A Judiaria do Norte-Ocidental originou-se culturalmente de Eretz Israel através da Itália do Sul e não da Babilônia, como está bem demonstrado.)

Em parte através da continuidade de uma tradição de liderança e em parte através da quebra de outra (certamente bem conhecida por eles, ainda que a distância) sabemos pelos documentos do século X em diante – hebraicos e latinos – que o indivíduo assume a liderança unicamente por sua força de personalidade, capacidade e conhecimento, que a localidade é o modo formativo e decisivo por direito de vontade expressa da congregação dos habitantes de determinada cidade. O estudo na Israel desses dias nunca se dissociava da veneração sagrada ao Sábio, ainda que a parafernália exterior desse *status* e a hereditariedade institucionalizada e a hierarquia tivessem desaparecido no Ocidente. Em muitos lugares o povo que decidia efetivamente restringia-se aos *meliores*, embora sua decisão fosse em princípio para a localidade e baseada no reconhecimento da parceria nos encargos, interesses e responsabilidades comuns a todos os judeus residentes no interior das muralhas.

A comunidade local englobava, por assim dizer, vários tipos tradicionais de autoridade. Tem-se notícias no século X do "costume predominante na maior parte das comunidades judaicas"; esse costume e as decisões adicionais depois tomadas pelos (chefes das?)

comunidades reunidas, no que pelo contexto parece ser uma grande feira no porto, são aprovadas por um grande erudito talmúdico (Rabi Gerschom. *Responsa.* ed. S. Eidelberg, Separata 67) equiparando a autoridade dos líderes comunais à do pai na família e à do tribunal de justiça em assuntos legais, sem considerar o grau de saber desses líderes locais.

A liderança local é vista no século XI como a portadora da autoridade judaica nacional e religiosa. A teoria de sua plenitude de poder é formulada pelo famoso comentador da Bíblia e do Talmud, Rabi Schlomo, filho de Itzhak ("Raschi", fl. na França do Norte, 1039-1105). Em dado momento ele censura o povo que se recusava a se submeter a uma decisão disciplinar de líderes locais por causa de sua tentativa de "transgredir um mandamento divino (*mitzvá*)... de não obedecer às leis do código judaico que ordenavam a execução da ordem de seus Anciãos, os construtores de parapeito e fortificadores de suas linhas; eles deveriam ser excomungados por terem desobedecido às ordenações (*Responsa*, ed. I. Elfenbein, Separata 70). Essa sua opinião de que a desobediência às decisões da comunidade local equivale a um pecado religioso apóia-se numa autoridade bíblica excepcional. Tal comportamento é uma tentativa de "levar a nada a ordem divina e furtar-se às leis de Israel; pois assim reza o versículo: 'Inclina teus ouvidos e ouve as palavras dos Sábios' " (*ib*, Separata 247). A comunidade tornou-se o repositório de sabedoria obrigatória, legalmente absoluta, e, de um ponto de vista religioso, é inútil dizer, sob a suprema autoridade do direito bíblico e talmúdico, na sua base, para atender a sua utilização e o bem-estar do povo de Deus sob circunstâncias variáveis. Essa idealização da comunidade local é expressa pelos Sábios medievais na sua definição midráschica recorrente em seus escritos, como "Sua abóbada fundada sobre a terra" (segundo *Amós* 9:7).

Na descrição do martírio das comunidades do Reno em 1096 (registrada na primeira metade do século XII) encontramos o orgulho de uma grande comunidade, Mogúncia, por seu passado glorioso e seus sacrifícios recentes à glória do Deus de Israel e de seu povo.

III

O fenômeno da cidade foi recentemente caracterizado como "a Encruzilhada dentro das Muralhas" (R. S. Lopez, em *The Historian and the City*, ed. por O. Handlin e J. Burchard [1963], pág. 27). Na medida em que essa sucinta definição faz justiça à segurança e unidade comunal para manter a paz e um sistema jurídico racional no interior de um dado perímetro circunscrito pelos muros da cidade, satisfaz igualmente muitos dos elementos da realidade da comunidade judaica, especialmente em tempos e lugares em que os judeus eram um elemento colonizador ativo, como por exemplo nos reinos da Península Ibérica nos primeiros estádios da Reconquista ou na Ucrânia no século XVI e na primeira metade do século XVII. Nos seus próprios sentimentos e ideais, encarados a partir de suas raízes históricas, do caráter social e idéias e ideais que construíam a coesão, a comunidade judaica poderia provavelmente ser melhor descrita como uma "nação fragmentada lutando contra a Muralha". Os limites e o particularismo da cidade exerceram evidentemente sua influência e chocavam-se continuamente com a ampla e englobadora concepção nacional da unidade judaica. Esta última combinou em seu pensamento e atividades elementos reservados no Cristianismo aos príncipes e à Igreja respectivamente; os dois princípios conflitantes opuseram-se em sua vida e pensamento aos elementos cívicos e idéias, como a cidade freqüentemente se choca com a Igreja e o Soberano.

Esse conteúdo ideológico específico, o caráter social da comunidade judaica e as tensões a que deu origem encontram vívida expressão durante o século XIII num conflito básico sobre a abertura ou fechamento da comunidade para recém-chegados, de um lado e, de outro, na cristalização de idéias extremistas quanto às tarefas da comunidade local e o caráter de sua coesão.

O conflito referia-se à aceitação da tendência cívica para fechar a comunidade a novos residentes, tanto quanto possível. Essa tendência usualmente prevaleceu em cidades cujos horizontes econômicos eram estreitos e cujas fontes de renda eram relativamente locais ou de limitado alcance territorial. As cidades regidas pelas guildas artesanais tendiam a um fechamento mais rigoroso, enquanto as cidades dominadas por grandes e aristocráticos círculos mercantis inclinavam-se a conservar os portões largamente abertos. Os horizontes econômicos dos séculos XII e XIII das comunidades judaicas no noroeste eram estreitos por força das circunstâncias. Os judeus nessas regiões foram cada vez mais encerrados na condição de emprestadores de dinheiro à população local, a dignitários feudais e a eclesiásticos que viviam nas proximidades de sua cidade-hospedeira, ou potentados mais distantes dos quais dependesse a segurança dos judeus. Um novo prestamista na sua cidade era certamente um rival em perspectiva. Os velhos residentes haviam cimentado laços de unidade e "propriedade" comum sobre direitos e acordos obtidos quase certamente, no caso dos judeus, seja graças aos serviços econômicos seja em troca de dinheiro sonante. Cada comunidade tinha seus costumes e ordenações considerados como sábios, bons e morais: quais poderiam garantir a atitude e comportamento de estrangeiros? As tendências limitadoras da comuna eram evidentes. Não causa muito espanto que na primeira metade do século XII "os quatro reinos – França, Lotaríngia, Borgonha e Normandia – tivessem introduzido essa ordenação" que restringia o direito de estabelecimento permanente na comunidade, tornando obrigatória para os recém-chegados a obtenção de autorização prévia dos antigos moradores. A comunidade de Paris formulou suas leis de proibição e permissão de estabelecimento da seguinte maneira: "A fim de que não entre na cidade qualquer pessoa além dos seus membros ali residentes no momento e os respectivos descendentes, apenas homens e não mulheres... eles ordenavam que ninguém poderia se fixar na cidade ou num perímetro de 15 milhas ao redor da mesma, a menos que eles concordassem com isso, exceto os membros presentes e seus filhos". A motivação econômica contra recém-chegados é muito evidente, assim como o sentimento cívico de que a cidadania é algo valioso demais para ser herdado ou propriamente outorgado. Pois o reclamante declara: "Eu sou um cidadão desta cidade, enquanto você é um cidadão de outra. Eu sou contra você ganhar qualquer coisa a mais nesta cidade. Vá embora... Eu lhe permito apenas temporariamente (literalmente: Eu lhe dou como empréstimo) minha herança" (extraído de *"Responsum* dos Sábios de Roma aos Chefes da Comunidade de Paris", *Beit Ha-Otzar*, vol. I, 1847, pp. 57-58).

Contra esse pronunciado particularismo cívico e econômico levantou-se oposição igualmente forte, motivada pelos elementos nacionais do pensamento social judeu. A expressão dessa oposição vem da segunda metade do século XII na França. A imersão temporal mostra conclusivamente que tal oposição não pode ser atribuída a nenhuma ampliação dos horizontes econômicos. Pelo contrário, o prestamismo tornara-se ainda mais exclusivamente a profissão dos judeus na França. A influência cívica também teve mais tempo para penetrar na consciência social dos judeus. Todavia, o grande erudito talmúdico e líder das comunidades, Rabi Iaakov, filho de Meir Tam (o neto de "Raschi") manifestou-se veementemente contra esse fechamento. Era tradição de seus discípulos que "se ele estivesse presente teria se oposto a essa proibição de fixação". Essa escola de pensamento forneceu outra motivação à proibição, mudando desse modo sua natureza, de maneira a ajustar a ampla concepção de comunidade à idéia de uma célula do corpo nacional dos judeus ali fixados. De acordo com essa interpretação "a proibição da fixação (é vigente) apenas contra homens violentos, delatores e aqueles que se recusam a pagar sua taxa; contra outras pessoas tal norma não vigora" (*Or Zarua*, Jitomir (1862), Berahot, *Responsa*, Separata 115). O que quase equivale a uma tradução dessas opiniões antiparticularistas é encontrado em latim em 1266: "*Communitas Judeorum Cantaurie, qui sigillnatur in hoc starro, recognoverunt per starrum suum, quod juraverunt et intraverunt in sentenciam, quod nullus alius Judeus de alia villa preter quam de Cantauria manebit in eadem villa, scilicet, homo mentitor, inidoneus et accusator"* (*Select Pleas, Starrs and Other Records from the Rolls of the Exchequer of the Jews*, ed. por J. M. Rigg, (1902), pp. 35-36). É digno de ser lembrado que se tratava de uma comunidade de prestamistas que vivia em circunstâncias difíceis, vinte e quatro anos antes de seu fim, em conseqüência da expulsão total dos judeus da Inglaterra (1290). A tensão entre as tendências para abrir e para fechar as comunidades continuaram durante a Idade Média e com certas mutações inclusive além desse período. Revela-se nessa argumentação e modificações as tensões especiais engastadas no caráter e nos ideais da vida comunal judia.

Essas tensões, o impacto do ideal sobre a realidade e o complexo passível de ser formado em conseqüência ganham expressão nas teorias de um destacado grupo de judeus, ativo na Alemanha principalmente na segunda metade do século XII e primeira metade do século XIII. São chamados "Hassidim ("Os Piedosos") de Aschkenaz". O grupo, conquanto diminuto, possuía uma influência muito superior à sua força numérica. Seus chefes costumavam ensinar através de histórias moralizantes (*exempla*). Um deles descreve "uma localidade em que apenas se fixava gente religiosa e que possuía líderes devotos". A fim de preservar para a eternidade a comunidade exemplar, decidiu-se "que ninguém poderia dar a mão de sua filha a alguém que não fosse dessa cidade, se pretende que ele se fixe conosco, a fim de que não exerça má influência sobre os cidadãos (a mesma coisa vale para uma mulher de outra localidade), a menos que a maioria de nossos Sábios esteja convencida de sua decência; nesse caso podem fixar-se conosco" (*Sefer Hassidim*, ed. Wistinetzky (1891), Separata 1301). Seu ideal é criar e manter uma comunidade de Pios, iguais em linhagem e moralidade; é em defesa desse ideal que o fechamento da comunidade tem de ser aplicado. A história termina com o insucesso tanto da restrição legal como do ideal ético; gerações posteriores não mantiveram sua composição de residência de acordo com a pureza original, admitindo, através de casamentos, novos-vindos sem comprovação dos respectivos méritos e, por isso mesmo, acabaram sendo punidos rigorosamente.

Essa comunidade, real ou imaginária, e sua salvaguarda, foram postuladas a partir da consideração de ser destino da comunidade servir primordialmente a propósitos morais e religiosos. As multas impostas em razão de transgressões dessa natureza, embora justas, eram, do ponto de vista financeiro, pesadas e extorsivas. "Todavia, uma multa, imposta não por causa da religião, deve levar ao pecado – tal multa é puro roubo." Os exemplos dados nesse contexto de multas pecaminosas revelam uma lâmina cortante de oposição social às tendências a ganho econômico através de regulamentos comunais. Os exemplos escolhidos de uso inadequado dos direitos comunais dizem respeito aos de "cidadãos que queriam lucrar e proclamam, sob a sanção de excomunhão, que ninguém poderia vender vinho ou trigo por menos do que determinado preço ou que tais produtos não poderiam ser importados de outros lugares, a fim de lhes permitir vendê-los por preço exorbitante – são aqueles a cujo propósito diz a Bíblia: "pois a terra está cheia de injustiça" (*ibid.*, Separata 1293). Sejam quais forem as reais tensões sociais nas comunidades aschkenazim, agudas ou brandas, a base e o *background* desses pronunciamentos era o caráter "natural" específico da comunidade judaica.

Esse caráter moldou a singularidade da comunidade e é claramente expresso por importantes diferenças nos instrumentos legais de coesão e sanções entre a comuna e a comunidade. A comuna citadina cristã é originária e autoconscientemente uma *conjuratio*; em muitas cidades continuou como *conjuratio reiterata*, voltando em cerimônias anuais à tomada de juramentos de todos os cidadãos, exigindo sempre o juramento de novos cidadãos (os trabalhos de W. Ebel descreveram a importância do juramento na comuna citadina). A comunidade judaica não apresentava semelhante consciência de haver-se originado de um compromisso por juramento, nem possuía cerimônia usual ou anual de prestação de juramento, nem mesmo por ocasião da aceitação de novos cidadãos. A comunidade evidentemente emprega o juramento para muitos e vários propósitos. Sua total ausência como um elemento de coesão e compromisso é tanto mais surpreendente em vista do caráter religioso da comunidade considerado em conjunto com a pronunciada influência das tendências e instituições cívicas em muitos campos da vida e pensamento comunitários. A Judacidade é a base congênita e a marca permanente de pertinência a essa célula preeminentemente "natural" do corpo político e religioso judeu, extraviado e confinado acidentalmente no exílio dentro das muralhas da cidade cristã.

Por outro lado, a comunidade usa com prodigalidade uma sanção que, na Cristandade, é reservada à Igreja: a excomunhão (*Herem*). É a sanção mais eficaz dos decretos da comunidade – a tal grau que muitas ordenações são designadas, em fontes contemporâneas, simplesmente como "excomunhões".

A natureza da comunidade judaica como parte e parcela de uma sociedade idealmente viva e unida, única no interfólio entre a nacionalidade e a "Igreja" na sua trama é claramente expressa, como nos dois lados de uma moeda, através da ausência do juramento cívico e da presença por toda parte difundida da excomunhão.

IV

Essa estrutura nacional e religiosa foi acompanhada por uma pronunciada inclinação "real" ou "imperial" no pensamento e prática na comunidade judaica. Por razões práticas de segurança, os judeus tentavam encontrar um protetor poderoso – bispo, príncipe, rei ou imperador – cujas mãos pudessem alcançar além das muralhas para defendê-los das exações do conselho citadino e das depredações do populacho. Essa tendência "centralista" encontra expressão teórica nos pensamentos e escritos judeus. O Rabi Haim (fls. 2ª metade do século XIII) comunicou aos judeus de Regensburg que legal e moralmente eles não tinham qualquer obrigação de partilhar com a cidade a quantia que esta última precisava pagar ao Rei; isto, por duas razões: "A cidade não está sob a soberania dos cidadãos" (lit. "a cidade não pertence aos cidadãos"), por conseguinte suas decisões não são lei; eles não têm o direito de exigir que os judeus paguem taxas. A isto acrescenta um argumento contra a dirigente e mercadora classe vitivinícola: esse protesto social podia ser feito de comum acordo pelos judeus e artesãos da cidade. Continuando a instruir os judeus de Regensburg diz ainda: "Vocês escreveram que os cidadãos têm de pagar ao Rei da Áustria por sua mercadoria e por seu vinho. Isto (a exigência de que os judeus partilhem tal encargo) é sem dúvida um roubo declarado... Será que os membros da comunidade judaica ou outros cidadãos, que não são nem mercadores nem fabricantes de seu próprio vinho, têm que dar seu dinheiro para tal propósito, para os mercadores e para seu vinho?" Ele ainda acentua que essa divisão de encargos é unilateral e injusta para os judeus. "Se os judeus fossem obrigados a pagar ao Rei para salvaguardar suas mercadorias e vinho, eles [os cidadãos] não lhes dariam qualquer ajuda; conseqüentemente, eles lidam com os judeus em termos diferentes daqueles que usam entre si mesmos" (*Responsa*, Separata 110).

As idéias judias sobre autonomia, independência e direitos individuais devem ser procuradas não só nos escritos judaicos; estão implícitas nas fórmulas e mudanças dos privilégios a eles outorgados, mesmo se sua elucidação deva se processar mui cautelosamente. A advertência de F. Roerig é igualmente pertinente neste caso: "Ninguém deve deixar-se confundir pela forma dos privilégios quanto à substância aí oculta. Certamente alguns dinastas medievais – assim corre o texto – outorgam a partir de seu julgamento livre e por uma graça especial" alguns direitos a algumas cidades ou cidadãos. "Todavia, o conteúdo desses privilégios era dado substancialmente pelas próprias cidades. *Seus* desejos e exigências estavam vestidos com as vestes da outorga do príncipe. A permanente dependência financeira dos governantes deve ter tornado tais exigências não tão modestas". (*Wirtschaftskräfte im Mittelalter* (1959), p. 397). Encarados sob esse aspecto, os privilégios referentes à autonomia judaica corroboram as concepções acima acerca dos traços básicos nacionais e religiosos da comunidade e de suas tendências anticomunais. É claro que se deve ter constantemente em mente que o antagonismo religioso e social que cerca a existência judia deve ter tornado suas exigências "demasiado modestas".

Esse sistema ideológico usado para a operação das unidades autônomas da mesma fé parecia combinar com as primeiras agitações de nacionalismo no século XII da França, para lançar sua projeção em algumas mentes despertas para a forma das coisas que viriam. A quintessência dessa harmonia judia e tensão entre a "natural" coesão nacional e o sublime esforço religioso é inconscientemente expressa no comentário do rabi francês Eleazar de Borgonha (fls. século XII em *Isaías* 2:3-5): "E muitos povos hão de vir que acharão sua confiança e fé no Templo de Deus verdadeiras e não desapontadoras; eles dirão: Vamos até o Senhor (o texto completo: "ao *monte* do Senhor")... Ele nos ensinará seus caminhos, e nós andaremos em suas veredas; porque de Sião há a lei". Não há Lei ou Palavra de Deus senão aquela que parte de Sião e Jerusalém. Por terem entrado em um pacto com o Senhor para andar em Seus caminhos e obedecer à Sua palavra, Deus será juiz e guia entre nações em disputa e guerra uma contra a outra. Elas se submeterão às Suas decisões e leis, sejam elas a seu favor ou contra, cada qual voltará à sua terra em paz. Nenhuma nação recorrerá mais à espada contra aquela que lhe tirar terra, para fazer guerra contra ela a fim de retomá-la. Em vez disso, convocará ao tribunal de Jerusalém para obter o julgamento da Lei de nosso Deus; (o agressor) não desobedecerá (às convocações). A tal ponto terão o temor aos Céus em seu coração. A parte considerada culpada, assim como a que for considerada certa, se submeterá igualmente ao Seu julgamento. Esse é o sentido do acima mencionado: "Vamos a Deus... e Ele nos ensinará sobre seus caminhos" – se eu, ou tu, estamos certo ou errado. "Vinde... vamos..." é a convocação do litigante. Como eles não mais recorrerão à guerra, devotar-se-ão ao desenvolvimento da Ecumene, para lavrar cada um o seu solo" (e. J. W. Nutt [1879], p. 6).

A visão escatológica é de nações unidas na fé ainda que, estando algumas vezes divididas por seus interesses individuais, venham necessitar de uma espécie de "Tribunal Divino Internacional" para tornar possível a paz e a criatividade na terra. A Lei será o guia de muitas unidades nacionais "naturais".

A comunidade judaica "do norte" foi criativa tanto no plano do pensamento como da institucionalização, através da tensão criadora entre seu caráter primitivo como membro de uma sociedade antiga e fechada e a influência da nova cidade comunal conjurativa sobre ela; possuía em sua natureza aquilo que seria denominado na linguagem medieval traços de "Igreja" e de "Reino". As considerações de ordem teórica e de interesse próprio tornaram-na uma oponente da comuna assertória e um aliado das autoridades centrais vigentes. Seu pensamento abarcou as necessidades do momento assim como o Fim dos Dias.

BIBLIOGRAFIA

BAER, I. The Origins of the Organization of the Jewish Community in the Middle Ages: *Zion*. XV, pp. 1-41 (em hebraico com substancial resumo inglês).
BARON, S. W. *The Jewish Community*. (Filadélfia) Vol. I-III (1942).
FINKELSTEIN, L. *Jewish Self-Government in the Middle Ages*. (New York 1 924).

12. A Sociedade Hispano-Judaica

A história dos judeus na Espanha, até sua expulsão em 1492, é a história de um povo estabelecido em um mesmo lugar por um longo tempo, tão longo quanto pelo menos o início da era cristã[1]. Para esta terra da Diáspora os judeus trouxeram seu modo de vida próprio e suas instituições. Na Espanha evoluíram, ao mesmo tempo influenciando e sofrendo as influências de seu novo meio ambiente, e adotando aquilo de que necessitavam para seus próprios costumes e formas de vida. Historicamente, esse longo período começa nos dias da soberania romana sobre a *Província Hispania*. Posteriormente, quando bizantinos e visigodos tomaram o poder na Península Ibérica, os integrantes desse povo perseguido e submetido a severos éditos, pois seus governantes procuravam impor-lhes ao Cristianismo e eliminá-los como judeus. O regime visigótico, fundando-se em decretos conciliares, dos quais era partidário, procurou destruir sua estrutura cívica e social, sem indicar qualquer solução para o intricado problema de como deveria viver um povo que tinha aceitado à força o Cristianismo. Não só porque a sociedade e o governo visigótico cristão eram incapazes de oferecer qualquer solução; eles formavam uma espécie de camada superior do Estado – a casta governante – e obviamente não tinham nenhum interesse no problema das relações, exceto aquelas necessárias para a consolidação de seu

1. H. Beinart; Cuando llegaron los Judíos a Espana? *Estudios*, 3:1-32 (1961).

poder sobre a Península. A existência de um povo e de uma sociedade judaica, separados e distintos, não se ajustava de maneira alguma a seus propósitos. Nos cem anos de domínio visigótico, o governo não conseguiu criar valores que pudessem servir de fundamento para a evolução pública e social no Estado. Seus esforços, em diversos períodos, no sentido de moldar uma sociedade cristã, não foram além de decisões no papel[2].

Em 711 os árabes irromperam na Península Ibérica e o domínio visigótico caiu. Os judeus, alguns dos quais viviam em áreas onde o regime visigótico tinha sido fraco, e alguns outros que se vieram estabelecer-se na esteira da conquista, defrontaram-se com muitos problemas cívicos e sociais, ligados a sua organização como uma comunidade vivendo sob custódia em congregações "protegidas". Sem dúvida, os problemas de existência e organização no al-Andalus muçulmano não foram diferentes dos encontrados em qualquer dos outros territórios dominados pelo Islã. Mas os independentes senhores Omíadas de al-Andalus muito cedo precisaram dos judeus, por razões internas e externas. O aparecimento de líderes judaicos como Hasdai Ibn Shaprut, escolhido como chefe dos judeus de al-Andalus no século X, ou Iaakov ben-Jo, nomeado coletor de impostos e chefe dos judeus de al-Andalus e do Magreb, o fato de que ambos residiam em Córdoba, a subseqüente ascensão de R. Schmuel Ha-Naguid em Granada – tudo isso atesta os estreitos laços entre os judeus e o governo, e são claro sinal da organização judaica. E embora fossem ainda limitadas as relações sociais com o governo e o mundo muçulmano circundante, parece que, à medida que o governo se ramificava, a cadeia de relações tornava-se mais complexa. Como regra geral, todavia, o povo judeu nas comunidades da Espanha Muçulmana – e aqui e ali na Espanha Cristã que não cessava de conquistar e progredir – nunca abandonou seu quadro nacional-religioso. Viveram a seu próprio modo, seja em matéria de organização e estrutura social, seja nas formas exteriores de vida que haviam adotado nas terras espanholas. Esta regra geral contribui muito para explicar as características cívicas e sociais do judiar hispânico, não obstante o fato de que sua organização comunal na Espanha Cristã tenha sido influenciada pelas formas de organização do povo cristão. Outro fato importante é que o governo cristão era dividido em reinos e principados e feudos de clérigos e nobres. Este foi um fenômeno único, de cuja extensão total sob o domínio cristão falaremos mais pormenorizadamente. Tentaremos retratar a sociedade judaica que

2. J. Parkes, *The Conflict of Church and Synagogue*. (2ª. ed., Cleveland-New York, 1961, pp. 345 e ss. (Ver Bibliografia); J. Vives, Visens, *Historia Economica de España*. (Barcelona, 1959), pp. 81-89; J. Vives, *Concilios Visigoticos e Hispano-Romanos*. (Barcelona-Madri, 1963), *passim*.

existiu durante séculos, através de muitas vicissitudes, nos reinos de Aragão e Castela.

II

Inicialmente, podemos indagar com justo motivo: é possível efetivamente atribuir uma personalidade social específica ao povo judeu na Espanha? As características do judaísmo espanhol foram, afinal de contas, partilhadas pelos judeus de outros países. Havia habitantes de cidades, de pequenas cidades e aldeias. Todas as relações sociais, tensões públicas e sociais, existiram em correntes acima ou abaixo da superfície. A sociedade judia espanhola continha homens ricos, de classe média e pobres – estes sustentados pelo povo – eruditos, estudantes, dignitários religiosos célebres por seu saber, médicos, comerciantes, artesãos da mais ampla variedade de ofícios e camponeses arrendatários e proprietários. Assim, socialmente, não estavam mais isentos das tensões sociais do que qualquer sociedade ou comunidade. E isso, ao que parece, descreve a rede de relações de coletividade judaica na Espanha, através dos séculos de sua existência. Não obstante, a situação social das congregações israelitas na Espanha não foi sempre a mesma em todas as épocas e lugares. Modificações nas condições políticas afetaram-nas. Devemos lembrar que a Espanha Cristã viveu por centenas de anos dentro do esforço político da *Reconquista* e em meio dos problemas de repovoamento da fronteira, na qual havia lugar para os judeus como comunidade. Essas condições de esforço afetaram o povo judeu, deixando-o aberto ao desafio da colonização, o de criar centros e novas congregações. Tarefas particularmente indeclináveis, uma vez que nas cidades conquistadas, distritos e aldeias havia velhas comunidades que tinham agora de adaptar-se ao Estado cristão conquistador. Isto não significa que as comunidades, onde quer que estivessem, tiveram de passar por mudanças em sua organização ou que a estrutura social do povo judeu nas áreas conquistadas sofreram uma mudança imediata. Os judeus dos lugares conquistados encontraram (algumas vezes como prisioneiros resgatados)[3] colonizadores judeus vindos de zonas cristãs. Os novos colonizadores judeus das áreas dirigidas pelos hispano-cristãos gozavam de privilégios de colonizadores e receberam terras, granjas, vinhedos, casas e oficinas, nas áreas conquistadas[4]. Ambos os lados construíram de

---

3. O governo algumas vezes pedia que o povo judeu resgatasse seus irmãos judeus nos territórios muçulmanos conquistados.
4. Sobre esse problema ver p. ex.: R. Carande, "Sevilla, Fortaleza y Mercado".

novo as comunidades judaicas, sem um atrito maior do que o normal em qualquer comunidade.

Essa condição de colonização nos novos lugares e a procura da colonização judaica continuaram entre o povo judeu até a última campanha da Reconquista para submeter Granada de 1480 a 1490. Contudo, nessa campanha final, cujo objetivo era expulsar o último bastião do Islã na Europa, quando dos acordos para recolonização da área a ser conquistada proximamente, Fernando e Isabel não mostraram a mínima intenção de recorrer ao elemento judeu para a colonização ou ao seu poder de iniciativa. Como é bem conhecido, os Reis Católicos pretendiam fundar um Estado puramente cristão. E deve-se dizer que tal idéia continha como pressuposto prioritário a expulsão dos judeus da Espanha. Era uma idéia que brotara do processo de evolução religioso e social em andamento desde 1391, através da onda de conversões forçadas e de abandono da fé judaica. Esse processo continuou por todo o século XV.

Em toda comunidade judia na Espanha Cristã, seja nos reinos de Castela-Leão, Navarra ou Aragão, o estilo da vida pública era fixado por membros das melhores famílias, aqueles, quer dizer, cujo *pedigree* era bom, que possuíam também propriedades na cidade ou nos arredores[5]. Alguns desses *pedigrees* eram imaginários, significando apenas que a família em questão incluía-se entre os primeiros que se estabeleceram no lugar. Tais famílias eram Abu-Aláfia, Ibn-Ezra, Alfakar, Ibn Schuschan e Ibn Tzadok em Toledo; Caballeria, Alconstantini e Golluf em Saragoça, Abravalia e Berfet na Barcelona; Portela em Tarragona e assim por diante. Nem todas possuíam um antigo *pedigree* no qual basear sua pretensão a um lugar para elas e seus descendentes. Não poucas famílias deveram o êxito de suas reivindicações dentro (e algumas vezes fora) da comunidade a contatos com o governo e ligações com reis, príncipes e duques[6]. Mas seria completamente sem fundamento dizer que apenas pessoas cujas origens não são bastante claras para nós, ou pessoas que tinham ligações com o governo, fossem os árbitros sociais e morais do povo judeu. Dentro dessas mesmas famílias encontramos rabis e eruditos. Encontramos também grandes rabis de outras famílias que

---

In: Anuario de la Historia del Derecho Español, (1925), 2, *passim*; J. Gonzales y Gonzalez, *Repartimiento de Sevilla.* (Madri, 1951), 1-2; J. Torres Fontes, *Repartimiento de Murcia.* (Madri, 1960).

5. Ver H. H. Ben-Sasson, A Geração dos Exílios Espanhóis em si mesma. *Zion*, 25: 23-64, (1961), (em hebraico).

6. Ver H. H. Ben-Sasson, *Capítulos na História dos Judeus na Idade Média* (Tel-Aviv, 1958), pp. 144 e ss. (em hebraico). Ver H. Beinart, *The Character of the "Court Jews" in Christian Spain: Elite Groups and Leadership Strata.* (Jerusalém, 1966), pp. 55-71 (V. Bibliografia).

exerceram influência muito maior do que a daquelas famílias sobre o modo de vida judeu e sobre a liderança do povo judaico. Basta lembrar alguns de seus nomes: Ramban (R. Mosché b.-Nachman, Nachmânides), R. Schlomo ben-Adret (Raschba), R. Aaron Ha-Levi na Clara, R. Hasdai Crescas em Aragão, R. Iossef Orabuena em Navarra, ou Rabi Iossef Ha-Nassi ben-Pruziel, conhecido como Cidellus, R. Avraham Ibn Schuschan, R. Iehudá Ibn Wakar, R. Meir Alguades, R. Avraham Benvenisti de Soria, R. Isaac Abrabanel em Castela. Foram tais personalidades e muitas outras como essas que firmaram durante gerações o padrão da vida pública e moral na judiaria espanhola. É inútil dizer que havia igualmente chefes judeus de "boas" famílias que eram intrometidos e iletrados. E havia outros também entre os homens de "linhagem" que cuidavam e trabalhavam pela comunidade, quer nos próprios lugares natais quer no Estado onde viviam. Pelo bem-estar dos judeus, os sábios de Israel na Espanha viram em cada geração que era de seu dever lutar – algumas vezes mesmo com a ajuda governamental – apenas contra aqueles elementos perturbadores, homens violentos e rudes agressores. E se, por outro lado, os sábios de Israel viam perigo de uma explosão interna que pudesse prejudicar a comunidade judaica, não hesitavam em tomar medidas contra aqueles que haviam perdido o controle sobre si mesmos, e teriam mesmo empregado homens fortes do lugar para impor disciplina na comunidade[7]. Por toda a Espanha podemos ver justamente nos sábios de Israel as sentinelas da comunidade judaica, os guardiães de seu caminho para uma vida decente baseada na moralidade pública e social, como toda a vida judaica verdadeira deve ser.

Os líderes e sábios comunais judeus eram, entretanto, apenas uma fina camada da sociedade judaica. Se nos voltarmos para os mais empreendedores membros da comunidade, descobriremos que seus negócios principais eram crédito em larga escala para as necessidades do Estado e de particulares, cobrança e recolhimento de impostos – atividades que se espalharam por toda Castela e Aragão. Foram os primeiros a receber terras nas áreas fronteiriças; tinham lojas e empresas comerciais em muitas partes da Espanha. Ao lado desses residiam pessoas de categoria média e inferior: vendeiros e artesãos que não diferiam muito uns dos outros. Um critério válido para avaliar as diferenças sociais na Espanha é o montante do tributo anual pago pelos indivíduos ao tesouro que existia em cada congregação para atender a taxa que as comunidades judaicas deviam pagar a cada ano ao tesouro real[8]. A esse respeito verifica-se que podemos

---

7. O método de Raschá, p. ex., é conhecido, Ver F. Baer, *History of the Jews in Christian Spain.* (Filadélfia, 1960), vol. 1, pp. 257 e ss.
8. Ver Baer, *History,* v. 1, pp. 198 e ss.

traçar uma linha divisória entre os grandes ou "grandes contribuintes", como eram chamados, e os homens "médios" e "pequenos"; voltaremos a este tópico mais tarde. Encontramos concentrações de pequenos artesãos em quase todas as comunidades na Espanha; os "grandes", os ricos são mais escassos.

É possível evidentemente encontrar um "homem rico" em toda comunidade – seja mercador, prestamista, proprietário de vinha ou de olival – comparados aos quais os outros membros da comunidade vivem num nível muito modesto. Mas devemos lembrar que o critério de riqueza é meramente relativo. Entre os mercadores, os negociantes de roupas de Saragoça gozavam de um *status* especial e ocupavam importantes posições na direção da comunidade[9]. Havia também negociantes de perfumes, farmacêuticos, ourives etc. Numa comunidade de 50 famílias como a de Segóvia ou Ávila em Castela, Teruel em Aragão ou Tudela em Navarra, deparamos todo um batalhão de trabalhadores habilitados, uma grande variedade de artesanatos e serviços para suprir todas as necessidades públicas e privadas[10]. Tecelões, sapateiros, alfaiates, açougueiros, peleiros, ferreiros, seleiros, curtidores, trabalhadores de couro, oleiros, tingidores e outros muitas vezes vendiam seus próprios produtos. Alguns desses artesãos especializados tinham um pedaço de terra perto de suas casas em que plantavam hortaliças para sua própria mesa. Algumas famílias tinham umas poucas cabeças de ovelha ou gado na pastagem comum da aldeia, município ou cidade. Apenas uma minoria efetivamente possuía terra nas áreas incultas fora da cidade ou do município. Essa terra, que produzia colheitas de campos não irrigados, vinhas ou olivas, era cultivada pelo proprietário com o auxílio em alguns casos dos servos judeus ou cristãos ou lavradores não-judeus. Tal foi a disposição geral, através dos séculos, da fixação judaica na Espanha e listas de propriedades vendidas por volta da expulsão de 1492 a confirmam[11]. Entretanto, os judeus dessa época não podem ser chamados de agricultores em nenhuma acepção contemporânea ou moderna do termo. Havia um médico judeu em quase todo lugar onde morassem judeus que servia não só a eles mas a toda a comunidade – a quem quer que precisasse de sua ajuda, quer em tempos normais ou por ocasião das epidemias. Cidades expres-

---

9. Os judeus trabalhavam em cada estágio dessa profissão, desde a fiação do fio de lã, a tecelagem e a tintura até a venda dos tecidos e confecção dos vestuários.

10. Ver Baer, *History*, v. 1, p. 197. É impossível enumerar aqui todos os ramos em que os judeus ingressaram. Ver F. Cantera e A. García Abad, *Sefarad*, (1967), 27, pp. 39-63.

11. Ver, p. ex. F. Baer, *Die Juden im christlichen Spanien (JchS)*. Berlim, 1936 v. 2, pp. 429-435, R. del Arco, e F. Balaguer, *Sefarad*, (1949), 9, pp. 390 e ss.

saram mais de uma vez seu agradecimento ao médico judeu[12]. Seus serviços eram prestados, apesar do fato de que a Igreja e as autoridades civis igualmente proibissem aos cristãos de serem tratados por médicos judeus e a estes de praticar a medicina[13]. Os reis tinham seus médicos judeus, assim como os bispos, abades e nobres nos seus graus. Na verdade, contratar os serviços de um médico judeu era encarado como tomar saúde emprestada por muitos nobres e grandes homens da região. Evidentemente, emprestar dinheiro a juros de modo algum era a única profissão judia[14], ainda que os judeus dela se ocupassem. Era um serviço necessário a uma sociedade incapaz de encontrar outra fonte de crédito financeiro; não é preciso repetir quais as razões que levaram os judeus a viverem do prestamismo. A sociedade judaica incluía, englobando viúvas e órfãos, gente pobre, funcionários religiosos, professores e chantres, todos aqueles que eram sustentados pela responsabilidade pública. Eles eram isentos de taxas: a comunidade judaica pagava os tributos por eles. Comunidades pequenas ou médias raramente dependiam a esse respeito de seus ricos e "grandes" irmãos ou de um indivíduo do lugar suficientemente rico para auxiliar toda a comunidade em caso de necessidade. Esta espécie de apoio comunal foi dado durante todo o período do estabelecimento judeu na Espanha, tanto nas comunidades médias como nas grandes.

A maioria dos judeus pertencia ao estrato médio: possuíam um pequeno capital e aquilo que possuíam estava investido em seu negócio ou ofício. Quando forçados a abandonar o judaísmo nas perturbações de 1391 e durante o século XV, levaram consigo para a congregação cristã todos os ofícios e ocupações tradicionais judeus transmitidos de geração a geração. Podemos assim algumas vezes saber pela profissão a origem de um homem e dizer: é judeu de origem. A sociedade cristã na Espanha no século XV era incapaz de absorver esse mundo especial, esse público judeu forçado a deixar sua fé e estrutura. Não somente porque os cristãos careciam dos meios públicos e sociais para absorver os judeus, como também lhes faltavam condições sociopsicológicas para isso. O debate público que desenvolveu em Castela em meados do século XV mostra o quanto o problema dos Conversos e sua absorção na sociedade cristã era um problema social. Este tinha vários aspectos: havia o problema de pura subsistência para os Conversos e o da necessidade de uma mudança parcial de ânimo da sociedade que deveria absorvê-los. As

---

12. Baer, *History*, passim.
13. Ver, p. ex., os *Decrees of Valladolid of 1412*; Baer, *JchS*, v. 2, pp. 263 e ss.
14. H. Beinart, Judíos y Conversos en España después de la Expuisión de 1492, *Hispania*, 24: 293 e ss., 1964.

dificuldades eram especialmente manifestas nas profissões que jamais haviam admitido judeus, como as de tabelião público e juiz e outras posições de peso decisivo na sociedade cristã formada por cristãos genuínos e originais. Conversos instruídos poderiam não encontrar lugar para si mesmos nessa comunidade cristã e eram firmemente repelidos pela legislação que visava proibir pessoas que fossem "dos judeus" (*i. e.*, de origem judaica) de ocupar postos que envolvessem jurisdição sobre cristãos[15]. Mas para a maioria, a massa de trabalhadores especializados, o problema da pura subsistência era crucial. Por centenas de anos, a Espanha Cristã foi forçada a se haver com o problema de absorção de toda uma sociedade que havia sido afastada à força da fé de seus pais. Sem entrar na discussão dos aspectos religiosos da conversão forçada, ou do profundo desejo dos Conversos de retornar à sua fé ancestral, ou seus esforços para praticar secretamente o Judaísmo, veremos que o problema social de sua existência permaneceu insolúvel. É ainda de certa forma insolúvel em algumas localidades nos dias atuais.

III

Foi a organização que deu a cada comunidade judaica seu caráter. Pois, além do aspecto administrativo, havia linhas sociais de demarcação e relações fixas nas instituições representativas. A princípio devemos salientar que a linha diretiva nos passos da liderança judaica foi a *Halahá*, a lei judaica interpretada pelos Sábios, mas deve-se levar em conta na Espanha as condições efetivas da época, que influiram na solução de muitos problemas dentro da comunidade judaica. Tais considerações aplicam-se à avaliação do desejo dos chefes de uma vida judaica regular e de sua abordagem da vida diária que a comunidade judaica devia suportar. Na Espanha, assim como em toda a Diáspora, a comunidade era a unidade básica da vida judaica organizada. O estilo de vida dos judeus era estabelecido dentro dos limites comunais, assim como as instituições de que cada filho de Israel sentia necessidade: sinagoga, tribunal judaico, suprimentos alimentares, *kascher*, cemitério – todos os aspectos de uma vida organizada. Na Espanha eram dadas garantias a todas essas necessidades por privilégios especiais concedidos pelo governo, fossem necessidades comunais ou particulares. Entretanto, de modo algum os aspectos públicos e sociais dos judeus eram expressos e definidos em privilégios oficiais. Basta mencionar a educação judia

---

15. Ver H. Beinart, *Conversos em Julgamento ante a Inquisição*. (Tel-Aviv 1965), pp. 14 e ss. (em hebraico).

e o bem-estar para mostrar que todas as coisas que cresceram e se expandiram na comunidade judaica radicavam num organismo vivo. Assim vemos que se a comunidade judaica organizada era um farol de segurança pessoal para cada judeu, as instituições comunais judias eram como um navio e os chefes da comunidade, os capitães para cada geração, guiando a comunidade para o ancoradouro seguro da existência judaica. Quanto às condições de existência entre as comunidades hispano-judaicas, cumpre lembrar novamente as diferentes condições políticas de um reino a outro. As condições políticas cambiantes eram um fator decisivo na vida de todas as comunidades durante os séculos de residência judaica na Espanha. As mutáveis atitudes das autoridades afetavam mais do que as relações reais entre judeus e governo; às vezes afetavam as formas da organização judaica e ocasionalmente mesmo as relações dentro da própria comunidade. Essas vicissitudes, todavia, não mudaram essencialmente os padrões de vida estabelecidos quando o povo de Israel habitou sua própria terra, vivendo sua própria vida[16]. Não obstante, havia diferenças entre uma comunidade e outra na Espanha, sendo por isso virtualmente impossível generalizar a respeito de organização. Como observa Baer, a respeito das comunidades de Aragão: "Nenhuma outra sociedade judaica em toda a Diáspora aceitou as idéias e tendências políticas de seu tempo tão abertamente quanto as comunidades de Aragão"[17]. Isto é igualmente verdade quanto a outras regiões da Espanha. A influência exterior surgiu primeiro e sobretudo nas formas externas e nas funções dos funcionários públicos administrativos na liderança de cada comunidade. Influências locais particulares exerceram também efeito sobre o público judeu em diferentes partes da Espanha. Vemos uma ilustração desse fato numa *Responsum* de Raschba (R. Schlomo b.-Adret) em 1264, em que ele escreve à comunidade de Saragoça em resposta a uma consulta a respeito da direção comunal:[18]

> O costume local nesses assuntos não é igual em toda parte, pois há lugares em que os negócios correm inteiramente segundo o conselho dos mais velhos e conselheiros e há lugares onde mesmo a maioria não tem o direito de fazer nada sem consultar e obter o consentimento do povo, e há lugares em que dão ao povo autoridade para fazer o que julga adequado aos negócios gerais, funcionando eles como guardiões.

Aqui talvez esteja um dos fatores que impediram o estabelecimento de organizações nacionais de cúpula na Espanha para cobrir

16. Ver F. Baer, *Zion*, 15: 1-41, 1950, (em hebraico).
17. Baer, *History*, v. 1, pp. 212 e ss.
18. *Responsa*. (Leghorn Press), 1778, III, n. 394.

todas as comunidades. Apenas em duas ocasiões na história dos judeus espanhóis registram-se esforços de união numa base nacional, uma vez no reino de Aragão e uma outra vez no reino de Castela. Em Aragão a tentativa foi feita em 1354 após os distúrbios da Peste Negra, que trouxeram destruição para as comunidades judaicas[19]. Dentre os iniciadores dessa tentativa estavam B. Nissim ben-Reuben Girondi e Crescas Schlomo, que procuraram estabelecer um conselho executivo permanente para representar os judeus do reino. O conselho deveria ser composto por dois representantes de Catalunha e dois de Aragão, enquanto os reinos de Valença e Majorca deviam enviar cada qual um. Mas as comunidades de Aragão não colaboraram para consolidar essa organização superior. Os iniciadores procuraram constituir um conselho numa escala nacional, para representar todos os judeus do Estado e negociar com o governo assuntos referentes ao Judaísmo. Internamente, tal organismo poderia ter beneficiado as comunidades judaicas. Poderia ter mostrado a elas um caminho para uma organização com meios e poderes centralizados, algo para combater o arraigado provincianismo que via pouco ou nada fora da comunidade.

Uma segunda tentativa de construir uma organização de cúpula foi feita em 1432 em Valladolid pelos judeus de Castela. Tal tentativa era muito mais prática, talvez por causa das condições diferentes em que os judeus espanhóis se encontravam no século XV. O Rabi Avraham Benvenisti de Soria, o Rabi da Corte[20] que deu o primeiro passo, partindo do pressuposto de que a autonomia numa escala nacional era necessária para a reconstrução e restauração das comunidades judaicas destruídas em Castela pelos *pogroms* de 1391, pelos resultados dos decretos de 1412 e pela Disputa de Tortosa em 1413-1414. Convidou representantes das comunidades castelãs para ir a Valladolid e a assem ia redigiu cinco tópicos ou "pórticos" de estatutos, de acordo com os quais os delegados tentariam estabelecer uma legislação e um esquema regulador para todas as comunidades de Castela[21]. Nesses estatutos, escritos numa mistura de hebreu e espanhol, há uma tentativa evidente de esboçar as linhas de ação que, esperavam os delegados, restaurariam as congregações arruinadas de Castela e tornariam possível a construção de uma vida

---

19. Para uma descrição pormenorizada ver Baer, *History*, v. 2, pp. 24 e ss.; A. Lopez de Meneses, Una Consecuencia de la Peste negra en Cataluña: el Pogrom de 1348. *Sefarad*, 1959, 19, pp. 92-131; pp. 321-364.

20. Sobre a natureza do posto, ver adiante.

21. Os "pórticos" ou secções são: Estudo da Torá; Escolha de Juízes e Outras Nomeações; Tradições; Impostos e Trabalhos; Vestuário. Ver Baer, *JchS*, v. 2, pp. 280-297.

estável. Se tivesse sido possível pôr em execução tais idéias incorporadas nos cinco "pórticos", talvez a vida das comunidades pudesse ter sido restaurada; mas, para tal espécie de esforço, Castela do século XV não oferecia as condições prevalecentes nos períodos anteriores.

A auto-organização numa escala menor pode ser vista nas *Collecta* ou impostos distritais de várias comunidades. Ainda que o objetivo específico fosse limitado – simplesmente formar uma bolsa para tributação em benefício do governo – as *Collecta* criaram um elo entre as comunidades. Como escreveu Raschba para a comunidade de Montpellier:[22]

> Saiba que nós e a comunidade de Villafranca e a comunidade de Tarragona e Montblanc temos uma caixa e uma bolsa entre nós pelo pagamento dos impostos e encargos de propriedade e tudo o que o reino nos impõe. E sempre que eles desejam fazer novos acordos para a fixação de taxas ou dar lembretes ou ob er aquilo que buscamos de nosso senhor o rei, nunca impomos nada a eles, mesmo quando somos em número maior e estamos à frente em todos os assuntos; pois se agimos sem seu conselho eles não atenderão nossas vozes. Algumas vezes enviamos pessoas a eles e algumas vezes delegados vêm da parte deles a nós com seu consentimento. E se eles não nos dão ouvidos para fazer nenhuma dessas coisas, forçamo-los por meio do governo a vir até nós ou a resolver e executá-lo em sua comunidade local, como nós o fizemos. Mas em outros lugares a principal comunidade pode decretar que a inferior compareça, mesmo contra sua vontade; pois em todos esses assuntos, os costumes dos lugares diferem entre si. Assim é e tem sido sempre a lei e costume entre nós.

As *Collecta* atuaram por toda a Espanha e formaram um elemento importante nas relações intercomunais, na medida em que eram baseadas nas taxas pagas ao tesouro real.

Outra força unificadora entre os judeus espanhóis foi o Rabi da Corte, Rab de la Corte[23], que funcionava como juiz nas apelações que envolvessem judeus. É verdade que Raschba em Aragão e depois dele R. Hasdai Crescas foram em seu tempo indicados para um propósito específico, totalmente diverso da posição do Rabi da Corte em Castela. Os Rabis da Corte de Castela não tinham de ser necessariamente ordenados como rabinos para ensinar e julgar. O titular podia igualmente ser alguma figura pública que tivesse o favor do rei, suficientemente digno de confiança para ser encarregado da cobrança e coleta das taxas reais. Raschba já notava[24] a necessidade

---

22. *Responsa*, III, n. 411.
23. O posto existia em Portugal também; o título era Arrabi Mor dos Judíos. Ver M. Kayserling, *Geschichte der Juden in Portugal,* (Leipzig, 1867), pp. 9, 48 e ss. Foi igualmente encontrado em Navarra; o médico do rei foi indicado para o cargo em 1349 com o título de Rabi Mayor de los Judíos. Ver Baer, *JchS*, v. 1, pp. 601-603. Ver também I. Loeb, *REJ*, 6: 208, 1886 e S. W. Baron, *The Jewish Community* (Filadélfia, 1948), pp. 292-294 e *passim*.
24. Nas *Responsa* atribuídas a Ramban (Nachmânides), n. 248.

de distinguir entre tais pessoas e os efetivos Rabis de Israel. "Mas aquele que não é Rabi mas um escolhido real não possui esse *status;* nós apenas punimos aquele que se cobre de vergonha pelo que é; e isso apenas se assim o faz por ações mas não por palavras." É necessário ressaltar que o rabi da Corte não era o rabi mor dos judeus no Estado ou cabeça de outros rabis. O rabi "real", como mostramos, desempenhava um papel único na formação do caráter da comunidade judaica na Espanha, ele era um líder em sua geração. E algumas gerações foram de fato abençoadas por seus líderes – rabis como Ramban (Nachmânides), Raschba, R. Aaron Ha-Levi em Clara, Ritba (R. Iom Tov Asbili), Ribasch (R. Itzhak b.-Scheschet), R. Hasdai Crescas em Aragão; R. Ascher b.-Iehiel e seu filho R. Iehudá, R. Avraham ibn Schuschan em Toledo, R. Meir Alguades em Segóvia e muitos outros como eles, chefes dos judeus da Espanha. Ao lado de tais homens e seu trabalho, o Rabi da Corte parece tão-somente um funcionário administrativo da coroa, cuja esfera de dever eventualmente era a comunidade judaica. Assim o Rabi da Corte ajudava a decidir qual o tributo que as congregações judaicas do reino deveriam pagar anualmente. Entretanto, ele deve também, parece, ser encarado como o porta-voz dos judeus em seu tempo. Nem todas as gerações tiveram líderes proeminentes.

Voltemo-nos agora para a organização efetiva das comunidades. O conselho dos "sete homens íntegros da cidade" é uma instituição fundamental. Ao que se saiba, a expansão do Conselho parece de início tão-somente um desvio do número dos membros aceitos durante gerações. Mas, se estudarmos o que foi feito no reino de Aragão, descobriremos que a espécie de representação foi também alterada. Aí nota-se especialmente a representação por "graduações" sociais: "grandes", "médias", "pequenas". É preciso dizer que eles alcançaram este tipo de representação relativamente tarde na existência das comunidades. A influência da cidade é manifesta na Espanha Oriental. "Diferenças de classes" (se é que se pode usar tal termo), que encontraram expressão na cidade cristã, prepararam a instituição do Conselho, um conselho ampliado na comunidade judaica (principalmente na grande comunidade)[25]. Essa desenvolvida corporação, somada às instituições comunais existentes, emprestavam um caráter mais representativo a elas, de modo que pudessem conter delegados do público agindo em seu lugar no conselho ampliado e formando uma ponte para o povo em geral. Entretanto, devemos lembrar que, maior ou menor, nenhum Conselho poderia mudar a natureza da ordem pública que prevalecia nas grandes e

---

25. Sobre o método de eleição dos membros do conselho, ver o que se segue.

médias comunidades igualmente. De 1280 a 1290 havia um "Conselho" permanente em Barcelona com 25 membros consultivos, mas é impossível saber claramente as funções que desempenhavam. A partir do fim do século as tarefas começaram a ser definidas com maior clareza na liderança comunal, e desde o começo do século XIV encontramos um corpo de 30 membros estabelecido nas linhas do *Consejo de Ciento*, o Conselho dos Cem da cidade. Esse corpo formou-se em aditamento aos sete "curadores" que efetivamente dirigiam os negócios comunais e, como o conselho citadino era composto de representantes das três classes: alta, média e baixa; os processos eram conduzidos de acordo com os regulamentos adotados em 1327[26]. Devemos acentuar que na comunidade judaica o "Conselho dos Trinta" tinha peso maior que o "Conselho dos Cem" na cidade[27]. Aqueles que serviam no último tinham de ser homens de distinção especial, pois todos os negócios públicos deles dependiam e eram escolhidos por sua correção pública e privada. Ainda que os representantes das classes média e alta devessem participar do "Conselho dos Trinta", na prática a maior influência era exercida por esses "grandes homens" que formavam a aristocracia da cidade. Os regulamentos estipulavam *inter alia* que esse conselho deveria designar todos os funcionários públicos: curadores, (*secretarii*)[28], juízes da corte religiosa (*daianim*), contadores e tesoureiros das obras de caridade. Eles deviam planejar a arrecadação das taxas, emendar os regulamentos e designar comissões para propósitos especiais. Numa certa extensão, o Conselho era dependente dos curadores eleitos por seus membros. Eram os curadores que convocavam os membros do Conselho para reuniões, eram eles que multavam os membros atrasados ou ausentes. Os curadores e os juízes elegiam o Conselho uma vez cada três anos por maioria de votos. Aparentemente como que contraposto a isso, as atividades dos curadores dependiam do consentimento dos trinta[29]. A comunidade de Barcelona continuou a ser orientada nessa linha até mesmo depois da Peste Negra. Em 1386 uma nova constituição pública foi introduzida na cidade e sancionada pelo rei Pedro IV[30]. Essa constituição estipulava que a comunidade devia orientar-se do mesmo modo que a cidade, *i.e.*, pelo estabelecimento de um Conselho Comunal composto por representantes das três classes: notáveis da congregação, mercadores e artesãos. Um complicado sistema de eleição dos chefes co-

---

26. Sobre o estatuto ver Baer, *JchS*, vol. 1, pp. 251-256. Foi sancionado pelo Rei Jaime II.
27. Ver Baer, *History*, v. 2, pp. 41 e ss.
28. Sobre os funcionários públicos, ver adiante.
29. Sobre os poderes dos curadores, *idem*.
30. Ver Baer, *JchS*, v. 1, pp. 580-594.

munais foi formulado, uma réplica do sistema municipal. Apesar do fato de que três curadores e o Conselho dos Trinta fossem escolhidos entre os representantes dos três estados, o representante do estado mais baixo era naturalmente quem tinha menor voz e as vantagens iam para os outros dois. Cinco representantes de cada classe, aos quais os três curadores seriam acrescentados compunham um Conselho Interno. Todos os anos dez membros conselheiros cumpriam seu mandato e eram substituídos por outros escolhidos em seu lugar. Esse Conselho teve curta duração. O *pogrom* de 1391 pôs fim à comunidade judaica de Barcelona e a cidade nunca mais teve outra.

O problema de manter um corpo representativo eleito para gerir os negócios comunais era menos complexo nas comunidades de tamanho médio. O problema não existiu evidentemente nas pequenas comunidades que, como mostramos, pertenciam a várias *Collecta*. Na cidade de Perpignan, parte, a esse tempo, do reino de Aragão, os conselheiros em número de 20-28 eram escolhidos vitaliciamente. A maior falha que aí se verifica é que os conselheiros eram parentes[31]. Quando um conselheiro morria, os outros escolhiam seu substituto. Em 1384 essa situação foi oficialmente aprovada pela Coroa, apesar da oposição de seu promotor[32].

Conhecemos algo sobre os trabalhos do Conselho de Gerona depois da Peste Negra. A comunidade parece ter sido muito reduzida, visto que dois notáveis de Barcelona ficaram encarregados dos negócios internos. Eles fundaram dois conselhos em Gerona, um com 36 membros e outro com 16; também reformaram os sistemas de eleição dos curadores, contadores e demais funcionários públicos. Algum tempo antes do *pogrom* de 1391, a Infanta Violante sancionou a constituição da comunidade. Um Conselho de 33 devia ser formado, dois dos quais deviam ser das *Collecta*, isto é, municípios adjacentes a Gerona. Dezesseis membros deviam ser eleitos vitaliciamente ou com a possibilidade de ser substituídos a cada dois ou três anos por um membro de sua família (filho ou irmão), que usasse seu nome. Os outros lugares eram reservados para quinze pessoas, cada uma das quais ocupava o Conselho por três anos. Os membros do Conselho podiam eles mesmos ser curadores mas um corpo de eleitores devia escolher três curadores e um tesoureiro (*clavarius*) anualmente. O exator de taxas devia ser escolhido entre os pequenos contribuintes e não podia ser aparentado com nenhum dos curadores; devia usufruir um salário fixo anual. Os curadores, evidentemente, pertenciam às outras classes[33]. Essas condições eram preenchidas

---

31. Isto era proibido em Barcelona.
32. Ver Baer, *JchS*, v. 1, pp. 565-568.
33. Ver Baer, *ibidem*, pp. 626-631.

mesmo depois do *pogrom* de 1391, quando a comunidade de Gerona readquiriu sua força anterior.

Na comunidade de Mallorca (hoje Palma de Maiorca) a gerência dos negócios públicos até meados do século XIV estava nas mãos dos ricos mercadores[34]. De fato, os membros da comunidade eram renomados por sua grande prosperidade e seu comércio de alcance ultramarino. Enquanto o reino de Maiorca foi independente no século XIV, seis curadores encabeçavam a comunidade judaica. Ocasionalmente, um Conselho de Oito Homens, de "homens justos" é mencionado[35]; as condições da comunidade insular sugerem que não foi uma instituição permanente. Possivelmente, os curadores públicos não estimularam o Conselho ou participaram de suas decisões. Essa situação existiu mesmo depois que a ilha foi conquistada por Pedro IV, em 1343, e ele efetivamente a confirmou. Em 1348 os "grandes contribuintes", que aparentemente compunham o "Conselho Comunitário", procuraram cooptar um dos contribuintes para agir como um emissário adicional na distribuição de fundos de caridade. Mas um dos grandes contribuintes queixou-se ao rei e Pedro IV decidiu que era melhor que aqueles que davam distribuíssem. Em comparação com a própria Espanha, nota-se que havia uma lei vigente desde 1356 que declarava que nenhum médico ou revendedor podia ser eleito para o posto de curador público. Baer supôs[36] que isto fosse um sinal da estima que essas profissões gozavam junto aos habitantes da ilha, tal como em algumas cidades da França do Sul, nas quais seus praticantes eram considerados inferiores e inaptos a servir como líderes comunais. Poderia, entretanto, ser um vestígio do reino independente de Maiorca: em Perpignan isto não foi mantido. Após a conquista aragonesa encontramos um Conselho dos Trinta na comunidade e o governador da ilha, representando o governo central, controlava suas nomeações.

Esse conselho lidava com todos os negócios das comunidades da pequena ilha. Em 1374 o rei ordenou que aqueles judeus "que haviam residido na comunidade desde tempos antigos, os grandes e honestos contribuintes" deveriam chefiar a comunidade. Ele também proibiu toda associação com finalidade de formar facções para anular as decisões do Conselho dos Trinta. Nesse conselho tinham assento representantes das duas mais abastadas famílias de proprietários da ilha, Hakim e Najar, e havia uma boa dose de desinteligência entre elas. Diferenças de opinião não eram simplesmente pessoais, mas

---

34. Ver Baer, *History*, v. 2, pp. 47 e ss., A. Pons, Los judíos del Reino de Mallorca durante los Siglos XII-XIV. *Hispania*, (1960), 20, *passim*.
35. Ver mais adiante.
36. Baer, *ibidem*.

eram carreadas para os negócios públicos. Mosché Hakim, autodesignado representante dos interesses democráticos na comunidade, apareceu perante Pedro IV em 1378 e obteve dele a confirmação para certas emendas: curadores elegíveis por dois anos; membros da mesma família com assento no Conselho com voto combinado e contado como um só. Apesar desse movimento democratizador, os pequenos contribuintes não eram ainda representados adequadamente.

A representação comunal judaica em Saragoça, principal cidade de Aragão[37] era de um tipo especial. Nesta cidade o problema da representação converteu-se num amplo debate público, no período de 1270 a 1280. O debate centrava-se em torno da taxação do tributo anual pagável à Coroa. Deveria a coleta ser por "decisão" ou "declaração"? Quer dizer, deveria o valor do tributo ser decidido por exatores saídos dentre os "grandes contribuintes" ou por declaração pessoal de cada membro da população? Toda a questão de métodos de arrecadação de impostos merece ser considerada em si mesma.

Mas surgiu em Saragoça uma situação especial. Membros das classes média e baixa, os "pequenos contribuintes" organizaram-se num grupo oponente ao sistema de tributação por decisão, reclamando que esta era discriminatória contra eles. Ambos os lados apelaram para o arbítrio da Coroa e o debate procurou orientação nas *Responsa* rabínicas[38]. Os "grandes contribuintes", membros das famílias aristocráticas de Alconstantini, de la Caballería, Ibn Daud, Alazar e outras, almejavam controlar a liderança comunal. É razoável supor que sua ambição de assumir o controle era maior que o desejo dos homens das classes média e baixa, os "pequenos contribuintes", de chegar a uma decisão. A tentativa do "grupo de facção", como é chamado nos documentos escritos, para mudar o sistema de tributação deve ser encarado como um esforço para remediar uma situação comunal existente, mais que uma tentativa para tomar o poder. A maior parte da comunidade era de lojistas e pequenos artífices. A tendência de organizar-se própria dos artífices encontrava paralelo com a organização em grupos que faziam caridade, beneficência, ajuda mútua, preces e boas ações. Tal associação é notável no século XIV[39] e alguns regulamentos desses grupos chegaram até nós. Dentre os mercadores já mencionamos o papel dos draperos, os mercadores de tecidos, na liderança comunal.

Comparado com o que sabemos sobre Aragão, nosso conhecimento de Castela é superficial. O "Conselho dos Anciãos", publicamente controlado, tomou aí a forma de um "Conselho Fechado"

---

37. Baer, *History*, v. 1, pp. 205 e ss.; v. 2, pp. 56 e ss.
38. Raschba, (Leghorn Press), 1778, III, n. 394; ver Baer, v. 1, p. 222.
39. Sobre isto, ver adiante.

(*Consejo cerrado*) composto unicamente de membros de famílias proeminentes; tinha controle completo dos negócios comunais. Esse regime, oligárquico por natureza, recebeu o apoio dos monarcas de Castela[40], que nele viam uma força muito importante. Sua força, entretanto, não era sempre suficientemente grande para resistir à pressão popular naqueles dias turbulentos em Castela. Houve períodos em que o poder das famílias aristocráticas declinou. Essa câmara de anciãos fez-se responsável por todas as nomeações públicas, inclusive da corte de juízes religiosos judeus, os *daianim*[41].

A lista de funcionários públicos judeus na Espanha é considerável e mostra sem margem de erro que havia liderança eficiente nos negócios públicos. A chefia era executiva, mas freqüentemente assumia as tarefas extras de controle das medidas públicas judias e supervisionava os costumes públicos e privados. Nas comunidades catalãs, os negócios públicos eram efetuados e geridos por curadores (*secretarii*), também chamados *mukadamin* (*adelantados*). Com eles trabalhavam "magistrados do pecado" (*berurei averot*), uma instituição catalã típica que foi transferida após a Expulsão da Espanha para as comunidades judaicas do Império Otomano. A função desses magistrados era punir os ofensores da religião e dos costumes, especialmente em assuntos concernentes à pureza da família. Junto a eles trabalhavam magistrados das reivindicações financeiras. Outros funcionários comunais eram os comissários da beneficência e o escriba, cujo emprego consistia em redigir documentos e guardar os livros públicos. Os curadores da comunidade de Barcelona, junto com os *daianim*, tinham a importante tarefa de escolher os membros do Conselho pelo voto majoritário[42]. Eles eram, por sua vez, designados pelo Conselho por um ou dois anos (não mais). Eram proibidos de exercer suas funções ininterruptamente. E, apesar de serem o braço executivo da comunidade, eram dependentes na maior parte de seus atos do consentimento do Conselho, como despender mais que determinada soma de dinheiro ou enviar emissários para negociar com o governo em vários assuntos, ou na designação dos bedéis. Os rabinos atribuíam grande importância à nomeação dos curadores e enfatizavam a necessidade de selecioná-los com cuidado[43].

Em comparação com o que sabemos a respeito da Catalunha, nossas informações sobre outras partes da Espanha é escassa. Os

---

40. Baer, *History*, v. 1, p. 314.
41. Eram originariamente designados por tempo ilimitado, mas, a partir do fim do século XIII, apenas por um ano.
42. Em Saragoça árbitros especiais (uma mesa eleitoral especial) elegiam o conselho.
43. Ver Baer, *History*, v. 2, p. 41.

adelantados em Aragão-Navarra eram como os curadores de Castela[44]. Aparentemente, como os conselhos faltassem no reino de Castela, os *adelantados* eram todo-poderosos na direção da comunidade. Os inspetores (*veedores*) parecem ter tido igual *status* que eles. Aparentemente, supervisionavam os negócios públicos com os *daianim*. Vale notar que esses inspetores publicamente nomeados é que foram propostos, na reunião de 1432 em Valladolid, como os mais adequados para dirigir o povo judeu no trabalho de restaurar a comunidade e suas instituições[45]. É difícil definir precisamente suas funções, mas as condições da comunidade em Castela no século XV sugerem que ocupavam o lugar dos *adelantados*. Não eram tesoureiros públicos, cujas funções são comumente definidas e que são mencionados no mesmo regulamento. Esse regulamento também menciona "supervisores das necessidades públicas", cujas funções eram distintas das dos inspetores e tesoureiros. Outros funcionários do poder público (além dos rabinos, rabis reais, mencionados acima) eram *os bedin* (*vedi, albedi, bedin, bedinus, albedin*)[46], que serviam como uma espécie de promotor público e supervisor da ordem pública no lugar. A idéia pode ser ligada com certas funções do *Beit-Din*, o tribunal, que existia na Espanha judaica. Em virtude desse posto, cobrava multas impostas aos ofensores[47]. Do século XIV em diante o *status* do *bedin* decai.

Dentro da liderança das comunidades judaicas na Espanha um lugar especial é ocupado pelo Rabi e os *daianim*[48], mas eles estão de certo modo fora da alçada da presente discussão. Dispensamos já naturalmente a devida atenção ao Rabi, especialmente como uma força moral e líder espiritual de todo o povo judeu. Tanto quanto concerne à justiça hispano-judaica, devemos dar especial atenção aos *daianim*, que eram uma espécie de juiz leigo designado em Castela pelos membros dirigentes da comunidade. É razoável supor o mesmo para Aragão. Com o correr do tempo, o cargo tornou-se uma nomeação corriqueira da comunidade, caindo nas mãos de homens não versados nas leis judaicas. Os Sábios de Israel e os que zelavam pela fé judaica levantaram-se em protesto contra a ignorância dos detentores do cargo de *daian*, sua falta de habilidade legal e seu modo de vida.

---

44. São também *jurados* ou *fideles*.
45. Ver Baer, *JchS*, v. 2, pp. 280 e ss.
46. Este posto foi encontrado em vários lugares em Aragão. O nome pode ser uma corruptela de *Beit-Din* (corte de justiça) usado entre os judeus.
47. Cf. Baer, "Fuero de Castela". *In: JchS*, v. 2, p. 37.
48. Ver S. Assaf, *Os Tribunais de Justiça Judeus e seu Procedimento após o Período do Talmud*. (Jerusalém, 1924) (em hebraico).

Temos escassas informações sobre os métodos de eleição dos funcionários públicos e sobre a natureza de seu modo de proceder. Uma descrição encontrada na literatura das *Responsa*[49], diz o seguinte:

> E os *berurim* não poderão deliberar com ninguém sobre a questão da eleição e seus sucessores; os *berurim* eleitos a partir do Ano Novo não podem fazer nada sem ouvir a opinião dos conselheiros; os conselheiros deverão designar outros em seus lugares de ano para ano; os *berurim* e os conselheiros, na ocasião de designar outros para seus lugares, ficarão como reféns fora da cidade e deverão comer seu próprio alimento, até que concluam um acordo e o façam anunciar através de um chantre da congregação na sinagoga à hora das preces. Uns e outros são escolhidos. A escolha dos *berurim* e dos conselheiros não deve ser feita por lei majoritária; qualquer um dos conselheiros e *berurim* que deseja apontar outro em seu lugar pode fazê-lo, mesmo quando seus companheiros não concordarem com ele sobre a escolha do *barur* ou do conselheiro.

Essa norma, aceita em uma comunidade, sugere que havia um procedimento-padrão na maior parte das comunidades do reino de Aragão. Mas aqui cumpre notar que a eleição não se dá pela vontade da maioria; vê-se como os homens indicados mantinham a liderança pública dentro dos pequenos círculos familiares.

O problema é o de saber se devemos considerar os homens escolhidos por eleição como *probi homines* do povo judeu. Via de regra as fontes encaram-nos como "homens justos", mas nem sempre eles eram considerados assim pelos Sábios de Israel[50]. Entre eles não raro encontramos homens violentos que intimidavam o povo para obrigá-lo a fazer sua vontade. Contra esses homens lutaram os rabis de Israel, os sábios da nação, seus cabalistas e pietistas. Geralmente a direção da comunidade judaica era, como mostramos, uma espécie de oligarquia social, na qual um grupo de famílias "aristocráticas" encontrava meios para conservar a direção dos negócios públicos em suas mãos.

Os acordos sociais encontraram pormenorizada expressão nos estatutos que as comunidades judaicas da Espanha redigiram para o manejo de seus negócios e determinação de seus estilos de vida. Este era um povo que conhecia o que tinha de enfrentar e adaptou um modo de vida judeu às condições ambientais. Os estatutos públicos ocupavam-se não somente de problemas de jurisdição interna;

---

49. V. Raschba, n. 284.
50. Ver p. ex. as *Responsa* de Raschba, VII, n. 450 (em hebraico). "Os sete justos da cidade que são por toda parte mencionados não são sete homens escolhidos por sua sabedoria, saúde e honra, mas sete cidadãos comuns e íntegros colocados pelos *parnassim* públicos como que acima de seus negócios e por eles considerados como seus guardiães". Ver B. Z. Dinur, *Israel na Diáspora*. (Tel-Aviv, 1956), II, 2, p. 326 (em hebraico).

fixavam igualmente limites e fronteiras para as relações pessoais, para os deveres do indivíduo para com a sociedade e estabeleciam as obrigações do indivíduo dentro da comunidade. Tais estatutos estiveram em vigência durante gerações e os judeus expulsos da Espanha transplantaram-nos para suas novas comunidades na África do Norte, no Império Otomano e para onde quer que se fixassem e construíssem uma nova vida. Na Espanha, esses estatutos obtiveram a apreciação e aprovação das autoridades civis que as consideravam um meio importante de assegurar a ordem pública. Devemos lembrar que, principalmente no início, cada congregação fixou seus próprios estatutos e regulamentos como o Ribasch (R. Itzhak b.-Scheschet) diz: "Cada comunidade, *através de privilégio real, compõe e faz cumprir seus próprios estatutos!*"[51]. Esses estatutos ajudavam a manter a disciplina religiosa e social da comunidade judaica. É em todas as circunstâncias digno de nota que a comunidade judaica poucas oportunidades encontrou para usar seus amplos poderes de punição (que em certos períodos incluíam a jurisdição criminal) a fim de impor disciplina ao povo[52]. Julgamentos transmitidos por *daianim* judeus que seguiam a Torá e a Halahá eram sua luz guiadora e eram reconhecidos, sancionados e executados pelo governo cristão e seus funcionários.

Na Espanha vemos novamente o elemento voluntário: cada judeu individualmente, pertencendo à sua nação, aceitava o jugo dos preceitos e do dever público. Tudo isso deu ao judaísmo espanhol seu caráter particular.

IV

Há ainda outro aspecto da vida pública sobre o qual chamaremos a atenção e isto também se alicerça na tradição judaica de ajuda voluntária. Já notamos como os judeus eram realistas na adaptação do modo de vida judeu às condições ambientais. Contudo, dentro dessa moldura, nem sempre podiam encontrar satisfação para todas as necessidades de uma comunidade organizada e formada por indivíduos. A necessidade era preenchida pela filantropia e ajuda mútua, os esforços individuais ou de grupos que se uniam para fazer caridade e realizar trabalhos de beneficência. Quando contemplamos os poucos registros que nos chegaram dessas atividades, compreendemos as profundas fundações *sobre* que repousavam. Além disso,

---

51. Ver Baer, *History*, v. 2, p. 77; *Reponsa*, n. 272.
52. Sobre o problema da punição ver Baer, *History*, Reg. s. v. Law. Ver igualmente B. Z. Dinur, *op. cit.* (n. 50 *supra*), pp. 331, 338.

devemos acentuar que quase todas as associações emergiam das classes mais baixas da sociedade, que sentiam a necessidade do auxílio mútuo e continuaram a cumprir o sagrado dever de humanidade reciprocamente e juntos. É impossível ter certeza sobre quando essas organizações tiveram início. Talvez, tenham sido primeiramente corporações profissionais que se uniram no trabalho de caridade. Quando tais corporações quiseram rezar juntas fundaram suas próprias sinagogas, dando assim expressão maior aos laços que os uniam no cumprimento comum do dever da caridade. Assim, encontramos em Saragoça[53] uma corporação de "Fazedores de Caridade", outra de "Perseguidores da Honradez", uma terceira de "Noites de Vigília" para oração, intercessão e reforma moral do mundo. Os "Coveiros" de Huesca deixaram estatutos que se conservaram[54] e que ensinam algo sobre esse grupo dedicado a obras de caridade, ajuda mútua e dever recíproco. Essa conbinação em grupos para realizar trabalho de genuína caridade é também encontrado na sociedade cristã na Espanha e algumas vezes também entre os Conversos[55]. Os Conversos da Espanha sorveram da própria fonte desta tradição judaica de misericórdia e caridade.

Resta mencionar, entre os trabalhos de ajuda voluntária, os passos que deu o povo para organizar o estudo da Torá. Havia um sistema especial de tributo para este fim[56] e um método de dedicação individual à Torá Talmúdica, pelo qual o povo devotava uma parte de sua propriedade, seu capital e seus rendimentos para manter os eruditos e sábios. Eles mantinham igualmente os pobres e contribuíam para outras necessidades públicas[57]. É de especial interesse o resgate de cativos e a "dotação das noivas pobres". Até a expulsão da Espanha, não encontramos entre os judeus espanhóis nenhuma organização cuja finalidade específica fosse o resgate de judeus cativos ou a ajuda às noivas sem recursos, providenciando-lhes o dote necessário para serem levadas ao pálio matrimonial[58]. Cada indivíduo em Israel ajudava de acordo com suas posses no cumprimento desses deveres sagrados, essas *mitzvot*. As necessidades do judaísmo espanhol eram atendidas dentro do seu próprio interior.

53. Ver Baer, *JchS*, v. 1, pp. 855 e ss.; et Reg. s. v. Confratria. E ver F. Baer, "Unsprung der Chewra". In: *Zeitschrift für jüdice Wohlwartspflege*, (1929), I, pp. 241-247.
54. *JchS*, v. 1, pp. 229 e ss., pp. 641 e ss.
55. Ver H. Beinart, *Conversos em Julgamento antes da Inquisição*. (Tel-Aviv, 1965), pp. 49 e ss. e Bibliografia (em hebraico).
56. Ver p. ex. os estatutos de Valladolid de 1432, n. 21, *supra*.
57. Ver Baer, *JchS*, v. 2, pp. 156 e ss.
58. Ver H. Beinart, Um *Formularium* Hebreu da Espanha do Século XV. *Sefunot*, (1961), 5, pp. 80 e ss. (em hebraico).

A história dos judeus na Espanha, de como organizaram sua sociedade e de como viveram juntos dentro dela, está engastada num *background* da vida judaica – a rica e plena vida que os sustentava. A forma como suportaram às vicissitudes políticas, que culminaram com a expulsão da Espanha em 1492, é em si mesma uma história. Sua fortaleza interna, a trama de tecido cerrado de sua vida pública, a organização e relações sociais que prevaleceram entre eles – tudo isso era uma herança dos judeus espanhóis, que os sustentou e manteve em suas andanças após a Expulsão e foram de grande auxílio em seu exílio.

13. A Sociedade Judaica no Ambiente Renascentista

Este estudo tratará principalmente do ambiente renascentista na Itália. A Itália foi a pátria fundamental do movimento, um tanto vago quanto ao espaço e quanto à natureza igualmente, conhecido como Renascimento, termo que é aplicado, como foi dito, "para descrever qualquer coisa de vago mas esplêndido que ocorreu na Itália entre Dante e Michelangelo". As razões pelas quais o movimento se centralizou particularmente na Itália foram diversas. Incluíam a posição central da Península do ponto de vista geográfico, em contato próximo com a Grécia e o Levante e a Alemanha ao mesmo tempo, e servindo como veículo através do qual as idéias assim como as comodidades dessas áreas se intercambiavam; o fato de que atraiu tantos eruditos refugiados de Bizâncio mesmo antes da queda de Constantinopla em 1543; a onipresença por todo o território das relíquias físicas e igualmente das lembranças românticas do Império Romano e do mundo clássico; a afluência financeira que se estendeu entre as classes mercantis; a influência humanizadora do Papado em Roma. Mas um elemento que exerceu especialmente grande influência foi a fragmentação da Península, por deplorável que possa ter sido do ponto de vista político. Pois, parece ser uma norma histórica que pequenos estados e principados com afinidades consangüíneas e lingüísticas, que vivem dentro de uma pequena área, favoreçam uma rivalidade cultural tanto quanto política, que algumas vezes conduz a brilhantes resultados, como foi o caso também com os reinos dos Taifas na Espanha Muçulmana dos séculos XI e XII. Tais estados não podem dar-se ao luxo de dispensar a colaboração dos elementos minoritários como os judeus, que em conseqüência tendem a florescer e a participar da atividade cultural geral. Este fato explica em parte a atividade cultural dos judeus na Renascença italiana.

É significativo que tal participação na vida cultural na monárquica Itália do Sul – os reinos de Nápoles e da Sicília – foi muito menos pronunciada, ainda que o número das comunidades judaicas fosse com toda probabilidade muito mais alto: pois a atividade cultural em tais circunstâncias tende a centralizar-se talvez excessivamente nas cidades principais, onde o encorajamento proporcionado pela presença da corte real não bastava para compensar o estímulo da rivalidade cívica. As monarquias tinham além disso na história judaica uma característica potencialmente fatal. É discutível que na história judaica medieval governantes absolutistas tendessem a ser mais favoráveis aos judeus do que os governantes republicanos – que nas circunstâncias do tempo eram inevitavelmente "aristocráticos" e mercantilistas, altamente sensíveis ademais a todo elemento que pudesse cheirar a competição. Num país politicamente dividido, um edito de expulsão não era necessariamente fatal para a vida judaica. Mesmo na Alemanha, cuja crônica foi particularmente rude nesse aspecto, os exilados de uma cidade ou território autônomo podiam sempre encontrar outro para recebê-los após sua expulsão, apesar de raramente isto ser gratuito; por outro lado, as expulsões sucessivas da França unificada, Inglaterra e Espanha abrangiam todo o país e eram (em parte pela mesma razão) "finais". De modo semelhante, ainda que ocasionalmente fossem conhecidas expulsões temporárias de judeus em toda a Itália, apenas (ou quase isso) aquelas em larga escala sob influências espanholas, nas Duas Sicílias, ao final do século XV e meados do século XVII, foram por assim dizer universais e definitivas: na verdade, mesmo hoje não há quase nenhuma fixação judaica na região sul de Roma – precisamente a área onde, no período clássico e na Idade das Trevas, as comunidades judaicas eram mais proeminentes.

A natureza da comunidade judaica no ambiente renascentista na Itália foi única no gênero. Na época em que o centro da vida judaica na região era Apúlia, com suas florescentes indústrias têxteis e de tinturaria, que constituíam quase todas monopólio judeu, havia poucos vestígios de judeus no Norte do país, apesar de a comunidade de Roma, sob a égide tolerante dos Papas, ter tido uma existência ininterrupta dos tempos clássicos em diante. Foi sem dúvida o exclusivismo comercial das cidades do Norte, que encaravam os judeus como rivais mercantis, que foi responsável por esse estado de coisas. No século XIII, entretanto, houve dois desenvolvimentos simultâneos. Por um lado, o papel econômico dos judeus do Sul modificou-se; por outro lado, sua tranqüilidade foi perturbada. Entrementes, no Norte, com sua quase febril combinação de atividades manufatureiras domésticas com atividades bancárias externas, uma falta de capital começou a se fazer sentir para as operações domésticas triviais. Para mudar o rumo das coisas, os italianos (toscanos, lombardos etc.), que estavam agora em vias de tornar-se os magnatas banqueiros do mundo ocidental, decidiram que as atividades sórdidas, domésticas, de empréstimo a juros estavam abaixo de sua dignidade e, além disso, eram contrárias a seus princípios religiosos, pois a Igreja agora voltara sua face determinadamente contra a instituição da usura – isto é, juros, grandes ou pequenos. O resultado foi o que se poderia chamar uma compressão de crédito nas cidades da Itália do Norte. Para remediá-lo, os magnatas judeus, que se viam impossibilitados de continuar a competir com seus rivais gentios na indústria têxtil e no comércio, começaram a investir seu dinheiro nos "Bancos de Crédito" – efetivamente estabelecimentos de corretagem de penhores, nas grandes e pequenas cidades no Centro e no Norte (e depois no Sul) do país. Não foi um processo simultâneo: do começo ao fim o processo continuou cerca de um século e meio ou mais. Mas, o resultado foi que no fim as cidades italianas do Norte, *judenrein* durante gerações, começaram então a abrigar comunidades judaicas agrupadas em torno de um núcleo de opulentos banqueiros-prestamistas que haviam firmado um contrato (*condotta*) com as autoridades civis por anos. Esta é, *grosso modo*, a história das origens de quase todas as comunidades na Península que posteriormente viriam a atingir tal distinção. Deve-se ter em mente, porém, que nenhuma teve qualquer importância numérica. No seu apogeu, dificilmente alguma delas excedeu uns dois milhares em número; a maioria provavelmente não mais do que umas duas centenas. Por outro lado, não se deve esquecer que as cidades italianas eram aquilo que hoje poderíamos considerar de tamanho comum: Florença no seu apogeu não teria excedido umas 100.000 almas.

A origem dessas comunidades teve um notável resultado com implicações de longo alcance. Esses grupos judeus italianos tinham – o que é raro na história judaica – o que se pode chamar uma base aristocrática. Ainda que mercadores, bufarinheiros, artífices, e assim por diante, fizeram sentir sua presença num estádio mais tardio e, ainda que houvesse é claro desde o início um elemento proletário dependente dos magnatas, de onde estes tiravam seus empregados e servos, o aspecto característico de tais grupos era sua dependência do núcleo central dos abastados banqueiros judeus. Este foi o caso, em certa medida, provavelmente, apenas naquele único período da história judaica, do século XII em diante, quando na Inglaterra, França e Alemanha os judeus eram virtualmente restritos ao ofício de prestamistas e as comunidades judaicas centravam-se no grupo dos argentários que de fato agiam como administradores não oficiais de um monopólio governamental do prestamismo, merecendo todos a maledicência, mas forçados a ceder seus lucros com freqüentes intervalos ao Tesouro Central. É obvio por certo que o prestamismo (seja qual for o nome que se lhe dê) é dificilmente uma ocupação exigente, em termos de tempo e energia. No conjunto, o cliente procura o financista e não vice-versa, e uma vez a transação realizada, o último simplesmente espera a acumulação dos lucros. Daí porque, em ambas as áreas que foram mencionadas, os judeus magnatas dispunham de amplo ócio para seus próprios assuntos, e em ambos os casos isto tinha resultados altamente interessantes para sua vida intelectual. Na Itália, um meio intelectualmente desenvolvido, os interesses dos judeus não poderiam restringir-se apenas aos estudos e textos judaicos e tornaram-se inevitavelmente extensos a áreas mais amplas, em que as influências seculares foram sempre discerníveis e algumas vezes predominantes.

Isto era acentuado aí por um fator suplementar. No mundo ocidental, das poucas gerações passadas, o judeu médio era de extração "estrangeira"; ele ou seus ancestrais imediatos mais ou menos recentemente haviam chegado de além-mar ou (na maioria dos casos) da Europa Oriental, e esse "estrangeirismo" era acentuado pelo fato de que sua origem imediata estava num apinhado quarteirão judaico separado da vida social e, algumas vezes pela língua, do ambiente geral. Essa feição coloriu o retrato histórico do judeu aceito em toda parte. Mas é importante observar que, em relação aos judeus italianos, este era o caso apenas em escala muito reduzida. O núcleo da judiaria italiana, centralizado em Roma, descendia das comunidades judaicas estabelecidas no país na Roma Imperial ou mesmo republicana; não foge muito à verdade, em vista dos inúmeros invasores, peregrinos e visitantes de fora que modificaram a população geral, afirmar que eram o elemento identificável mais antigo do povo italiano. Havia outros elementos, especialmente no norte do país, chegados mais recentemente, mas esses tendiam a assimilar-se com notável rapidez ao corpo principal. Conseqüentemente, o judeu italiano, por mais judeu que fosse, era ao mesmo tempo profundamente italiano, ligado ao corpo geral de seus compatriotas por laços de cultura e de idioma. Não havia necessidade alguma para ele de aprender o italiano antes que pudesse imergir na vida cultural geral – ele já era de fala e pensamento italianos. A isto cumpre acrescentar o fenômeno sociológico um tanto curioso (e de certo modo inexplicável) de que as comunidades italianas judaicas eram sempre muito restritas em tamanho, como foi observado anteriormente. A presença dos judeus pode ter-se imposto à observação do visitante, mas havia de fato muito poucos, proporcionalmente – não o suficiente, por certo, para erguer um gueto social ou cultural antes que o gueto formal fosse estabelecido na esteira da Contra-Reforma. Por isso, a influência do meio ambiente sobre eles foi particularmente intensa: num grau talvez desconhecido outra vez na história até o advento na Europa Ocidental do século XIX.

Em conjunto com isso, deve ser considerada a natureza da própria sociedade renascentista. Devido a fragmentação da Península, as unidades políticas eram pequenas e por isso não havia lugar para uma aristocracia indiferente do tipo feudal ou para uma corte de esplendor bizantino. Os duques, déspotas, *signori*, *magnifici* da Itália Renascentista eram, geralmente, burgueses que se haviam alçado à liderança graças a uma prosperidade relativamente maior, uma nuança a mais de habilidade ou um pouco menos de escrúpulos. No pleno sentido, eles eram *primi inter pares*, ainda que fizessem pessoal-mente suas operações comerciais e em alguns casos ainda enviassem seus filhos ao exterior para aprender a tratar de negócios. Suas residências mesmas ostentavam essa livre e fácil relação com a cidade como um todo: "Palazzo" na Itália não veiculou em nenhuma época o mesmo sentido que "Palace" em inglês; e é digno de nota que o único *palazzo* florentino que lembra o palácio transalpino era o dos Pitti, politicamente sem importância – não o dos Medici, que exerceram seu benevolente despotismo a partir daquilo que é de fato uma Casa da Cidade, de tipo médio, como outras casas da cidade, na Via Larga, posteriormente ao Palazzo Riccardi. Além disso, essas mesmas famílias abastadas não raro tratavam de adquirir um chapéu cardinalício para os rebentos mais novos do clã, com o resultado de que a Cúria Papal em seu maior resplendor foi em grande parte composta por típicos membros de típicas casas burguesas, cuja tradição compartilhavam e perpetuavam. É evidente que havia outra categoria de dirigentes locais – aqueles, cuja posição se baseava em carreiras bem-sucedidas e soldados de fortuna ou *condottieri*, cuja função na cidade não era totalmente diversa daquela dos banqueiros que operavam sob contratos de um tipo algo diferente; na vida social, entretanto, não havia muito que escolher entre as duas categorias e sua existência diária. Por conseguinte, não havia uma barreira social insuperável entre o banqueiro judeu que dirigia a sociedade judaica e o banqueiro cristão numa escala maior que havia estabelecido seu domínio desta ou daquela maneira sobre a cidade como um todo. Eles habitavam casas do mesmo tipo, ainda que as dos magnatas cristãos fossem mais magnificentes, levavam sua vida do mesmo modo, possuíam interesses do mesmo teor e, mesmo quando esses interesses divergiam, eram conduzidos quase do mesmo modo e recebiam em grande parte o mesmo condimento.

Para um soberano anglo-francês, ou um nobre feudal ter relação com um judeu, a não ser *de haut en bas*, teria sido inacreditável. Na Itália, por outro lado, nada havia de incomum no fato de membros da família de banqueiros de San Miniato enviar presentes de caça a Piero de Medici, nem um dos Norsa ser companheiro de jogo do governador de Ferrara, ou em que judeus e cristãos participassem lado a lado como iguais das memoráveis discussões filosóficas na casa de Pico della Mirandola em Florença.

É contra esse *background* que a participação dos judeus na vida italiana do período da Renascença e a posição dos judeus na sociedade renascentista deve ser considerada.

Pois a sociedade judaica italiana na Renascença era, deve-se dizer, uma sociedade renascentista em miniatura. Esta centralizava-se à volta de um círculo de magnatas abastados, encabeçado por uma família de prosperidade ou inteligência relativamente maiores. Era em torno dessa residência familiar, não necessariamente mais refinada que as demais, que não só a sociedade mas também a vida cultural da cidade estava centrada. Um artista promissor procuraria nelas um patrono, um poeta visitante ou escritor iria a elas em primeiro lugar numa tentativa de suscitar seu interesse ou generosidade; a igreja familiar era embelezada por eles com pinturas e esculturas a fim de demonstrar não só sua devoção ao santo patrono da família, mas até mesmo mais que isto; sua própria riqueza, importância e gosto. Suas *villas* na região, construídas em muitos casos com simplicidade ostensiva, acentuavam sua modesta superioridade até além dos muros da cidade. Outros membros de suas famílias ou parentes afins por alianças de casamento, tanto quanto seus competidores nos negócios e vida social, emulavam-nos, cada um dos quais possuindo seu próprio círculo cultural do mesmo tipo.

Não muito distante, encontrar-se-ia a *Via dei Giudei*, onde os banqueiros se concentravam. Não havia muita diferença na Itália do século XV entre a larga rua e a estreita, e as casas eram na maioria do mesmo tipo tanto numa como noutra. As maiores eram ocupadas por um ou dois banqueiros principais. Suas famílias também eram numerosas. A legislação eclesiástica proibia-os de empregar cristãos, uma vez que isto sujeitaria aqueles que tinham sido redimidos pela Crucificação àqueles que eram reputadamente responsáveis por ela. Isto não era por certo obedecido meticulosamente na época, ao menos na tolerante e cética Itália; no entanto, os que faziam os serviços domésticos dos banqueiros judeus eram na maioria judeus, ainda que só por conveniência. Os interiores eram luxuosos e o mobiliário praticamente do mesmo tipo que os dos grandes palácios vizinhos. É verdade que não havia melancólicas imagens da Madonna ou pinturas de santos adornando as paredes. Não obstante, seria um erro imaginar que as casas eram desnudas e indiferentes a valores estéticos. Havia certamente pinturas decorativas, freqüentemente cenas bíblicas. É quase certo também que havia retratos, apesar de não ter restado nenhum desse período; nos primeiros anos do século XV, seja como for, os proeminentes aristocratas judeus se compraziam com o luxo renascentista de encomendar retratos-medalhas, por artistas do calibre de Pastorino dei Pastorini. Para os trabalhos ornamentais em metal eles patrocinavam os mais eminentes mestres, embora o voluntarioso Il Caparra (Miccolò Grosso) obstinadamente se recusasse a trabalhar para os judeus florentinos, por mais que eles o importunassem. Inevitavelmente, mantinham relações amigáveis com os artistas aos quais patrocinavam e quando "Il Doceno" (Cristafano Gherardi) estava em Bolonha andava tanto em companhia dos judeus que ele próprio era confundido com um deles. Por outro lado, não é de todo certo que todos os artistas patrocinados por esses magnatas judeus fossem não-judeus. Que existiram artistas judeus nessa época é atestado por provas documentais. Na Espanha certamente eles não se abstinham sequer da arte eclesiástica cristã e sem dúvida o mesmo se dava na Itália, ainda que em tais circunstâncias o anonimato, com a conseqüente irreconhecibilidade, dificilmente eram evitados.

Um ramo da arte ao qual os magnatas judeus podiam entregar-se livremente era o da arte de iluminar manuscritos. Do mesmo modo como o humanista renascentista desejava ter seus volumes escritos pelo mais hábil escriba, no mais fino pergaminho e adornados pelos artistas mais consumados, assim também o magnata judeu – certamente não menos amante da literatura que seu vizinho – seguia seu exemplo. Desse modo os livros latinos que eventualmente possuísse eram do mesmo tipo – tanto hoje como na época indistinguíveis daqueles de uso geral, embora se possa mencionar entre parênteses que muitos traziam indícios de propriedade judaica na forma de inscrições em hebreu, não necessariamente inseridas por banqueiros que os obtinham em penhor. Os livros hebraicos situavam-se todavia numa categoria diferente. Os materiais e encadernação desses eram semelhantes aos dos livros que circulavam no ambiente: externamente na verdade um livro de orações judeu-italiano em hebreu e um missal latino no final do século XV são em quase tudo idênticos.

Para a escrita surgiu uma escola italiana de escribas judeus, que desenvolveu uma escrita hebraica com praticamente o mesmo tipo geral de caracteres humanísticos então em voga para os emes e esses latinos e italianos e que mostrava em certa medida sua influência. Então o iluminador judeu era chamado, algumas vezes judeu e algumas vezes gentio – no último caso, uma pessoa que pudesse ser cuidadosamente treinada nos costumes judaicos e leis religiosas como garantia de que não cometesse qualquer gafe. O trabalho resultante seria algumas vezes da mesma alta qualidade e padrão, do ponto de vista estético, dos mais belos desse período: pode-se citar como exemplo a coletânea de Rothschild no Museu de Jerusalém, o De Rossi Arbáa Turim na Biblioteca do Vaticano em Roma e o grande Avicenas da Universidade de Bolonha – um trabalho de tal magnificência que demonstra o notável padrão social superior e os recursos econômicos dos médicos judeus da época, pois apenas um médico poderia ter utilizado um volume dessa natureza. Algumas vezes, as páginas iniciais desses manuscritos exibiam os emblemas de família (seria exagero dizer os escudos de armas) das famílias para as quais eram executados, precisamente da mesma maneira como os manuscritos não-judeus da época. Por outro lado, todos os trabalhos desse tipo não eram necessariamente executados para uso judaico. Pois, do mesmo modo como os judeus estavam interessados na literatura não-hebraica, assim também os humanistas procuravam com grandes esforços e gastos enriquecer suas bibliotecas com clássicos hebraicos. Escudos de armas são aqui geralmente significativos pois inúmeros manuscritos hebreus com ricas iluminuras exibiam emblemas heráldicos que não eram certamente judeus. Porém, mais convincente é a Bíblia Hebraica na Biblioteca Laurenziana em Florença, belamente iluminada por Francesco d'Antonio del Cherico e representando na primeira página Deus Pai, o Filho e o Espírito Santo, com os dizeres hebraicos apostos. Eis aqui uma impressionante prova da generosa simbiose judeu-cristã desse período.

Havia um aspecto em que a estrutura aristocrática do microcosmo das comunidades judaicas do período renascentista aparecia em agudo contraste com o macrocosmo do seu meio ambiente. Isto se devia em parte a seu tamanho relativo, em parte era inerente àquilo que pode ser denominado o *ethos* judaico. Na sociedade maior era possível uma separação entre as funções espirituais e intelectuais. Os eruditos humanistas e escribas podiam florescer independentemente da Igreja, e a capela e o mecenas podiam ao mesmo tempo apoiar de um lado uma família humanista e do outro o sacerdote paroquial ou seu confessor particular; os dois aspectos paralelos da vida eram tratados separada e até contraditoriamente, não havendo nenhuma relação maior entre aquilo que os conselheiros espirituais ditavam ao dono da casa e aquilo que o tutor doméstico e o mentor escolástico lhe ensinavam. No caso da comunidade judaica, entretanto, as circunstâncias eram diferentes. A sinagoga, essencialmente um lugar de estudo tanto quanto de orações, tinha o mesmo caráter que a Igreja, essencialmente um lugar de doutrinação espiritual; o rabi, basicamente um instrutor ou professor, era muito diferente do padre, o custódio dos mistérios divinos e a fonte de orientação espiritual.

Além disso, o magnata judeu não era tão rico a ponto de poder sustentar a ambos, professor e pregador. Conseqüentemente, as duas funções tinham de combinar-se. O pessoal doméstico de família incluía sem dúvida um único empregado letrado, contratado principalmente como professor para as crianças, mas também qualificado como guia para os adultos, que sem dúvida ganhava ao mesmo tempo sua subsistência como escriba, e preenchia, em virtude de seu conhecimento superior, funções rabínicas em assuntos como decidir um processo judicial ou orientar os complicados detalhes de um divórcio. Os "Rabis" italianos do período renascentista eram no conjunto pessoas desse tipo: eruditos talmúdicos, perfeitos hebraístas, com um bom conhecimento também de latim e provavelmente com noções de grego, capazes de compor versos hebreus (pois o ensino dessa arte era considerado um dos deveres básicos do instrutor nesse período) assim como de dar a seus alunos lições da soberba arte da dança, e conhecendo o suficiente das filosofias modernas para estar apto a entrar numa discussão inteligente sobre o assunto com os clientes ou hóspedes não-judeus de seus patrões. Suas características pessoais não eram necessariamente as mais altas, mas sua versatilidade pode ter sido notável em toda linha. O resultado foi que surgiram então entre os judeus italianos uma série de rabis de amplo saber sobre as coisas de fora e, por conseguinte também, de amplas concepções sobre as coisas de fora, cujos escritos rabínicos e decisões talmúdicas eram imbuídas do espírito da Renascença, diferentemente dos grandes eruditos de além-Alpes, cujo conhecimento talmúdico era indiscutivelmente maior, mas cuja perspectiva era no todo restrita a isso. Ao mesmo tempo, os muitos médicos judeus-italianos, educados "em medicina e filosofia" na universidade local (geralmente na de Pádua), após estudarem latim com tal propósito e se habituarem a discutir assuntos culturais e filosóficos com seus numerosos pacientes aristocratas, eram ao mesmo tempo educados talmudicamente e serviam como rabis de suas comunidades. Assim, as circunstâncias da sociedade renascentista judaica na Itália ajudaram a desenvolver rabis eruditos e cultos, quase do tipo "moderno", cujas decisões (que expressavam num estilo literário impecável) eram algumas vezes visivelmente afetadas pelos costumes legais e pelas perspectivas do meio ambiente.

Por outro lado, algumas vezes ocorriam efeitos menos desejáveis. Esperava-se que os rabis domésticos a que nos referimos proferissem decisões em defesa de seus patrões (que eram eles próprios suficientemente eruditos para colaborar nisto ou dirigi-lo) ou em defesa dos interesses de seus patrões e não raro mostraram notável ingenuidade e persistência em fazê-lo. As coleções de *Responsa* produzidas em conexão com as querelas sobre negócios ou disputas domésticas de alguns magnatas financistas judeus-italianos dessa época, nas quais nenhuma das partes jamais se reconhecia derrotada, continuando ambas a torcer a última partícula de evidência ou suporte escolástico, são das produções mais significativas da judiaria italiana do período renascentista. É significativo – pois isso nunca poderia ocorrer em qualquer outro ambiente – que, em alguns exemplos encontrados em meados do século XVI, o mesmo caso podia atrair a atenção, não só das autoridades rabínicas mas também dos juristas cristãos, para os quais a parte que se julgasse derrotada no encontro preliminar deveria, na ocasião oportuna, recorrer.

O modesto tamanho dos estados na Itália da Renascença levou inevitavelmente seus governantes e classes aristocráticas a procurar distração tanto intelectual como física onde pudessem obtê-la – mesmo dentro da vizinha comunidade judaica, quase ao limiar de seus *palazzi*, com quem seus confessores aconselhavam a não ter contato. Henrique VIII da Inglaterra podia informar à República Florentina, quando esta a ele recorreu no tempo de sua heróica luta contra o Papa e o Imperador em 1520/30, que os florentinos com sua riqueza estavam mais capacitados a auxiliá-lo do que ele próprio a eles. Isto pode ter ocorrido realmente. Mas os monarcas ingleses ou franceses governavam territórios relativamente vastos, que até para percorrê-los levaria muito tempo, e eles podiam encontrar contatos sociais e diversão numa nobreza bastante numerosa, por limitados que fossem seus interesses. Na Itália da Renascença, ao contrário, o raio geográfico do estado e as potencialidades numéricas de contato social eram limitadas. Conseqüentemente, as classes mais altas e as dirigentes buscavam distrações assim como informações onde pudessem achá-las; e a mentalidade cética italiana não era séria ou, em todo caso, permanentemente perturbada pelas ameaças de conselheiros espirituais se esses desaprovassem tal procedimento. Por outro lado, os incrédulos encontravam em tais circunstâncias vazão para suas aptidões – mesmo aquelas habilidades que em outra parte teriam sido suprimidas e que não se manifestaram na Europa como um todo por outros quatro séculos, no período da Emancipação. Os músicos judeus por exemplo surgiram então por toda parte na Itália, alguns não apenas instrumentistas mas também compositores. Esse foi o caso, especialmente em Mântua, no governo dos Gonzaga, que eram tão devotados ao esplendor de todo tipo que inevitavelmente tinham de explorar para esse fim todas as fontes possíveis. Alguns dos compositores tinham até composições publicadas, no conjunto não melhores nem piores que as produções dos seus desimportantes contemporâneos. Uma exceção foi Salamone dei Rossi, cujo trabalho está atualmente começando a receber cada vez maior reconhecimento. De modo semelhante, a então aliada arte da dança; mestres de dança judeus eram quase universalmente conhecidos na Península, apesar de grande parte da Igreja oficialmente desaprová-los, e um deles, Guglielmo Ebreo de Pesaro, altamente estimado nas cortes de Ferrara, Florença, Milão e Nápoles, escreveu um memorável tratado sobre a arte da dança. Enquanto Salamone dei Rossi se empenhava em estender seu gênio ao embelezamento do canto sinagogal, não havia necessariamente nada de judeu no tocante Guglielmo além de seu próprio nome. Mais notável era o modo com que o teatro da corte em Mântua, de que Gonzaga se orgulhava particularmente, recorreu à colaboração judia – primeiro possivelmente para execuções das peças Purim judaicas para entretenimento dos espectadores gentios (como acontecia igualmente alhures) e depois, quando sua habilidade histriônica foi comprovada, como uma espécie de companhia teatral-padrão cujos serviços eram convocados em ocasiões importantes, a fim de celebrar o casamento de um duque ou para o entretenimento de um visitante ilustre. E era inevitável que, no gênio de Leone de' Sommi ao menos, tivessem partido disto para escrever peças, é verdade que, no estilo insípido da época, e para a mais difícil arte da direção teatral, de que temos um monumento em seus *Dialoghi dell'Arte Rappresentativa**. Acrescente-se aqui, como uma instância ulterior da possível simbiose nesse período da Itália Renascentista (e certamente em nenhuma outra parte), que ele era ao mesmo tempo um poeta hebraico, fundador de uma sinagoga, um hábil escriba da Torá, e pronto a introduzir modas dramáticas contemporâneas (se não o drama enquanto tal) no hebreu, na primeira peça hebraica no sentido moderno que foi preservada.

A arte da impressão, que tornou possível para o processo intelectual da Renascença estabelecer-se o mais firmemente possível, ilustra mais do que qualquer outra coisa a influência recíproca. Há um vago registro de um impressor hebreu (que aprendeu, é verdade, seu ofício com um gentio) em Avignon já em 1444. Quando começou efetivamente a impressão na língua hebraica é coisa incerta: o fato de que os mais antigos volumes preservados datem de 1475 não constitui prova conclusiva, em vista do largo grau de destruição da literatura hebraica no século XVI, como resultado da Reação Católica. Mas aqui também encontramos uma interação e intercâmbio constantes. Foi um impressor judeu quem produziu a bela edição napolitana da *Divina Comédia* em 1477.

Na Espanha, o impressor hebreu Salomão Zalmati, um ourives profissional, estava associado à impressora do Manual Saragocense

---

* Ver a tradução deste texto, in *Leone de'Sommi: Um Judeu no Teatro da Renascença Italiana*, São Paulo, Perspectiva, 1989. (N. do T.)

de 1486 assim como aos trabalhos teológicos do Bispo de Cristópolis.

A arte de impressão foi primeiramente introduzida em Portugal pelos judeus que, além dos livros hebraicos, eram responsáveis pela publicação em latim e em espanhol das inestimáveis (e complicadas) tabelas astronômicas de Abraão Zacuto, usadas até mesmo por Colombo. A família Soncino, a mais expressiva na história da antiga impressão hebraica, publicava também trabalhos em italiano e latim em meia dúzia de lugares nos Marcos de Ancona – algumas vezes sob o patrocínio e com a colaboração dos conselheiros da cidade. De forma semelhante, a família Usque de Ferrara publicou não só livros hebraicos e em espanhol para o uso de seus correligionários, mas também a primeira edição conhecida do clássico português *Menina e Moça* de Bernardim Ribeiro – que alguns eruditos conjeturam ter sido também judeu, ou cristão-novo. Não obstante, por outro lado, o impressor mais fecundo de obras judaicas no século XVI, a quem se deve a publicação das edições que estabeleceram o padrão para muitos dos maiores clássicos hebreus, foi o cristão de Antuérpia, Daniel Bomberg, que se estabelecera em Veneza. O Dr Jacó Narcaria de Riva di Trento, além de alegremente trabalhar na impressão hebraica sob o patrocínio do cardeal Madrucci, parece ter sido o editor "oficial" de certa literatura associada à Igreja do Concílio de Trento. O fato é que numa sociedade como a da Itália dos séculos XV e XVI, os gênios precisavam ser usados e as potencialidades empregadas onde quer que estivessem disponíveis. Era um problema de *carrière ouverte aux talents* – mesmo os talentos da Sinagoga.

Não é preciso traçar aqui detalhadamente os estádios através dos quais essa simbiose foi levada a um fim, mas as linhas gerais do processo são altamente significativas. Muito breve, a Igreja, assustada com o processo da Reforma, na qual erradamente suspeitou da colaboração e mesmo incitamento dos judeus, decidiu na metade do século XVI que a velha legislação eclesiástica que tentava quebrar todo contato entre judeu e cristão deveria ser rigorosamente executada. O resultado foi a Bula de Paulo IV *cum nimis absurdum* de 1555, que continuou a orientar a política papal e a determinar o destino dos judeus até a Revolução Francesa, e em algumas áreas até mesmo depois. A nova legislação não foi posta em vigor imediatamente em toda parte, nem seus resultados apareceram imediatamente. Mas no devido tempo a reação triunfou e a natureza da judiaria italiana modificou-se. Até então a cataterística da história judaica e italiana tinha sido a rica interação da vida renascentista; daí para a frente, isto foi substituído pelo sistema de gueto e da degradação que o acompanhou. A sociedade judeu-italiana no fim da Idade Média começou a mostrar algo do espírito da rica colaboração, resultado da infusão da habilidade judia na vida de seu ambiente, que estava destinada a ser renegada no século XIX. Como em 1933, a reação contra os judeus como um grupo foi artificial e o meio ambiente como um todo sofreu tanto quanto eles mesmos. É um exemplo clássico do poder da mal-afamada legislação para criar um problema e para infligir não só uma injustiça a uma minoria mas também ao mesmo tempo irreparável perda à maioria.

BIBLIOGRAFIA

O material para este artigo derivou em grande parte das seguintes obras:
ROTH, Cecil. *The Jews in the Renaissance.* Filadélfia, 1959; edição em brochura, New York, 1965.
_____. *History of the Jews in Italy.* Filadélfia, 1946; também em hebraico.
MILANO, A. *Storia degli ebrei in Italia.* Turim, 1963.
_____. *Biblioteca Storica Italo Judaica.* Florença, 1954 e suplemento, Florença, 1946, que contém numa organização acessível à maior parte dos estudos subsidiários sobre o assunto.

Uma bibliografia estabelecida por O. K. Rabinowicz de meus próprios escritos, que tocam em vários aspectos do tema, pode ser encontrada no final do volume *Remember the Days*, que me foi apresentado em 1966.

14. O Movimento Hassídico: Realidade e Ideais

O movimento hassídico apareceu entre o povo judeu da Europa no limiar de uma mudança decisiva na sua história, num momento em que os judeus começavam a participar do mundo social e cultural que os rodeava. A comunidade judaica como uma corporação social-religiosa, a milenar estrutura corporativa à qual os judeus individualmente tinham a obrigação de pertencer, estava começando a desmoronar sob as pressões internas e externas. Fora, juristas reclamavam em nome dos princípios absolutistas de que todas as corporações feriam a autoridade do soberano e que a ampla autonomia da comunidade judaica – estava convertendo-a num "Estado dentro do Estado". Enquanto no interior da comunidade, judeus "ilustrados" protestavam de que o regime de corporação comunal estrito dava supremacia a uma oligarquia, a qual explorava os membros comuns da coletividade e deliberadamente os impedia de manter laços mais íntimos com o meio ambiente cristão.

A diferença nas tendências políticas em geral, entre as regiões da Europa Central e Ocidental e as da Europa Oriental, especialmente a diferença da situação das populações judaicas dessas duas regiões, provocou um contraste no desenvolvimento entre a judiaria oriental e ocidental, contraste que aumentou tão agudamente que nos meados do século XIX seus caminhos pareciam ter-se apartado por completo.

No Ocidente, a comunidade judaica estava minada. Uma das razões era de que as autoridades lhe haviam retirado seu apoio. A razão mais importante era a de que os judeus ativos social e politicamente, aptos a alcançar alguma posição e influência na sociedade circundante, começaram a desprezar a "acanhada" sociedade judaica, com suas lutas e suas honrarias e títulos e, quando muito, tendiam a encará-la como uma associação voluntária para a organização da vida religiosa. O centro de gravidade destas vidas judaicas encontrava-se fora e além da comunidade. Sua língua, sua cultura, suas ambições – eram as do ambiente cristão, ao passo que na Europa Oriental as autoridades continuavam substancialmente a apoiar a corporação judaica. Os poucos judeus "educados" de lá, chamados a participar da vida de fora, eram olhados como rebeldes, ou até traidores de seu povo, e a coesão formal da sociedade judaica aumentou.

O movimento hassídico, que estava destinado a ser a causa principal e o mais importante portador dessas tendências peculiares à Europa Oriental, apareceu na Podólia, uma remota província do sudoeste polonês, num período de declínio e desintegração na região. A sociedade judaica encontrava-se ali cindida por dentro, e presa de violentas fermentações. Na sociedade polonesa, o predomínio caiu em mãos dos que se opunham ao *status* das instituições centrais da organização autônoma judaica. Alegavam que manter o reconhecimento destas instituições judaicas era prova adicional da fraqueza do governo central. O resultado dessas críticas foi que o reconhecimento governamental das instituições autônomas viu-se cancelado e em 1764 elas foram dissolvidas. Não há a menor dúvida de que o movimento hassídico ajudou a unificar a sociedade judaica na Europa Oriental, do ponto de vista organizacional, e de que, quanto a religião e às idéias, representou uma revivescência.

Hassidismo significa piedade devota, comunhão com Deus, devoção especial do homem a serviço de seu Criador. Mesmo antes do século XVIII, vários movimentos ou círculos eram chamados hassídicos. Os mais conhecidos eram os grupos de *hassidim* fiéis ao Judaísmo nos dias da perseguição por Antíoco Epifânio no século a.C., e os *hassidim aschkenazim* dos séculos XII e XIII. O novo Hassidismo aqui considerado é conhecido como o Hassidismo beschtiano, por causa do seu iniciador. Rabi Israel Baal Schem Tov (o Bescht, abreviado) nasceu na Podólia em ou por volta de 1700, aparentemente de origem humilde, e bem cedo na vida trabalhou em diferentes ocupações. Depois, tornou-se localmente famoso como taumaturgo, que sabia como curar doentes com fórmulas mágicas e amuletos (daí a designação de Baal Schem Tov, Mestre do Bom Nome). Renunciou à reclusão e revestiu-se do manto de chefe no fim dos anos 1730, e na década de 1740 reuniu-se à sua volta um grupo de adeptos e admiradores que adotaram sua maneira de servir a Deus. Sua personalidade se apresenta velada, para nós por uma névoa de lendas; um dos poucos documentos subsistentes a seu respeito é a carta que mandou ao cunhado que vivia em Israel em 1750, onde descreve sua experiência mística – como sua alma subiu ao Paraíso, e como aí encontrou o Messias. Nesta ocasião, o Bescht perguntou ao Messias quando viria e recebeu a famosa resposta: "Quando teus rios se espalharem", ou seja, quando os ensinamentos hassídicos do Bescht se difundissem entre o povo.

Ao morrer em 1760, o Bescht deixou um movimento genuíno, embora seja difícil estimar sua envergadura na época. À sua testa encontrava-se, não o principal discípulo de Bescht, aquele que preservou as palavras do Bescht e anotou seus ensinamentos, Rabi Iaakov Iossef de Polnói, aquele que convivera mais intimamente com o falecido líder durante muitos anos, mas um homem relativamente novo, Rabi Dov-Ber de Mesritsch (O "Grande Maguid"[1] dos *hassidim*). Durante a liderança do Grande Maguid (1760-1772), o Hassidismo propagou-se por extensas áreas da Europa Oriental, tornou-se uma força real na vida pública e teve seu primeiro grande choque com a liderança judaica existente na Polônia-Lituânia.

Há algo de novo na rápida expansão do movimento hassídico, especialmente pelo fato de ter permanecido como parte legítima de uma sociedade tão cingida à tradição e conservadora como a judaica, cujos cabeças na época travaram guerra contra ele. Não é de espantar que tantos estudiosos hajam tentado explicar o fenômeno. O primeiro pesquisador sério do Hassidismo, Simon Dubnow[2], sugeriu que "por uma imensa influência psíquica, o Hassidismo criou um tipo de crente para quem o sentimento era mais importante do que a observância externa" – em oposição ao que fora até então a ordem de importância nas comunidades judaicas. Além disso, "o Hassidismo era a resposta à tensão e sofrimento da vida pública judaica, pois, embora não pudesse modificar as condições objetivas da opressão na qual os judeus viviam, criou um mundo ideal para eles, um mundo no qual o desprezado judeu era senhor". Do ponto de vista de Dubnow, o Hassidismo também respondeu às necessidades espirituais do crente individual e às aspirações da geração, transferindo a solução de seus problemas para o mundo da imaginação.

Ben-Zion Dinur[3] combate este ponto de vista que procura explicar o êxito do Hassidismo afirmando que "a história respondeu às neces-

---

1. *Maguid*, pregador público, um posto permanente e honroso nas comunidades; o *Maguid* era considerado parte da hierarquia religiosa reconhecida.
2. Simon Dubnow, *História do Hassidismo*. (Tel-Aviv, 1930), pp. 35-36, (em hebraico).
3. Ben-Zion, Dinur. "Os Inícios do Hassidismo e seus Fundamentos Sociais e Messiânicos", *In: Bemifne Hadorot*. (Jerusalém, 1955), pp. 83-227 (em hebraico).

sidades da geração", e considera isto uma simplificação. Seu método é estudar as circunstâncias históricas nas quais foi criado o Hassidismo, e examinar a literatura moralística e a crítica social na Polônia no século XVIII. Sua principal ênfase, entretanto, recai sobre a questão: "Quais as forças sociais na sociedade judaica no século XVIII que geraram o movimento hassídico, que deram forma à sua essência pública e instituíram sua organização?"[4] Também investiga "a contribuição do Hassidismo para a solução das crises sociais", e acentua que o movimento hassídico pertenceu organicamente à oposição social nas comunidades[5]. Chega à conclusão de que seus tocheiros eram funcionários religiosos de categoria inferior, "professores, chantres" e outros mais que formavam "a oposição social" da sociedade judaica.

Utilizando os estudos de Dinur como ponto de partida, desenvolvendo-os a um grau extremo e comparando os *hassidim* aos membros das seitas sabataístas, Joseph Weiss tenta[6] retratar a natureza da liderança hassídica no início do movimento. Suas descrições vigorosas colocam diante de nós a personalidade do pregador errante – "um tipo miserável", na opinião de Weiss, que "vende seu ensinamento por esmolas" e "um cheiro de dinheiro cavado ergue-se das cavações desses pobres desgraçados, para ganhar a vida – e mesmo um cheiro de heresia sabataísta". Apesar desta pungente descrição, não há, entretanto, provas de que o círculo imediato do Bescht fosse constituído principalmente de "pregadores errantes"; sabemos em definitivo que alguns não o eram, como tampouco eram representantes da *"intelligentsia* secundária"[7], como estava em moda designar funcionários religiosos que não os rabis. O significativo exemplo de Rabi Iaakov Iossef de Polnói, autor do clássico hassídico *Toldot Iaakov Iossef* (*Toldot*), ensina-nos que no círculo do Bescht havia gente de posição social relativamente estável, pronta a arriscar a posição por suas idéias. De outro modo, alguns pregadores errantes desse tempo, conhecidos por nós de nome, não eram membros do movimento no seu início; ou eram mesmo contra ele. Mais ainda, um exame de suas histórias, as do autor de *Tzera Beirech Schlischi*[8], por

---

4. *Idem*, p. 86.
5. *Idem*, p. 140.
6. Joseph Weiss, "O Raiar do Hassidismo", *Zion*, 16, n. 3-4, pp. 46-105 (em hebraico).
7. *Idem*, pp. 40, 56.
8. Berahiá Berach ben-R. Eliakim Getz, pregador e moralista, violento crítico dos líderes da época; apesar disso, recebeu permissão dos cabeças do "Conselho dos Países" na Polônia "para emendar as falhas na geração... pregar em qualquer cidade sem precisar requerer permissão do rabi e chefe". Ver sobre ele, I. Heilpern, *Pinkas of the Council of Four Lands*, pp. 477-479; Y. Kleinmann, *Yevreiskaya Starina*, XII (1928), pp. 179-198 (em russo).

exemplo, mostra quão duvidosa é a existência de qualquer categoria social assim fixada como a dos "pregadores errantes"; a linha demarcatória proposta para distinguir entre o pregador itinerante e o pregador instalado num cargo comunitário fixo era na realidade freqüentemente cruzada. Mas por certo é verdade que pregadores, fixos ou errantes, desempenharam importante papel na introdução e na difusão de novas idéias, graças a seu contato íntimo com o povo; é também verdade que algumas vezes suas idéias os levavam longe no caminho da devoção. Isto pode explicar a parte decisiva que re-presentaram na cristalização das idéias hassídicas e na organização do movimento por *maguidim* (pregadores) como o "Mokhiá" (censor) de Polnói, o "Grande Maguid" de Mesritsch, Rabi Iehiel Mihal de Zlotschov ou Rabi Haim, o Maguid de Vilna. Mas os principais combatentes das idéias hassídicas eram também *Maguidim*: Rabi Israel Leibl, o Maguid de Novogrodek; Rabi Iaakov Israel de Kremenetz; Rabi David de Makov. E como Gerschom Scholem demonstrou no estudo sobre Rabi Israel Leibl[9], até na esfera das idéias não havia "frentes" definidas claramente. A aguda linha divisória social entre o "escalão superior do grupo de intelectuais", isto é, os rabinos, e a "*intelligentsia* secundária" na Polônia, no século XVIII, apresenta-se inteiramente desprovida de base na realidade. Muitos rabis dependiam dos líderes comunitários, enquanto, entre os rabis e os magarefes rituais e os pregadores errantes, alguns ligavam-se com o grupo dominante e alguns se lhe opunham. No todo, é difícil, mesmo no alvorecer do Hassidismo, definir socialmente o movimento.

É muito mais difícil, como os estudiosos demonstraram, encontrar fundamentos para a suposição popular de que o radical ensinamento social do Hassidismo tenha conquistado os corações das massas e respondido às suas necessidades mais profundas. De fato, questões sociais tinham muito pouco peso no ensinamento hassídico: em todas as questões de subsistência e economia, o Senhor proveria. Nas palavras do Rabi Iaakov Iossef: "Que o pobre homem não inveje o rico, pois o homem não deve tocar naquilo que foi preparado para seu próximo, que o artifíce não odeie seu companheiro de mister, nem o lojista o lojista, nem o estalajadeiro o estalajadeiro, nem o erudito o erudito" (*Toldot*, Bo). Mesmo quando encontramos certos tipos de "leis sociais em benefício do pobre e humilde", como aquelas que Rabi Aarão de Karlin aditou às ordenanças comunais de taxação em Niesviez, Israel Heilpern[10] provou que as normas eram

9. G. Scholem, Sobre R. Israel Leibl e sua Polêmica contra o Hassidismo, Zion, 20, pp. 153-162.
10. I. Heilpern, The Attitude of R. Aharon of Karlin to Communal Rule, Zion, 22, pp. 86-92.

essencialmente as mesmas em espírito que as comumente aceitas nas comunidades da época. E isto não é tudo. Dinur no seu extenso estudo coligiu larga série de violenta crítica social da literatura moral da Polônia antes do surgimento do Hassidismo e dos dias em que o movimento estava se plasmando. Um cuidadoso cotejo entre partes dessa literatura e os primeiros sermões[11] hassídicos mostra que, comparada à extensão e agudeza da crítica social não-hassídica, a literatura hassídica tem muito pouco a dizer nesses assuntos e que este pouco é moderado no tom. O próprio fato de ter havido tantos livros moralísticos no século XVIII na Polônia denota que o público era receptivo, e a palidez e escassez da moralidade social pregada pelos hassidim nos diz que a fonte de sua força não residia aí.

O êxito do Hassidismo surgiu do fato de haver oferecido o misticismo à *intelligentsia* da época numa forma aceitável para ela. Atraía, particularmente, jovens estudantes e funcionários religiosos. Por outro lado, alcançou eco entre as massas, pois, em vez de uma personalidade ideal da geração pré-hassídica, o remoto místico autoflagelador, o Hassidismo idealizou o místico que conduz o povo e vive em seu meio.

As sementes desta mudança encontram-se num fermento religioso, que não decrescera, na judiaria polonesa desde o malogro do movimento sabataísta[12], e devido às incessantes atividades de diversos grupos religiosos. Alguns desses grupos eram extremamente radicais em assuntos religiosos e, quando deixavam a trilha estrita da ortodoxia, não há a menor dúvida de que provocavam oposição entre o povo. Parece-nos existir um eco disso, no *Schivkhei Ha-Bescht* (Louvores do Bescht), uma coleção de tradições e lendas sobre o Bescht anotadas parcialmente durante sua vida e impressas no começo do século XIX. Nesta obra a história é contada por Rabi Nachman de Kossov, um dos membros do círculo íntimo do Bescht, que chegou por acaso a um lugar e orou de uma maneira diferente:

"Quando terminou suas orações, todas as pessoas da Beit Ha-Midrasch (casa de orações) saltaram sobre ele e lhe perguntaram como podia ficar de pé ante a Arca sem permissão e mudar as preces para uma versão que não foi rezada nem por nossos pais nem por nossos antepassados, grandes em sua geração. Ele respondeu: "E quem poderá dizer que eles estejam no Paraíso?" – ou seja, lançou dúvida sobre toda a tradição religiosa aceita. Ou há o dito do Rabi Pinkhas de Koretz: "O povo desta geração não se ocupa com o

---

11. J. Shachar, *Crítica Social na Literatura Moralística na Polônia no Século XVIII* (manuscrito em hebraico).
12. G. Scholem, "O Movimento Sabataísta na Polônia". *A Casa de Israel na Polônia*. Jerusalém, ed. I. Heilpern, vol. II, 36-76, 1954 (em hebraico).

(estudo da) Torá como nos velhos dias, pois agora difundiu-se um grande medo (de Deus) através do mundo inteiro e nos tempos antigos não existia semelhante medo porque costumavam se ocupar com a Torá. Há (agora) poucos lugares onde eles estudam; lá não existe medo"[13]. O dito enfatiza o antagonismo essencial entre o caminho do *hassid* e o caminho do *não-hassid*, pois na sociedade judaica deste período o erudito, o homem devotado inteiramente ao estudo era o ideal, e o estudo da Torá era o mandamento que sobrepujava tudo o mais. Notamos o comportamento dos seguidores do Rabi Avraham de Kolisk, discípulo do grande Maguid, "que zombavam e riam dos eruditos", uma prática severamente censurada pelo Maguid de Mesritsch[14]. Mas este não era o caminho do movimento como um todo, o qual usualmente evitou controvérsia e enfatizou sua lealdade à tradição em todos os campos da vida. Era, de fato, esta moderação, mesmo nos períodos de perseguição, que capacitou o movimento a resistir dentro das comunidades judaicas, e não ser impelido a uma posição de seita seccionista.

No seu artigo sobre comunhão com Deus (*dveikut*), Gershom Scholem[15] observou que no começo do modo de vida hassídico a exigência extrema para a comunhão máxima com Deus era colocada como um ideal geral, para todo mundo igualmente. Mas quando o movimento adquiriu forma, este ideal pôs-se apenas aos *tzadikim*, os chefes. E mesmo deles não era exigido em sua forma prístina. Para o *hassid* comum encontrou-se uma fórmula ampla de "adira a seu sábio", isto é, o *hassid* devia ligar-se ao Rabi, seu *tzadik*. Os chefes do movimento também abrandaram as rigorosas exigências que muitos pregadores faziam ao público; como Rabi Iaakov Iossef nos conta, por causa de tantas ameaças o público começara a perder a fé neles: "Nas palavras das massas: é impossível que as coisas possam sempre ser tão más como eles as pintam nos livros moralísticos só para ameaçar o povo" (*Toldot*, Nitzavim). Esta abordagem não era mero oportunismo da parte de um movimento crescente; parece ter sido parte fundamental do próprio modo de ver do Bescht. Os *Louvores do Bescht* nos falam de "um sermão por um pregador itinerante", a quem o Bescht definiu como um "denunciante", "falando mal do povo de Israel", isto é, o Bescht considerava a pregação de moral e religião para o povo, ao modo dos *maguidim*, uma coisa má. "O Bescht pulou de seu lugar, lágrimas pontilharam seus olhos e ele disse: 'Saiba que um filho de Israel vai todos os dias

---

13. "Light of Israel", *Gleanings from R. Pinchas of Koretz*, p. 53.
14. H. B. Heilmann, *Beit Rabi*, 2ª. edição, Berditchev, 1903, p. 43 (em hebraico).
15. G. Scholem, Devekuth or Communion with God, *Review of Religion*, XIV, pp. 115-139, 1950.

ao mercado; ao anoitecer quando está triste fica ansioso e pensa "ai de mim se deixar passar a hora da prece do entardecer", e vai à casa de orações e reza a prece do entardecer e não sabe o que está dizendo, e mesmo assim serafins e anjos ficam muito comovidos com isto". E Rabi Nachman de Horodenka interpretou assim o que o Bescht disse: "De que pelo jejum e pela mortificação e persistência no estudo a tristeza cresce e seu modo lança censura sobre o próximo de que ninguém como ele fez tanto para que esquecessem a vida eterna pela tentação das coisas transitórias" (*Toldot*, "Coisas que ouvi de meu mestre"). E é assim que o autor de *Toldot* interpretou isso em nome de seu mestre "de quem é dito: e o Senhor enviou belicosas serpentes entre o povo – pregadores que despertaram julgamento no mundo" (*Toldot*, Kiduschim). Isto significa dizer, exigências extremas para com o público, ou mesmo severa automortificação pelos próprios justos, não só falhariam na ajuda ao povo mas despertariam o julgamento (isto é, enfatizariam a distância entre o ideal de comunhão com Deus e o comportamento do homem na praça do mercado) e assim adiariam a redenção.

As reservas quanto à severa automortificação piedosa, para que não "despertem julgamento no mundo", brotam de outra parte básica do ponto de vista do círculo, isto é, a visão do vínculo orgânico entre todas as seções do povo e a visão do povo como um corpo único. Este motivo volta repetidamente nos ditos do Rabi Iaakov Iossef: "Visto que todo mundo junto é chamado uma figura e as massas do povo são as pernas da figura e os justos os olhos da comunidade etc., e este é o sentido do dito segundo o qual o mundo todo é uma escada, que as massas do povo estão dispostas na base, que pode ser chamada os pés do mundo, e os eruditos são a cabeça, e é o que significa "seu cume alcança o Paraíso"; que se a geração age corretamente, as cabeças da geração se elevam um degrau mais... e quando o oposto é verdadeiro, baixam, como nossos sábios dizem de Schmuel Ha-Katan (um dos primeiros tanaítas) – ele merecia que o Sagrado espírito brilhasse sobre ele, mas sua geração não o merecia... pois quando as pernas do homem descem no abismo, a cabeça também é trazida para baixo" (*Toldot*, Vaietze). Deste vínculo orgânico, desta dependência mútua, surge a responsabilidade do homem justo ou guia, o *tzadik*, para com a comunidade inteira, e esta atitude baseia-se num princípio místico especial. Nada há obviamente de "democrático" ou igualitário nele. A multidão não é considerada igual em valor ao *tzadik*. A diferença entre ambos é a diferença em espécie: o homem justo, "o homem da forma", é o elemento ativo, enquanto as massas, "as pessoas da matéria", são passivas. Mas daí brota a exigência de que o homem justo assuma responsabilidade para com o povo. E quando do estabelecimento do próprio movimento, encontramos a idéia recorrente e reinfatizada de que o justo não deve justificar a si próprio pelo declínio da geração. A essência do vínculo é que a existência de um não tem significado sem a outra; nas palavras atribuídas a Moisés quando falou ao Senhor: "Se Tu os tivesses matado (isto é, Israel no deserto) todos de uma vez, que necessidade teria o mundo de mim? E que seria eu sem eles?" (*Toldot*, Hookat.)

A fim de guiar a multidão, o justo deve descer de sua posição, seu alto grau, para o mundo material. Este é o celebrado princípio da "descida do justo" no Hassidismo. Quaisquer que possam ser as raízes místicas da teoria, é a *raison d'être* do *tzadik* como guia. Como Rabi Levi Itzhak de Berditschev o formula: "Por que estabeleceu o Sagrado Nome que o *tzadik* deve descer de sua posição? Pois pareceria melhor que o *tzadik* devesse sempre permanecer em seu lugar, para servir o Sagrado Nome com grande senso e amá-lo com perfeito amor. Eis o dito do Bescht e de meu justo mestre Dov-Ber: que na queda do *tzadik* e no autofortalecimento deste para voltar ao seu lugar, disto as almas foram criadas, e ele é como alguém que levantasse seu companheiro do lodo e do lixo – ele [o *tzadik*] também deve descer até o lodo e o lixo para erguê-lo (Keduschat Levi, sobre o *Cântico dos Cânticos*). Uma doutrina como esta não só nega "qualquer justificação" "das massas" enquanto elas "permanecessem sem guia"[16], mas coloca as massas no centro dos interesses e da atividade do justo – e sem dúvida é responsável pelo grande número de seguidores dos líderes hassídicos. A prova real quer da teoria quer do movimento veio na geração dos discípulos do Maguid, o período em que o movimento se plasmou e se expandiu, e resistiu à prova do tempo. Quanto mais o *tzadik* sublinhava sua responsabilidade para com o público e sua disposição em cuidar dele, mais sua popularidade crescia.

Não se deve concluir daí que os chefes hassídicos não estavam cientes da brecha existente entre os dois lados de sua doutrina; eram atraídos por dois deveres que os cindiam – o do místico, devedor de submissão perpétua ao mundo superior, e como se fosse pecado desistir da comunhão com Deus; e o dever do guia de cuidar de seu povo, conjuntamente em corpo e alma. Parece que certa porção de contemplação mística precisava ser sacrificada a bem da difusão do movimento. Rabi Elimelech de Lijensk, de acordo com Dubnow, foi o fundador do *tzadikismo prático*; e o historiador considerou como condição básica do trabalho deste o fato "de que eles deveriam mantê-lo generosamente e prover todas as suas necessidades materiais"[17]. No entanto, o próprio

---

16. De acordo com Jacob Katz. *Tradition and Crisis*, p. 235.
17. S. Dubnow, *idem*, p. 182.

Rabi Elimelech, que põe em relevo a tragédia peculiar da alma dividida do *tzadik*, declara: "É difícil saber por que Moisés, nosso Mestre, a paz seja com ele, foi punido nas águas de Meribá quando golpeou a pedra; afinal, o Santíssimo, Louvado Seja, concordou com ele, pois está escrito: "e a água brotou abundantemente". Pois se ele fizera o que não era certo, a pedra não deveria ter produzido água com abundância... mas é evidente – (sem dúvida ao homem de Deus é vedado não executar a vontade do Criador, Louvado Seja) – que o caminho do homem justo é sempre o de perseguir o bem de Israel, e mesmo se em obediência a este dever ele tiver de praticar algo onde haja um elemento de pecado, ele o fará para o bem de Israel; assumirá mesmo a danação por eles, pois todo seu desejo é fazer-lhes o bem." (*Noam Elimelech*, Balak). Rabi Levi Itzhak também sabe que o místico recluso possui maior justeza pessoal, por causa de sua perpétua comunhão com o Divino; contudo, é melhor ser um justo que interrompe a comunhão e cuida das necessidades do povo: "Fique claro que há *tzadikim* que conseguem através de suas preces aquilo que querem, e há homens justos que não conseguem. A questão é a seguinte, o grande *tzadik* é aquele que vem ao pátio do palácio do rei, o rei do mundo e, reconhecendo estar na presença do rei, esquece o que tinha a pedir quanto a este mundo e pede somente que me seja concedido manter-se sempre apegado ao rei; pois, o que mais lhe apraz senão ser um servo do Criador e um servo do rei? E ele esquece todos os seus negócios. Não é assim com os *tzadikim* que não pertencem a este grau; ainda que um deles se encontre perante o rei, lembra sua petição, o que deseja pedir; e principalmente o *tzadik,* (isto é, o grande) quando comparece ante o rei não se recorda da petição sobre coisas deste mundo que deseja pedir, portanto não o consegue; e o *tzadik* menor é então aquele que lembra sua petição quando se acha diante do rei e lhe faz a sua solicitação: ele por isso consegue." (Keduschat Levi sobre o *Cântico dos Cânticos*).

Na realidade, não foram estes tardios *tzadikim* que assentaram a doutrina do *tzadik* através de quem a plenitude vem ao mundo; o Bescht já pregara "Hanina, meu filho (isto é, o *tzadik*) é uma trilha e um conduto para manter a plenitude no mundo" (*Ben Porat,* Vaiehi), o que significa tanto a plenitude material quanto a espiritual que o *tzadik* espalha sobre o mundo por sua influência. Mas gradualmente o lado material da plenitude tornou-se mais importante, até que, com o tempo, chegamos aos discípulos dos discípulos do Grande Maguid, e a habilidade de prover necessidades materiais na prática é a evidência reconhecida da qualificação para a liderança: "O Rabi de Lublin orgulhava-se de ter sido ordenado pelo Maguid de Rovno (O Grande Maguid) para ser o *tzadik* de um grupo hassídico. Pois um rústico viera queixar-se de que alguém intrometera-se abusivamente para tirar-lhe sua *arenda*[18], e o Maguid, deitado na cama, disse-lhe que fosse ao Beit Ha-Midrasch (Casa de Oração) e chamasse alguém para expedir a intimação (ao transgressor). E o Rabi de Lublin estava andando de um lado para o outro no Beit Ha-Midrasch, e o rústico o chamou, e ele redigiu uma intimação e apresentou-a ao Maguid para a assinatura. E ele (o Maguid) respondeu-lhe: "Assine você e eles lhe obedecerão, assim como obedecem a mim. Você não tem maior autoridade do que isto" (*Niflaot Harabi,* 187). O neto do Bescht, Rabi Mosché Haim Efraim de Sodilkov, chegou mesmo a assinar um tratado explícito em 1798 com "os chefes dos portadores de *arenda* das aldeias vizinhas"; eles "deveriam submeter-se à sua autoridade em tudo aquilo que lhe dissesse respeito" e ele "os deveria ajudar com seus ensinamentos (Torá) e sua prece que efetivamente auxilia a todos os que se lhe aderem", em troca de 6 florins de cada mil da receita que eles recebessem[19].

Apesar da moderação do novo movimento como um todo, cedo ou tarde estava destinado a chocar-se com a liderança das comunidades em áreas mais amplas. O movimento foi salvo da sorte de outras seitas religiosas em circunstâncias similares por ter-se recusado a declarar guerra ao conjunto de onde brotara. Ele não via a si próprio como um bando de santos e o resto de Israel como um "reino do mal", assim não se converteu naquilo que seus oponentes queriam torná-lo: uma seita seccionista apartada quer por opção quer por necessidade. Os elementos do radicalismo religioso surgem no Hassidismo como estranhos anexos. Os estudiosos enxergam elementos radicais em algumas das figuras centrais do movimento, mas estas tendências não encontraram expressão pública, dado o ponto de vista aceito naqueles círculos, segundo o qual havia dois sistemas morais separados – o do *tzadik* e o do público como um todo. Na medida em que existiam elementos radicais estavam eles velados pelas nuvens do primeiro sistema, no qual muita coisa era misteriosa e obscura. Como movimento público, o Hassidismo proclamou e enfatizou sua adesão à tradição; rejeitou todas as tendências extremadas na religião, salientando principalmente os ensinamentos básicos de unidade e responsabilidade mútua, entre as partes da nação, incluindo mesmo o mais perverso do perverso. Como Rabi Arie

---

18. *Arenda* – é o aluguel de uma taverna ou receita de uma atividade agrícola ligada com uma propriedade arrendada. Uma função importante da comunidade era impedir a concorrência entre arrendatários judeus. Na segunda metade do século XVIII, quando a autoridade dos cabeças comunitários enfraqueceu, os *tzadikim* hassídicos tomaram a si esta tarefa.

19. A. Kahana, *Livro do Hassidismo,* (Varsóvia, 1922), p. 304 (em hebraico).

Leib, o "censurador de Polnói", costumava dizer: "Um pequeno *tzadik* gosta de pequenos pecadores, e um grande *tzadik* gosta e ergue-se mesmo por pecadores endurecidos". Tais ensinamentos evitaram o separatismo.

A descrição da luta contra o Hassidismo também requer cuidadoso exame. Como bem se sabe, as relações tornaram-se na verdade muito tensas na Lituânia e na Rússia Branca, mas na Ucrânia, nas sexta e sétima décadas do século XVIII, isto é, antes e mesmo depois da excomunhão de Brodi[20], houve cooperação entre os cabeças da comunidade e os chefes do Hassidismo[21]. Em 1767 um juiz da corte religiosa (Av-Beit-Din) de Rovno e seu tribunal apoiaram-se numa proscrição em matéria de usufruto, a qual fora proclamada pelo Maguid de Mesritsch, e o veredicto pronunciado por esta corte foi validado pelo famoso chefe hassídico Rabi Iehiel Mihal de Zlotschov. Em 1778, os principais da importante comunidade de Dubno fizeram acordo com "o honrado Rabi, cabeça da corte religiosa da santa comunidade de Polnói e seus adeptos", sendo este Rabi Iaakov Iossef, o discípulo do Bescht, por uma ação conjunta no "resgate de prisioneiros", isto é, libertação de inquilinos presos por seus senhorios. Esses líderes comunais parecem cooperar com os cabeças do Hassidismo a fim de obter sua ajuda em assuntos situados além do âmbito da organização comunal; ao passo que a autoridade e a prescrição do *tzadik* tinha grande força nesse setor do público.

O princípio mais importante em pauta no choque entre *hassidim* e *mitnagdim* (oponentes) era o problema da autoridade, o que importa dizer que na maioria das disputas perguntava-se aos *hassidim*: onde haviam obtido a autoridade "de trocar a moeda que os sábios tinham cunhado"?[22]. Mas tais objeções não se baseavam, na maior parte, no pressuposto de que era proibido alterar o que os chefes da comunidade haviam pronunciado. Esses líderes, mesmo em Vilna, não tendiam por si a extremar-se na perseguição ao Hassidismo. A autoridade e a validade dos chefes de comunidades para perseguir e oprimir o Hassidismo veio de um homem que não detinha posição oficial alguma e não fora apontado por "escolha racional", o Gaon de Vilna; "homem de Deus... Rabi Elias Hassid possa sua luz brilhar". Este foi o homem que "mandou chamar os dignitários (cabeça

---

20. Esta é a primeira excomunhão conhecida contra os *Hassidim* proclamada na comunidade de Brodi em 1772.
21. Material sobre isto foi coligido por H. Shmeruk em trabalho ainda manuscrito.
22. Ver por exemplo a disputa entre R. Avraham Katznelbogen, o Rabi de Brisk, e R. Levi Itzhak de Berditschev em 1781, S. Dubnow, *Hassidiana, Dvir*, (Berlim, 1923), parte I, pp. 293-297 (em hebraico).

da comunidade em Vilna) e perguntou-lhes iradamente por que tratavam levianamente com eles (os *hassidim*). Estivesse em meu poder eu faria com eles o que Elias, o profeta, fez com os profetas de Baal"[23].

É um erro supor que o embate entre *hassidim* e *mitnagdim*, seus oponentes, era um choque entre *establishment* e carisma. O Gaon certamente dispunha da autoridade que cabe ao grande erudito, mas apesar disto (ou mais precisamente por causa disto) sua principal influência era carismática. Não foi senão o seu próprio discípulo, Rabi Haim de Volojin, que atestou que o Gaon recebera uma "revelação de Elias" (isto é, visões proféticas). Há sem dúvida graus de carisma, mas o choque aqui era entre duas formas e duas fontes de liderança carismática[24]. Uma prova adicional é que o Rabi Haim, o discípulo fiel, teve uma relação para com os *hassidim* completamente diversa da de seu mestre. Não se pode presumir meramente que a diferença no tempo fosse responsável pela mudança, isto é, que o Hassidismo estivesse bem firmado no tempo do Rabi Haim. Parece mais provável que o Elias da personalidade do Gaon, com seu poder carismático, moldou a luta encabeçada por ele.

A principal autoridade do líder hassídico veio de sua conexão direta com os poderes sobrenaturais – poderes que trouxe para a ajuda do indivíduo e do público. Mas a maneira como os *hassidim* estavam organizados também representou sua parte, no grupo hassídico (*Eda*), que se congregava em torno do *tzadik*. A natureza aberta deste grupo não transpunha a brecha entre os *hassidim* e seus oponentes, mas servia para exorcizar a suspeita de que os *hassidim* tivessem categoricamente tendências heréticas, pois seus grupos eram abertos a tudo e expostos aos olhos de todos.

A transformação do pequeno grupo para o amplo movimento, como é bem conhecido, foi obra do Maguid de Mesritsch. Ele transferiu o núcleo da remota Podólia para a Volínia, localizada bem mais no centro do reino polonês, e enviou emissários para difundir sua doutrina por toda a Rússia Branca, Lituânia e Polônia Central. Seus discípulos, que não possuíam quaisquer marcas sociais específicas de distinção, procediam de diferentes camadas sociais, e sua erudição também era de diferentes graus.

Encontramos agora um elemento paradoxal na formação do movimento: Rabi Dov-Ber de Mesritsch, o Grande Maguid, figura bem conhecida, chamada por seus discípulos de "Rabi de todos os filhos da Diáspora", era um chefe de opiniões autoritárias e, todavia, con-

---

23. *Idem*, "Heavar" (Petrogrado, 1918), p. 26.
24. Sobre a liderança carismática do Gaon de Vilna ver R. J. Z. Werblowsky, *Joseph Karo.* (Oxford, 1962), Ap. F.

duziu o movimento para as vias de descentralização. Estabeleceu grupo após grupo, com um aluno seu à testa de quase todos, resultando daí que após a sua morte não havia nenhum líder reconhecido do movimento. A tradição de atividade autônoma nas comunidades judaicas locais deve ter concorrido para a tendência descentralizadora no movimento. Mas isto certamente não envolve identidade entre qualquer grupo hassídico e uma comunidade particular. Pelo contrário, o *tzadik*, o homem justo, tinha adeptos (*hassidim*) em vários lugares, e sua influência às vezes se espalhava por extensas áreas e grandes comunidades, enquanto ele próprio vivia em alguma pequena e longínqua localidade. Mas cumpre enfatizar que a tradição descentralizadora da organização comunitária tendia a auxiliar a fragmentação da liderança hassídica, na qual cada *tzadik* e grupo dispunha de um grande e crescente grau de independência.

Este processo pelo qual se desenvolveu a liderança hassídica não esvaziou a pressão interna e a luta. Poucos discípulos do Bescht figuravam entre os discípulos do Maguid. Mesmo durante a vida do Maguid não havia acordo geral com suas posturas. Alguns discordavam de suas idéias, outros, aparentemente, com seus novos métodos de organização do movimento. Parece-nos ouvir um eco da crítica tardia nas severas palavras do autor dos *Toldot*: "Agora temos que interpretar o resto das pragas (do Egito) até a praga dos gafanhotos... a multiplicação dos gafanhotos... A questão é a multiplicação dos chefes, de que não há (um só) porta-voz para a geração; acontece justamente o oposto, são todos cabeças e porta-vozes; como ouvi dizer, esta foi a bênção (isto é, maldição) de Elias sobre a cidade em que todos deveriam ser líderes etc. E então o porta-voz (*dabar*) se torna murrinha (*dever*) ou granizo, e por sua força "encobriu o olho da terra". Aquele que é o olho da terra, como os olhos do rebanho, que era digno de manter a guarda sobre a terra, converteu-se em muitos chefes, "cobrindo o olho da terra" de tal modo que eles não podem ver a terra, para manter a guarda sobre eles. E este é o significado de "e ele consumiu o remanescente que nos sobrou do granizo": quando havia um porta-voz para a geração era uma bênção, e quando esta mudou e vieram muitos chefes foi como o granizo e isto causa destruição para o restante da comunidade" (*Toldot*, Bo).

Talvez o autor das *Toldot* esperasse que os descendentes do Bescht produzissem "um porta-voz para a geração". Em todo caso, Rabi Baruch, o neto do Bescht pelo lado da filha deste, que crescera na casa do Rabi Pinkhas de Koretz, um oponente do Maguid, baseou sua pretensão de ser o único líder do Hassidismo na sua ilustre descendência. "O Sagrado Rabi de Polnói", diz ele, "me amava muito e por respeito (pois eu era pequeno e ele, bem idoso), eu não quis sentar-me em sua presença e ele tampouco o quis. Fui forçado a sentar para que ele pudesse sentar. E eu peguei a minha tabaqueira para cheirar rapé diante dele, e ele me disse: – Boruchl, ouvi de seu avô, o Bescht, que você será seu sucessor; você sabe tomar rapé como o Bescht? Pois o Bescht quando queria ir para os mundos superiores tomava uma pitada de rapé..." (*Botzina dnahora haschalem*, p. 5). Qualquer que seja a verdade das palavras atribuídas ao autor das *Toldot* nesta história, é claro que Rabi Baruch tinha pretensões a tornar-se "o porta-voz da geração" por virtude de sua linhagem. Há portanto um certo interesse em sua conversação com Rabi Schnóier Zalman de Ladi, um dos mais importantes discípulos do Maguid de Mesritsch e o fundador do Hassidismo *Habad*. Após uma cortante conversação, relatada por Rabi Schnóier Zalman, Rabi Baruch proclamou "Eu sou neto do Bescht e devo ser respeitado". Ao que Rabi Schnóier Zalman replicou: "Eu também sou neto do Bescht em espírito, pois o Grande Maguid foi o principal discípulo do Bescht e eu sou discípulo do Maguid" (*Ibid.*).

Esta controvérsia tocava as raízes de um problema de grande importância para o Hassidismo e para todos os movimentos de liderança carismática, a saber, como transferir a autoridade. Deveria ser ela confiada de pai para filho, ou de mestre para discípulo? Entre os discípulos do Maguid, ao contrário dos descendentes do Bescht, a última versão parecia ter sido a aceita. Como Rabi Elimelech de Lijensk afirmou: "Há aqui dois tipos de *tzadikim*. Há *tzadikim* santificados por seus pais, que eram santos e perfeitos e tementes a Deus e "a Torá volta às suas guaritas", e há *tzadikim* chamados "naziritas", porque se colocavam a si próprios à parte, embora fossem filhos de pessoas comuns. E estes *tzadikim* (isto é, aqueles que não eram filhos de *tzadikim*) não podem cair prontamente de sua sagrada posição, pois não têm nada em que se apoiar e permanecem humildes e observam a si próprios com olhos perpetuamente abertos. Mas os *tzadikim* filhos de santos, mesmo que estejam plenos de Torá e mandamentos, em virtude de seus pais os ajudarem algumas vezes – pode surgir daí divergência de um lado e altivez de outro (isto é, tornar-se-ão cheios de orgulho) e hão de cair rapidamente de sua posição. E é isto "diga aos sacerdotes os filhos de Aarão", aqui ele aludia aos *tzadikim* filhos de *tzadikim* e chamados "sacerdotes, filhos de Aarão", advertindo-os estritamente de que não deveriam pôr-se a pensar de modo algum na linhagem de seus pais... e escolher o melhor caminho por si mesmos (*Noam Elimelech*, Emor). Na verdade, ele próprio agiu segundo o princípio da transferência da autoridade para um discípulo: há uma tradição de que "o Rabi Melech, quando velho, ordenou a todos os que estivessem doentes ou amargurados que se dirigissem a seu discípulo Rabi Itzikel de Lanzut (o "vidente" de Lublin). Até que acostumou todo mundo a ir a Lanzut. E cessaram de procurá-lo. Então ele ficou furioso". (*Ohel Elimelech*, 165). Se nossa hipótese do choque entre dois sistemas de herdar autoridade é correta, há certa ironia histórica no fato de as grandes dinastias hassídicas terem surgido dos descendentes do próprio Maguid e de seus melhores discípulos. Partindo desta tendência – possivelmente em reação a ela – um grupo hassídico aglutinou-se em torno do bisneto do Bescht, Rabi Nachman de Bratislaw. Até hoje é o único grupo hassídico que não tem um guia vivo: permanece fiel à memória de Rabi Nachman, "O Rabi morto". E não há dúvida que o próprio Rabi Nachman acreditava ser o principal *tzadik* de sua geração e talvez tivesse pretensões de ser "o porta-voz da geração", de acordo com sua tradição de família.

Muitos escritores sobre o Hassidismo têm-se detido na diferença entre "Hassidismo teórico" em sua forma primitiva e pura, e "tzadikismo prático" que veio mais tarde. Dubnow escreve sobre Rabi Elimelech de Lijensk: "Embora Rabi Elimelech não inovasse em nada os ensinamentos teóricos do Bescht e do Maguid, acrescentou muito ao sistema do tzadikismo prático, convertendo-o em um sistema fundamentado na essência do Hassidismo"[25]. Em sua opinião, isto significa que o mal no Hassidismo se originou de Rabi Elimelech. É duvidoso que haja qualquer base para a distinção entre o "tzadikismo prático" tardio e o tipo primitivo "mais puro". Por que não denuncia Dubnow o fato de o Bescht ter recebido paga por escrever amuletos – que é uma espécie de retribuição por serviço – enquanto condena como prática corrompida e exploradora o dinheiro pago ao *tzadik* ulterior por guiar seu rebanho? De um ponto de vista histórico, o principal problema não é o pagamento e sua justificação, porém a tarefa de liderança e a maneira como era executada: Teve a liderança hassídica uma influência destrutiva e corruptora na sociedade judaica, como muitos alegaram, especialmente aqueles que foram atraídos pela atitude dos escritores da Hascalá?

Parece que o reverso é verdadeiro. Onde o Hassidismo predominou, a sociedade judaica foi menos dividida por conflitos e mais estável do que no período anterior à prevalência do movimento. É importante lembrar que nos velhos tempos boa parte da estabilidade interna da sociedade judaica e da autoridade de seus chefes vinha do apoio do governo, ao passo que, no início do século XIX, tanto o governo da Áustria quanto o da Rússia demonstravam hostilidade para com a autonomia judaica, e a unificação da sociedade judaica teve de ser alcançada sem o apoio do governo – na realidade contra ele.

25. S. Dubnow, *Ibid.*, p. 180.

É, entretanto, verdade que o grupo hassídico constituía uma estrutura separada da comunidade (embora não contra ela e certamente não um substituto para ela) e a própria existência de tal estrutura, o fato de a autoridade de seu cabeça, o *tzadik*, ser maior aos olhos dos seus membros do que a autoridade dos chefes da comunidade, significava que a jurisdição da liderança comunitária estava enfraquecida dentro da vida judaica. No entanto, este desenvolvimento não demoliu a sociedade judaica, e depois de amarga luta entre os dois tipos de autoridade um *modus vivendi* começou a aparecer. Gradualmente, tornou-se claro que a liderança hassídica era capaz de contribuir para o fortalecimento da unidade da sociedade judaica como um todo. Isto foi em grande parte devido ao modo como a liderança hassídica era encarada pelo povo. Os chefes do Hassidismo não faziam reivindicações de princípio contra a autoridade da comunidade, e não a negavam; às vezes controlavam comunidades e às vezes davam validade adicional aos regulamentos e realizações comunitárias, validade que foi debilitada quando as instituições autônomas centrais viram-se abolidas. O estudo de Schmeruk[26] mostrou como as necessidades da vida comunitária ocasionaram compromisso e mesmo cooperação entre *hassidim* e não-*hassidim*, mesmo em regiões onde anteriormente uns estavam agarrando o pescoço dos outros. O caminho da reconciliação entre os dois campos rivais foi pavimentado pelo esforço comum para defender os interesses, sociais e espirituais, do povo judeu contra a intervenção do governo e contra o solapamento por dentro das bases, por novos fatores tais como a Ilustração.

BIBLIOGRAFIA

AECHCOLI, A. Z. *Le Hassidisme*, Paris, 1928.
BUBER, M. *Die chassidischen Bücher*. Hellerau, 1928.
_____. *The Tales of the Hasidim*. New York, 1947. (Tradução portuguesa: *Histórias do Rabi*, Ed. Perspectiva, 1967).
DRESNER, S. H. *The Zaddik*. Londres-New York, 1960.
DUBNOW, S. *Geschichte des Chassidismus*. Berlim, 1931.
KATZ, J. *Tradition and Crisis*. Glencoe, 1961.
SCHECHTER, S. "The Chassidim". *In*: *Studies in Judaism*. Filadélfia, 1896, v. I, pp. 1-46.
SCHOLEM, G. *Major Trends in Jewish Mysticism*. New York, 1941. Conferência IX. (Trad. bras.: *As Grandes Correntes da Mística Judaica*. São Paulo, Perspectiva, 1972).
_____. Devekuth or Communion with God. *Review of Religion*, XIV, pp. 115-139, 1950.

---

26. H. Schmeruk, The Social Significance of Hassidic Shechita, *Zion*, 20, pp. 47-74.

15. O Movimento Nacional Judaico
Uma Análise Sociológica

Pode-se dizer com segurança que todos os movimentos nacionais modernos surgiram da existência de uma "Nação", ou seja, de um grupo que habitou exclusivamente um determinado território, mesmo quando outros grupos da mesma origem étnica existiam dispersos entre outras nações. Este grupo étnico pode ser reconhecido por sua língua e pela ligação a certos estilos de vida tradicionais. Além disso, a preservação de uma tradição – ainda que apenas no campo do folclore – pressupõe um certo grau de consciência histórica. De fato, cada grupo étnico tem geralmente uma imagem de seu passado histórico ainda que expresso tão-somente por alguma saga semimitológica ou poema heróico popular[1].

Essa experiência foi comum a todas as gerações que precederam ao Nacionalismo propriamente dito. O que não acontecia nesses estádios prévios, e que pode ser considerado o verdadeiro ponto decisivo no desenvolvimento do Nacionalismo, é que os atributos de qualquer grupo étnico, sua associação com sua pátria, a prática de certos costumes e o uso de uma língua nativa, tornaram-se obriga-

---

1. A literatura sobre o nacionalismo é extensa, ver C. Hayes, *The Historical Evolution of Modern Nationalism*, New York, 1931; Fr. Hertz, *Nationality in History and Politics*, Londres, 1945; H. Kohn, *The Idea of Nationalism*, New York, 1946; E. Kedourie, *Nationalism*, Londres, 1960. Muito interessante é o clássico ensaio de Lord Acton, "Nationality", incluído em seus *Essays on Freedom and Power*, N. Y., 1955.

tórios para seus membros, compelindo-os a manter e promover essas peculiaridades nacionais sem considerar sua utilidade mesmo à custa de grandes perdas em seus campos. Esta observação permite-nos a melhor definição do moderno Nacionalismo: é a transformação de fatos étnicos em valores fundamentais. Enquanto os atributos nacionais, tais como ligação a um lugar de nascimento, apego à língua materna e certa preferência pelos membros de determinado grupo étnico são fenômenos universais, é a elevação desses traços a supremos, talvez mesmo exclusivos, valores que pode ser encarada como a distinção característica do moderno Nacionalismo.

A origem e natureza dos fatores históricos que levaram a esse ponto decisivo na história humana não podem ser integralmente discutidos aqui. Têm certamente alguma relação com o eclipse de outras escalas de valores, sobretudo religiosos, e com o enfraquecimento de forças políticas na época das dinastias e desintegração dos antigos Estados[2]. Propomo-nos aqui a tratar de um desses movimentos nacionais que parece contradizer o padrão normal de Nacionalismo mas que, não obstante, toda teoria sociológica extensiva do Nacionalismo deve levar em consideração.

O desvio do Nacionalismo judeu do padrão normal é evidente nos seus fundamentos pré-nacionalistas[3]. A sociedade judaica carecia de dois dos traços que caracterizaram a fase pré-nacionalista de grupos étnicos. Espalhados pelos quatro continentes, os judeus não possuíam território próprio nem uma língua comum. De fato, enquanto muitos movimentos nacionalistas procuraram e conseguiram criar um dialeto particular no nível de uma língua literária, a qual, desta posição dominante, exerceu uma função unificadora, a judiaria do século XVIII era uma Babel. A metade falava hebraico, outros o ladino e outros, ainda, a língua de seus países nativos.

A despeito dessas deficiências ninguém duvidaria no fim do século XVIII que os judeus eram uma unidade étnica, separada dos habitantes locais, em qualquer lugar onde tivessem construído uma comunidade. Do mesmo modo, a unidade dessas comunidades por todo o mundo era reconhecida. Esse estado de coisas é explicável, em larga medida, pela singularidade religiosa dos judeus, pois sua ligação à antiga fé era a razão indiscutível de suas inabilidades sociais e políticas. Os indivíduos que aceitavam a religião de sua sociedade não-judaica mudavam implicitamente seu *status* político e social. Todavia, a descrição da sociedade judaica como uma unidade puramente religiosa não é completa. Pertencer à comunidade judaica

---

2. Vide a literatura citada na nota 1.
3. O melhor resumo da história do nacionalismo judaico é de B. Halpern, *The Idea of the Jewish State*, Cambridge, Mass., 1961.

dependia realmente da aceitação da fé judaica. Mas, uma vez adepto dessa fé, esta vinculava muito mais que a mera filiação religiosa. Os princípios da fé judaica incorporam e envolvem uma velha e complicada tradição rica de reminiscências históricas e de aspirações nacionais quanto ao futuro. A destruição do Templo em Jerusalém por Tito era mencionada nas preces diárias e lembradas, particularmente em certa época do ano dedicada ao luto pela glória perdida, luto que culminava no dia de abstinência, o nono de Av, data da destruição efetiva do Templo. Mas ainda mais freqüentes que as tristes lembranças das coisas passadas eram as preces pela redenção futura. A versão popular da crença messiânica admitia que a redenção dar-se-ia de modo miraculoso; alguns acreditavam mesmo que ela apresentaria aspectos espirituais ou escatológicos, como a renovação da profecia ou a ressurreição dos mortos. Mas, mesmo assim, tampouco faltavam os aspectos políticos da libertação. A esperança na redenção sempre esteve ligada, no pensamento judeu, com o destino nacional[4]. A aceitação da ou a adesão à fé judaica acarretava, por conseguinte, ao mesmo tempo a consciência de ser filho de uma nação, desafortunada no presente, dotada divinamente no passado e com brilhantes perspectivas para o futuro. Enquanto, no tocante aos dois primeiros fatores de condições pré-nacionalistas nos movimentos nacionais, território e língua, os judeus estavam em desvantagem comparados a outros grupos étnicos, no que se refere à sua consciência histórica estavam indubitavelmente mais adiantados. Sua consciência histórica serviu, ademais, não apenas para compensar a deficiência territorial mas até mesmo para corrigi-la. Pois a lembrança da terra de seu passado serviu de certo modo como substituto simbólico daquela.

No que se refere à consciência nacional, podemos sustentar razoavelmente que no início dos tempos modernos os judeus estavam melhor preparados que qualquer outro grupo étnico europeu para um movimento nacional. É verdade que, antes que a consciência histórica pudesse tornar-se um ingrediente do nacionalismo moderno, tinha de sofrer certas transformações. Os elementos milagrosos e escatológicos deviam ser substituídos por conceitos realísticos. Mas todas as nações igualmente tinham de sofrer da mesma forma importantes mudanças em sua atitude mental antes que pudessem ser alcançadas por um movimento nacional. A sociedade judaica efetuou ela mesma essa transformação com o moderno Sionismo. Neste a crença messiânica foi, por assim dizer, purgada de seus elementos miraculosos e manteve apenas seus objetivos políticos,

4. G. Scholem, Zum Verstaendnis der messianischen Idee im Judentum *Eranos-Jahrbuch*, 1960, XXVIII, pp. 193-198.

sociais e alguns dos objetivos espirituais. Mas mesmo nessa fase de desenvolvimento o nacionalismo moderno inclina-se fortemente para o antigo messianismo e extrai dele muito de seu apelo ideológico e muito mais de seu apelo emocional. Contudo, tudo isto foi concluído, como se sabe, apenas no fim do século XIX e começo deste. Assim, apesar de ter precedido outras nações por possuir as potencialidades do nacionalismo moderno, o movimento nacional judaico ficou atrás da maioria das nações européias no seu desenvolvimento efetivo.

O atraso do Nacionalismo Judaico é facilmente explicado pelo fato de que a nação judaica, como já notamos, possuía as características pré-nacionalistas apenas numa forma simbólica ou nominal. Na realidade a sociedade judaica estava incorporada na estrutura das sociedades não-judaicas. Econômica e politicamente ela representava uma divisão da sociedade não-judaica, ainda que uma divisão de caráter bem especial e posição incomum. Como foi acima mencionado, o nacionalismo dos outros povos europeus surgiu como uma espécie de subproduto da desintegração dos Estados nos quais foi construída a sociedade da Europa pré-nacionalista. A desintegração significava a perda dos laços pelos quais o indivíduo estava ligado a seu Estado, sua corporação e sua igreja. Mas tal mudança não ocorreu com sua pertinência a um grupo étnico. Ao contrário, os indivíduos deslocados continuaram a manter-se juntos por sua comum ligação a seu lugar de nascimento, língua e tradição cultural. A desintegração da velha estrutura social forneceu a esses elementos nacionais a oportunidade de se tornarem um importante fator na reintegração dos indivíduos desarraigados.

Mas aqui o caso dos judeus era bastante diferente. Os mesmos fatores que levaram à desintegração de outros estados sociais afetaram igualmente a posição dos judeus. Eles, como todos os outros indivíduos, foram súbita ou gradualmente libertos da ligação a estados definidos legalmente. Ao invés disso, passaram a ser encarados como cidadãos independentes em seus respectivos países. A assim chamada emancipação dos judeus é apenas um caso particular da rejeição da idéia dos estados sociais sobre a qual se fundou a velha sociedade européia[5]. Mas, do ponto de vista da antiga sociedade judaica, isto teve conseqüências de maior alcance que em qualquer outro estado. No caso dos judeus não reapareceria nenhuma oportunidade de reintegração na base de elementos étnicos. Ainda que tenhamos observado que a consciência nacional estava visivelmente desenvolvida, a falta de elementos concretos de unidade nacional não poderia facilmente ser compensada. Os indícios e símbolos que

---

5. S. Stern-Taeubler, "The Jew in the Transition from Ghetto to Emancipation". *In*: *Historia Judaica*, 1940, V, II, pp. 102-119.

nos velhos tempos substituíam tais elementos perderam seu poder sobre os indivíduos que entraram, pela desintegração da sociedade judaica, em contato com os indivíduos de outros estados. A segunda fase do desenvolvimento subseqüente, a reintegração, não trouxe de volta os judeus para sua própria tradição nacional, mas, pelo contrário, conduziu-os à sociedade daquelas nações no seio das quais residiam. O processo de assimilação, que afetou as primeiras gerações a gozarem de emancipação civil, era fortemente sustentado pela idéia de Nacionalismo. Judeus tornaram-se da noite para o dia patriotas franceses, alemães ou húngaros. Essa adoção de nacionalismo no caso dos judeus não foi tão "natural" como para outras partes da população. Mas com muita freqüência foi talvez experimentada mais conscientemente e endossada com uma segurança ideológica maior. O judeu, a quem faltavam os elementos de patriotismo autóctone, adquiriu seu afeiçoamento ao novo movimento nacional através da aceitação de suas idéias mais do que pela posse de seus ingredientes étnicos. E isto levou em seguida à rejeição de sua própria consciência nacional[6]. Assim, o impacto do moderno Nacionalismo sobre a sociedade judaica, em vez de produzir uma variação judaica dos movimentos nacionais, levou à integração de indivíduos judeus aos movimentos das outras nacionalidades.

Em outros termos, é um lugar-comum que o movimento nacionalista é inconcebível sem a época do Iluminismo que o precedeu. Foi o poder corrosivo do Racionalismo que minou a base ideológica da antiga sociedade enquanto apontava o absurdo patente de fundar e organizar uma sociedade paralelamente ao princípio da segregação dos estados de uma e mesma nação[7]. Mas como o homem não pode viver somente pela razão e a lógica raramente serve como argamassa comunal, as sociedades que se ergueram sobre as ruínas do passado procuraram novos símbolos de reintegração e encontraram-nos na elevação de elementos étnicos a valores supremos. No caso da sociedade judaica, esse processo dialético foi detido a meio caminho. O passado, na vadade, dissolveu-se sob a inquirição racional, mas isto não deixou os judeus atomizados entre si mesmos, porém, dispersos em diferentes sociedades gentílicas, despojados de símbolos distintivos e unificados a seus vizinhos no lugar de nascimento. Assim, não ocorreu nenhuma *reformação* da sociedade judaica.

---

6. B. Offenburg, *Das Erwachen des deutschen Nationalbewusstseins in der preussischen Judenheit*, Hamburgo, 1933.
7. Sobre os ideais sociais do Racionalismo na sociedade judaica ver J. Katz, *Tradition and Crisis*, New York, cap. 24.

A antiga idéia messiânica não desapareceu inteiramente sob o impacto do Racionalismo. A idéia estava viva entre as massas judias. Já em 1840 havia um rumor difundido nos Bálcãs e na Europa Oriental de que havia chegado o ano messiânico destinado a trazer à história judaica seu grande ponto de mudança[8]. Muitos sustentavam genuinamente essa crença e, em estado de grande agitação mental, esperavam sua realização. Para um desses crentes, Rabi Iehudá Alkalai (1798-1878), a espera messiânica desse ano tornou-se ponto de partida para a transição do tradicional messianismo miraculoso para um messianismo realístico. Essa mudança de concepção era causada pela coincidência da expectativa messiânica com a salvação da comunidade judaica em Damasco, agravada pelo assassinato ritual, pelas duas principais figuras do judaísmo francês e inglês, Adolphe Crémieux e Moses Montefiori. Como os fatos miraculosos de redenção deixaram de aparecer, Alkalai inferiu que a salvação dessa única comunidade era um modelo do procedimento messiânico. Os estádios ulteriores deveriam ser alcançados através de atividades similares realizadas por judeus de projeção.

Alkalai era um pregador obscuro de uma pequena comunidade sefardita em Semlin, perto de Belgrado[9]. Até o ano de sua recém-descoberta convicção ele era pouco conhecido ou pouco desejava sê-lo fora de seu limitado círculo. Mas, após ter-se convencido da verdade de que a era do Messias havia chegado, e que a redenção ocorreria por ação humana, sentiu-se compelido a comunicar sua mensagem a seus correligionários nacionalistas. Não só Alkalai, nos 37 anos restantes de sua vida, publicou numerosos panfletos e artigos para divulgar suas idéias, mas também viajou duas vezes para a Europa Ocidental e mais tarde se estabeleceu na Palestina a fim de convencer judeus e não-judeus da verdade de sua missão. Ele tentou induzir o povo a levar a cabo a conclusão prática de sua crença. Isto equivalia na verdade a uma reinstalação organizada da judiaria, ou parte dela, em sua terra natal e seu equipamento com os atributos de uma nação moderna unida. Pois, ainda que Alkalai tivesse começado como um pregador imbuído das fontes tradicionais e especialmente cabalísticas, gradualmente ele adquiriu os elementos de uma *Weltanschauung* plenamente desenvolvida. Propagou a idéia da unidade nacional. O instrumento de unificação deveria ser uma organização global que incluiria o todo da judiaria mundial. Alkalai concebia a unidade nacional baseada numa língua comum que seria

---

8. H. G. Duker, The Tarniks, *The Joshua Star Memorial Volume*, 1953, pp. 191-201.

9. Ver meu artigo (em hebraico) *in* B. Dinur (Ed.), *Schivat Zion*, 1956, v. 4, pp. 9-41.

o hebreu, depois de passar por uma modernização. A religião, era coisa assente, desempenharia seu papel na nova vida nacional na Palestina. Mas, como nesse tempo a controvérsia entre os judeus ortodoxos e reformistas parecia esse um fato capaz de conduzir a um cisma, Alkalai procurou de modo característico um remédio para isto na idéia de unidade nacional. Podemos reconhecer nisso o sinal de que o nacionalismo estava se tornando para ele a idéia capital e açambarcadora. Se a expressão Profetas deveria ser considerada adequada para descrever os homens que procuraram despertar a consciência nacional nas nações modernas (como é indicado no título do bem conhecido livro de Hans Kohn), Alkalai, que escrevia na linguagem dos antigos profetas, e freqüentemente se deixava levar por seus *pathos*, teria certamente um lugar entre eles.

Alkalai não foi o único a dar origem ao Nacionalismo ligando-o à velha crença messiânica. Em linhas semelhantes, desenvolveu suas idéias Z. H. Kalisher (1795-1874), um erudito alemão de origem polonesa que, entretanto, se recusou a aceitar qualquer posição na vida comunal[10]. Imbuído de tradição judaica, mas conservando-se livre de qualquer compromisso comunal, estava liberto para contemplar os acontecimentos que ocorriam na existência judaica no seu tempo. A grande experiência de sua juventude foi a emancipação dos judeus na França e nos países alemães no tempo de Napoleão. Ele explicava esses fatos, não como parte dos processos gerais políticos e sociais em seus respectivos países, mas exclusivamente em termos derivados da tradição judaica. A emancipação e mais ainda a ascendência dos indivíduos judeus, como por exemplo os Rothschilds, e uma influência econômica e política sem precedentes, parecia-lhe a realização de uma velha profecia de libertação que, de acordo com a tradição judaica, poria fim ao exílio. É verdade que esta não era a plena realização, que implicava na reunião dos judeus em sua terra natal. Mas tampouco a liberdade social e política alcançada pelos judeus em seus respectivos países poderia deixar de ter seu significado. Interpretando eventos emancipatórios em termos de Messiânismo, Kalisher transformou ao mesmo tempo esses mesmos termos. Do primeiro estádio de libertação alcançado pela atividade humana, ele inferiu a natureza dos estádios seguintes. A partir dessa interpretação da emancipação, surgiu a exigência da reunião de pelo menos parte da judiaria na Palestina.

A fim de apreciar essas teorias nacionalistas e colocá-las na perspectiva histórica correta, deve-se ter em mente os motivos fundamentais de seus promotores. Tais teorias derivavam de uma nova

---

10. Sobre Kalisher ver meu artigo, *ibid.*, 1953, V, 2-3, pp. 26-41.

interpretação da antiga tradição messiânica à luz de novas experiências históricas. Em vista dos acontecimentos ulteriores, convém lembrar que o moderno anti-semitismo não se incluía entre essas experiências. As atividades de Alkalai e Kalisher tiveram lugar durante o florescente período do Liberalismo, isto é, entre 1840 e 1875, quando o otimismo quanto à possível integração dos judeus na vida das nações européias era quase universal. Certos obstáculos à obtenção plena dos direitos civis assim como certos sinais de reservas à aproximação social eram interpretados como resíduos de preconceitos evanescentes. Alkalai e Kalisher estavam entre os otimistas. Até a década de setenta nunca empregaram o argumento de que os judeus necessitavam de um país para garantir sua existência física, o que haveria de tornar-se uma das principais reivindicações do Sionismo propriamente dito. Por conseguinte, explicar o primeiro nacionalismo judaico como expressão mental de necessidades materiais significaria apenas a transferência de uma teoria preconcebida para um caso especial. Os próprios dados do caso não corroboram a verdade dessa teoria.

O mesmo pode ser declarado sobre os motivos do terceiro representante do antigo Nacionalismo Judaico, o socialista Moses Hess (1812-1875). O Nacionalismo de Hess é diferente daqueles dois outros em seus termos de referência e nas crenças básicas sobre as quais se fundava.

Hess não era um judeu ortodoxo, mas um revolucionário social e filósofo de matiz hegeliana[11]. Sua mudança para o Nacionalismo Judaico na década de setenta pode ser entendida como resultado tanto da desilusão pessoal como do desespero quanto à revolução social que era esperada numa data mais próxima, mas que falhou na sua materialização. Mas motivações psicológicas de qualquer teoria social são de pouca monta para sua avaliação histórica. A pergunta importante a ser colocada é que razões e argumentos eram apresentados em apoio à teoria. Hess baseia seu Nacionalismo Judaico sobre o conceito de "Espírito Nacional" que no antigo Estado judaico, teria permeado toda a vida do povo judeu. Desde a dispersão, o "Espírito", supunha-se, encarnara-se nas instituições religiosas judaicas. Como essas instituições estavam nessa época se desintegrando rapidamente, o desaparecimento gradativo do espírito nacional judaico era bastante provável e, do ponto de vista de um patriota judeu, a perspectiva mais lamentável. A fim de salvar esse Espírito e dar-lhe oportunidade de reviver, a única solução era a reconstrução de uma vida nacional plenamente desenvolvida na antiga pátria. O

---

11. Sobre Hess ver sua recente biografia por E. Silberner, *Moses Hess, Ceschichte seines Lebens,* Leiden, 1966.

argumento de Hess é expresso em termos de filosofia social, enquanto o ressentimento contra a sociedade não-judaica contemporânea, que não havia realizado a esperança de um tratamento aos judeus como iguais, forneceu o clima emocional. Mas qualquer censura quanto à posição política dos judeus que pudesse levar a um diagnóstico que excluísse a emancipação como solução possível para o problema judeu está ausente da teoria de Hess, assim como das de Alkalai e Kalisher. Mais óbvia que no caso de Alkalai e Kalisher é a dependência da teoria de Hess em relação à tendência geral do Nacionalismo na Europa. O emprego de termos como Nacionalidade, Renascimento Nacional, gênio criador da Nação, indicam a fonte de influência, isto é, o Romantismo, que forneceu a todos os movimentos nacionais seus respectivos instrumentos ideológicos. O livro de Hess, *Roma e Jerusalém*, como seu título indica, foi escrito sob o impacto dos acontecimentos que haviam conduzido à unificação da Itália em 1859. Hess refere-se expressamente a esse fato dando à causa judaica o nome de "O Último Problema Nacional" depois que a Itália resolveu o seu próprio problema.

Mas, quanto a este ponto, não há diferença básica entre Hess e seus dois contemporâneos nacionalistas. Pode-se provar facilmente que eles receberam impulsos ideológicos e motivações emocionais de fontes não-judaicas também nos casos de Alkalai e Kalisher. Ambos usam um argumento característico em seu apelo àqueles que eram nacionalmente indiferentes: os judeus, descendentes de uma sagrada e antiga nação, não deveriam ficar atrás das recém-criadas nações dos Bálcãs.

A diferença real entre Alkalai e Kalisher, de um lado, e Hess, de outro, é o *background* espiritual do qual se originavam seus respectivos esforços nacionalistas. Enquanto os dois primeiros se abeberam de início nas fontes da tradição judaica inclusive a Bíblia, Talmud e Cabala, o último tinha apenas uma pálida idéia de tudo isso. Ele adquiriu algum conhecimento das instituições judaicas e dos conceitos por seu contato com a vida religiosa em sua infância. Mas para informações precisas ele tinha de confiar em fontes de segunda mão. Em seu conhecimento da história judaica e em sua avaliação era fortemente influenciado pelo historiador Heinrich Graetz (1817-1891). Graetz pode ser convenientemente caracterizado como um homem de inclinações intencionalmente liberais, mas na sua efetiva apresentação dos fatos manifestava propensão fortemente nacional[12]. Com Hess foi esta última feição da História de Graetz que firmou sua influência. Seja como for, a textura da pers-

---

12. S. W. Baron, *History and Jewish Historians*, pp. 266, 271.

pectiva filosófica de Graetz era tecida com fibras de origem européia moderna, fundamentalmente hegeliana. Ele estava longe de ser um judeu religioso em qualquer sentido tradicional e, a julgá-lo por suas atividades e escritos até sua fase nacional, devia ser considerado como um daqueles de cepa judaica absorvidos pelos movimentos e sistemas de pensamento europeus. Que um judeu desse feitio tenha redescoberto seu próprio passado judaico e estivesse apto a erguer sobre a tradição judaica uma nova perspectiva para seu futuro era um fenômeno estranho.

Hess é a primeira figura do Nacionalismo Judaico que não brotou diretamente da tradição judaica. Sua Judaicidade voltou a ele depois de um período de distanciamento[13]. Assim, Hess e seus dois contemporâneos Alkalai e Kalisher prefiguram os dois principais tipos de Nacionalismo Judaico: um que precisava superar os elementos não-realistas do Messiânismo tradicional; o outro que, tendo abandonado inteiramente a tradição, precisava recuperar suas implicações culturais e políticas.

Uma mudança de disposição como a de Hess relaciona-se com o processo de secularização pelo qual deveria passar a tradição judaica que pudesse ser canalizada para o Nacionalismo. Mesmo depois de alcançar ampla integração nas respectivas nações natais, os judeus, na medida em que eram reconhecidos como grupo distinto, não poderiam negar seu passado. Exceto no caso de aderir à comunidade religiosa alienígena, a negligência da tradição judaica não equivalia a uma total negação nem indiferença completa à origem e *background* judaicos de alguém. E, na medida em que não tinham qualquer intenção de se reintegrarem como minoria religiosa em comunidades separadas, cabia-lhes tomar conhecimento das principais idéias ligadas ao nome de um judeu. O Messianismo, um conceito comum às religiões judaica e cristã, era uma das idéias que os judeus tinham de levar em consideração. Pois a interpretação desse conceito era um dos pontos divergentes entre Judaísmo e Cristianismo. O Cristianismo sustentava que o Messias havia chegado na pessoa de Jesus. Os judeus esperavam a vinda do Messias no futuro.

Na verdade, mesmo a concepção do liberalismo judaico não abandonou simplesmente a antiga e tradicional crença messiânica. Apenas a reinterpretou[14]. Antes de mais nada separou o Messianismo da idéia de volta à antiga terra natal. Segundo, libertou-o da espera de um redentor pessoal. Ao invés disso, os pensadores liberais iden-

---

13. Silberner, *ibid.*, pp. 395-403.
14. Sobre a idéia messiânica no período de transição ver B. Mevorah, *O Problema do Messias nas Controvérsias entre Emancipação e Reforma, 1781-1891*, Jerusalém, 1966. Tese de doutoramento (em hebraico).

tificaram a crença messiânica com a esperança num futuro melhor para a humanidade. O Liberalismo havia concebido uma era de liberdade política e religiosa. E os judeus haviam efetivamente experimentado uma melhora em seus destinos. O predomínio da tolerância e liberdade numa ampla escala mundial era visualizado para o futuro e isto equivalia à Era Messiânica. É impressionante a semelhança dessa concepção com a de Kalisher. Os liberais, tanto quanto o nacionalista Kalisher, partiram do fato da liberação social e política dos judeus nos países da Europa Ocidental. A diferença fundamental entre eles residia na dedução das conseqüências. Kalisher manteve em sua concepção nacionalista a idéia de reunir os judeus em sua terra natal como última etapa do Messianismo. Mas isto só poderia realizar-se transcendendo-se o *status* político e social dos judeus tal como no presente. Por outro lado, os liberais usavam a idéia messiânica apenas para justificar a façanha política alcançada ou a ser alcançada pela judiaria num futuro próximo, isto é, a integração dos judeus na vida de seus respectivos países. Essas duas concepções contraditórias que se originaram da mesma tradição representam um exemplo impressionante do modo pelo qual matrizes intelectuais diferentes condicionam a adaptação de uma idéia idêntica. Em termos sociológicos modernos podemos chamar a concepção de liberalismo uma ideologia e a dos nacionalistas uma utopia no sentido definido por Karl Mannheim[15]. A idéia messiânica de liberalismo não tinha nenhuma outra função social a não ser a de favorecer os objetivos dos indivíduos na comunidade a que desejavam pertencer. Contrária a isto, a concepção nacionalista só poderia ter êxito renunciando às perspectivas individuais que estavam na esfera de realização possível. Foi uma utopia, isto é, uma imagem do futuro, pela qual o povo era conclamado a se empenhar não só para satisfazer necessidades imediatas, mas, além disso, pela crença de que assim fazendo estariam cumprindo um curso preestabelecido do desenvolvimento histórico.

Através da exposição acima sobre o caráter utópico do Nacionalismo Judaico parece-nos havermos chegado ao seu principal aspecto, que lhe dá um caráter único entre os movimentos nacionais. Toda idéia nacional que servia a um movimento nacional considerava uma mudança futura na estrutura política do país em questão. Algumas vezes objetivava a eliminação da lei estrangeira e seja como for, a assunção do governo por outros grupos que não fossem os detentores do poder na época em que o movimento começou. Os movimentos nacionais estavam também ligados às mudanças sociais.

15. K. Mannheim, *Ideology and Utopia*, New York, 1946.

Certos estratos da sociedade relacionados com os movimentos nacionais aspiravam obter melhores posições e perspectivas mais favoráveis. Os movimentos nacionais encontraram partidários principalmente nos estratos que estavam, por assim dizer, em mudança e que esperavam encontrar satisfação numa nova ordem de coisas. Assim, a idéia nacional parece explicável em termos de ideologia de classe e na verdade foram feitas freqüentemente tentativas no sentido de uma interpretação desse tipo. Mesmo que futuras investigações venham a justificar essa teoria, ela não tem, todavia, o direito de ser apresentada como uma explicação total do Nacionalismo, pois o caso do Nacionalismo judaico mostra sua impropriedade. Aqui a idéia de Nacionalismo emergiu não como uma ideologia que recobrisse o interesse de qualquer classe distinta, mas, antes, como uma utopia nacional a ser seguida por ter sido prefigurada pelo Messianismo tradicional.

Ao atribuir a emergência do Nacionalismo Judaico à revitalização da utopia messiânica, não queremos dizer que a mera sugestão de reunir os judeus em sua terra natal fosse instrumento para iniciar o movimento nacional. A idéia foi, na verdade, repetidamente ventilada e difundida também na época pré-nacionalista. Sendo a conexão histórica entre os judeus e sua antiga terra natal um aspecto evidente tanto no Judaísmo como na tradição cristã, a inferência de que os judeus deviam voltar a ela não requeria demasiada ingenuidade. A idéia de Restauração dos judeus ganhou aceitação especialmente na Inglaterra onde o interesse despertado pelo Velho Testamento na esteira da Revolução puritana estimulou grandemente a preocupação com a história concreta da nação judaica[16]. A maioria dos adeptos da Restauração Judaica, é verdade, relacionava a volta dos judeus à Palestina com suas esperanças de conversão ao Cristianismo. Alguns, entretanto, separavam as duas idéias e apresentavam o plano do retorno dos judeus à terra de seus pais como a realização da aspiração judaica nacional – a novela de George Eliot, *Daniel Deronda*, escrita em 1874, constitui o melhor exemplo de tal antecipação do Sionismo moderno que se originou da tradição restauracionista inglesa[17].

Entre os judeus, escritores demasiado imaginativos e visionários sociais lançaram novamente a idéia de estabelecer uma comunidade judaica, na Palestina ou em outra parte, tendo em vista resolver o

---

16. Ver Sokolow, *History of Zionism*, Londres, 1919, N. M. Gelber, *Zur Vorgeschichte des Zionismus*, Viena, 1927; Fr. Kobler, *The Vision Was There, A History of the British Movement for the Restoration of the Jews to Palestine*, Londres, 1956.

17. Kobler, *ibid.*, pp. 89-93; L. Stein, *The Balfour Declaration*, Londres, 1961, pp. 15-16.

problema judeu. Um exemplo típico são os esforços de Mordehai M. Noah, antigo cônsul dos Estados Unidos em Túnis, que em 1825 lançou um apelo à judiaria européia para estabelecer um Estado judeu, "Ararat", na Grande Ilha do Rio Niagara[18]. Posteriormente, Noah encorajou a idéia da Restauração na Palestina.

Os historiadores do Sionismo colheram entusiasticamente tais expressões iniciais do Nacionalismo concebendo-as como precursoras do Sionismo[19]. No cenário histórico original, essas expressões de uma nova abordagem do Messianismo não tiveram conseqüências. Os propagadores de tais idéias jamais lograram êxito na consecução de seus planos. Não foram fundadas organizações ou sociedades para a divulgação e desenvolvimento de suas idéias. O público judeu em geral quase não tomou conhecimento dessas idéias e de seus promotores e, quando o fez, sua atitude expressou-se em zombaria e menosprezo. As sugestões e seus criadores foram na verdade logo esquecidos. Não deixaram qualquer traço atrás de si e raramente influenciaram o curso dos acontecimentos vindouros. Seu significado histórico reside em alguma coisa além. No caso dos cristãos que promoviam tais idéias, mostra quão profundamente o nome dos judeus e da terra de Israel estavam ligados igualmente em suas mentes. Sem essa associação o relativo êxito do Sionismo, dependente como era do apoio ou pelo menos da compreensão do mundo gentio, teria sido inconcebível. No caso dos judeus, a revivescência periódica da idéia é prova potencial de nacionalismo moderno inerente à tradição messiânica.

Só estamos credenciados a denominar precursores do moderno Sionismo, no sentido de terem iniciado e influenciado o movimento numa orientação histórica real, às três figuras acima mencionadas junto com vários contemporâneos seus, ativos nos anos sessenta do século XIX. Alkalai, que iniciou suas atividades vinte anos antes, só naquela década conseguiu encontrar qualquer apoio substancial e duradouro. A partir de então pode-se ver uma conexão entre as atividades dos vários nacionalistas. As três grandes figuras que descrevemos não apenas se conheciam como se apoiavam mutuamente. Conseguiram estabelecer uma sociedade relativamente entrosada entre eles próprios, ao lado de algumas personalidades menos conspícuas que sofreram sua influência ou alcançaram independentemente

18. A. B. Makover, *Mordecai M. Noah,* New York, 1917; J. Goldberg, *Major Noah, American Jewish Pioneer,* Filadélfia, 1936.
19. Kobler no livro acima citado pretendia confessadamente escrever a história do movimento "como parte integrante da história religiosa, social e política britânica" (p. 9) e não como um anexo à história do Sionismo, mas não se pode dizer que tenha correspondido à sua intenção.

as mesmas conclusões. Além disso, de 1860 em diante há um ininterrupto desenvolvimento e pode-se falar claramente de uma causação histórica, na medida em que vemos as idéias e atividades desses primeiros nacionalistas rumo a um movimento nacionalista amadurecido, que foi criado em 1880 sob o impacto dos *pogroms* russos e o surgimento do moderno anti-semitismo na Alemanha.

A diferença entre os primeiros tempos, em que as idéias nacionalistas se inflamaram apenas para se extinguirem muito rapidamente, e a década de sessenta, em que foram apanhadas numa corrente de desenvolvimento histórico, não é difícil de explicar. A década de sessenta representa o completamento da Emancipação na maior parte dos países da Europa Ocidental. Nos lugares onde não havia sido completamente alcançada, era sentida como algo muito próximo. Enquanto a luta pela igualdade política progredia, a idéia de Nacionalismo Judaico não podia ser tolerada. Pois o argumento de que os judeus constituíam uma entidade nacional em si mesma era uma das principais armas dos inimigos da emancipação. Os judeus respondiam a isto com a declaração e, na verdade, com a manifestação do desejo de se integrarem nas fileiras das outras nações. A aceitação de uma idéia de nacionalismo em uma nova base era capaz de pôr em xeque a validade da resposta judaica. Não é de admirar que a idéia, onde quer que fosse sugerida, encontrasse resposta adversa e fosse desconsiderada ou suprimida. De 1860 em diante, quando a emancipação estava praticamente acabada, a idéia nacionalista podia ser propagada como a próxima fase. Algumas vezes, como no caso de Kalisher, sugeriu-se que era a continuação natural da própria emancipação. Os êxitos dos anos sessenta levaram a cabo dessa forma o primeiro êxito no desenvolvimento do Nacionalismo Judaico.

Mas qual a natureza desse êxito? A colonização da Palestina começou apenas na década de oitenta, depois das sublevações na Romênia e dos sangrentos *pogroms* na Rússia. Houve uma tentativa abortada de colonização em 1879 por judeus de Jerusalém fortemente influenciados por esses precursores, especialmente Kalisher. A primeira escola agrícola Mikvé Israel, perto de Jafa, foi fundada já em 1870. Mas isto foi feito pela organização franco-judaica, a *Alliance Israélite*, que não foi estimulada por qualquer ideologia nacional, embora alguns daqueles precursores tivessem tentado influir nesta direção. De um modo geral não se pode dizer que os precursores tenham conseguido realizar algo de seu objetivo primordial, isto é, reunir os judeus em sua terra natal.

Os precursores poderiam gabar-se de terem sido bem-sucedidos, mas este êxito era de outra espécie. Consistia na união dos adeptos de sua idéia pelo contato mútuo. Esses primeiros nacionalistas estavam amplamente dispersos mas conseguiram manter entre si certa comunicação. A idéia comum tornou-se a base da unidade social.

Do ponto de vista de uma relação entre as necessidades sociais e as idéias, a ligação aparentemente é a seguinte: não foi a necessidade que criou a idéia mas esta criou a unidade social. Somos incapazes de detectar uma necessidade social que corresponda à emergência das ideologias messiânicas nacionalistas. Não havia qualquer problema de incapacidade judaica ou discriminação social a ser resolvido. Esses Nacionalistas acreditavam na possibilidade de integração dos judeus na sociedade em seus respectivos países. Não viam certamente nenhuma necessidade de um lugar para onde emigrar. Até os anos setenta, quando as perturbações na Romênia tiveram início, não houvera êxodos de judeus de nenhum país da Europa. Os primeiros Nacionalistas, ao invés de criarem uma idéia para satisfazer uma necessidade, estavam buscando uma necessidade que correspondesse às suas idéias. Kalisher deparou com alguns rumores que chegaram a ele acerca do desejo dos judeus de emigrar como uma oportunidade enviada por Deus para provar ser possível encontrar pessoas prontas a ir para a Palestina. Deste modo tentou refutar o argumento de que sua idéia não tinha fundamento na realidade. Ele nunca desceu no nível pragmático para provar a verdade de sua idéia a partir de sua necessidade e utilidade. Se houve em algum lugar uma idéia que tivesse precedido sua utilidade social foi aqui.

Assim como nosso caso específico demonstra que as idéias aparecem às vezes antes de sua necessidade, ele mostra reciprocamente o limitado poder de qualquer idéia enquanto ela não está ligada a uma necessidade social. Notamos acima o malogro dos primeiros nacionalistas em realizar mesmo uma parcela de seu objetivo supremo, a saber, a assembléia dos judeus em sua terra natal. As razões para isto são absolutamente óbvias. O restabelecimento de uma Commonwealth Judaica, ou mesmo apenas a restauração de uma pátria, exigia mais que a criação de um movimento semelhante aos movimentos que estavam florescendo entre outras nações. A consecução dos objetivos reais importava nesse caso em desarraigar as pessoas de seu ambiente e o replantá-las em outro país sob novas condições. A história do movimento judaico nacional corrobora a afirmação de que isto estava além da força da idéia nacional em si mesma. Ela podia apenas cumprir suas tarefas quando outras forças se lhe ligassem. Os primeiros objetivos reais foram realizados apenas na década de oitenta, quando fatores políticos e econômicos – perseguições e difamação na Romênia e sangrentos *pogroms* e desqualificações civis na Rússia – puseram em movimento grande número de judeus europeus. O desarraigamento foi agora levado a cabo por outros fatores e a idéia de Nacionalismo teve apenas uma missão secundária, a de reintegração e restabelecimento no lugar certo. Nisto ela teve êxito, ainda que numa escala não muito ampla. Fora os dois e meio milhões de pessoas que emigraram da Romênia e Rússia entre os anos de 1880 e 1914, só umas 70.000 se fixaram na Palestina. Nessa relação entre o número possível e o efetivo de emigrantes para a Palestina encontramos uma expressão quantitativa do poder da idéia nacional. Mostra tanto sua força como suas limitações. Os emigrantes, que foram para outros países em vez da Palestina, seguiram a linha da pressão econômica e política embora, reconhecidamente, alguns fossem atraídos pela idéia de uma terra de liberdade, onde o sofrimento dos judeus finalmente acabasse. Eles se fixaram onde lhes foi concedido entrada e onde as condições ofereciam oportunidade de ganhar o sustento. Nenhuma idéia de propósito coletivo estava relacionada à emigração. Com algumas exceções notáveis, no seu estádio inicial, todo o processo de emigração realizou-se por iniciativa privada. Agências públicas como sociedades filantrópicas judaicas e não-judaicas preocupavam-se com as emigrações em bases humanitárias ou de solidariedade judaica. Aqueles que foram para a Palestina, por outro lado, seguiram um ideal e estavam cônscios tanto de seu auto-sacrifício pela causa comum como do papel histórico que estavam desempenhando.

A tarefa histórica concebida pelos pioneiros na verdade não era mais o mero cumprimento da promessa messiânica, nem mesmo sua derivação nacionalista. Durante a última mas decisiva fase de emigração antes da Primeira Guerra Mundial, entre 1904 e 1914, chegou a assim chamada Segunda Aliá. Esta consistia principalmente de antigos estudantes, graduados das academias talmúdicas (*leschivot*), "externos", que se haviam preparado para os exames vestibulares nas universidades mas raramente foram admitidos, em resumo, jovens intelectuais imbuídos de uma variedade de ideologias sociais e socialistas. A maior parte desses pioneiros tinha tido dissensões com seu *background* judaico tradicional e mantinha algum contato com as tendências sociais e filosóficas modernas dominantes na sociedade em geral e que haviam penetrado pelo menos na periferia da sociedade judaica. Sem esperanças na realização de seus objetivos, tanto pessoais como sociais, partiram para efetuar a criação de uma nova sociedade. Levaram consigo um espectro de ideologias variando do Marxismo ortodoxo a um quase anarquismo, e uma espécie de busca tolstoiana do estado natural, primitivo, do homem. Alguns pioneiros consideravam essas ideologias de importância fundamental e até mesmo mais preciosas em teoria que as considerações nacionais, que, entretanto, nunca foram afastadas. Despendeu-se muito esforço intelectual em tentativas de harmonizar essas respectivas ideologias com o nacionalismo judaico, que parecia não possuir relação e ser até mesmo incompatíveis com elas[20]. Qualquer que seja o modo como o conflito foi resolvido intelectualmente, é inegável que, tanto emocional como praticamente, prevaleceu o Nacionalismo. Pois apenas a ligação a objetivos nacionais poderia estimular todos esses homens a preferir a Palestina a outros países de emigração possível. Aqueles para os quais o renascimento nacional judeu não era um componente de sua ideologia foram para outro lugar ou, se a ligação a esse ideal não era suficientemente forte, deixaram o país freqüentemente ao depararem com as fadigas de praxe do pioneirismo. Os que permaneceram extraíram da convicção de que agiam em prol de sua causa forças para resistir ao sofrimento. Individualmente, a devoção a objetivos especiais não-nacionais deve ter sido tão forte quanto o apego ao ideal nacional ou talvez até maior. Mas com respeito a outros objetivos, os pioneiros estavam divididos, ao passo que estavam unidos quanto à adesão à revivescência nacional. A dedicação à causa nacional uniu igualmente os pioneiros a seus precursores, os colonizadores do início da década de oitenta, dos quais estavam o máximo possível afastados social e religiosamente. O compromisso com o ideal do renascimento nacional pareceu ser uma força mais poderosa do que todas as diferenças sociais e ideológicas.

A idéia do nacionalismo mostrou-se por si incapaz de desenraizar *en masse* pessoas de um ambiente social bem equilibrado. Mostrou-se, porém, suficientemente forte para reintegrar aqueles que estavam desarraigados. E esta era uma tarefa enorme no caso dos judeus. Porque, como vimos anteriormente, os elementos de nacionalismo estavam aqui quase inteiramente ausentes. Os colonizadores tinham de criar, não só as condições materiais para sua existência, mas também os próprios meios de sua reintegração nacional. Os primeiros colonizadores mal tinham uma língua comum, em todo caso nenhum idioma que pudesse ser considerado como um meio de coesão social. Tampouco havia um apego real à paisagem de sua nova pátria. O conceito de Terra Santa e a crença na grandeza da antiga pátria não passavam de idéias. A efetiva confrontação com o novo país exigia uma adaptação às novas condições quanto ao clima e tinham mesmo de acostumar-se a um ambiente físico novo e estranho. Apenas através de um esforço especial conseguiram encontrar expressão poética para a afeição ao cenário e ambiente do país.

Tudo isto foi realizado em seus estádios fundamentais já no fim da primeira década que precedeu à Primeira Guerra Mundial. Esse período, o tempo da Segunda Aliá, foi politicamente uma época desastrosa. Não obstante, foi então que os fundamentos foram lan-

---

20. I. Kolatt-Kopelovich, *Ideology and the Impact of Realities upon the Jewish Labour Movement in Palestine, 1905-1919,* Jerusalém, 1964, Tese de doutoramento.

çados para a nova nação a se desenvolver. A utopia começou a tornar-se realidade. Que a idéia de Sionismo era conceitualmente tão-somente uma utopia, foi reconhecido por seu maior expoente, que não era outro senão Theodor Herzl. No prefácio de seu *Judenstaat*[21], em que esboçou o esquema de ação para a consecução de sua idéia, antecipou a crítica de que estaria expondo apenas uma utopia. Sua resposta foi que de fato era uma utopia, mas uma utopia com uma qualificação. Outros utopistas apresentaram o projeto de uma máquina, mas seus planos fracassaram por não fornecerem a força motriz que haveria de pô-lo em movimento. Ele, por outro lado, tinha apenas a sugerir o esquema, em que a energia motriz, a saber, o sofrimento judaico, já existia antes. A *Judennot* porá a máquina em movimento, uma vez que essa tenha sido construída. Nesse particular Herzl provou ser um profeta, porém com uma limitação, pois ele anteviu claramente o futuro mas não o curso dos acontecimentos que conduziriam a esse futuro.

Pois a proeza não foi realizada, como Herzl pretendera, através da pressão do sofrimento judeu. O sofrimento judeu, como Herzl o experimentara, a saber, a difamação no Ocidente e os *pogroms* no Oriente, tiveram outros efeitos imediatos. No Ocidente, ele preparou alguns indivíduos como o próprio Herzl para uma introspecção que resultou em alguns casos em adesão ativa ao movimento nacional. Mas no conjunto trouxe apenas uma apologética e a organização de autoproteção. Nos países leste-europeu deu origem a uma fuga e desencadeou uma onda de emigrantes para países ultramarinos. Não produziu, como imaginava Herzl, um êxodo voluntário de nenhum país. No ponto crucial de desenvolvimento, quando o núcleo da nação estava criado, não contribuiu para a solução do problema judeu. A Palestina desse tempo não era considerada como país possível para a emigração por aqueles que buscavam apenas paz e subsistência. As sessenta ou setenta mil pessoas, que foram absorvidas na Palestina nos anos formativos da nova nação, representavam uma porcentagem ridícula de emigrantes daqueles anos. Elas poderiam facilmente ter partido para algum outro país, onde o grosso da emigração judaica estivesse absorvido.

A força motriz, que de fato estava lá quando Herzl apareceu em cena, era o moderno Nacionalismo Judaico, tirando sua energia do antigo mas transformado messianismo. Disto, Herzl, enquanto concebia seu plano, não tinha o menor conhecimento. Tendo sido criado numa atmosfera de judeus assimilados de Budapeste e Viena, Herzl não tinha consciência da existência do movimento nacional

---

21. Th. Herzl, *Der Judenstaat. Versuch einer modernen Loesung der Judenfrage*, Leipzig, 1896; trad. ingl. A *Jewish State*, Londres, 1896.

quando, na esteira do *affaire* Dreyfus em 1896, chegou à idéia de resolver o problema judaico pela criação de um Estado judeu[22]. A idéia teria realmente caído no lixo das utopias não-cumpridas, não fosse o entusiasmo dos nacionalistas que aclamaram Herzl como o líder enviado por Deus, chegando, por assim dizer, de outro planeta. Pela força do Nacionalismo que extraiu seu poder das fontes mais profundas do Messianismo, a utopia de Herzl tornou-se finalmente uma realidade.

---

22. A. Bein, *Theodor Herzl, a Biography*, Cleveland, 1962.

16. O Movimento Operário Judaico e o Socialismo Europeu

Desde o início, o movimento operário judaico ligou-se à história do socialismo europeu. Sua contínua existência como organização data do fim de 1888, quando da formação da Segunda Internacional no Congresso de Paris em 1889. Mas sua origem recua praticamente à época da dissolução oficial da Primeira Internacional. Em maio de 1876, foi estabelecida, em Londres, a Sociedade Hebraica Socialista (chamava-se a si mesma em hebraico *Agudat HaSozialistim Ha-Ivrim*). Essa foi a primeira associação socialista de operários judeus. É de interesse estender-nos sobre essa sociedade em particular, não tanto por ser a primeira, mas porque mostrou um número de sintomas substanciais que iriam manifestar-se inteiramente no movimento operário judaico quando este atingiu a maioridade. Felizmente, a lista de seus membros foi conservada, junto com sua constituição e programa (escritos no original em hebraico e ídiche) e as minutas de suas reuniões durante os oito anos de sua existência. Tudo isto foi compilado sob o título *Pinkhas,* de acordo com as melhores tradições das "sociedades" judaicas (*Hevrot*).

O principal espírito na formação da sociedade foi A. S. Lieberman (1844 (1842?)-1880) que é considerado pioneiro do socialismo judeu e em certo sentido também precursor do movimento operário judaico, ainda que houvesse muitas contradições em seu pensamento. No início de 1870, Lieberman fazia parte de um círculo secreto, revolucionário-socialista, de jovens judeus em Vilna, Lituânia. Aí se cristalizou a idéia de que era necessário pregar o Socialismo aos judeus em suas próprias línguas, ídiche e hebraico. Para escapar à prisão, Lieberman abandonou o país e por vários anos exerceu suas atividades em Londres, Berlim, Viena e novamente em Londres num esforço para estabelecer uma organização socialista judaica. Sua principal realização prática após a dissolução da Sociedade Socialista Hebraica foi a publicação de algumas tiragens do primeiro periódico socialista destinado aos judeus (em hebraico): *Ha-Emet* – A Verdade. Em Londres, Lieberman esteve ligado ao jornal revolucionário social russo, *Vpered*. O editor, P. Lavrov, bem conhecido teórico do Populismo russo, encorajou-o, ao passo que o editor-chefe, V. Smirnov, desempenhou importante papel nos primeiros passos para a fundação da Sociedade Socialista-Hebraica.

Dos trinta a quarenta membros da sociedade aparentemente nenhum era nascido na Inglaterra. Os membros eram imigrantes judeus de vários países, a maior parte de diferentes pontos da Rússia: Polônia, Lituânia e Ucrânia. Eram trabalhadores, artesãos, especialmente no ramo de roupas. Havia também alguns intelectuais, como Lieberman, que se tornaram operários quando imigraram. A sociedade tentou formar sindicatos de trabalhadores judeus, mas é característico que o propósito declarado da sociedade não fosse local, mas a união dos trabalhadores judeus para "lutar contra seus exploradores" e pregar o Socialismo entre eles onde quer que se encontrassem. A plataforma e as discussões, tal como se refletem nas minutas, revelam confusão de elementos ideológicos vindos de inúmeras correntes socialistas, ecos de idéias que haviam sido veiculadas durante a Primeira Internacional, observações laudatórias sobre Bakunin e seus méritos como socialista, junto com opiniões que tinham origem no mundo ideológico de seu consumado rival, Lavrov. Ao nome de Karl Marx, residente em Londres, as minutas não fazem menção, apesar de evidente a influência de seu pensamento. Bastante afastados do movimento operário inglês e impregnados do estilo russo do socialismo revolucionário, eles compreenderam, embora com relutância, que Londres não era a Rússia e mostraram enorme interesse pela Social Democracia Alemã.

Ao mesmo tempo, encontramos membros que levantam a questão básica de saber se realmente a sociedade tinha uma *raison d'être*. Lemos na plataforma da sociedade que a salvação do povo judeu dar-se-ia apenas como parte da salvação da humanidade. Estaria dentro do espírito do Socialismo, que proclamava a igualdade de todos os homens, manter uma associação judaica especial? Talvez isto não estivesse em conformidade com o princípio de classe. Mostrariam os socialistas nos vários países alguma simpatia pela sociedade e seus objetivos? Tanto as perguntas como as respostas dadas àqueles que expressavam dúvidas e reservas refletem pontos de vista diferentes a respeito da natureza da conexão entre uma visão do mundo socialista e os métodos de atividade e organização a serem adotados pelos operários judeus e entre as ligações com o movimento operário geral e a consciência, embora fraca, da pertença e identidade judaicas e o que ela impunha na prática. A explicação dada por um dos membros é estritamente empírica: os judeus estão vivendo em Londres entre eles mesmos; por isso, nas atuais circunstâncias, deve-se trabalhar entre eles. Outro membro (também antigo membro do acima mencionado círculo revolucionário de Vilna) ultrapassa a posição utilitarista e dá expressão subjetiva ao sentimento de auto-respeito, à aspiração natural pela igualdade e mesmo a certa compreensão da essência da coletividade judaica: as sociedades socialistas existem em todas as nações e os socialistas da nação judaica desejam igualmente uma sociedade que ostente seu nome. Lieberman tocou nessas questões em algumas reuniões e ampliou o quadro. Na verdade a divisão de classe era o que contava e para os socialistas não havia distinções nacionais. Mas a total irmandade entre todos os homens só se daria sob bandeira socialista; enquanto prevalecesse o sistema existente, os judeus seriam sempre perseguidos, sempre constituiriam um grupo anormal. Era a burguesia judaica que era a inimiga dos trabalhadores judeus, mas exatamente por essa razão, estes precisavam unir-se e organizar-se, pois apenas eles e ninguém mais poderia e deveria lutar contra seus inimigos. Em outras palavras, é precisamente a idéia da auto-emancipação de classe que dá origem dialeticamente (Lieberman não emprega o termo) à justificação de uma especial coesão judaica dentro de uma estrutura socialista. Há também algo de comum a todos os judeus. Em resposta ao argumento de um dos membros (no decorrer de um debate sobre a realização de uma reunião no *Tischa be-Av,* um dia de abstinência e luto) de que os judeus socialistas não deveriam ter nada a ver com a antiga tradição, Lieberman disse que isto não era necessariamente exato. Até o advento da revolução socialista, a liberdade política de cada nação era uma questão importante. *Tischa be-Av* comemorava a perda da independência pelo povo judeu, o que vinha sendo pranteado há 1800 anos. Nas circunstâncias atuais, seu valor para os socialistas judeus não era menor que para o resto de seu povo. Como o fizera a respeito da solidariedade internacional, Lieberman descreveu o programa (que infelizmente não aparece nas minutas) que os operários judeus deveriam adotar a fim de se unirem entre si, por um lado, e, por outro, de trabalharem em harmonia com os partidos socialistas em todos os países.

    Essas idéias e pontos de vista não se ligam a uma filosofia sistemática e, em vista da escassez de fontes, nem sequer sabemos se houve alguma. Provavelmente não. Mas um exame mais atento poderá capacitar-nos a detectar aqui o início de um novo capítulo do desenvolvimento histórico, que se abriu com a emancipação judaica na Europa. O problema era: como seriam os judeus incorporados na sociedade geral – ganhando igualdade (civil ou social) com a perda de sua identidade nacional independente, ou através da igualdade que permitia a diferença? Na década de 70, isto era principalmente uma questão de dificuldades ideacionais para uns poucos socialistas judeus do tipo de Lieberman e seus colegas. Com o aparecimento de um movimento operário de massa judaico a questão assumiu novos aspectos – políticos e de organização – e com efeito constituiu o principal *background* para as *relações recíprocas* entre o socialismo europeu em todos os seus ramos e o movimento operário judeu.

No levantamento dos problemas incluídos na influência do socialismo europeu sobre o movimento operário judeu e daqueles pelos quais o socialismo europeu era encarado como um resultado desse desenvolvimento, serão úteis duas explanações semânticas. Uma delas se refere ao adjetivo "judaico" na expressão "movimento operário judaico". A outra é concernente ao âmbito geográfico-territorial do movimento, que era por assim dizer um âmbito internacional em miniatura, e a explanação do significado desse fato no contexto de nosso tema.

O adjetivo "judaico" como é usado na expressão "o movimento operário judaico" tem duas conotações, correspondentes aos dois estádios na história do movimento ou, talvez seja mais correto dizer, a duas tendências que freqüentemente agiam lado a lado. Efetivamente, podemos fazer uma distinção terminológica e dizer que no início esse era um movimento de "judeus-trabalhadores" – definição que se aplica tanto à Rússia como aos Estados Unidos. Os operários judeus estabeleceram suas próprias organizações porque viviam juntos, trabalhavam juntos e falavam a mesma língua; e organizando-se desejavam satisfazer a várias necessidades, tanto econômicas-ocupacionais como culturais-educacionais. Nem os próprios trabalhadores nem os intelectuais que estavam ligados ao meio judaico, que se uniram aos trabalhadores e freqüentemente serviram como organizadores e guias, pretendiam de início estabelecer um movimento operário judaico independente. A influência do Socialismo era decisiva nessas organizações; muitas delas surgiram antes de mais nada sob a inspiração de tais idéias. Na Rússia essa inspiração assumiu a coloração de uma ruidosa disposição revolucionária. As organizações operárias judaicas receberam a doutrina socialista como uma revelação, como uma visão messiânica que havia sido alimentada por tradições escatológicas judaicas e idéias universais de redenção. O ideal universal era a visão e a Internacional operária o método de executá-lo. A idéia da luta comum das massas laboriosas de todas as nações e línguas abolia por assim dizer a realidade das diferenças nacionais e das aspirações particulares nacionais, não só potencialmente – na ordem futura das coisas – mas também efetivamente, por força da imagem da fusão espiritual e mesmo organizatória de todos os operários de todas as terras num movimento mundial, do qual a Internacional era ao mesmo tempo sustentáculo e símbolo. O segundo legado – ao lado do universalismo – do socialismo europeu para o movimento operário judaico foi a teoria da luta de classes. Tal idéia instilou naqueles que a aceitavam antes de mais nada um sentimento de auto-estima, a motivação para a organização e atividade e uma nova visão do mundo. A aquisição dessa teoria deu-se principalmente a partir dos popularizados panfletos que expunham as idéias de Marx, Lasalle e outros. Mas, bastante frágeis como eram as abstrações buscavam necessariamente apoio na vida real. E na vida real os operários judeus em geral trabalhavam para empregadores judeus, ainda que quase sempre não para grandes capitalistas (como os descritos nos panfletos), mas – especialmente na Europa Oriental – para empresas de tamanho médio e pequenas. Na vida real, havia também, na verdade, uma grande proporção de infindáveis horas de trabalho, salários baixos, degradação e toda espécie de exploração. Contra esse *background,* os conceitos de "exploração capitalista", "inimigo da classe" e " luta de classes" assumiram a forma de uma crença num intransponível conflito entre os trabalhadores judeus e os capitalistas judeus. Na vida real, havia também uma grande massa de judeus que não se ajustava a nenhuma dessas categorias. Esse problema foi resolvido pela concepção da estrutura de sociedade que declarava que qualquer coisa que fosse exterior à *bourgeoisie* e ao "proletariado" estava destinada pelo "processo histórico" a desaparecer e por isso não precisava ser levada em consideração. De acordo com essas idéias, a realidade da existência do povo judaico parecia dissolver-se, os laços internos dentro da comunidade judaica foram rompidos e não seriam restaurados – especialmente desde que a religião estava perdendo seu significado como fator que emprestava aos judeus como um todo sua singularidade.

Uma abordagem desse tipo aparece no primeiro documento do primeiro movimento operário judaico organizado na Rússia – *Quatro Discursos dos Operários Judeus* (em russo) no primeiro comício clandestino de Primeiro de Maio em Vilna, no ano de 1892:

> E nós judeus, também, "súditos russos", renunciamos a nossos feriados e fantasias que são inúteis à sociedade humana; juntamo-nos às fileiras socialistas e aderimos a seu feriado... que para sempre, existirá, pois a sua meta é jogar por terra os pilares do velho mundo... e estabelecer sobre suas ruínas um mundo de paz para

todos... E assim como nossos feriados legados por nossos pais, eles estão destinados a desaparecer com o velho regime.

E um eco dessas palavras parecia ressoar do outro lado do oceano. Um editorial em honra ao Primeiro de Maio de 1894, publicado no mensário socialista ídiche, *Tzukunft* (que aparecera pela primeira vez em New York dois anos antes) expressou o seguinte: "Adeus, feriados religiosos e adeus, festividades nacionais... brindemos à liberdade, igualdade e felicidade de uma nação cujo lugar de nascimento é o mundo, cuja religião é a fraternidade e cuja Torá é a ciência". De acordo com essa aproximação, a origem judia dos operários em suas organizações é um fato objetivo que de forma nenhuma determina seus propósitos ou metas. Quando Abraham Cahan chegou como delegado ao Congresso da Segunda Internacional em Bruxelas em 1891, foi como representante das "organizações dos 'operários de língua ídiche' ". Por muitos anos depois disso muitos judeus socialistas esforçavam-se em seus países por designar-se a si mesmos dessa forma, a fim de enfatizar que suas organizações nada tinham com a identidade judia num sentido mais amplo. E os círculos social-democratas judaicos em Vilna por volta de 1891-1892 passaram a encarar o movimento operário judeu não mais como um fator independente com direitos iguais aos do movimento operário geral, mas antes como uma espécie de apêndice deste.

Apenas em seu segundo estádio o movimento dos operários judeus tornou-se um "movimento operário judaico", isto é, que via uma significação especial no judaísmo do movimento, e descobriu para si tarefas especiais em vista disso – não só tarefas sociais, políticas e econômicas, mas igualmente aquelas de significação nacional. Nos Estados Unidos foi um processo longo, ao qual nos referiremos em outro contexto. Na Rússia essa tendência desenvolveu-se gradativamente mas com firmeza até cristalizar-se completamente no período da primeira revolução russa. O crescimento da nova consciência vinculava-se com os padrões do pensamento marxista europeu tais como formulados por Plekhanov. Mas essencialmente constituía uma tentativa independente para compreender a situação especial da classe operária judia dentro da existência judaica em geral. O novo ponto de vista foi proposto por S. Gozhanski num pequeno panfleto que apareceu no fim de 1893, "Uma Carta aos Agitadores" e de maneira mais completa numa preleção feita por V. Martov (mais tarde o líder dos Menchevistas e veemente opositor do movimento operário judaico) numa reunião secreta em Vilna por ocasião do Primeiro de Maio de 1895.

A premissa é que a classe operária judaica tem tarefas especiais próprias a ela e que para empreendê-las deve estabelecer uma organização própria. Alude-se a uma luta por direitos civis iguais para os judeus na Rússia. Esse objetivo deveria ser alcançado apenas se o regime czarista fosse destruído e fosse obtida uma constituição e apenas se os laços indissolúveis com o movimento operário geral fossem preservados. Não havia, entretanto, uma conexão automática entre a solução da questão da liberdade geral na Rússia e a garantia desse objetivo particular. Pois não é inconcebível que o proletariado russo, se as circunstâncias o exigissem, pudesse sacrificar aquelas exigências que se aplicavam somente aos judeus, como por exemplo liberdade de religião ou igualdade de direitos. O proletariado judeu tinha por conseguinte de constituir um poder com direitos próprios e promover uma "luta política-nacional". O fomento da consciência de classe socialista do proletariado combinava-se com o fomento de sua autoconsciência nacional. Com efeito essas eram as principais pretensões do *Bund*, cuja assembléia de fundação ocorreu no outono de 1897 na mesma cidade de Vilna. Expressavam uma revisão realista da abordagem internacionalista abstrata que rejeitava a significação tangível das diferenças e contrastes entre as nações, inclusive os contrastes entre os trabalhadores de diferentes nações. A essência da revisão residia na consciência da diferença e dos interesses particulares dos trabalhadores judeus – tanto como trabalhadores como na qualidade de judeus – e do fato de que isto deveria encontrar expressão clara e organizada no movimento proletário geral. O Internacionalismo não é aqui concebido como algo fixo e definido, mas como uma meta a ser aspirada, não se ignorando os fatores que contribuem para a separação mas com um esforço de ambos os lados para superá-los. Há um limite para o grau de confiança que o proletariado judaico pode ter no movimento operário geral com respeito a suas necessidades especiais e o cumprimento de suas ambições particulares, e este é a medida para sua autoconfiança e o cultivo do seu poder independente. Isto facilitaria o fomento do internacionalismo – numa participação da igualdade – no movimento operário geral, que em face da realidade é obrigado a agir não só de acordo com princípios mas que é também influenciado por considerações externas.

Não é nosso intento aqui considerar todos os fatores que levaram a essa evolução. Mas no que se refere ao nosso tema, podemos dizer sem hesitação que se o surgimento do movimento operário entre os judeus foi ideologicamente um produto da influência do socialismo europeu, o mesmo não se dá com a cristalização do movimento operário judeu como uma força em si mesmo. A prova mais cabal sobre esse ponto deve ser procurada no congresso da Segunda Internacional em Bruxelas em 1891. A. Cohen, representante das organizações de "operários de língua ídiche" nos Estados Unidos, encaminhou a seguinte pergunta à ordem do dia: "Qual deverá ser a atitude dos trabalhadores organizados em todos os países para com a questão judaica?" O estímulo para tal pergunta era a crescente perseguição dos judeus na Rússia e especialmente a expulsão de judeus de Moscou. O congresso resolveu cancelar a pergunta da ordem do dia. Ele não resolveu que era dever dos partidos socialistas lutar contra o anti-semitismo ou propor como exigência programática a igualdade de direitos políticos para todos os cidadãos sem consideração de religião ou nacionalidade. Ao invés disto, o congresso denunciou tanto o "anti-semitismo" como o "filo-semitismo". A resolução incluía igualmente a seguinte declaração: "Os operários de língua ídiche não possuem outros meios de libertação exceto a unidade com os partidos operário-socialistas nos países onde habitam". Essa sentença só pode ser entendida como querendo significar que não há lugar para um movimento operário judeu com objetivos próprios e de fato assim ela foi interpretada (com aprovação) pelo *Vorwaerts*, o órgão Social-Democrático alemão. A resolução de acordo – com o testemunho do líder de um de seus grupos – em geral causou ressentimento em Vilna. Talvez tenham sentido certo conforto na crítica veemente que lhe endereçou Plekhanov. Entrementes, ocorreu o *pogrom* contra os judeus de Lodz, concomitantemente à greve de Maio de 1892 naquela cidade. Houve também reminiscências da atitude positiva demonstrada pelo comitê executivo da organização revolucionária, *Narodnaya Volia* ("A Vontade do Povo") com relação aos *pogroms* na Rússia em 1881-1882. A ideologia do movimento operário judaico apareceu assim, do ponto de vista histórico, como uma expressão da necessidade e do desejo de autodefesa através da organização, e pela atividade independente para lutar contra a discriminação e perseguição, a partir do sentimento de estar de certo modo isolado do meio ambiente. Essa tarefa estava destinada a assumir uma nova expressão depois do *pogrom* de Kishinev em 1903 e da onda de *pogroms* em 1905 e 1906, quando organizações de trabalhadores judeus tornaram-se o principal elemento na defesa armada contra os pogromistas. A Internacional jamais rejeitou a resolução de Bruxelas, mas depois de 1900 não só o Bureau da Internacional como seu congresso em Amsterdã (1904) denunciou a perseguição do governo russo contra os judeus e a discriminação da lei contra os mesmos.

O movimento operário judeu na Rússia ganhou seu pleno significado nos meados do século quando chegou ao reconhecimento claro da necessidade de combinar o elemento nacional com o socialista em sua ideologia e programa. Não há aqui um único modelo, mas uma ampla variedade de organizações, correntes e opiniões, travando-se mesmo entre elas árduas lutas. Isto atesta não só o quão profundamente a idéia nacional havia penetrado na judiaria russa, mas também a grande expansão das idéias socialistas e da atividade revolucionária entre vastas camadas do povo. O *Bund*, que havia desempenhado um papel fundamental na fundação da Social Democracia Russa e que constituía a força organizada mais poderosa dentro dela, apresentou em 1901 a proposta da autonomia nacional-cultural para os judeus. Em 1898 Nakhman Syrkin publicou um panfleto, *Die Judenfrage und der sozialistische Judenstaat,* no qual estabelece as bases para o Sionismo socialista. Em 1905-1906 surge uma série de partidos novos. Havia o Poalei Tzion, que pretendia uma sociedade judaica socialista em Eretz Israel. Havia o Partido dos Operários Socialistas Sionistas, que advogava uma concentração territorial judaica, mas não necessariamente em Eretz Israel. (Este desempenhou igualmente importante papel no período revolucionário de 1905-1906.) O Partido dos Operários Socialistas judeus (conhecido por suas iniciais russas, SERP) reivindicava a autonomia individual-nacional. Todos esses partidos reconheciam a necessidade de participar na prática da política russa. Do ponto de vista ideológico o Poalei Tzion e os "Sionistas Socialistas" (os Territorialistas) fundamentavam-se nos axiomas marxistas. A análise da vida econômica judaica e, particularmente, o estudo da situação especial do proletariado judeu, serviram como ponto de partida para seus programas. No SERP a maioria tendia para a concepção socialista do Partido Socialista Revolucionário.

Mas a idéia do nacionalismo judaico, não só nas suas versões sionista e territorialista, mas mesmo como foi formulada pelo *Bund*, encontrou rígida oposição no movimento socialista. O *Bund* (e o SERP também) baseou seu programa nas obras teóricas dos chefes da Social Democracia Austríaca, Karl Renner e Otto Bauer. Bauer todavia – um judeu socialista assimilado – objetou à aplicação do princípio de autonomia aos judeus, uma vez que efetivamente ele negava o caráter nacional das comunidades judaicas. A luta mais árdua ocorreu dentro do Partido Social-Democrático Russo, luta que atingiu seu clímax na segunda convenção, quando o *Bund* deixou o partido, para voltar três anos depois. Aqui também a oposição dos assimilados judeus social-democratas (*e.g.*, Martov, Trotsky) a uma concepção da questão judaica teve importância especial. Mas foi a posição de Lênin a de maior relevância. Muito se escreveu a respeito e observaremos aqui apenas alguns pontos. O *Bund* propôs uma estrutura federativa para o Partido Social-Democrático. Lênin, que preferia um extremo centralismo no partido, objetou. Mas o debate sobre a estrutura do partido prendia-se à disputa sobre o programa social-democrático na questão judaica, sobre a autonomia nacional-cultural e sobre a idéia nacional judaica. Um projeto de resolução preparado por Lênin (não depois de 30 de julho de 1903) para a segunda convenção do Partido Social-Democrático fala de "cultura nacional" relacionada aos judeus. De acordo pois com uma lógica elementar, estava claro que os judeus constituíam uma nacionalidade. Menos de três meses mais tarde, porém, num artigo intitulado "A Posição do *Bund* no Partido" (publicado no *Iskra* a 22 de outubro de 1903), Lênin declarou que a idéia do nacionalismo judeu é reacionária e falsa e colocou o conceito de "nacionalidade" judaica entre aspas. Em seu artigo, "A Respeito da Decisão do *Bund*" (1°. de fevereiro de 1903) ele diz que não existe "maior tolice" que determinar antecipadamente se a evolução dos judeus na Rússia livre teria sido igual à da Europa Ocidental ou não. Mas no outro artigo mencionado, "A Posição do *Bund* no Partido", Lênin já não nutria mais nenhuma dúvida de que também na Rússia a assimilação dos judeus era necessária e desejável. Há mais contradições e ziguezagues que poderíamos aqui apontar mas o que sobressai é o utilitarismo e a abordagem caprichosa no decidir a natureza e futuro do grupo nacional, a confiar nas citações de Renan, Naqker, Kautsky e, num período posterior, Bauer. Gozhanski jamais supôs que a eventual renúncia às reivindicações especiais dos judeus, que ele advogava, seria algum dia aplicada ao direito de sua existência como grupo igualmente. A luta pela razão de ser do movimento operário judaico, que era nesse caso representado pelo *Bund*, tomou a forma de uma luta pelo direito dos judeus e do proletariado judeu de determinar por si mesmos a questão de sua existência nacional contínua.

Uma segunda explanação semântica é aqui necessária, a saber, a concretização *geográfica* do conceito "movimento operário judaico". Tecnicamente isto pode ser feito muito facilmente, relacionando-se por itens os países nos quais todas as espécies de organizações operárias surgiram, se desenvolveram e se cristalizaram no período entre 1880 e 1939: sindicatos, partidos políticos, sociedades de assistência mútua, cooperativas, *kibutzim,* organizações culturais e educacionais, jornais, escolas. Uma lista quase completa (uma das quais bastante expressiva em sua finalidade) para o período antes da Primeira Guerra Mundial inclui a Rússia Czarista, a Inglaterra, os Estados Unidos, o Império Austríaco (especialmente Galícia), a França, o Canadá, a Bulgária, a Turquia Otomana (principalmente Salônica), a Holanda, a Argentina e Eretz Israel. Para o período entre as duas Grandes Guerras esse mapa teria de ser modernizado, levar em consideração as mudanças geopolíticas que ocorreram após o colapso do Império Habsburgo, as revoluções de 1917 na Rússia, a conquista da independência pelas áreas fronteiras com a Rússia (Polônia, Lituânia, Letônia), assim como o crescimento de novos centros judaicos nos países da América do Sul.

Os pormenores da história do movimento operário judaico em cada um desses países estavam naturalmente ligados à estrutura social e política de cada país em particular, e foram influenciados pelo desenvolvimento do movimento operário geral e, mais especialmente, pelas tendências evolutivas das várias fixações judaicas como unidades em si e do ponto de vista de suas relações com a sociedade não-judaica. Ao mesmo tempo, provavelmente nos enganaríamos se tomássemos o fato da fragmentação geográfica como único guia quando vamos considerar questões mais amplas do tipo que veio a ser localizado no contato dinâmico com o socialismo europeu, dos pontos de vista ideológico, programático e mesmo institucional. Pois um exame da gênese da difusão geográfica-territorial leva-nos, ao final, de volta ao reconhecimento da necessidade de certo grau de integração, isto é, de conceber o movimento operário judeu como um fenômeno histórico *universal*. Existe um *background* real, material, contra o qual a unidade multifacetada do movimento tomou forma: o processo da migração judaica, que praticamente assumiu as dimensões de um êxodo. A migração judaica em massa começou em 1880 e cresceu cada vez mais com a aproximação da Primeira Guerra Mundial. Os países abandonados foram a Romênia, Galícia e Rússia. A força motriz foi a miséria econômica, mas não menos importante foi a influência de pressões políticas e discriminação da lei: na Rússia – *os pogroms*, leis restritivas, perseguição oficial e a propagação da fobia contra os judeus entre o povo; na Romênia – o *status* legal dos judeus, que eram considerados "alienígenas"; e mesmo na Galícia havia muitas indicações de anti-semitismo político e econômico. Os emigrantes rumaram para o ocidente – Inglaterra, Argentina, Eretz Israel, mas principalmente para os Estados Unidos. O número de imigrantes judeus nos Estados Unidos apenas no período entre 1881 e 1910 é estimado em cerca de 1 560 000 e apenas uma proporção relativamente pequena – em comparação com outros grupos étnicos – retornou a seu país de origem. O fato decisivo era que os imigrantes judeus conservaram sua identidade de grupo. Concentraram-se principalmente em certas cidades e arredores (Zona Leste de New York e distrito oriental de Londres são hoje em dia apenas uma reminiscência histórica desse fato.) Instalaram-se em determinados ramos da indústria ou mesmo criaram-nos (a indústria de roupas) e desenvolveram diferentes formas de vida comunal. O processo de adaptação ao novo meio ambiente, que continuou regularmente, deu-se concomitantemente com o cultivo de uma rede de instituições independentes – e isto serviu igualmente para impedir a assimilação. Os operários judeus tampouco estavam dissolvidos no "cadinho americano". O movimento operário judaico nos países de absorção era portanto efetivamente um movimento de imigrantes, tanto do ponto de vista de seu tema social quanto da composição de sua liderança e continuidade da imigração. Por duas gerações preservou ao mesmo tempo seu caráter distinto em relação ao movimento operário americano e sua ligação com os movimentos operários nos países de origem. O movimento operário judaico nos Estados Unidos era na verdade um canal de influência do socialismo europeu. A maioria dos organizadores pioneiros dos operários judeus nos Estados Unidos constituía-se de intelectuais que deixaram a Rússia depois dos *pogroms* e que ali haviam sido influenciados pelo Populismo revolucionário das décadas de 70 e 80. Entre eles estavam aqueles que, antes de entrar nos Estados Unidos, tinham sido membros ativos nas organizações operárias judaicas e nos jornais socialistas judeus na Inglaterra, que em geral serviram como estação intermediária aos imigrantes nos Estados Unidos. Alguns tornaram-se eles próprios operários, enquanto outros retomaram seus estudos mas não romperam suas ligações com o movimento. Entre os primeiros a chegar estavam membros do grupo *Am'Olam*, organizado anteriormente na Rússia. Dentro do espírito do socialismo agrário característico dos *narodniki*, tentaram estabelecer na América comunidades agrícolas, que não duraram muito. Alguns sentiam-se atraídos pelo anarquismo, que, como resultado das condições da vida imigrante, exerceu considerável influência durante certo período entre os trabalhadores judeus em geral tanto na Inglaterra como nos Estados Unidos. A atividade entre os operários judeus era influenciada pelos sindicatos operários alemães nos Estados Unidos. Os socialistas alemães também ocupavam posição decisiva no Partido Socialista. Com seu auxílio, o United Hebrew Trades foi estabelecido em New York em 1888 com um programa socialista. A combinação do sindicalismo e o socialismo foi também um aspecto característico do movimento trabalhista judaico nos Estados Unidos posteriormente e que o diferenciou da tendência dominante no movimento operário americano expressa na Federação Americana do Trabalho, cujo *slogan* era "puro e simples sindicalismo". A grande onda de imigração do período da primeira revolução e dos *pogroms* na Rússia trouxe imigrantes que, diversamente da onda precedente, incluía muitos operários qualificados que já haviam passado pela experiência de atividade no *Bund* e outros partidos operários e de participação no movimento revolucionário. Esses trouxeram consigo algo do espírito militante de seus países de origem, assim como uma compreensão maior do conteúdo judaico que deveria ser instilado no movimento operário. A atividade revolucionária não tinha muita possibilidade de êxito nos Estados Unidos, mas o radicalismo social e ideológico deixou suas marcas no movimento, mesmo depois de dissipada a militância sindicalista, imprimindo seus traços ao legar tendências liberais e reformistas até mesmo à segunda e terceira gerações de imigrantes que, como resultado da mobilidade social e das oportunidades econômicas, puderam abandonar o trabalho manual.

Da mesma forma, o movimento operário de Eretz Israel (cujo desenvolvimento requer um tratamento à parte), cujos fundamentos foram lançados em 1904-1905, carregou muitos vestígios da herança socialista européia.

O vínculo do movimento operário judaico com o processo imigratório imprimiu-lhe um caráter especial, do ponto de vista ideacional, sem igual em nenhum outro movimento operário. Em primeiro lugar, a própria existência do processo de imigração e a avaliação de sua natureza e possibilidades serviram como premissas básicas dos partidos sionista e territorialista em vários países (Inglaterra, Argentina, Estados Unidos e outros). O agrupamento dos Poalei Tzion constituiu também uma organização mundial. Mesmo o movimento operário judaico nos Estados Unidos, devido a seu interesse especial pela imigração judaica, quase sempre tomou uma postura diferente da do movimento operário americano em geral, que era favorável à restrição da imigração. Também o *Bund,* representado na Internacional como parte da secção social-democrata russa, e que ali gozava uma posição de prestígio, não podia continuar a ignorar a questão da imigração e no congresso da Internacional em Stuttgart no ano de 1907 conseguiu obstruir uma resolução extrema que advogava restrições à imigração.

Tanto o problema da imigração como os esforços dos partidos operários judaicos para obter da Internacional a admissão de uma secção judaica mundial ajudaram a colocar o problema judaico como um problema internacional diante da opinião pública socialista. Do mesmo modo, o terreno estava preparado para uma mudança de atitude da Internacional Socialista às proximidades do fim da Primeira Guerra Mundial e conseqüentemente em relação ao problema dos direitos nacionais dos judeus nos países onde viviam e mesmo em relação ao ideal Sionista-Socialista.

O socialismo europeu em suas diferentes variedades visava, ao penetrar no ambiente judaico, servir sobretudo como inspiração para as tendências cosmopolitas e assimilatórias entre boa parte dos intelectuais judeus. Não obstante, a visão socialista e as aspirações humanitaristas que derivavam do Socialismo despertou amplos setores da sociedade judaica para a consciência social e a atividade pública, favoreceu a democratização da vida interna judaica e diversificou e intensificou as formas de organização dentro dela.

Quando o movimento operário judaico se tornou um movimento de massa e se expandiu por diferentes países demonstrou efetivamente formas específicas das forças de constância que haviam atuado em recentes gerações para preservar a distinção como grupo do povo judeu. De início, o movimento operário judaico extraiu sua inspiração ideológica das diferentes tendências do socialismo europeu, mas, uma vez que se tornou independente, começou a participar da configuração de seu caráter ulterior. Isto se aplica sobretudo às questões diretamente relacionadas à vida judaica. Mas o movimento operário judaico deu igualmente uma contribuição ímpar à ideologia socialista e aos métodos de compreendê-la dentro do espírito do progresso social – e essa contribuição foi dada em particular pela experiência do movimento operário em Eretz Israel.

BIBLIOGRAFIA

EPSTEIN, M. *Jewish Labor in U. S. A.*, New York, 1950, 1953, vols. 1 e 2.
GARTNER, L. P. *The Jewish Immigrant in England.* Londres, 1960, caps. III-V.
PATKIN, A. L. *The Origins of the Russian Jewish Labour Movement*, Melbourne, 1947.
PREUSS, W. *The Labour Movement in Israel*, 2ª. ed., Jerusalém, 1965.
The Early Jewish Labor Movement in the U.S. *YIVO*, New York, 1961, Ed. por E. Tchevikover, traduzido e revisto do original ídiche por A. Antonovsky.

17. Imigração e Formação da Comunidade Judaica Americana, 1840-1925

Os judeus dos Estados Unidos formam hoje o maior grupo judaico de qualquer país no mundo, equivalente ao que tinham desde sua dispersão da Rússia Czarista em 1918. Seu número é estimado em 5 720 000 pessoas[1]. Apesar de terem vivido desde meados do século XVII nos territórios que agora compõem os Estados Unidos, apenas a partir de 1880 aproximadamente a população judaica atingiu grande dimensão. Os historiadores aceitam geralmente que talvez 2 000 judeus viveram nas Treze Colônias na época da Revolução Americana e cinqüenta anos mais tarde, por volta de 1825, o número ainda não alcançava uns 6 000. Entretanto, iniciou-se então um rápido incremento, pois em 1840 havia cerca de 15 000 judeus e quando da eclosão da Guerra Civil Americana em 1891 a estimativa dos que lá viviam é de 150 000[2]. Quando foi feito o primeiro levanta-

---

1. *American Jewish Year Book, 1966.* New York e Filadélfia, ed. Morris Fine e Milton Himmelfarb, 1967, pp. 81 e ss. (abrev. *AJYB*). As estatísticas da população americana judaica para todos os períodos são incertas. Sobre o mais antigo recenseamento de uma comunidade judaica americana, feito por um rabi de Milwaukee em 1875, ver Louis J. Swichkow, e Lloyd P. Gartner, *A History of the Jews of Milwaukee.* Filadélfia, 1963, pp. 65-67. Todavia, foram feitos em décadas recentes inúmeros levantamentos populacionais bastante exatos, baseados em cuidadosas amostragens melhores que a presente contagem. Partes do presente trabalho foram objeto de comunicação à Organização dos Historiadores Americanos em Chicago, 29 de abril de 1967.

2. Salo W. Baron e Joseph L. Blau, editores, *The Jews of the United States*

mento rudimentar da judiaria americana pela Junta dos Representantes dos Israelitas Americanos em 1877, o total foi calculado em 280 000[3]. A partir de então a população judaica multiplicou com espantosa rapidez devendo-se quase inteiramente à imigracão em massa da Europa Oriental. Contemporâneos pretendem que 1 000 000 de judeus habitavam nos Estados Unidos em 1900, 3 000 000 em 1915 e 4 500 000 em 1925, quando leis drásticas de imigração foram postas em vigor[4]. O índice do aumento populacional judeu entre 1840 e 1925 foi portanto muito mais alto que o dos Estados Unidos como um todo. Enquanto os 11 000 000 de habitantes do país decuplicaram para 115 000 000 durante esse período, os judeus aumentaram para mais de trezentas vezes. Desde 1925, entretanto, o crescimento da população judaica inverteu-se. Com 200 000 000 pessoas vivendo agora (novembro de 1967) nos Estados Unidos – um aumento de 85 000 000 desde 1925 – o incremento populacional judaico foi relativamente pequeno, 1 250 000. Esse crescimento desproporcionalmente pequeno ocorreu não obstante o fato de, apesar das leis de imigração, a Judiaria Americana ter recebido um acréscimo proporcionalmente maior desde 1925 da imigração estrangeira que aquele recebido pela população geral americana[5].

Entre 1825 e 1925, portanto, o aumento da Comunidade Judaica Americana era devido à imigração do exterior. Desde 1925, o aumento relativamente pequeno parece dever-se à grande diminuição nessa imigração.

Esses imigrantes converteram-se em americanos em cultura, língua, e fidelidade, ainda que a grande maioria também permanecesse inconfundivelmente judia no sentimento, por vontade, e por adoção formal. É de grande interesse, por essa razão, examinar as fontes e o caráter da imigração judaica e sua adaptação à vida americana.

Bem antes de ter início a substancial imigração judaica, os termos altamente favoráveis, pelos quais os judeus, e outros, podiam entrar e acomodar-se na vida americana, estavam fixados. A antiga

---

1790-1840: A Documentary History, New York, Filadélfia, Londres, 1963, 3 vols., I, pp. 85-86, 255, n. 1; Bertram W. Korn, *American Jewry and the Civil War*, Filadélfia, 1951, p. 1.

3. David Sulzberger, "The Growth of Jewish Population in the United States", in *Publications of the American Jewish Historical Society* (abrev. *PA-JHS*), 1897, VI, pp. 141-149.

4. Crescimento que pode ser verificado pelas estimativas anuais no *AJYB*, secção "Statistics of Jews".

5. Departamento do Comércio dos Estados Unidos, Divisão do Censo, *Historical Statistics of the United States: Colonial Times to 1957*, D. C. Washington, 1963, Série, A 1-3, p. 7; séries C 88-114, p. 56; Mark Wischnitzer, *To Dwell in Safety: The Story of Jewish Migration since 1800*. Filadélfia, 1948, p. 289; o *AJYB* contém um relatório anual sobre a imigração judaica nos Estados Unidos.

América era uma terra de cristãos protestantes, cujo bicho-papão em matéria de religião não eram os semilendários judeus, mas os identificáveis católicos – uma amarga herança das lutas da Reforma. Gradualmente, entretanto, a religião na América impregnou-se durante o século XVIII com filantropia e humanitarismo, a crença de que o Cristianismo mais autêntico era o cumprimento pelo homem de seu propósito de praticar o bem sobre a Terra. Essas idéias tendiam a penetrar e talhar as paredes confessionais protestantes e mui lentamente aplaná-las O enegrecimento dos históricos dogmas do Cristianismo abriu a oportunidade a que a antiga "sinagoga de Satã" pudesse receber direitos quase iguais aos da igreja de Cristo em solo americano. Além disso, a ênfase dada às boas ações deveria ter conseqüências de longo alcance sobre o caráter do Judaísmo na América durante o século XIX[6].

O pensar sobre a religião durante o século XVIII ajudou igualmente a produzir uma mudança fundamental nas relações entre a Igreja e o Estado. A maioria das seitas protestantes na América passou a salientar a natureza totalmente individual do pecado e conversão e salvação, e opôs-se vigorosamente a qualquer intervenção eclesiástica coercitiva, especialmente da Igreja ligada ao Estado. Membros das igrejas de Estado na Europa, tais como luteranas e católicas, eram geralmente pequenas minorias pouco amadas na América Colonial que se habituou também a manter suas instituições religiosas sem ajuda e desimpedidas.

Cessou assim o poder protestante, combinado com seu oponente espiritual, a tendência secular e anticlerical do pensamento iluminista, para levar a cabo a separação da Igreja e do Estado. Foram abolidos e proibidos provas religiosas e juramentos sectários rituais e a Primeira Emenda à Constituição Federal completou virtualmente o processo proibindo o Congresso de estabelecer ou dar apoio a qualquer religião. As Constituições estaduais estabeleceram disposições semelhantes.

Esses momentosos desenvolvimentos durante a última metade do século XVIII foram de importância inestimável para os judeus que estavam destinados a ir para a América. Com exceção de uma qualificação religiosa ocasional para o ofício público em algumas constituições estaduais, todas revogadas presentemente, os judeus gozavam de completa igualdade civil, religiosa e política com outras religiões desde o tempo da independência americana. Isto era total emancipação no sentido europeu e foi adquirida sem qualquer refe-

---

6. H. Shelton Smith, Robert T. Handy, Lefferta A. Loetscher, *American Christianity: An Historical Interpretation with Representative Documents*. New York, 1960, 2 vols., pp. 374-414.

rência aos judeus enquanto tais, mas antes como matéria de um princípio amplo[7]. A separação da Igreja e do Estado significava igualmente que não era necessário a ninguém professar um credo religioso ou manter uma filiação religiosa; as igrejas, e em geral as sociedades religiosas, eram associações privadas que estabeleciam regras como desejavam. As seitas religiosas e instituições podiam ser criadas à vontade; as cismáticas gozavam de ilimitada liberdade lado a lado com os comungantes ortodoxos. Pode-se julgar quão profundamente o Judaísmo foi afetado por esse padrão pelo fato de muitas instituições religiosas judaicas nos Estados Unidos serem sinagogas que se desviaram mais ou menos do cânone judaico e quase nada pôde ser feito pelos tradicionalistas para cerceá-las. Enquanto progrediam as deliberações constitucionais, os judeus parecem ter permanecido indiferentes a elas. Estavam principalmente interessados na abolição dos testes e juramentos religiosos[8], e não na separação da Igreja e Estado. Mas então esses judeus eram recém-chegados e provavelmente ainda conservavam a histórica prudência judaica quanto à intrusão nos negócios políticos das nações gentílicas.

Assim, mesmo antes de ter a judiaria européia começado sua luta histórica pela emancipação, que não foi consumada até o fim da Primeira Guerra Mundial, toda a questão foi resolvida de maneira totalmente casual na América. O problema da emancipação dos judeus especificamente e os termos da entrada judaica na sociedade geral nunca existiram aí. Os imigrantes judeus verificaram pois que ali nunca existira uma comunidade judaica legal e formalmente estabelecida, com suas tradições, controles e taxas. Podiam ser ou não ser judeus, como quisessem, e se o preferissem não precisariam tornar-se cristãos – ato repugnante à maioria dos judeus relutantes. Podiam ocupar o terreno neutro do humanismo iluminista secular ou o indiferentismo religioso. As possibilidades do Judaísmo e da vida judaica na América sob o regime de opção livre, separação do Estado e emancipação automática deveriam ser exploradas por cada uma das gerações de judeus que chegasse à América. Tal regime não tinha precedente na milenar história dos judeus.

7. Alan Heimert, *Religion and the American Mind from the Great Awakening to the Revolution*, Cambridge, Mass., 1966, pp. 128-129, 136-137, 524-527, 537-539, Anson Phelps Stokes. *Church and State in the United States*, New York, 1950, 3 vols. I, pp. 133-149, 240-253, 519-552, 731-744, 744-767; para as exceções à regra, ver *idem*, pp. 428-432, New Hampshire, 865-878, Maryland. Uma resenha útil é a de Abram Vossen Goodman. *American Overture: Jewish Rights in Colonial Times*, Filadélfia, 1947.

8. Stokes, *op. cit.*, pp. 286-290, 528-529; Edwin Wolf II e Maxwell Whiteman, *The History of the Jews of Philadelphia from Colonial Times to the age of Jackson*. Filadélfia, 1957, pp. 147-149.

Os primeiros judeus na América eram sefardim, descendentes de judeus portugueses e espanhóis. Sabia-se há muito tempo que muitos desses pioneiros não eram efetivamente de cultura espanhola. Por volta do século XVIII as congregações formalmente sefarditas consistiam principalmente de congregante aschkenazim (da Europa Central e Oriental), que aceitavam a estranha liturgia e costumes daquela que era então a única sinagoga na cidade[9]. De fato, a sinagoga de Filadélfia, fundada apenas poucos anos após o primeiro aparecimento registrado de judeus naquela cidade, em 1735, não possuía membros sefardim, embora adotasse o rito sefardita[10]. A continuidade da forma sefardim de culto, a despeito da minoria de judeus portugueses e espanhóis nas pequenas comunidades coloniais, foi auxiliada pela norma caracteristicamente sefardim de proibição de congregações locais separadas que proliferavam entre os aschkenazim, e de centralização dos negócios judeus locais no Mahamad (executivo) da única sinagoga estabelecida.

Os judeus coloniais que não eram sefardim eram principalmente recém-chegados da Europa Central. As diferenças entre eles e os sefardim são mais profundas que as de ritual. Estes, durante séculos, achavam-se naturalizados na cultura ibérica, falavam espanhol e português e haviam fundido seu Judaísmo com a cultura hispânica. Nessa medida poderiam ser chamados judeus modernos. Seu Judaísmo não era erudito ou apaixonado, mas polido e urbano. O relativo sucesso dessa combinação de cultura contemporânea e de tradição judaica, ainda que fosse mais propriamente superficial, sugere a principal razão pela qual nenhuma sinagoga sefardita abandonou a ortodoxia pelo Judaísmo reformado durante o século XVIII. Por outro lado, a maioria dos judeus da Europa Central consistia em grande parte de judeus de cultura tradicional. Eles não eram de origem erudita ou abastada nem haviam se movido nos pequenos círculos de judeus alemães que estavam procurando finalmente criar a memorável síntese da cultura germânica e do Judaísmo. Esses judeus da Bavária, da Silésia e de Posem vieram à América das aldeias e cidadezinhas de sua terra natal, geralmente conheciam e observavam os rudimentos do Judaísmo e um pouco mais e falavam e escreviam o ídiche de preferência ao alemão. Em sua grande maioria eram comerciantes, indo de mascates a mercadores do mar, sendo muitos deles artesãos independentes. Aprendizes e empregados contratados podiam ser encontrados e raramente um médico, um advogado ou

---

9. David de Sola Pool, *An Old Faith in the New World*, Nova York, 1955, pp. 437-461.
10. Wolf e Whiteman, *op. cit.*, pp. 7, 32, 41-42, 122, 228; correspondência travada em ídiche, p. 226.

um cavalheiro desocupado[11]. As principais cidades eram New York, Filadélfia e Charleston, na Carolina do Sul, havendo grupos em povoações afastadas do interior ou cidades ribeirinhas, na linha das quedas d'água (*fall line towns*), como Lancaster, na Pensilvânia, Albany, em New York, e Richmond, na Virgínia.

Os 6 000 judeus de 1826 começaram a aumentar rapidamente a partir desse ano. O impulso para imigrar era sentido com maior intensidade pela judiaria alemã, que por volta de 1830 e 1840 diferia mais de seus ancestrais do século XVIII do que esses ancestrais diferiam dos judeus alemães do século XVI. Os jovens judeus de agora haviam recebido uniformemente uma educação germânica e até mesmo o estudo universitário não era incomum. Grandes acontecimentos políticos tiveram também influência. Durante os anos napoleônicos brilharam esperanças de emancipação e aspirava-se à total entrada na sociedade germânica, à medida que a Prússia e outros ducados e cidades emancipavam os judeus das veneráveis restrições sobre casamento, colonização, ocupação e de taxas especiais. Mas o período de reação política e depressão econômica depois de 1815 trouxe os mais profundos desapontamentos aos esperançosos judeus. Foram reinstituídas as restrições políticas e os poderes restaurados das guildas cristãs negaram o acesso a algumas profissões para os artesãos judeus. As teorias do Estado cristão pelas quais essas medidas foram justificadas eram subscritas por políticos e intelectuais influentes e aumentaram o sentimento de privação e exclusão dos judeus. A apostasia foi uma via de escape à situação e a emigração outra. Se a pátria alemã não os considerava súditos fiéis, outra pátria poderia ser encontrada na América livre. O anseio por terra, que conduziu milhões de alemães através do Atlântico, não desempenhou qualquer papel na emigração judaica[12].

Os judeus alemães vieram a conhecer e idealizar a América durante o século XVIII. A Convenção Constitucional de 1787 recebeu uma intrigante mas ardente petição de judeus alemães anônimos

---

11. Jacob R. Marcus, *Early American Jewry*, Filadélfia, 1951-1953, 2 vols., II, pp. 395-428; Wolf e Whiteman, *op. cit.*, pp. 165-186; Leo Hershkowitz, *Wills of Early New York Jews, 1704-1799*. New York, 1967, material único, dados recentes.

12. Mack Walker, *Germany and the Emigration 1816-1885*. Cambridge, Mass., 1964, pp. 42-102; Marcus L. Hansen, *The Atlantic Migration 1607-1885*, nova ed. New York, 1961, pp. 120-171; Selma Stern-Taeubler, "The Motivation of the German-Jewish Emigration to America in the Post-Mendelssohnian Era". *In: Essays in American Jewish History*, Cincinnati, 1958, pp. 247-262; Rudolf Glanz, "The Immigration of German Jews up to 1880". *In: YIVO Annual of Jewish Social Science* (abrev. *YAJSS*), 1948, II/III, pp. 81-99; *idem*, "Source Materials for the History of Jewish Immigration to the United States 1800-1880". *In: YAJSS*, 1951, VI, pp. 73-156 (inestimável reunião de fontes, principalmente da imprensa judaica alemã).

para a fixação na América e conversas periódicas sobre o Mundo Novo não eram raras[13]. Ao pano de fundo econômico e psicológico da imigração poderia ser acrescido a constante melhoria na segurança, velocidade e regularidade da viagem transatlântica. Entre 1820 e 1870, talvez 150 000 judeus das terras alemãs foram para os Estados Unidos, principalmente das cidades e aldeias bávaras, Polônia alemã, Boêmia e Hungria[14]. Sua difusão geográfica na América era mais ampla que a de qualquer grupo judaico imigrante dos tempos anteriores ou posteriores. Durante essas décadas de meados do século XIX com suas cidades da "fronteira" *western* recém-fundadas, o ouro da Califórnia e o apogeu da economia algodoeira do Ocidente, os judeus alemães se espalharam por toda parte nos Estados Unidos. Provavelmente a maioria assentou-se no Nordeste, mas um grande número se dirigiu para a recém-aberta Califórnia, centralizando-se em São Francisco; uma cadeia de povoamentos judeus apareceu junto aos portos à margem do Rio Mississipi; numerosas comunidades judaicas surgiram nas cidades junto ao rio Ohio e os Grandes Lagos, centros de comércio e indústria pesada; em dezenas de pequenas cidades no Sul, os mercadores judeus estocavam e negociavam com algodão colhido há pouco[15].

Os judeus oriundos das terras alemãs orgulhavam-se de sua cultura germânica. Eram os pilares do Germandom americano, contribuindo e participando com grande peso para o progresso do alemão nos Estados Unidos. Mantinham sociedades alemãs sociais e caritativas, eram subscritores e escritores de jornais alemães, cantores e instrumentistas em sociedades musicais alemãs, empresários, executantes e conscienciosos patronos nos teatros alemães. Parece também

13. Baron e Blau, *op. cit.*, III, pp. 891-893; Morris U. Schappes, *A Documentary History of the Jews in the United States 1654-1875*, 2. ed., New York, 1953, pp. 159-160.
14. Rudolf Glanz, "The Immigration of German Jews...", *loc. cit.*; *idem*. The "Bayer" and the "Pollack" in América. *Jewish Social Studies*, janeiro de 1955, XVII, I, pp. 27-42; Guido Kisch, *In Search of Freedom: A History of American Jews from Czechoslovakia*, Londres, 1949, pp. 13-58.
15. Allan Tarshish, "The Economic Life of the American Jew in the Middle Nineteenth Century". *In: Essays...*, pp. 263-293; Rudolf Glanz, *The Jews of California from the Discovery of Gold until 1880*, New York, 1960, pp. 18-91, 106-109; Harris Newmark, *Sixty Years in Southern California 1853-1913*, 3. ed., Boston e New York, 1930; Jacob R. Marcus, *Memoirs of American Jews 1775-1865*. Filadélfia, 1955, 3 vols., contém dezenas de depoimentos autobiográficos interessantes e úteis, especificamente de homens de negócios imigrantes da época; Swichkow e Gartner, *op. cit.*, pp. 12-18, 93-110; W. Gunther Plaut, *The Jews of Mienesota: The First Seventy-Five Years*. New York, 1959, pp. 9-30, 61-68; Stephen Birmingham, *"Our Crowd": The Great Jewish Families of New York*, New York, 1967, é uma crônica social tagarela, útil ocasionalmente.

que os judeus desfrutavam de acesso às sociedades desportivas e clubes sociais alemães em muitas cidades. As confrarias alemãs incluíam muitos membros judeus. Efetivamente, os judeus estavam incluídos entre os alemães americanos, que articularam a idéia de que tinham a missão de difundir uma cultura filosófica mais elevada entre os ianques[16].

Para alguns judeus alemães, o meio germânico na América era tão satisfatório que abandonaram mais ou menos seu judaísmo ancestral. Pode-se mencionar nessa conexão Abraham Jacobi (1830-1919), o pai da Pediatria americana, o líder socialista Victor Berger (1860-1929) ou Oswald Ottendorfer (1826-1900), que publicou o principal jornal alemão em New York. A grande maioria, entretanto, permaneceu dentro do Judaísmo e criou uma versão que satisfazia seu desejo de uma religião que se harmonizasse intelectualmente com o liberalismo, racionalismo e erudição histórica contemporâneos. Era o Judaísmo Reformado. À superfície, significava que a antiga informalidade e intensidade do culto judaico era substituído por um modelo litúrgico a sugerir Protestantismo, alojado num Templo que imitava amiúde intencionalmente a arquitetura da "Idade de Ouro" da judiaria espanhola. Todas as leis e costumes judaicos que acentuavam um abismo social entre os judeus e cristãos foram revogadas, com a única e crítica exceção dos casamentos judaico-cristãos. A transição da ortodoxia herdada ao novo estilo da Reforma ocorreu com espantosa velocidade. Após um falso início em Charleston durante o ano de 1820, a Reforma começou efetivamente por volta de 1850. Por volta de 1890 quase toda sinagoga fundada por judeus alemães havia subvertido as tradições seculares e tomado novo rumo. Os ortodoxos e protoconservadores sobreviveram como grupos pequenos, rabis individuais e algumas congregações[17].

16. Rudolf Glanz, *Jews in Relation to the Cultural Milieu of the Germans in America up to the Eighteen-Eighties*, New York, 1947; Swichkow e Gartner, *op. cit.*, pp. 13-27; John A. Hawgood, *The Tragedy of German-America*, New York e Londres, 1940, é uma análise penetrante.

17. David Philipson, *The Reform Movement in Judaism*, nova edição, Nova York, 1967 (publicada originalmente em 1907 e revista em parte em 1931, essa obra de caráter sobretudo participante é bastante antiquada mas não foi superada como um todo); James G. Heller, *Isaac M. Wise: His Life, Work and Thought*, New York, 1965 (um compêndio biográfico volumoso do mais importante líder); Swichkow e Gartner, *op. cit.*, pp. 32-51, 171-192; Morris A. Gutstein, *A Priceless Heritage: The Epic Growth of Nineteenth Century Chicago Jewry*. New York, 1953, pp. 57-92, 139-208 (esses estudos exemplificam os desenvolvimentos locais); Moshe Davis, *The Emergence of Conservative Judaism: The Historical School in 19th Century America*, Filadélfia, 1963, pp. 149-228 (sobre a oposição à Reforma); o *Dictionary of American Biography* inclui Jacobi Berger e Ottendorfer, assim como as mais representativas figuras religiosas de judeus do século XIX.

Em qualquer das dezenas de comunidades locais americanas judaicas durante os anos de 1880 e 1890 a cena típica constituía-se de uma liderança de prósperos mercadores, algumas vezes banqueiros e advogados. Vindo à América, não haviam deixado um amargo exílio por um mais suave, onde iriam esperar a redenção messiânica; o Messias era o milênio de toda a humanidade e o futuro deles próprios estava inteiramente na América. Para esses judeus, "judeu" significava apenas professar a religião judaica. Tudo que sugerisse gueto tinha de ser descartado, agora que o gueto físico era algo pertencente ao passado e os judeus não mais desejavam viver segregados. Seu judaísmo não continha nada de místico ou contemplativo; era formulado como uma religião americana otimista e razoável com a felicidade e salvação acessíveis através do esforço humano. A essência do Judaísmo era apenas moral e ética, enquanto as exterioridades do estilo de vida tradicional eram classificadas entre as práticas externas mutáveis e conseqüentemente abandonadas. Não obstante, pessoas que não praticavam ou não acreditavam em quaisquer princípios religiosos judaicos eram ainda encarados como judeus. A base étnica do Judaísmo permanecia viva entre os judeus alemães, mas contida, até ser vigorosamente lançada à frente pelos recém-chegados da Europa Oriental[18].

O judaísmo germânico declinou na América a partir de 1880. O Segundo Reich fundado por Bismarck desapontou as tradições liberais acalentadas pelos homens de 1848 e acelerou sua assimilação americana, enquanto as inclinações anti-semitas na Alemanha Imperial não encorajavam os judeus[19]. A germanidade nos Estados Unidos não continuou a ser preservada entre os alemães liberais urbanos mas nas igrejas alemãs luteranas das pequenas cidades rurais, conservadoras. Todavia, era inevitável que os filhos e netos deixassem finalmente de falar e estudar o alemão acabando por esquecê-lo. A estreita e confortável associação da germanidade com o judaísmo terminou quando os imigrantes judeus da Europa Oriental somaram-se aos 280 000 judeus em 1880. Ainda que o alemão fosse falado na privacidade de muitas famílias, a idade alemã era coisa do passado ao término do século XIX.

Uma vez mais os números expressam muito da história que começou no ano de 1880. Por volta de 1900, havia 1 000 000 de judeus nos Estados Unidos e cerca de 3 000 000 em 1915. Quando

---

18. Isto parafraseia Swichkow e Gartner, *op. cit.*, pp. 169-170.
19. Glanz, *Jews in Relation to the Cultural Milieu...*, pp. 34-37; Swichkow e Gartner, *op. cit.*, pp. 133-136; Carl F. Wittke, *Refugees of Revolution: The German Forty-Eighters in America*, Filadélfia, 1952, pp. 344-373; dois pequenos contos narrados in Birmingham. *Op. cit.*, pp. 159, 191-192; Hawgood, *op. cit.*

a livre imigração para a América terminou em 1925 havia provavelmente 4 500 000 judeus; esse foi o ponto em que os judeus alcançaram sua mais elevada proporção na população americana – cerca de 4%. Os anos culminantes da imigração da Europa Oriental sucederam aos *pogroms* de 1881, novamente em 1890 e 1891, e acima de tudo durante os anos de guerra, revolução e reação na Rússia, que se iniciaram com o notório *pogrom* de Kishinev de 1903. De 1904 até 1908, 642 000 judeus entraram nos Estados Unidos[20].

Seria um erro atribuir aos *pogroms* a causa principal da emigração. A Galícia, com seus judeus emancipados desde 1867 e sem *pogroms*, mostrou talvez a proporção mais alta de emigração da Europa Oriental. Foi o aumento quintuplicado dos judeus da Europa Oriental durante o século XIX e o malogro da economia de acompanhar essa multiplicação que deve ser considerada a causa mais profunda. As leis repressivas russas restringiam as oportunidades econômicas mesmo depois e levaram os judeus a um sentimento de desesperança acerca de seu futuro na Rússia. Com ferrovias e vapores totalmente desenvolvidos como instrumentos de migração havia partidas de navios de emigrantes amplamente anunciadas e regularmente planejadas, que saíam de portos importantes como Hamburgo, Bremen, Roterdã e Liverpool. O movimento humano podia se processar em proporções maciças. A Rússia tomou também uma atitude passiva para com a emigração, permitindo extra-oficialmente a centenas de milhares de judeus cruzarem suas fronteiras. Após 1905, a Associação da Colonização Judaica foi autorizada a manter escritórios de emigração em várias cidades. Sobretudo a entrada nos Estados Unidos continuou a ser quase desimpedida, ainda que os imigrantes temessem a vistoria no porto de chegada (geralmente Ellis Island no porto de New York), que impedia a entrada de talvez um por cento dos que chegavam[21].

Havia contrastes marcantes entre os judeus da Europa Oriental e os germânicos. Os recém-chegados eram quase exclusivamente de cultura judaica tradicional. Não possuíam nenhuma educação polonesa ou russa – apesar de os galicianos possuírem educação oficial obrigatória – e poucos conheciam as línguas da Europa Oriental.

---

20. Sobre a imigração judaica da Europa Oriental, além das fontes citadas acima, nota 5. ver Samuel Joseph, *Jewish Immigration to the United States 1881-1910*. New York, 1914 (útil para estatísticas) e a maciça obra coletiva: Walter F. Wilicox, ed. *International Migrations*. New York, 1929, 1931, 2 vols., que contém uma útil sinopse sobre os judeus por L. Hersch, II, pp. 471-521. Lloyd P. Gartner, *The Jewish Immigrant in England 1870-1914*. Londres e Detroit, 1960, pode servir para propósitos comparativos.

21. John Higham, *Strangers in the Land: Patterns of American Nativism 1860-1925*. New Brunswick, N. J., 1951, pp. 87-105.

Uma ilustração significativa é fornecida pelos refugiados revolucionários judeus; russos que foram para a América em 1882 e durante a reação pós-revolucionária em 1906, 1907 e 1908. Antes que pudessem assumir a liderança no movimento operário judaico tiveram de aprender ou reaprender o ídiche. A Judiaria da Europa Oriental estava passando por um período de extraordinário desenvolvimento ideológico, mas a maior parte dos imigrantes vinha de pequenas cidades e aldeias, longe dos centros de pensamento e agitação. Suas experiências ideológicas dar-se-iam nas enormes colônias urbanas na América.

Os primeiros imigrantes judeus não possuíam quase intelectuais dinâmicos. Desenvolveram um Judaísmo que julgavam conveniente e possível e inclinaram-se então a sustentá-lo com alguma mudança. A filantropia bem-concebida era seu anseio mais forte como judeus. Os europeus orientais, por outro lado, tendiam a ser intelectualmente flexíveis e inovadores de conformidade, com suas tradições regionais, de intensa e ardente piedade, de estudo inteligente do Talmud. Essa intelectualidade tinha uma penetração raramente igualada na história judaica. Mesmo os judeus mais simples estavam sob o fascínio dessas tradições e aqueles que rompiam com elas para seguir novas causas – Sionismo, revolucionarismo russo, renascimento do hebraico ou do ídiche, entrada para a cultura russa, polonesa, americana – raramente perderam a qualidade que lhes era intrínseca: intensidade e mobilidade.

Há um terceiro contraste importante. Os judeus alemães haviam se espalhado muito através dos Estados Unidos, ainda que, como seus vizinhos cristãos, tivessem posteriormente abandonado as cidades menores pelas grandes. A grande maioria dos judeus da Europa Oriental fixou-se imediatamente nas maiores cidades, especialmente New York, Chicago, Filadélfia, Boston, Baltimore e Cleveland. A inclusão de sete ou oito metrópoles menores é devida, em mais de noventa por cento, aos judeus da Europa Oriental[22].

A judiaria americana foi moldada pela quantidade, tradições, aspirações e também as invejas, ciúmes e dependência mútua das judiarias germânica e da Europa Oriental. Isto não invalidará a consciência de sua judaidade comum nem a força esmagadora e a atração da vida americana em configurar um grupo judeu diferente de qual-

---

22. Moses Rischin, *The Promised City: New York's Jews 1870-1914*. Cambridge, Mass., 1962, pp. 19-47; Elias Tcherikower, *Geshikehte fun der Yiddisher Arbeter Bavegung in der Faraynikte Shtatn*. N. Y., 1943, 2 vols., cujo volume I contém material inestimável sobre esse *background* (foi feita uma mal-sucedida tradução, resumo e revisão do inglês: Tcherikower Elias e Antonovsky, Aaron. *The Early Jewish Labor Movement in the United States*. New York, 1961, pp. 3-74.

quer outro previamente conhecido. Como se defrontaram os velhos e os novos judeus americanos merece consideração mais atenta.

> Meus caros irmãos russos, que tanto fizeram
> para lançar um estigma sobre o nome judaico, estão agora acrescentando
> esse novo pecado à sua longa lista de ofensas
> pela qual somos convidados a nos tornar responsáveis[23].

Assim se manifesta um rabi da Reforma no Meio-Oeste; o pecado nessa ocasião era a fundação de um clube político judaico por Bryan em 1896. Nove anos antes, Benjamin F. Peixotto dirigiu-se a uma audiência na cidade de New York:

> Eu diria aqui àqueles que dizem "manda-os de volta:
> que fiquem em suas casas; não os queremos aqui".
> Eu diria vocês deveriam igualmente tentar impedir
> as ondas do velho oceano de bater em nossas praias
> tanto quanto impedi-los de procurar o refúgio que esse país oferece[24].

O orador permanecera cinco anos na Romênia durante os anos 70. Poucos, se algum, americanos judeus tinham visto judeus imigrantes em suas terras de nascimento ou, melhor, avaliado a razão pela qual procuravam abandoná-las. Cinqüenta anos, mais ou menos, se passaram até que os judeus americanos – eles próprios próximos das origens imigrantes – conseguiram apreciar a insistência de Peixotto em que uma alta proporção dos 5 000 000 a 6 000 000 judeus da Europa Oriental estava destinada a partir para a América. Desde a emancipação e modernização da Judiaria alemã no início do século XVIII, houve uma atitude desdenhosa ou condescendente para com os judeus poloneses e russos atrasados, empobrecidos ou perseguidos. Por seu turno, os judeus russos e poloneses admiravam e invejavam seus correligionários judeus alemães e, do mesmo modo que outras *intelligentsia* da época, alguns adquiriram a língua e cultura alemãs de longe. Mas havia também muitos que temiam e censuravam a desjudaização desses irmãos favorecidos[25]. Todas essas heranças foram levadas para a América. Agora, alemães e judeus

---

23. Swikow e Gartner, *op. cit.*, p. 151.
24. Benjamin F. Peixotto, *What Shall We Do With Our Immigrants?*, New York, Young Men's Hebrew Association, 1887, pp. 3-4, citado *in* Zosa Szajkowski. "The Attitude of American Jews to East European Jewish Immigration (1881-1893)". *In*: *PAJHS*, março de 1951, XL, 3, p. 235.
25. Cf. S. Adler-Rudel, *Ostjuden in Deutschland 1880-1940*. Tübingen, 1959, pp. 1-33. As atitudes de alguns judeus alemães ao primeiro encontro com judeus na Europa Oriental são sugestivas; *e. g.*, Franz Rosenzweig, *Briefe*. Berlim, 1935, pp. 320-322; Alexander Carlebach, "A German Rabbi goes Easf". *In*: Leo Baeck Institute *Yearbook*, 1961, VI, pp. 60-121.

da Europa Oriental encontravam-se vivendo lado a lado, inalando e exalando, pode-se dizer, as atitudes uns dos outros.

Pela volumosa literatura das décadas de intensa imigração, de 1880 a 1920, podem-se facilmente discernir vários motivos nas concepções *uptown* e *downtown** de cada um. Para os imigrantes russos, o judeu alemão dificilmente era um judeu, mas um *yahudi*, um *deitshuk*. Seu judaísmo reformado era uma fraude como Judaísmo, pouco menos que um arremedo do Cristianismo que pretendia granjear o favor cristão. Não só a minoria dos firmemente ortodoxos entre os imigrantes assim pensava, mas também a grande maioria, que não conseguia reconhecer nada a não ser a ortodoxia dos velhos tempos como o verdadeiro Judaísmo. Provavelmente mais condenável que o judaísmo da Reforma dos judeus alemães era a aparente falta, entre eles, do sentimento de povo, aquele senso de mutualidade, de destino comum e afinidade, tão bem desenvolvido entre os judeus pobres e oprimidos. Os imigrantes tinham uma aguda consciência da natural distância social entre os judeus americanos e eles e de sua soberba e condescendência. Mesmo suas gabadas instituições beneficentes eram frias e impessoais, impropriamente chamadas "científicas", vazias de simpatia e bondade. Irritava-os que os judeus se mantivessem a distância de outros judeus. Entre os socialistas judeus, esse sentimento era expresso numa abominação pelos judeus *uptowers* como opressores capitalistas, embora se tenha a impressão que os imigrantes judeus socialistas realmente tinham aversão por um alvo muito mais próximo – os arrivistas entre seus próprios judeus russos e poloneses[26].

Os judeus germano-americanos nativos tinham sua própria percepção dessas coisas. Os novos imigrantes eram primitivos e ligados ao clã, relutantes em adotar os modos americanos, insistentes em manter as formas de religião e vida social "asiáticas" e "medievais". Entre eles não se podia encontrar "cultura" e "refinamento". Eles exigiam caridade como uma questão de direito sem qualquer reconhecimento pelo que recebiam. Eram indevidamente dogmáticos e agressivos e comprometiam o bom nome do judeu americano penosamente conquistado. Possuíam um perturbador pendor para formas inauditas de pensamento, especialmente o radicalismo político, ateísmo,

---

* *Uptown*: bairro rico; *downtown*: bairro pobre. (N. da T.)
26. Rischin, *op. cit.*, pp. 95-111; Harold M. Silver, The Russian Jew Looks at Charity – A Study of the Attitudes of Russian Jewish Immigrants Toward Organized Jewish Charitable Agencies in the United States in 1890-1900. *In: Jewish Social Service Quarterly*, dezembro de 1927, IV, 2, pp. 129-144 Arthur Gorenstein (Goren), "The Commissioner and the Community: A Study of the Beginnings of the New York City 'Kehillah' ". *In: YAJSS*, 1965, XIII, pp. 187-212.

sionismo e agarravam-se a uma forma de expressão que dificilmente poderia ser chamada uma língua[27]. Apenas lentamente se conseguiu compreender por que estavam chegando em massa e os apelos para que ficassem em suas terras eram infrutíferos. Em plena década de 1890 a judiaria ocidental – não apenas americana – fez um apelo aos judeus russos, poloneses, romenos e galicianos para ficarem em suas terras e esperar tempos melhores que certamente viriam numa idade de inevitável progresso humano[28]. Benjamin F. Peixotto estava quase isolado. Os poucos judeus nativos que deram boa acolhida à imigração parecem ter sido sobretudo tradicionalistas que esperavam um reforço a seu número reduzido com a vinda de judeus do *reservoir* de piedade religiosa da Europa Oriental[29]. Para aqueles que vieram, a política preferida pelos judeus nativos era desenvolver uma classe de respeitáveis operários. Ofícios manuais especializados na cidade e a lavoura no campo deveriam substituir a mascataria e a costura[30]. Quão longe isto estava das esperanças declaradas ou recônditas dos imigrantes é algo que pode ser verificado nos bem conhecidos lineamentos de sua história social durante os últimos cinqüenta anos.

A mudança real na atitude dos judeus nativos ocorreu por volta de 1903. O *pogrom* de Kishinev desse ano, no qual altos funcionários czaristas estavam notoriamente implicados, seguido pela guerra russo-japonesa, a Revolução de 1905 e a contra-revolução dos oprimidos, movida a *pogrom*, provou que a condição dos judeus russos, longe de melhorar, apenas se deterioraria. A relutante simpatia dos judeus americanos substituiu a antipatia inicial, à medida que um número maior que nunca de imigrantes afluiu aos Estados Unidos durante a década anterior à Primeira Guerra Mundial[31].

27. Szajkowski, *op. cit.*, pp. 221-293; Irving A. Mandel, The Attitude of the American Jewish Community toward East-European Immigration as Reflected in the Anglo-Jewish Press (1880-1890). *In: American Jewish Archives*, junho de 1950, III, 1, pp. 11-36; Heller, *op. cit.*, pp. 583-586; David Philipson, Strangers to a Strange Land. *In: American Jewish Archives*, novembro de 1966, XVIII, 2, pp. 133-138 (excertos de seu diário): Adler, Selig e Thomas E. Connolly, *From Ararat to Suburbia: The History the Jewish Community of Buffalo*. Filadélfia 1960, pp. 227-231.

28. Esse tema é tratado *in* Zosa Szajkowski, "Emigration to America or Reconstruction in Europe". *In: PSJHS*, dezembro de 1952, XLII, 2, pp. 157-188.

29. Davis, *op. cit.*, pp. 261-268.

30. Herman Frank, Jewish Farming in the United States. *In: The Jewish People Past and Present*, New York, 1948-1955, 4 vols., II, 68-77; Moses Klein, *Migdal Zophim*, Filadélfia, 1889.

31. Higham, *op. cit.*, pp. 106-123; Zosa Szajkowski, "Paul Nathan, Lucien Wolf, Jacob H. Schiffand the Jewish Revolutionary Movement in Eastern Europe (1903-1917)". *In: Jewish Social Studies*, janeiro e abril de 1967, XXIX, 1 e 2, pp. 3-26, 75-91; Morton Rosenstock, *Louis Marshall, Defender of Jewish Rights*, Detroit, 1965, pp. 79-89.

Essa década marca igualmente o ingresso de judeus na vanguarda política e intelectual entre os defensores da livre imigração. É claro que outros grupos imigrantes também defenderam firmemente o direito de suas famílias e compatriotas de vir para a América, mas dentre as levas mais recentes de imigrantes os judeus possuíam o elemento nativo mais bem estabelecido que pressionaria o caso efetivamente. Por detrás dos líderes políticos e comunais havia um grupo de intelectuais que demonstravam e advogavam ao mesmo tempo a igualdade antropológica e intelectual dos judeus e de todos os outros recém-chegados – Israel Zangwili, Mary Antin, Israel Friedlander, Franz Boas, Horace M. Kallen, e outros. Além disso, os imigrantes estavam, na urna eleitoral, reforçando efetivamente as doutrinas de igualdade humana expostas por esses intelectuais[32]. A ajuda preferida e aparentemente inócua aos imigrantes continuava a ser a distribuição de caridade. As sociedades beneficentes dos velhos tempos fundadas durante as décadas de 1850 e 1860 – dezenas delas chamadas "Sociedade de Assistência Hebraica" e "Sociedade Benevolente das Senhoras Hebraicas" – adquiriram uma multidão de novos clientes. Como o pão, o carvão, os agasalhos ganharam vulto na década de 1920 nos orçamentos familiares, na saúde mental e na orientação vocacional é uma história um tanto vaga mas amplamente conhecida em seus contornos mais superficiais. E mais uma vez como as diferentes sociedades beneficentes, orfanatos, lares para velhos e coisas parecidas uniram a sua coleta de fundos e começaram a aplicá-los e planejar em uníssono, é outra história muito significativa. Essas instituições "científicas" prospectivas não eram absolutamente o primeiro recurso do imigrante desamparado, que tinha suas próprias sociedades de conterrâneos, grupos de ajuda mútua, e "alojamentos" às centenas. A tendência a ficar ressentido se com proteção caritativa foi uma das razões que levaram os imigrantes a fundar instituições separadas. Acentuava-se que apenas em seus próprios hospitais e orfanatos e lares para velhos era mantida uma dieta *koscher* e uma atmosfera intimamente judaica. Não obstante, é revelador como o *downtown* lisonjeava inconscientemente o *uptown* aceitando a rede institucional fundada pelos nativos e tentando com ela rivalizar[33].

32. Higham, *op. cit.*, pp. 123-130, 304-305; Arthur Gorenstein (Gorenl), "A Portrait of Ethnie Politics: The Socialists and the 1908 and 1910 Congressional Elections on the East Side". *In*: *PAJHS*, março de 1961, L, 3, pp. 202-238.

33. Uma antologia histórica útil é a de Robert Morris e Michael Freund. *Trends and Issues in Jewish Social Welfare in the United States 1899-1952*. Filadélfia, 1966; Swichkow e Gartner, *op. cit.*, pp. 53-54, 211-212, 215-234; Plaut, *op. cit.*, pp. 140-146; Gutstein, *op. cit.*, pp. 334-360.

A evolução de outras instituições, muito mais sofisticadas, é instrutiva. A Aliança Educacional foi construída no Baixo East Side de New York em 1889. Durante seus primeiros anos, o ídiche ou outra expressão cultural imigrante era permitida dentro de suas paredes e o regime era o de uma cultura inglesa imposta amiúde de maneira artificial. Por volta de 1914, entretanto, tornou-se um centro cultural e social em que jovens artistas e musicistas, bem como atletas, se instruíam, em que o ídiche era usado publicamente e em que mesmo os jovens hebraístas praticavam a língua renascente[34].

O caso do Seminário Teológico Judaico sugere problemas ainda mais sutis. Os judeus nativos preocupavam-se com os jovens que rejeitavam a religião de seus pais em favor de doutrinas sociais radicais ou ateísmo militante ou eram levados pelo hedonismo e pareciam inclinados para o crime. Foi virtualmente postulado que os imigrantes judeus não adotariam o judaísmo reformado (efetivamente alguns dos mais jovens se interessaram pela cultura ética). Aos olhos dos líderes nativos, uma forma tradicional mas moderna de Judaísmo para o imigrante ou filhos dos imigrantes era necessária e assim o moribundo Seminário Teológico Judaico foi refundado para instruir rabis "americanos" numa instituição de estudos judaicos superiores. Um amplo edifício, doação considerável, e uma importante Biblioteca e Faculdade foram rapidamente conjugados. Todavia, jamais deixou de haver tensões entre o eminente Solomon Schechter, cabeça do Seminário, que desejava antes de mais nada uma instituição de saber, e alguns membros do Conselho que pareciam querer uma obra de "americanização" de inspiração religiosa[35]. Um contraste sugestivo é fornecido pela *Ieschivá* de imigrantes, do East Side de New York. Com recursos muito escassos, era apenas uma escola não-profissional de tempo integral para estudo talmúdico adiantado por jovens. Longas controvérsias dentro da Ieschivat Rabenu Itzhak Elhanã precederam a introdução de disciplinas seculares muito modestas. Mas, já antes de 1920, a *Ieschivá* fornecia instrução secular secundária completa dentro de suas próprias paredes e posteriormente estabeleceu a Ieschivá College. Isto desagradava muito à maioria dos judeus nativos, que consideravam a educação geral sob os auspícios judaicos "guetoizantes". Por outro lado, a erudição modernista judaica, promovida por Schechter no Seminário Teológico Judaico, era religiosamente inaceitável para os líderes contempo-

34. Rischin, *op. cit.*, pp. 101-103; *In the Time of Harvest: Essays in Honor of A Iba Hillel Silver*. Ed. Daniel Jeremy Silver, N. Y., 1963, p. 3.
35. Norman Bentwich, *Solomon Schechter*, Filadélfia, 1938, pp. 187-197; *Louis Marshall: Champion of Liberty*. Ed. Charles Reznikoff, Filadélfia, 1956, 2 vols, II, pp. 859-894.

râneos da *Ieschivá*. O estudo secular podia ser feito e ser bem recebido por alguns elementos, mas não o estudo modernizado e histórico da sagrada tradição[36].

Os judeus imigrantes começaram a adquirir a estima dos *uptowners*. Para alguns, eles revelavam um elã intelectual e um interesse em idéias – especialmente idéias não-convencionais – que os membros mais jovens da sociedade séria achavam exaltante. Para alguns membros judaicos da sociedade adequada, os imigrantes judaicos pareciam mostrar uma maneira mais autêntica, mais apaixonada e, de certa forma, mais atraente. Uma segunda fonte de estima derivava da maior façanha a curto prazo dos imigrantes, o movimento operário judaico. Após uma geração toda de ajustes e começos malogrados, a maré de vitalidade e sucesso do movimento atraiu burgueses liberais e ganhou amplo respeito e atenção. Os judeus nativos tentaram repetidamente mediar greves de operários judeus contra empregadores judeus, alegando que o fato levava a lavar a roupa suja em público. Os líderes do movimento operário judaico, geralmente comprometidos com a retórica revolucionária, recusavam-se a encarar as greves como uma discórdia judaica interna, mas bastante freqüentemente aceitavam de alguma maneira mediadores *uptowners*[37].

A Primeira Guerra Mundial foi uma intensa e até decisiva experiência tanto para a cepa nova como para a velha. Muitos imigrantes ou seus filhos usavam uniformes militares e o igualitarismo do Exército e o fervor patriótico forneceram uma superlativa experiência de "americanização". Os judeus nativos estavam mais atentos do que nunca em defender os imigrantes num tempo de xenofobia patriótica contra as imputações de deslealdade a que eram vulneráveis por causa das revoluções e complexidades políticas em suas terras de origem e o difundido sentimento entre eles de pacifismo socialista. Mas durante a Primeira Guerra Mundial também os judeus nativos persuadiram-se e tornaram-se sucessivamente advogados de causas que lhes eram outrora desagradáveis. Assim, quebraram lanças pelos direitos nacionais judaicos minoritários na Europa Oriental, baixando seu tom para o de "direitos de grupo", como expressão mais palatável. O Lar Judaico Nacional prometido na Declaração de

---

36. *Ibid.*, II, pp. 888-894; Gilbert Klaperman, *The Story of Yeshiva University*, Mimeografado, cerca de 1966, inédito.

37. Rischin, *op. cit.*, pp. 236-257; Louis Levine (Lorwin), *The Women's Garment Workers: A History of the International Ladies Garment Workers: Union.* New York, 1924, pp. 360-381; Hyman Berman, "The Cloakmakers' Strike of 1910". *In: Essays in Jewish Life and Thought Presented in Honor of Salo Wittmayer Baron.* New York, 1959, pp. 63-94. O interesse pela literatura ídiche surgido lentamente pode ser visto através de Morris Rosenfeld, *Briv.*, Buenos Aires, ed. E. Lifschutz, 1955, pp. 34-105.

Balfour da Grã-Bretanha era a outra causa. O auxílio que brotou para a Judiaria Européia vinha da *uptown* e *downtown* e era distribuído principalmente pelo renomado American Jewish Joint Distribution Committee[38].

Os problemas da década de 1920 estão acima do escopo dessas observações. Por essa época, a influência recíproca dos dois segmentos era ou deveria ter sido bem evidente. A firme concepção e prática do Judaísmo da velha cepa estava superada e alterada pelo vigor intelectual dos recém-chegados nessa e em outras esferas. De fato, duas gerações de judeus nativos, às quais gradualmente se juntaram em massa famílias imigrantes aculturadas e prósperas, focalizaram praticamente toda sua vida comunal e preocupações no imigrante europeu oriental e sua transformação. Foi o cepo judaico mais antigo que, duradoura e efetivamente, defendeu os judeus recém-chegados, enquanto os castigava sem muita reserva e acima de tudo ajudava a manter a imigração virtualmente livre antes de 1925[39]. O exemplo de seus predecessores fornecia um modelo – para muitos o modelo – do modo de ser um americano e um judeu para os imigrantes da Europa Oriental. Houve ampla adaptação e mudança, mas aqueles que vieram primeiro deram àqueles que vieram depois sua mais significativa lição. O número relativamente grande de judeus que chegaram depois de 1925, especialmente da Alemanha e Áustria durante a década de 1930 e depois de 1945 como sobreviventes do holocausto judaico europeu, encontraram uma judiaria americana totalmente formada. Sua limitada influência sobre a vida americana judaica, com a possível exceção de seu setor religioso ortodoxo, também mostra que os anos formativos haviam terminado.

---

38. Oscar Janowsky, I. *The Jews and Minority Rights 1898-1919.* New York, 1933, pp. 161-190, 264-320; Rosenstock, *op. cit.*, pp. 98-127; Zosa Szajkowski, "Jewish Relief in Eastern Europe 1914-1917". *In*: Leo Baeck Institute *Yearbook*, 1965, X, pp. 24-56; Naomi W. Cohen, "An American Jew at the Paris Peace Conference: Excerpts from the Diary of Oscar S. Straus". *In*: *Essays . . . Baron*, pp. 159-168; para uma visão da Primeira Guerra Mundial na cena local judaica, ver Swichkow e Gartner, *op. cit.*, pp. 268-285; ver também E. Lifschutz, The Pogroms in Poland of 1918-1919, the Morgenthau Committee and the American State Department. *Zion*, XXIII-XXIV, 1-2 e 3-4, 1958-1959, pp. 66-97, 194-211 (em hebraico com sumários em inglês).

39. Higham, *op. cit.*, pp. 264-330; Rosenstock, *op. cit.*, pp. 214-233.

18. Sociedade Israelense: Principais Características e Problemas

A comunidade judaica na Palestina (a assim chamada *Ischuv*) e o Estado de Israel desenvolveram-se a partir das atividades dos grupos sionistas que surgiram em fins de 1890 na Europa Oriental e Central[1]. Essa rebelião negava que uma vida e tradição judaicas sólidas e viáveis pudessem ser mantidas dentro da estrutura de uma sociedade moderna fora da Palestina. A ideologia sionista sustentava que dentro de qualquer estrutura dessa natureza os judeus ficariam dilacerados entre a aniquilação espiritual e a cultural; de um lado, o solapamento de sua vida tradicional e comunal pelas forças econômicas, políticas e culturais modernas e, de outro lado, o aniquilamento físico devido à assimilação incompleta e à incapacidade da sociedade moderna para digerir esse elemento estranho. A ideologia sionista afirmava que apenas na Palestina poderiam ser estabelecidas uma sociedade judaica nova, moderna, viável, e uma nova síntese do Judaísmo e da cultura humana universal entre tradição e modernidade.

O objetivo dos primeiros pioneiros era que o *Ischuv* se tornasse não só uma sociedade moderna em todos os sentidos da expressão mas também que incorporasse valores e significados mais amplos e alguma significação transcendental. Esse objetivo desenvolveu-se, de um modo transformado, a partir do legado da sociedade judaica tradicional, que combinava um ardente anseio por um sentido uni-

---

1. A presente análise deriva principalmente de Eisenstadt, S. N. *Israeli Society*. Londres, 1967.

versal com as realidades de uma minoria oprimida. Enquanto essa minoria permaneceu fechada em si mesma, a tensão entre esse anseio e a realidade produziu considerável atividade criativa dentro de sua própria estrutura, embora relegando qualquer esperança de que suas pretensões universais fossem aceitas num futuro distante. Quando os portões da sociedade européia foram – pelo menos parcialmente – abertos, muitos de seus membros conseguiram entrar em campos de atividade geral social e cultural nos quais podiam ser altamente criativos. Mas ao mesmo tempo eles se defrontavam com o problema de perder sua identidade judaica coletiva e, ou de não serem totalmente aceitos dentro da sociedade européia mais ampla.

O movimento sionista visava fornecer a oportunidade para uma criatividade cultural e social de significação universal dentro de um quadro de uma sociedade judaica livre, moderna, auto-suficiente: e é essa combinação que responde pela tremenda ênfase dada à criatividade sociocultural e por suas orientações fortemente elitistas. Essa ênfase foi posteriormente intensificada pelas circunstâncias externas prevalecentes na Palestina – as condições do país, a falta de reservas capitais e recursos humanos apropriados, assim como a ausência de longa tradição de uma sociedade civil regular.

Essas orientações eram mantidas principalmente pelos primeiros grupos pioneiros, constituídos na sua maioria por jovens intelectuais rebelados contra o *background* paterno na Diáspora (especialmente na Europa Oriental e Central), que se organizaram em pequenos grupos sectários pioneiros que foram para a velha pátria na Palestina para estabelecer ali uma nova e viável sociedade judaica moderna.

Foram tais características das primeiras ondas de imigração (*Aliot*), que moldaram alguns dos traços mais importantes do *Ischuv* – especialmente por ser uma sociedade ideológica – isto é, uma sociedade cuja identidade coletiva básica se expressava em termos ideológicos. E foi o encontro entre essas orientações ideológicas, a realidade da Palestina e as contínuas e novas ondas de imigração que configuraram as principais características institucionais do *Ischuv*.

Talvez o caráter mais notável do *Ischuv* tenha sido que seu centro se desenvolveu em primeiro lugar. Suas instituições e símbolos centrais cristalizaram-se antes do aparecimento da "periferia", composta de grupos e estratos sociais mais amplos e menos criativos. Este centro – construído através das orientações elitista e futura das facções pioneiras – era considerado capaz de permear e absorver a periferia que, pretendia-se, desenvolver-se-ia e expandir-se-ia através de contínua migração.

As orientações ideológicas e elitistas dos primeiros grupos pioneiros, as fortes orientações transcendentais e o forte senso de responsabilidade pessoal pelo cumprimento do ideal inerente à imagem do pioneiro guiaram o desenvolvimento inicial desse centro, seus símbolos e instituições.

Tentativas de longo alcance para desenvolver uma estrutura específica moderna estavam implícitas na ideologia pioneira. Essas tentativas combinavam os aspectos positivos da moderna tecnologia com a manutenção de valores humanos e sociais básicos e orientavam-se especialmente para sua aplicação nos campos da organização social e econômica. Todavia, essas orientações econômicas não eram puramente sociais ou ideológicas. Estavam intimamente relacionadas com o esforço nacional e eram concebidas não em termos utópicos mas antes como parte e parcela da construção de uma nova nação.

O encontro entre essas orientações e as tarefas com que se depararam na sua aplicação na Palestina durante os períodos Otomano e do Mandato constituiu o ponto focal do desenvolvimento da estrutura social israelense.

Como implicitamente se supunha, o desenvolvimento e a manutenção de um alto-padrão de vida para as existentes e futuras ondas de emigrações, necessitava-se uma separação parcial da tradicional economia árabe local.

Entre os fatores básicos iniciais que influíram sobre a aplicação desses ideais estava a falta de recursos capitais adequados e mão-de-obra para ocupações primárias, combinada, entretanto, com um alto potencial educacional inicial. Este último atributo eventualmente garantiu uma transição relativamente suave para um nível razoavelmente alto de desenvolvimento tecnológico.

Essas exigências básicas, ao lado da ideologia dos grupos pioneiros, causaram a forte concentração inicial de capital público nos principais setores de desenvolvimento enquanto, ao mesmo tempo, permitia a expansão contínua dos setores privados. Deram também origem à forma de organização socioeconômica especificamente israelense – acima de tudo, às colonizações comunais e cooperativas – e à proliferação de empresas cooperativas no setor urbano, característica igualmente encontrada até certo ponto em outras sociedades sectárias e colonizadoras. Entretanto, muitas dessas corporações cooperativas e colonizadoras foram numa certa medida incorporadas na estrutura mais unitária do Histadrut num grau incomparável ao de outros países, superando assim a orientação inicialmente agrária dos primeiros grupos pioneiros. Foi aqui que os principais traços da estrutura social urbana do *Ischuv* evolveram. Mais importante foi a tentativa de combinar estruturas organizatórias em larga escala unificadas, destinadas à consecução de metas coletivas, com facções ou movimentos sociais mais fechados e totalitários, de um lado, com as organizações diferenciadas, funcionalmente específicas, de outro.

O segundo aspecto da estrutura social emergente do *Ischuv* foi a ênfase sobre a igualdade e a depreciação da especialização. Evidencia-se de duas maneiras: na forte inclinação igualitária na distribuição de recompensas atribuídas às principais funções profissionais e na minimização das diferenças entre elas e a suposição de uma transição fácil de uma para outra.

Outro aspecto do igualitarismo foi a acessibilidade geral às várias posições profissionais. Esse aspecto foi, entretanto, muito menos enfatizado explicitamente nas primeiras doutrinas ideológicas. Isto se devia ao fato de que no início o acesso a essas posições não constituía um problema; era assegurado pela relativa homogeneidade das oportunidades educacionais e culturais e pela dependência de todos os grupos em relação aos recursos externos econômicos e políticos.

O *Ischuv* desenvolveu também alguns traços característicos no campo cultural e especialmente nas relações entre a tradição e a modernidade, dentre os quais dois merecem destaque. Um é a espetacular revivescência da língua hebraica como língua moderna que, de um lado, se tornou o idioma nacional comum da comunidade, o idioma dos jardins-de-infância, escolas e discurso quotidiano, enquanto, de outro lado, mostrou-se capaz de competir com os problemas das exigências científicas, literárias e tecnológicas modernas.

Nisto ocupa provavelmente um lugar talvez único entre as línguas tradicionais e isso, por sua vez, teve importantes repercussões sobre o formato cultural da comunidade.

O fato de que a "tradicional" língua religiosa se tornou a língua nacional comum e meio de discurso de uma comunidade moderna reduziu a possibilidade de que dentro desta comunidade se desenvolvessem pronunciadas fissuras ou clivagens simbólicas entre o "tradicionalista" e o "modernista", do mesmo modo que diminuiu a dependência cultural de centros estrangeiros de fora como fontes de modernidade.

Numa direção paralela operou igualmente outro fator na esfera cultural – a consecução, no início da história do *Ischuv*, de um *modus vivendi* entre os grupos religiosos e seculares.

CARACTERÍSTICAS DO *ISCHUV* E DA SOCIEDADE ISRAELENSE DE UM PONTO DE VISTA COMPARATIVO

Valeria a pena a esta altura resumir as indicações comparativas subentendidas na análise precedente e ver quais são as características que a sociedade israelense tem em comum com outras sociedades nas quais alguns de seus componentes analíticos podem também ser encontrados.

A sociedade israelense possui traços importantes em comum com algumas sociedades não-imperiais colonizadoras (especialmente Estados Unidos e os Domínios Britânicos). Primeiramente uma acentuada ênfase sobre a igualdade, pelo menos entre os primeiros grupos de colonizadores e a conseqüente falta de qualquer classe influente hereditária de proprietários de terras aristocráticos e feudais. Segundo, o desenvolvimento de uma poderosa concentração de vários tipos de atividades administrativas e econômicas dentro de amplas e unificadas estruturas organizatórias em comum com outras sociedades colonizadoras sectárias. E finalmente, e também em comum com outras sociedades colonizadoras, a colonização sionista enfatizou a conquista de terras cansadas através do trabalho – como é demonstrado pela expansão das ocupações primárias e produtivas e pela expansão das estruturas e fronteiras colonizadoras.

Tais combinações de esforços cooperativos e empreendimento econômico-colonizador poderiam igualmente ser encontradas por exemplo na colonização de terras cansadas pelos mórmons. A combinação de sindicatos com as atividades industriais e financeiras do *entrepreneur* são igualmente encontradas em outros movimentos operários politicamente orientados, especialmente na Escandinávia e – em menor escala – na Inglaterra.

Todavia, a fusão desses traços, tais como evoluíram no Histadrut, parece ser única e é explicada pelo caráter político e pela perspectiva do Histadrut. Isto explica igualmente seu poder político, embora não seja, economicamente, o setor mais amplo do país.

Essas características tornaram-se intimamente entrelaçadas com outros componentes da sociedade israelense, tais como os movimentos partidários ou sociais que eram evidentes na perspectiva totalitária das facções pioneiras, com sua forte coesão ideológica interna e a institucionalização da ideologia em face da crescente diferenciação social.

Os pioneiros sionistas, entretanto, ao contrário da maioria dos movimentos sociais e nacionalistas modernos, não planejavam a imediata tomada de poder e uma estrutura política nova e unitária. Sua tônica inicial recaía sobre a ampla colonização urbana e rural que, em si mesma, enfraquecia as implicações políticas das orientações totalitárias.

Foi somente no fim do período mandatário, com a intensificação da luta política externa, que uma certa concepção de constituição autônoma se desenvolveu.

Estavam excluídos do movimento partidário e social elementos do *Ischuv* que se desenvolveram com outra tendência crucial – a forte inflexão ideológica elitista que visava à realização de uma nova sociedade através da execução de um programa ideológico.

Nisto, Israel se aparentava a algumas sociedades revolucionárias, como a URSS, Iugoslávia ou México, que tentaram moldar sociedades relativamente tradicionais dentro de padrões específicos modernos. Entretanto, as ideologias que foram desenvolvidas dentro do movimento sionista continham mais elementos variegados e heterogêneos do que qualquer uma daquelas seitas religiosas fechadas ou de movimentos políticos revolucionários. Essa diversidade ideológica foi grandemente reforçada pela coexistência de muitos grupos diferentes dentro da estrutura federativa do *Ischuv*, criando novos núcleos institucionais voltados para valores culturais e sociais mais universalistas e mais amplos.

A sociedade israelense também compartilhava de muitos traços e problemas com outros países que possuíam imigração em larga escala. Tinha de lidar com contínuas ondas imigratórias e com sua integração nesta estrutura institucional emergente. Mas desenvolveu também características específicas a si mesmas, enraizadas em motivações e orientações básicas entre os imigrantes e sua forte ênfase nas metas nacionais e sociais.

Como foi salientado, a sociedade israelense continha também muitos elementos e problemas similares aos de outros países desenvolvidos. Essa similaridade podia também ser encontrada no estabelecimento de uma nova estrutura política pela elite de um governo colonial e a conseqüente transformação dessa elite numa classe dirigente. Entretanto, sobressaem várias diferenças importantes.

Ao contrário de muitas sociedades desenvolvidas contemporâneas, a estrutura institucional inicial em Israel foi estabelecida por modernas elites e paralelamente a linhas modernas. Tais elites possuíam uma grande reserva de pessoas educadas comprometidas com uma ideologia, perspectiva ou doutrina para a criação de uma sociedade moderna. Os elementos tradicionais só foram tomados nessas estruturas muito mais tarde e o processo de sua modernização foi mais rápido e mais intenso do que em muitos outros países em desenvolvimento recém-independentes. Além disso, e ainda de maneira diferente à de muitos Estados novos, a consecução da independência não criou uma violenta ruptura com o passado, uma vez que o *Ischuv* e o movimento sionista já haviam desenvolvido organizações políticas, administrativas e econômicas múltiplas. A ênfase dada ao "Reino Político" foi conseqüentemente bem menor.

ISRAEL, ESTADOS UNIDOS E URSS – COMPARAÇÕES NA MODERNIDADE

A combinação das características acima relacionadas foi quase única como pode ser verificado pela comparação com as duas sociedades industriais mais importantes: a colonização puritana nos Estados Unidos e a revolução política ideologicamente orientada na URSS.

Algumas das semelhanças com tais sociedades, como a colonização por grupos partidários nas colônias americanas e a pronunciada ênfase socioideológica na Rússia, ainda que notáveis, não devem obscurecer importantes diferenças. Com relação aos Estados Unidos havia, é claro, as diferenças evidentes no meio ambiente externo – as diferenças entre um continente amplo, esparsamente povoado, potencialmente aberto e um país pequeno, improdutivo, densamente povoado, cercado por outros países que logo se tornaram hostis aos esforços colonizadores estabelecidos e criaram assim problemas de segurança imediatos e considerações sobre o desenvolvimento de uma nova sociedade.

Mas, além disso, havia também algumas distinções importantes entre os grupos puritanos de um lado e as facções pioneiras sionistas e socialistas de outro. Ao contrário dos primeiros, as últimas eram, na maioria das vezes, seculares; e não foi na esfera religiosa que foram mais inventivas e revolucionárias. Por esta razão, enquanto a sociedade americana tinha de enfrentar uma secularização contínua que devia relacionar-se com suas primeiras orientações de valores religiosos, a sociedade israelense defrontou-se com problemas quase opostos. Tinha de transformar suas ideologias seculares totalitárias num sistema de valores de uma sociedade mais diferenciada e parcialmente desideologizada e posteriormente enfrentar a possibilidade da desagregação desses valores por muitos fatores – entre eles a crescente militância dos grupos religiosos não-sionistas em desenvolvimento novamente. Sobre o aspecto social e econômico, havia grande diferença entre as orientações coletivas e a forma de organização dos grupos sionistas predominantes e o caráter mais individualista e o recrutamento individual dos pioneiros americanos.

Seguiu-se a grande diferença no desenvolvimento e expansão após a fase inicial. Apesar de ambos os casos lidarem com sociedades que tinham de absorver ondas de imigrantes cujas orientações sociais diferiam das dos primeiros colonizadores, havia diferenças básicas nesses problemas e na estrutura em que estavam colocados. Na América, a motivação mais comum dos novos imigrantes – especialmente durante a segunda metade do século XIX e começo do XX – era a obtenção de segurança pessoal e avanço econômico, enquanto em Israel era mais uma orientação nacional comum. Assim, enquanto algumas das diferenças entre os grupos imigrantes, mais recentes, tradicionais e os primeiros colonizadores eram menores em Israel que nos Estados Unidos, eram sentidas como se fossem mais cruciais para a unidade da nação.

As diferenças com a URSS são até mesmo mais notáveis. Além das diferenças óbvias de escala e o relativo atraso da sociedade russa, estava o fato de que na Rússia as tentativas para moldar a sociedade numa fórmula ideológica partiram de uma elite altamente unificada e estritamente organizada após a Revolução e depois do estabelecimento de uma nova estrutura política e que os ideólogos viram-se por isso enredados no estabelecimento e manutenção de um regime totalitário voltado para a rápida industrialização de um país relativamente atrasado.

No *Ischuv* e no Estado de Israel tentativas para execução da ideologia surgiram muito antes do estabelecimento de uma estrutura política unificada e relacionavam-se principalmente com os campos econômico, colonizador e social. O estabelecimento do Estado continuou esse processo de institucionalização seletiva numa linha pluralista e enfraqueceu a eficácia dos elementos monolíticos na orientação ideológica da elite. Não apenas tais tentativas se assentavam numa orientação pluralista-constitucional, mas, paradoxalmente, a tônica da ideologia pioneira deu também origem a reivindicações a manutenção de certa influência política, feitas por alguns dos antigos grupos pioneiros, contra os do Estado, reforçando-se assim a tendência pluralista. Além disso, tais grupos obtiveram relativo êxito em absorver novos elementos que não deviam, como na Rússia, ser coagidos dentro da nova estrutura central.

PROCESSOS E PROBLEMAS DO NOVO ESTÁDIO DE DESENVOLVIMENTO DE ISRAEL

As diferenças entre as sociedades acima mencionadas e o *Ischuv* ajudam a iluminar as características específicas estruturais posteriores e os modos pelos quais estava capacitado a tratar dos vários problemas que tinha de enfrentar no novo estádio de desenvolvimento em que ingressou quando foi estabelecido o Estado de Israel. Foi nessa etapa que a capacidade do *Ischuv* para crescer, para absorver novos elementos e para lidar com novas espécies de problemas havia de ser seriamente testada de muitos modos.

Esses problemas desenvolveram-se fora das três amplas tendências que efetuaram a transformação estrutural da sociedade israelense e que, por assim dizer, introduziram um novo estádio do desenvolvimento ou modernização.

O primeiro deles era a crescente diferenciação e especialização em todas as principais esferas da sociedade, mas especialmente nos campos profissional e econômico, culminando na "situação de irreversibilidade" na mobilidade ocupacional – um desenvolvimento que era, em certa medida, oposto à ideologia pioneira inicial.

A segunda tendência era a transformação, com o estabelecimento do Estado, da elite dentro do grupo dirigente e as mudanças concomitantes na colocação e orientação estruturais de todos os outros grupos importantes.

Terceiro, o influxo em larga escala de novos imigrantes, uma das maiores fontes para a expansão crescente e a diferenciação da estrutura social de Israel mas que também trouxe alguns dos problemas mais difíceis que a sociedade israelense teve de enfrentar. Nele, desenvolveu-se o perigo de queda do nível das realizações econômicas, técnicas e educacionais e a possibilidade de criar toda uma gama de novas tensões e conflitos sociais e culturais, conduzindo a uma possível ruptura entre "Orientais" e "Ocidentais" e dando assim origem à possibilidade da criação de "Duas Nações" dentro de Israel.

Essas três tendências coincidentes acentuaram o problema de saber até que ponto as elites e centros existentes estavam aptos a absorver as novas periferias ampliadas dentro dos quadros de suas instituições e símbolos básicos.

Como em todas as outras sociedades modernas ou modernizadoras que entram numa nova etapa de desenvolvimento e se defrontam com novos problemas, as tentativas para resolver esses problemas podiam desenrolar-se quer de uma maneira que assegurasse o crescimento conseqüente da sociedade, quer numa direção mais estagnante livre de conflitos.

Em Israel cada um desses possíveis envolvimentos estava baseado em alguma combinação das antigas ideologias e instituições associadas com novas orientações e organizações.

Esses encontros criaram diversas possibilidades de desenvolver orientações culturais e padrões de organizações sociais mais amplas e universalistas, e de integrar esses núcleos organizacionais e institucionais condutores de tais orientações nas novas organizações envolvidas no período do Estado. Reciprocamente, podiam nesse particular desenvolver uma ênfase mais enérgica sobre uma estrutura particularista e imputável, reforçando assim as tendências na sociedade para a estagnação e contribuindo para um possível declínio dos níveis da atividade cultural, social e econômica.

Tais tendências para a estagnação podiam reforçar-se pela transformação de muitos movimentos sociais em grupos de interesses mais restritos, pelo desenvolvimento de orientações restritivas dentro de "antigos" movimentos grupais (as colonizações, o Histadrut, os partidos políticos) e pelo desenvolvimento de tais orientações dentro de vários setores novos da sociedade, como os novos grupos étnicos e religiosos e as várias organizações profissionais.

No item seguinte indicaremos brevemente os principais meios pelos quais os novos problemas – e as várias tentativas para tratar deles – evoluíram nos principais campos da sociedade israelense.

PRINCIPAIS PROBLEMAS ECONÔMICOS

No campo econômico muitas dificuldades surgiram na transição de uma economia, na qual a principal ênfase residia na mobilização e investimento de capital para a expansão física, para uma economia na qual a maior parte dos investimentos devia ser aplicada no progresso tecnológico.

As estruturas econômica e social do *Ischuv* foram originariamente engrenadas para a contínua expansão física tanto da agricultura como da indústria e para a mobilização e investimento de capital através de canais coletivos e privados.

O influxo de novos imigrantes oriundos de sociedades com nível educacional e tecnológico mais baixo e as dinâmicas internas da economia, com sua pressão no sentido de alcançar padrões de vida mais elevados, deram ímpeto à crescente diferenciação e especialização na esfera profissional e econômica, resultando no estabelecimento de novas empresas e na contínua expansão física da economia, de acordo com o padrão e estrutura existentes.

Dentro deste quadro a segurança social parcial oferecida pelo Histadrut garantia importantes facilidades para a absorção inicial de mão-de-obra imigrante na agricultura e na indústria num grau provavelmente sem paralelo na maioria dos outros países desenvolvidos.

Mas tais políticas não eram suficientes para assegurar a consecução de novos níveis do desenvolvimento econômico e tecnológico e a capacidade da elite para lidar com a contínua expansão econômica e a diferenciação foi seriamente testada.

Os problemas e as dificuldades eram em dois níveis. No nível central político, tornaram-se evidentes nas tentativas feitas pelo governo para manter controle total dos principais processos de evolução e crescimento, se tentasse ao mesmo tempo utilizar todos os grupos empresariais disponíveis a fim de assegurar a expansão física da economia.

Isto deu origem ao paradoxal desenvolvimento de uma forte maré montante especulativa tanto no setor público como no privado e as conseqüentes tentativas por parte da elite para controlar os sintomas (como o consumo conspícuo), ainda que não as causas mais profundas de tal especulação. Isto criou também grandes dificuldades em curvar o crescente consumo e em colocar a economia de Israel num nível tecnológico que pudesse competir no mercado internacional.

No nível mais setorial os principais impedimentos a uma transformação estrutural radicavam-se no conservantismo de muitos dos sindicatos que, um tanto semelhantes aos da Inglaterra, não possuíam a flexibilidade dos sindicatos suecos. Esse conservantismo constituiu um obstáculo à mobilidade do trabalho e ao progresso para níveis mais elevados de capacidade técnica e profissional.

De modo semelhante, a política do governo tendia a desencorajar o desenvolvimento de tipos relativamente novos de *entrepreneurs* não dependentes da proteção dada no mercado local pelos subsídios governamentais e pela política alfandegária e de um nível mais elevado de especialização econômica.

Aqui igualmente muitas transformações ligadas com o eleitorado altamente politizado, que exercia pressões contínuas para o crescente consumo, deu origem a um possível desgaste de recursos para o desenvolvimento econômico.

Em contraste com as mais antigas funções não-especializadas que se diziam os únicos sustentáculos dessas orientações mais amplas, tornou-se vital em todas essas esferas encontrar novas ou diferenciadas funções profissionais e encontrar modos de conectar os aspectos mais técnicos de tais funções com orientações coletivas valorativas mais evoluídas.

Aqui também o problema da adequação do sistema educacional para prover as necessidades de uma estrutura social diversificada e para um desenvolvimento técnico mais elevado tornou-se muito agudo.

Um sistema educacional homogêneo que oferecia uma educação predominantemente humanística com variedade relativamente pequena tendeu a desenvolver-se, tal como em outros países de forte tradição educacional humanista e elitista. Isto criou alguma rigidez em relação à orientação profissional e tecnológica e acentuou a necessidade de encontrar meios de combinar valores culturais gerais e amplos com tarefas mais especializadas, rejeitando tanto uma adesão rígida à orientação geral do período precedente como um sistema indiscriminado engrenado apenas para as necessidades técnicas especializadas e mutáveis.

Essa tendência, reforçada pela excessiva ênfase no serviço público e na expansão de oportunidades educacionais acadêmicas, podia contribuir para a rigidez do sistema educacional, para atrasos cada vez maiores dentro dele e para um possível declínio dos padrões gerais de educação.

Todavia, ajudou também a cristalizar as possibilidades mais dinâmicas de desenvolvimento, de estabelecimento de novos centros de criatividade potencial nas esferas cultural, científica, profissional e tecnológica.

PRINCIPAIS MUDANÇAS E PROBLEMAS NA ORGANIZAÇÃO SOCIAL

Problemas e dilemas semelhantes surgiram igualmente na esfera mais geral da organização e estratificação sociais. Uma crescente diferenciação modificou fundamentalmente a organização social israelense, destruindo a relativa igualdade das diferentes posições ocupacionais e perturbando a homogeneidade do *status*. Ela modificou também as bases de acessibilidade a várias e novas – e especialmente mais altas – posições profissionais e criou novas rupturas e tensões em torno dessas vias de acesso.

Como na maioria dos outros países, a crescente importância das realizações educacionais salientou os problemas de acesso diferencial a oportunidades e instituições educacionais.

O estabelecimento do ensino oficial obrigatório geral levou à absorção de grupos sociais que não compartilhavam das orientações sociais dos criadores do sistema. Nesse estádio, o sistema educacional tornou-se instrumento importante da seleção profissional.

Em Israel o aspecto mais crucial desses problemas era o "étnico", isto é, o problema dos assim chamados grupos orientais.

Em todas as esferas da organização social, o problema da possível dissidência entre os novos grupos orientais e os veteranos europeus tornou-se muito importante. Isto se evidencia principalmente no fato de os grupos orientais tenderem a se concentrar nas posições mais baixas no campo educacional e profissional. Tanto o sistema econômico como o educacional, embora bem-sucedidos nas etapas iniciais de absorção, foram muito menos bem-sucedidos no tocante à autotransformação necessária para poder atalhar essa distinção e criar novos níveis de especialização e novas estruturas e organizações que fossem comuns ao antigo e ao novo, a "orientais" e "europeus" igualmente.

Com a possibilidade de perpetuar essa privação através de um continuado malogro no setor educacional, desenvolveu-se um sentimento de frustração entre esses grupos – e não menor entre seus escalões médios mais bem-sucedidos.

Esse problema era em certa medida semelhante ao problema de ajustar grupos tradicionais, em outras sociedades em desenvolvimento, a tarefas educacionais e profissionais modernas. Todavia, a intensidade desse problema em Israel foi acentuada pelo grande êxito inicial (quando comparado com outras comunidades subdesenvolvidas ou imigrantes) na absorção de grupos tradicionais nos meios modernos e pelo total empenho da sociedade em sua completa integração e na criação de uma nacionalidade comum.

A busca de soluções para tais problemas progrediu, como em outras sociedades, em duas direções diferentes – para uma crescente flexibilidade e expansão, de um lado, nas estruturas econômica e social e, de outro, para tensões insolúveis e estagnação.

As políticas conducentes a um progresso maior estavam vinculadas ao desenvolvimento de novos empreendimentos e estruturas sociais, educacionais e econômicas especializados, orientados e organizados universalisticamente, e que tendiam a atravessar os diferentes grupos étnicos e sociais. As possibilidades mais estagnadoras ligavam-se à perpetuação das estruturas existentes, em cujo interior as diferenças entre esses grupos se tornaram mais pronunciadas e com a concomitante simbolização dessas diferenças. Essas, por seu turno, geraram tentativas para superar tais problemas, não pelo auxílio aos grupos relativamente carentes no sentido de levá-los a obter as qualidades necessárias à realização nos vários (velhos ou novos) quadros universalísticos, mas sobretudo pela conversão da condição de membro de vários setores particularistas da sociedade – político, étnico ou religioso – no principal critério de acesso a diferentes posições e aos proveitos a elas ligados.

REPERCUSSÕES SOBRE OS VALORES E IDEOLOGIAS E A CONTINUIDADE DA IDENTIDADE DE ISRAEL

Todos esses problemas, indicativos como eram da capacidade da sociedade israelense em lidar com o estendimento de sua periferia e com os problemas de um novo estádio da evolução ou modernização, estavam intimamente correlacionados com transformação da imagem do pioneiro.

Essa imagem combinava, como vimos, tanto o ascetismo como o sentimento de terrenidade, ao lado de algumas qualidades mais gerais e potencialmente transcendentais que iam além de qualquer situação e posição concretas. Todavia, ela continha igualmente outras orientações mais estagnadoras. Nisto não diferia das orientações ideológicas e religiosas relacionadas à famosa Ética Protestante, assim como de muitas outras orientações ideológicas de países modernos ou em vias de modernização.

Aqui também, como em muitos desses casos, a ideologia inicial revelava fortes inclinações totalísticas e tendências restritivas que foram inicialmente minimizadas e transformadas através da institucionalização dos grupos religiosos ou pioneiros dentro do cenário social mais amplo.

Mas neste caso, como em outros, as orientações mais restritivas e estagnadoras poderiam reaparecer ou ser reforçadas em etapas posteriores de desenvolvimento – especialmente quando se engastavam em diferentes estruturas institucionais que tendiam a transformar-se em focos de interesses revestidos e a restringir e impedir a percepção adequada de novos problemas.

Como a fase inicial da modernização do *Ischuv* desenvolveu uma forte ênfase ideológica, essa transformação relacionou-se grandemente com a transição de metas predominantemente ideológicas para metas mais concretas, variegadas e realísticas, apesar de ainda manter compromissos com valores mais gerais e responsabilidades coletivas.

Assim, nesse contexto, a continuidade da expansão de Israel centrou-se em torno da transformação da imagem do pioneiro e dos símbolos iniciais da sua identidade coletiva.

Os principais conceitos da identidade coletiva israelense foram forjados a partir de diversos componentes. Seus exatos limites ou fronteiras atuais não estão fixados, embora seus elementos possam ser facilmente discernidos. Um deles é um patriotismo local muito forte. Ao mesmo tempo certa relação com valores e grupos mais amplos continua a ser um ingrediente importante dessa identidade. Segundo, para a maior parte dos israelenses, a judaicidade é uma parte crucial de sua identidade. Ao mesmo tempo e especialmente nas camadas mais antigas da população, há uma consciência do fato de que o estigma de ser um israelense ou judeu vai além do mero patriotismo local. Refere-se igualmente a valores, tradições e orientações mais largos, por mais inarticuladas ou indefinidas que tais orientações possam ser.

Sejam quais forem os contornos precisos da auto-identidade israelense em relação à estrutura geral da tradição judaica e das comunidades judaicas, já não mais definem a identidade judaica em termos de um grupo ou cultura minoritária. Ser um judeu em Israel não necessita de uma definição de auto-identidade de alguém em relação a uma cultura ou grupo majoritário e não envolve os vários problemas, incertezas e ansiedades que têm constituído um aspecto tão importante da vida e identidade judaicas por todo o mundo moderno.

Outro elemento crucial nessa identidade é a acentuada ênfase dada à autodefesa individual e coletiva, arraigada na tradição dos primeiros "guardiões" e desde então desenvolvida através das tradições da "Haganá" e do exército israelense.

Muitas tentativas foram efetuadas no sentido de redefinir os elementos concretos dessa imagem pioneira. Alegações feitas por vários grupos de que novas tarefas e atividades específicas continham certos elementos dos compromissos coletivos do pioneiro são significativas como esforços para manter tais compromissos no novo cenário, ainda que tais alegações tenham continuamente contribuído para mudar a imagem do pioneiro e torná-la mais difusa.

Como que contra elas, desenvolveu-se a possibilidade de expansão de uma cultura de massa amorfa, e o possível ressurgimento do assim chamado Levantinismo e provincialismo poderia enfraquecer grandemente os horizontes culturais e sociais mais amplos e corroer suas bases e núcleos institucionais. Isto poderia tornar-se evidente na redução das orientações para outros centros de cultura no Ocidental, na perda de contato com outras comunidades judaicas e, conseqüentemente, no incremento da estreita identidade provincial e aumento de orientações puramente instrumentais para compromissos coletivos.

Um espectro similar de dilemas e problemas desenvolveu-se em torno dos símbolos de identidade coletiva quanto à possibilidade dos novos elementos, tradições e orientações. Aqui diversas áreas de conflito potencial, que poderiam facilmente se tornar muito desagregadoras, se desenvolveram.

A primeira dessas situava-se na esfera das relações seculares-religiosas. O conflito nessa esfera tem ultimamente se intensificado e a crescente militância dos grupos religiosos pode bem ter restringido a flexibilidade da identidade coletiva e sua capacidade para lidar com problemas modernos. Outro, foi o conflito entre o excesso de ênfase dado à ideologia, por um lado, e um compromisso mais flexível com valores mais amplos de outro.

Uma terceira área de conflito foi aquela situada na esfera "étnica", na possibilidade de desenvolvimento de "Duas Nações", da intensificação e simbolização da segmentação entre "Orientais" e "Europeus" e no recrudescimento dessa ruptura como um importante fator divisório na esfera dos símbolos centrais sociais, políticos e culturais.

Contra essas possibilidades constritivas e conflituosas também encontramos a contínua expansão e recristalização da imagem coletiva israelense, sua habilidade para incorporar muitos novos elementos étnicos, tradicionais e modernos (técnicos e profissionais) e para ajustar os centros de sua criatividade a novos problemas e situações cambiantes.

SUMÁRIO

Nas páginas precedentes resumimos brevemente alguns dos principais problemas que a sociedade israelense enfrenta nesse estádio de sua evolução, suas raízes históricas e sociológicas, assim como as diferentes direções em que as soluções para eles estão sendo tentadas.

Todos esses vários problemas tendem a convergir para o problema central de se a sociedade israelense será capaz de manter algumas de suas principais premissas e principalmente de combinar a manutenção de uma sociedade judaica moderna auto-suficiente juntamente com o desenvolvimento da criatividade social e cultural com algum significado que ultrapasse seus próprios limites.

Verificamos que muitos dos problemas são largamente devidos à convergência de esperanças e pretensões para a criatividade, de um lado, e de condições de desenvolvimento num pequeno país novo com população e recursos limitados, de outro.

Como vimos, essa sociedade percebeu-se como um "centro" com sua "periferia" numa larga medida exterior a si mesma. Ainda que o estabelecimento do Estado ajudasse a desenvolver uma crescente diferenciação interna "natural" entre centro e periferia, a sociedade israelense tentou continuamente manter suas características "centrais" e "elitistas" e os concomitantes acordos institucionais especializados que enfatizam seus compromissos com a criação de uma ordem cultural e social de significado mais amplo.

Entretanto, tais orientações defrontaram-se inevitavelmente com os problemas criados pelo crescimento de uma sociedade moderna mas pequena, em que a pequenez de sua população pode limitar a capacidade para desenvolver funções e atividades diferenciadas e especializadas e os meios pelos quais tais papéis e atividades podem ser mantidos.

Esse problema tornou-se mesmo mais agudo com a imigração em massa a partir de 1948, que trouxe em sua esteira não apenas um tipo de periferia mais ampla como também diferente – nomeadamente muitos grupos de nível educacional e técnico relativamente mais baixo, com muitas das características de sociedades subdesenvolvidas e "tradicionais" e, acima de tudo, com um compromisso inicial pequeno com esses novos tipos tradicionais modernos de criatividade sociocultural.

Esses grupos converteram-se, como vimos, em quase metade da população de Israel criando tanto novos tipos de exigências feitas às instituições centrais como também a possibilidade de ruptura entre as partes "Oriental" e "Européia" da sociedade e o desenvolvimento de uma situação de "Duas Nações".

Todas essas propensões tenderam a produzir várias pressões estruturais capazes de baixar as características e as tensões criativas da sociedade. Essas pressões são manifestas no desenvolvimento de várias orientações e organizações particularistas.

Tais tendências particularistas parecem ter evoluído a partir de três raízes. A primeira foi a sociedade judaico-européia tradicional e fechada de que a metade veterana da população se originou, e muitas de cujas características teriam se perpetuado no cenário da Palestina, uma vez enfraquecido seu fervor revolucionário original, tornando-se a sua ideologia revolucionária cada vez mais rotineira e institucionalizada. Em segundo lugar estavam as orientações particularistas paralelas dos novos imigrantes que se transformaram no novo cenário em novos tipos de exigências por participação social e política e por recompensas econômicas baseadas em critérios particularistas. Mas tendências particularistas podiam igualmente, em terceiro lugar, ter-se desenvolvido a partir das orientações basicamente elitistas dos próprios grupos pioneiros — enraizados como estavam em pequenas seitas e movimentos sociais que podiam facilmente ter-se transformado em grupos e organizações de interesse relativamente estreitos tentando reivindicar para si mesmas o direito a serem os únicos construtores da criatividade "pioneira" social e cultural, criatividade inerente à ideologia sionista.

Todas essas tendências podiam, é claro, ser facilmente reforçadas pela pequenez do país e de sua população e pelas tentativas de criar dentro dele uma estrutura econômica moderna "normal" com uma função-estrutura diferenciada.

Mas esses novos desenvolvimentos podiam também servir como pontos de partida para novas direções de criatividade, desafiando o centro existente a encontrar, junto com os novos grupos, novos modos de criar vários núcleos de criatividade social e cultural com orientações universalistas mais amplas e tentando continuar a superar as várias limitações inerentes a esse *background* e a esse cenário.

Como, devido à falta de tradições sociais apropriadas e condições ambientais, parece duvidoso que a sociedade israelense possa desenvolver-se como um país moderno de pequeno ou médio porte, esses problemas tornam-se até mais importantes e cruciais para seu futuro. A sociedade israelense enfrenta agora em toda a sua agudez o dilema de, ou declinar para uma estrutura local estagnante, desprovida tanto de forças internas como externas de atração, ou superar essa possível estagnação encontrando novos meios que desenvolvem a criatividade social e cultural que tenha algum significado além de seus próprios limites.

Além disso, aí assoma a questão mais fundamental sobre até que ponto será possível, para uma tradição social e cultural que manteve fortes orientações para tal criatividade social e cultural através de toda sua história, sustentá-las sob novas condições. Como vimos, tais orientações foram mantidas por essa sociedade tanto quando era uma minoria oprimida ou segregada numa sociedade tradicional-religiosa, como quando seus membros começaram a entrar para os vários campos da sociedade ou sociedades majoritárias quando essas se tornaram modernizadas. O problema com que agora ela se defronta, e que constitui seu maior desafio, é de se será capaz de preservar e desenvolver tais orientações agora que deixou de estar engastada apenas numa situação de uma minoria e transportou-se igualmente para a condição de uma sociedade moderna autônoma, que tem de desenvolver suas estruturas e organizações institucionais dentro dos limites de um país relativamente pequeno.

19. Tendências Dinâmicas no Pensamento e Sociedade Judaicos Modernos

Tanto em Israel como em toda a Diáspora, o problemas da unidade judaica é central na idéia que os próprios judeus têm de si mesmos e que os outros têm dos judeus. Tal unidade, quer seja considerada boa, má, ou inexistente, levanta problemas que nos tocam na carne. São os judeus uma nação, indagam as pessoas, ou é apenas a religião que os une? Terão os judeus atualmente qualquer unidade real? Alguns responderiam que não. O rótulo "judeus" (dizem) não passa de um rótulo, pregado num grupo de pessoas aglomeradas por um certo passado ancestral e pela hostilidade de outras pessoas. Na sua opinião essa "identidade" é artificial. Os defensores dessa opinião tornaram-se social e culturalmente parte do país onde se estabeleceram. Outros sentem que sua vida e lealdade não pertencem a nenhuma nação, mas a uma causa humana geral – social, humanitária ou cultural – que lhes conquistou o coração. De qualquer modo, pensar sobre essas questões é pensar sobre a natureza e raízes da identidade judaica. Estará ela morta e acabada ou será uma parte dinâmica da vida moderna? Se afinal de contas a identidade judaica já não existe, como poderá legitimamente constituir o tema deste artigo? A resposta do autor a essa pergunta crucial é definitivamente afirmativa.

Que os judeus possuem de fato uma identidade é a conclusão de muitos estudiosos da história e da moderna sociedade judaicas, especialmente daqueles que vivem em Israel. São levados a essa conclusão pelo estudo da história judaica e pela observação da experiência judaica em nossos dias. Vêem como os judeus viveram no seio das outras nações e observam claros sinais de vitalidade interna especialmente na vida e pensamento judaicos, não apenas no passado mas também no presente. O autor parte da hipótese freqüentemente contestada de que os judeus são hoje um povo que possui, em todos os aspectos, um destino e lutas que lhes são próprios. Outra suposição aqui fundamental é que o destino que os judeus tiveram de suportar e a identidade que este lhes imprimiu moldaram, muito além do que eles mesmos o compreenderam, sua atitude para com a realidade e seus modos de pensar. A história e a cultura judaicas, os valores que foram formados e estão sendo formados especialmente para o povo judeu – esses, na opinião do autor, impregnam todos os ramos da vida e pensamento dos judeus, até mesmo entre aqueles cujas idéias e sentimentos rejeitam com mais violência o jugo indesejável. E o que é mais, a rebelião desses últimos, sua procura de um novo vínculo e de uma nova missão na vida fora do Judaísmo, representa o produto da mesma herança que eles encaram como um beco sem saída, uma escravidão estrangeira para eles. A dialética da assimilação judaica nos ensina a essência e significado da cultura nacional judaica tanto quanto a vitalidade e tenacidade dessa cultura hoje em dia.

II

À primeira vista, a vida dos judeus parece em nossos dias não ser nada mais senão mudança. Como num caleidoscópio novos padrões surgem constantemente. Algumas vezes as mudanças são resultado de forças hostis; outras vezes são efetuadas voluntariamente pelos próprios judeus. Algumas vezes, ainda, a combinação de ambos produz uma situação inesperada. Há apenas trinta anos, a Europa era o centro de residência, cultura e sociedade judaicas; a Europa Oriental possuía a principal reserva de tradição e a fonte mais importante de devoção consciente à continuidade nacional do Judaísmo. O holocausto nazista pôs fim à Europa Oriental como centro da fixação judaica e exterminou a base criativa na maioria dos países afetados. As modificações sociais e políticas que se seguiram à derrota dos nazistas em alguns países, ainda ulteriormente, limitaram as possibilidades de uma atividade cultural independente por parte dos judeus. Alguns dos elementos judeus nacionalistas, sobretudo jovens, partiram para Eretz Israel antes mesmo do holocausto; ali e no novo Estado de Israel que surgiu, abriram-se novos horizontes criativos e um novo foco de cultura judaica tomou forma na pátria ancestral. O maior bloco de população judaica está atualmente nos

Estados Unidos. Outro centro é a União Soviética. Em geral, o mapa do estabelecimento judaico, a distribuição de sua população no mundo e a localização de seus centros criativos mudaram todos de alguma forma. O clima cultural também se alterou. A cultura anglo-saxônica formou o pano de fundo da existência e criatividade judaicas numa larga medida. Atualmente, no prazo de menos de uma geração, sente-se uma diferença no conteúdo espiritual, convenções e pontos de controvérsia. O tom mudou totalmente entre os judeus, assim como suas maneiras e costumes sociais.

Entretanto, a um segundo olhar mais penetrante, vemos que dentro dessa contínua mudança, nas configurações profissionais e sociais que parecem tão completamente estranhas àqueles que conheciam a sociedade judaica anterior, existem certas forças constantes moldando e impelindo as mudanças.

Não apenas o mapa da diáspora judaica se modificou: no processo (que antedata de muito o holocausto mas pertence inteiramente ao período moderno) o tipo de lugar em que se estabelecem os judeus na Diáspora mudou igualmente. Atualmente os judeus se estabelecem por todo o mundo nas cidades grandes, exceto Israel. A cidade de New York, por exemplo, é um centro de população judia não menos importante que o Estado de Israel, tanto em número como em força social. Moscou e Leningrado contêm da mesma forma grande número de judeus; lembre-se que até 1917 essas cidades eram proibidas aos judeus. Essa tendência a gravitar para as cidades grandes é relativamente recente, mas não passa essencialmente de uma antiga tendência levada ao clímax, tendência que data pelo menos do início da Idade Média, por serem os judeus um povo urbano por excelência. As raízes dessa tendência estão, é claro, nas perseguições passadas e decretos que afastavam os judeus da terra, mas o resultado dessa separação forçada tornou-se um fator básico em suas vidas e, com exceção do moderno Eretz Israel e do Estado de Israel, os esforços para mover os judeus da cidade para o campo têm obtido poucos resultados reais.

Não obstante, mesmo dentro dessa longa perspectiva urbana, a megalopolitanização é revolucionária. O neto de um europeu oriental imigrante do *schtetl* vive num ambiente real e humano totalmente diferente do de seu avô, e dá-se o mesmo ainda quando o avô provém, não de uma cidadezinha, mas de uma cidade grande. Os judeus citadinos da Europa Oriental mantiveram sua ligação com a cidadezinha judaica e esta estava muito próxima da vida rural que os cercava, enquanto hoje seus descendentes vivem entre os arranha-céus de New York, Chicago, Londres, Paris e Leningrado, afastados da natureza. Todavia, não está suprimido completamente de seu estilo de vida o fato de terem seus avós vindo de um ambiente rural para uma cidade grande. Este ainda se faz presente. Quando e onde for possível, por exemplo nas cidades da Europa Ocidental e nos Estados Unidos, o imigrante judeu sempre soube como preservar com certo êxito as formas da vida comunal e os signos e símbolos de unidade provindos da cidadezinha ou da vila da Europa Oriental. Até mesmo a imensa atividade caritativa da judiaria ocidental (de que melhor falaremos adiante) serve como um foco e vínculo de grande poder entre os próprios doadores e entre estes e aqueles a que auxiliavam, vínculo tanto mais significativo por sua associação a antigas tradições judaicas.

Nesses dias de megalopolitanização, surgiu o Estado de Israel. Muitos, muitos dos habitantes da grande-cidade a amavam, apreciavam suas realizações e dela extraíam dignidade. Todavia, Israel resultou de um processo diametralmente oposto à tendência que seduziu essa gente para os arranha-céus. O motivo que atraiu os judeus para Israel foi numa medida considerável a rebelião contra a vida da cidadezinha judaica. Eretz Israel, e mais tarde Israel, derivou da iniciativa de pioneiros, *Halutzim*, que responderam a um apelo para a volta à natureza e à mãe-terra; eles sentiram, para consigo mesmo e para com seu povo, uma absoluta obrigação humana e cultural de voltar à histórica terra de seus pais. Valorizaram e estimaram o trabalho manual, especialmente a agricultura. A força dessas opiniões e sentimentos renovou e fertilizou a terra de Israel. Delas se originaram os *kibutzim* – as colônias agrícolas coletivas ou comunas fundadas por gente jovem, predominantemente vinda das classes média e alta de suas cidades e cidadezinhas nativas na Europa, que havia deixado a vida citadina deliberadamente. As idéias ainda continuam movendo o modo de vida do *kibutz*; as colônias são centrais para a qualidade da vida de Israel, para não falar da "imagem" de Israel aos olhos do mundo. Assim, acima da propensão para as grandes cidades devemos colocar a experiência rural, parte tão importante do Estado de Israel. Numericamente, a primeira tendência é incomensuravelmente mais forte; qualitativamente, e como atração espiritual, a segunda parece ter mais brilho aos olhos dos judeus em toda parte.

A evolução social dos judeus nos tempos modernos é marcada tanto pela corrida para as "profissões liberais" e as artes como pela idealização da educação superior, com resolutos esforços para obter dela o máximo. É bem conhecido o respeito devotado pelos judeus àqueles que se dedicam às artes e às profissões liberais. Muitas dessas ocupações foram barradas aos judeus até o início dos tempos modernos. De fato, a entrada de judeus para as universidades em vários países começa com sua emancipação local e faz parte dela. Esse fenômeno foi evidente em todos os regimes políticos e sociais sob os quais viveram os judeus, sem considerar as formas sociais e econômicas gerais. A judiaria dos Estados Unidos "saiu do nada"; de uma comunidade de alfaiates, mascates e pequenos lojistas, tornou-se em oitenta anos ou menos uma comunidade preeminente por sua intelectualidade universitária, seus diretores de empresas e seus praticantes das artes – uma elite comunal a seus próprios olhos e aos olhos dos outros. Essa revolução não foi simplesmente resultado de um desejo de enriquecer – nem mesmo isso principalmente, pois o caminho para os grandes negócios (florescentes a essa altura) estava igualmente aberto diante deles e poder-se-ia ter pensado que era um meio mais fácil para os filhos de mascates e lojistas. Afinal, só mui recentemente é que membros de profissões liberais se tornaram homens ricos. A história dos esforços sobre-humanos despendidos pelos imigrantes "verdes" e seus filhos para adquirir educação e cultura, vendo a Universidade como o pináculo de suas esperanças – é em essência a história da grande imigração judaica nos Estados Unidos a partir da década de oitenta do século passado. É uma das histórias mais conhecidas e que não precisa de nenhuma documentação; é contada, descrita e analisada, quer na literatura como na investigação histórica e sociológica.

Na União Soviética, os judeus voltaram-se exatamente para as mesmas profissões e escolheram o mesmo conjunto de ideais de educação. Ou seja, a diferença na estrutura social e ideológica, as diversidades nas recompensas econômicas e sociais obtidas no Oriente e no Ocidente não desviaram os judeus de seu curso. A tendência persistiu, onde quer que encontrasse permissão para expressar-se. Alguns podem condenar essa propensão como "social-intelectual", a partir de uma hostilidade pela própria tendência ou pelos judeus, ou de uma convicção de que a demasiada preocupação intelectual não faz bem à sociedade e aos judeus. O fato porém permanece inalterado – seja ele louvado por si mesmo ou por causa da crescente contribuição dos judeus para a vida profissional, intelectual, humana e profissional e para as várias culturas nacionais. Ele existe efetivamente em nossos dias, crescendo continuamente em volume e qualidade.

A existência e persistência desse fenômeno exige uma explicação a partir de si mesmo e não das circunstâncias externas a ele. De fato ele é explicado a partir de dentro da tradição judaica desde os remotos tempos do Segundo Templo. Desde essa data, o estudo da Torá foi visto por essa sociedade judaica tradicional como *o mais alto valor religioso e social*, um mandamento no mais lato sentido da palavra. "Deves estudá-la dia e noite" era um ideal de cuja realização muitos se aproximavam e aqueles que o alcançavam eram admirados. Tudo o confirma. Na Idade Média mesmo hostis monges cristãos notaram-no. Modernamente, Haim Nakhman Bialik expressou em seu poema *Ha-Matmid* – uma canção de louvor e peça de prova documental mais convincente por seu criticismo social ou pelo próprio fenômeno que louva – a irrestrita devoção da juventude judaica ao estudo; o poema expressa a admiração ilimitada do povo judeu por alguém que se entrega ao estudo.

A corrida para as universidades no século XX, o respeito pelo saber e pelos eruditos na moderna judiaria são, portanto, meramente a secularização de um antigo e sagrado ideal. O valor atribuído ao estudo da Sagrada Escritura transferiu-se para assuntos seculares.

O prestígio do ideal de conhecimento foi encarecido no meio judeu pela distinção social adquirida com o devotamento ao estudo por quem quer que demonstrasse talento intelectual. Na época em que o Talmud estava sendo compilado no século III da era cristã, os sábios judeus indagavam: "Quem são os reis?" Respondiam: "professores (rabis)". Na Babilônia, nos séculos IX ao XII da presente era, uma espécie de aristocracia permanente surgiu entre os sábios nos colégios religiosos; uma tentativa, impetuosa e até desesperada, de tornar a sabedoria e o conhecimento hereditários. Nas famílias desses sábios da Torá admitia-se que a sabedoria é transmitida hereditariamente de pai para filho. No fim da época medieval, o sábio e erudito, instruído e sagaz, tornou-se o aristocrata da sociedade judaica. Modernamente essa posição social pertence não só àqueles que são versados no saber religioso mas igualmente àqueles que numa extensão moderna, são dotados intelectualmente e que ocupam posições acadêmicas seculares – argutos e instruídos em matemática, filosofia, medicina ou coisa semelhante.

De início, a sociedade cristã demonstrou falta de compreensão e oposição declarada ao afluxo de judeus nas esferas onde haviam até então sido desconhecidos. Durante a maior parte dos tempos modernos e em alguns países até presentemente, os judeus tiveram de superar obstáculos interpostos no caminho para o estudo acadêmico e as carreiras nas profissões liberais. Havia diversos modos de manter os judeus fora das universidades e escolas técnicas; métodos e expedientes de grande ingenuidade eram inventados para impedi-los de gozar o benefício e proveito completo que os não-judeus alcançavam pelos mesmos feitos, graus e serviços. Nada disso conseguiu afastar os judeus da principal senda de sua tradição.

Esse fenômeno notável freqüentemente assombrou dirigentes que não conseguiram avaliar a natureza do desejo íntimo de estudo. Na década de sessenta do século XIX, o governo czarista da Rússia abriu as escolas secundárias e instituições de ensino superior aos judeus prometendo, mesmo aos judeus formados, maiores direitos que àqueles não-formados. A estupenda afluência de judeus a essas escolas assustou as autoridades que passaram a tornar os requisitos de admissão cada vez mais severos: sucedeu então que muitos judeus conseguiram com êxito atender aos requisitos de hiper-excelência no liceu, condição para sua entrada nas universidades. A essa altura o governo russo decidiu usar armas mais brutais e introduziu um *numerus clausus* para os judeus. O resultado foi êxodo de milhares de jovens para as universidades da Alemanha e Suíça e a criação de grandes colônias de "estudantes russos" nesses países.

À medida que cresceu a importância das ciências, especialmente das ciências puras e aplicadas, para o Estado e sociedade modernos, para sua indústria, sua defesa nacional e prestígio entre as potências, os judeus sentiram-se bem colocados para servirem ao Estado e isto numa posição nacional, social e funcional de importância precípua. A necessidade sempre crescente de cientistas enfraqueceu o desejo de opor-se à entrada de judeus nas instituições de educação secundária (em alguns países a proporção de judeus nessas instituições excede de muito sua proporção populacional). E em alguns países, particularmente naqueles vanguardistas no progresso científico e tecnológico mundial, essa oposição está agora quase completamente silenciada. Enquanto duraram essas flutuações da sorte do estudante judeu, amado e odiado alternativamente, ele e seus pais foram e são ainda atraídos para o estudo por uma força interior plantada nas gerações passadas de seu povo, quer o saibam e o admitam ou não.

No período de que estamos falando, o povo judeu também revelou dons criativos para formar, desenvolver e usar línguas em circunstâncias as mais diversas e com êxito impressionante. Pelotões de judeus nessas gerações adotaram como suas línguas locais desconhecidas de seus antepassados. Nos Estados Unidos, na Inglaterra e nos Domínios Britânicos, o inglês tornou-se seu idioma; na América do Sul, os judeus *aschkenazim* da Europa Oriental se apropriaram do espanhol e do português. Num tempo notavelmente curto, considerando a grandeza e delicadeza de sua tarefa, os judeus tornaram-se criadores nessas literaturas e línguas, artistas de estilo e críticos literários. Mas a principal proeza do ponto de vista de cultura nacional judaica deu-se dentro de suas próprias línguas, o hebraico e o ídiche. A primeira pertence a todos os judeus, a segunda aos judeus da Europa Oriental. O antigo hebraico, a língua da Bíblia e Mischná, sempre fora, desde antes da Idade Média, o idioma da literatura e da santidade. Nele eram proferidas as preces, e eram escritos documentos cerimoniais, livros da *Halaká,* interpretação homilética e ética. Mas no campo da literatura criativa outros idiomas às vezes tendiam a excluí-lo: o aramaico, no qual está escrita a maior parte do Talmud; o árabe, no qual Maimônides escreveu muitas de suas obras. Mesmo já em 1912 os judeus que se preparavam para ajudar o estabelecimento de um colégio técnico em Haifa, Eretz Israel, opuseram-se à introdução do hebraico como língua de instrução pois julgavam seu vocabulário inadequado ao ensino da moderna tecnologia. Em sessenta anos no máximo o hebraico tornou-se uma língua viva, *falada pelo povo em Israel*, tanto por ignorantes como por homens instruídos, por crianças e pessoas de idade. Uma rica literatura secular em hebraico foi criada. Exceto quanto ao árabe, usado nas escolas israelenses-árabes, o hebraico é a língua universal de instrução em todos os ramos e em todos os assuntos; é usado nas universidades e escolas técnicas, nos jardins de infância, na indústria e nos negócios; é a língua da propaganda política e da instrução e comando das Forças de Defesa em Israel. Pelo menos no seu idioma, os judeus fizeram aquilo que o irlandês e o gaélico desejam ansiosamente fazer.

Logo após o renascimento da língua hebraica, os judeus da Europa Oriental tentaram converter o ídiche, de um mero dialeto, cuja escassa literatura escrita consistia em canções, peças populares e panfletos populares de caráter moral, numa língua de literatura e ciência. Também essa revolução eles efetuaram; a moderna literatura secular que surgiu desde então em ídiche é rica e ampla. Todos os ramos da ciência moderna podem ser ensinados e expostos em ídiche.

Num prazo de quase duas gerações, uma língua "morta", o hebraico, voltou à vida entre os judeus, crescendo e se desenvolvendo com e a partir de suas existências; ao mesmo tempo eles transformaram um dialeto popular, o ídiche, e ergueram-no no nível de uma língua literária e científica. O holocausto nazista fez muitos feitos ídiches parecerem hoje transitórios. A força bruta liquidou os vasos humanos dessa cultura e dessa língua. Todavia, do ponto de vista do esforço criativo e aplicação cultural prática, a transformação ídiche merece ser mencionada ao lado do vívido êxito atual do hebraico.

A comunidade judaica nos tempos modernos continuou conscienciosamente a tradição de ajuda mútua e caridade das comunidades judaicas das gerações precedentes. O escopo dilatou-se com a necessidade; o esforço financeiro e organizatório entre os judeus, em especial os americanos, foi freqüentemente duro e comovente em suas realizações materiais e as estruturas organizatórias ajudaram a reunir fundos e oferecer ajuda. As calamidades que choviam sobre as cabeças de comunidades inteiras exigiam grande ajuda; testemunham as dificuldades dos judeus da Europa Oriental durante as guerras, revoluções, *pogroms*, anos de fome e peste; testemunham as necessidades de reabilitação dos sobreviventes dos campos de concentração nazistas e os problemas de mudança e restabelecimento dos refugiados judeus de muitos países hoje. Acima de tudo, reclamava-se o auxílio para a imensa obra de construção de que a moderna judiaria se encarregou, cujo coroamento era o estabelecimento de Eretz Israel e depois disso o erguimento e defesa do Estado de Israel. Mas havia também atividades de colonização na Argentina e a tentativa bem conhecida de organização de centros agrícolas judeus autônomos na União Soviética, primeiro na Criméia, depois em Birobidjan. O povo judeu correspondeu a todas essas causas. O fato de estarem espalhados por continentes distantes e viverem em grandes cidades (o que podia ser considerado inauspicioso para alimentar sentimentos altruísticos) não poderia eliminar aquilo que a história judaica havia construído. A antiga vida medieval na qual a comunidade estava intimamente ligada e relativamente sem divisão de classes, em que as diferenças residiam mais nas propriedades que nas classes, em que o mar de ódio circundante transformava num preceito o amparo ao fraco e o apoio às necessidades comunais – tudo isso tornou a ajuda uma parte profundamente arraigada da vida judaica. Permanece hoje como parte da vida judaica, mesmo quando as distinções de classe talharam profundamente a sociedade judaica com a entrada dos judeus em novas e várias áreas profissionais e mudaram sua atitude uns para com os outros. O sentimento "eu devo ajudar" impregna a atitude judaica para com toda pessoa fraca e necessitada.

Esses exemplos escolhidos da realidade da vida hodierna – a mudança no mapa da Diáspora, a transferência para as grandes cidades, a construção de uma sociedade única em Israel, a fome de saber e sua idealização, o renascimento do hebraico e a transformação do ídiche, as imensas obras da construção judaica e a caridade – todos são exemplos que ilustram, na opinião do autor, a continuidade dentro da mudança; a face externa e visível de antigos valores pode ter mudado – mas não sua essência.

Assim, o povo judeu continua hoje vivo em sua continuidade, ainda que ferido e mutilado em muitos de seus membros. Não obstante, essa continuidade e mesmo o direito do povo judeu a uma vida própria são em alguns círculos sujeitos a dúvida e controvérsia. Essa nação, após dois mil anos, possui um Estado de direito, o Estado de Israel, que une aqueles filhos seus que desejam estar reunidos dentro dele com uma validade e realidade que faltou na vida judaica durante gerações. Por outro lado, a própria existência de Israel é irritante para aqueles que gostariam de negar a unidade dos judeus, aqueles que sentem e expressam o ódio mais amargo para com o elemento nacional e político na judiaria. O hebraico está cada vez mais se tornando a língua dos judeus da Diáspora. Estes se empenham em aprendê-lo, em conhecê-lo pelo menos como língua viva, mesmo quando não conseguem dominá-lo como gostariam. Os judeus não perderam nem abandonaram seus antigos valores – a aristocracia do conhecimento e o caráter sagrado da sabedoria, o valor da coesão social, o dever de prestar auxílio e construir coletivamente. Todos fazem parte da dialética histórica da nação. Há sinais de tensão dialética no desejo de assimilar-se por parte de alguns de seus filhos; em muitos o senso de missão histórica, messiânica, é preservado no sentimento de um dever de agir para a causa geral da justiça e ordem humanas. O mesmo sentimento da missão inspira os melhores filhos do Estado de Israel tanto no trabalho como na defesa. Como um todo, na sua realidade social, o povo judeu é uma nação cujas idéias e modos de vida social são novos e algumas vezes até rebeldes. Mas muito da força que impulsiona seus indivíduos, modos e instituições vem da sua tradição passada, dos antigos entusiasmos do passado e da energia de valores e tendências que se tornaram imanentes a eles através dos feitos, pensamentos e sentimentos que formam sua herança histórica.

III

Boa parte do pensamento dos judeus das gerações recentes não faz parte dessa discussão, lembrando nossas hipóteses básicas. Muitos judeus contribuíram e contribuem muito para o pensamento humano. Mas seu trabalho é intelectual e culturalmente instruído por formas e linguagem que mostram que seus criadores se consideram voluntariamente como parte de padrões culturais não-judeus. O fruto desse pensamento judeu é, portanto, uma contribuição deles ao mundo que cerca a cultura e o pensamento judaicos. Por essa contribuição muitos intelectuais e pensadores judeus pertencem ao campo inovador da cultura e sociedade. Encontramo-los à frente dos lutadores pela igualdade de direitos humanos e pela abolição de tudo o que diminui a dignidade do que seja humano. Muitos judeus são líderes nas mais arrojadas vanguardas da literatura experimental, filosofia e arte. Na arte, a obra de Marc Chagall marca a linha limítrofe em termos de nossa presente discussão e sugere como é difícil traçar essa mesma linha.

Do ponto de vista de sua vida artística e o local de sua criatividade, Chagall pertence aos círculos mais avançados da Rússia e da França, e é um produto das escolas modernistas francesas. Mas no conteúdo mítico e associativo, nos pensamentos que sua obra encarna e traz aos olhos do homem moderno como uma lenda folclórica, Chagall é conspicuamente um judeu da terra dos judeus da Europa Oriental. A cidadezinha, suas alegrias e tristezas, suas belezas judaicas, suas cabras e galos suspensos numa exuberância intoxicante de cores e numa maravilhosa conjunção de imagem, são quase todas inspiradas principalmente nos ensinamentos judaicos, na sabedoria terrena do povo e seus contos folclóricos e assim são exibidos nos museus e galerias da Europa. As janelas de vidros coloridos que Chagall criou para a sinagoga do hospital Hadassá em Jerusalém expressam, em termos artísticos modernos europeus extremamente experimentais, motivos de grande antiguidade histórica e lendas do povo de Israel, em que encontramos novamente linhas e figuras das cidades da Europa Oriental – tudo isto delineado e pintado para a glória do Estado renascido de Israel no *atelier* do artista na França.

Na verdade, Chagall, deste ponto de vista, é um ilustre representante de toda uma abordagem espiritual judaica e um tesouro de cenas e associações judaicas que entraram na moderna arte européia depois de terem os judeus começado a desempenhar um papel importante nas artes plásticas, especialmente nos movimentos modernistas, pois, até meados do século XIX, não havia realmente artistas criativos judeus nessa esfera. Não é preciso dizer que o mesmo fenômeno aparece igualmente alhures. Há muitos movimentos criativos entre os judeus em vários campos da cultura da Europa Ocidental e Oriental: motivos judaicos se repetem e sua expressão é irresistivelmente solicitada, sendo algumas vezes inconsciente a resposta por parte do artista, filósofo ou cientista.

A disposição para uma luta honrada e a busca de novos valores a serem criados e seguidos, onde quer que induzam o pensamento ou a imaginação do criador, são encontradas entre muitos intelectuais judeus que se ligaram à principal corrente da criação não-judaica. Parece, por tudo isso, que sua contribuição tende cada vez mais a ser a construção da sociedade e a amargura outrora característica desse tipo de judeu não-conformista está desaparecendo. Agora eles se vêem a si próprios – apesar da horrível experiência do que sucedeu na Alemanha moderna – como líderes responsáveis e professores que são convocados para distribuir instrução entre as massas e para educar suas gerações e as que as sucedem; desejam aproximar o povo de uma perspectiva construtiva positiva na vida. Com a difusão da educação no mundo e a promoção da ciência a uma posição de importância central para a humanidade, o pensador judeu e o cientista vêem-se como portadores dos instrumentos mais importantes de sua sociedade; em virtude deles, eles falam como alguém que expressa a tendência que conduz a sociedade de seu tempo rumo a seu esperado futuro, e de seu discurso desaparece o amargo sentimento de ser uma voz isolada, sustentáculo de valores que ninguém de decisiva importância intelectual deseja ouvir. Encontramos essa amargura ainda apenas onde há um depósito da antiga situação, dos dias anteriores quando a ciência e a educação não haviam ainda alcançado a presente força: ou é o resultado do empenho em uma causa que mesmo o prestígio dos intelectuais não pode tornar agradável à oposição, e isso deprime o lutador pela causa judaica. Em alguns casos, há uma amargura que emerge do terrível desapontamento sofrido pelo intelectual moderno, individualista por natureza (voltaremos a isso mais adiante), quando ele se choca com a vontade das forças sociais e históricas que o cercam, de formar padrões coletivos violentos. A esse respeito Boris Pasternak do período do *Dr. Jivago* representa tipicamente o atrito do indivíduo judeu que evita seu povo e a si mesmo e fica desapontado com a experiência política e social na nação e cultura que escolheu para pertencer. Seu irado brado aos judeus para que se "dispersem" e abandonem seu vínculo nacional, como é expresso em seu livro, parece refletir suas próprias lutas e introspecções sobre os laços nacionais em geral e seu rancor contra os êxitos de seus irmãos de sangue que encontraram uma união voluntária, não compulsória, diferentemente de seus irmãos adotivos.

Outra parte importante do moderno pensamento criador judeu é a elucidação de questões sobre a natureza dos judeus hoje, sobre as tendências a serem desenvolvidas ou suprimidas pelos judeus, sobre os passos no campo religioso ou secular mais adequados ao avanço da cultura do povo. O ensinamento de A. D. Gordon, por exemplo, sobre "a religião do trabalho" e sobre o valor do retorno à natureza e ao trabalho da terra na pátria ancestral, é a fundação do *kibutz* em Israel. Os ensinamentos do Rabi A. I. H. Kook, primeiro Rabi Supremo do moderno Eretz Israel, constituem o foco do pensamento sobre a santidade dos feitos no renascimento nacional; um ponto de confluência de idéias místicas da vontade de Deus com as modernas hipóteses nacionais. Se nos voltarmos para as opiniões do Dr. M. M. Kaplan sobre a reconstrução do Judaísmo, encontraremos um sistema de idéias que procura oferecer ao homem religioso um conceito de Judaísmo como uma sociedade e civilização em cujo desenvolvimento a religião encontra seu lugar. Existe igualmente um bom número de sistemas de idéias que propõe a assimilação nacional e a existência religiosa como sua conclusão acerca do mundo e do Judaísmo. Nesse espectro há uma opinião – a de R. Joel Teitelbaum nos Estados Unidos – que, longe de propor a assimilação, rejeita com violência e desagrado a idéia de que os judeus existam atualmente como uma nação. Ele detesta o secular Estado de Israel. A total recusa do Rabi Teitelbaum da unidade da moderna sociedade judaica em Israel (e não só em Israel), sua rejeição de seus símbolos, instituições, lutas, (interpreta) inconscientemente a denúncia do apóstolo Paulo do judaísmo nacional de *sua* geração; a diferença é que nesse caso a aversão pela unidade nacional se manifesta em nome da lei da Torá, e não do antinomianismo, e os ensinamentos do "Satmar Rebbe" (como é conhecido) não contêm nenhuma mensagem para os gentios... Podemos mencionar aqui, como contrapartida, as várias sugestões de que os judeus deveriam existir como nação mas abandonar sua religião. Essa é a linha seguida, por exemplo, pelo socialista "Bund" e sublinha alguns dos movimentos no Sionismo. Entre os últimos surgiu até mesmo um movimento "Canaanita", que propõe que os judeus no Estado de Israel deveriam desligar-se da continuidade histórica do Judaísmo e encarar-se a si mesmos como uma velha-nova nação, diferente da Judiaria da Diáspora e "combinando com o *background* " do Oriente Médio contemporâneo; desse ponto de vista, os "Canaanitas" consideram-se relacionados, principalmente com o período bíblico – ou antes com o distante período pré-bíblico.

Aqui eu gostaria de sublinhar dois fenômenos que têm sido discutidos dentro do Judaísmo como idéias significativas mas que possuem também significado e raízes no mundo cultural e social mais amplo de que fazem parte. A influência de cada um deles e as soluções encontradas têm suas implicações para o Judaísmo como um todo e ambas acarretaram uma expansão do significado moderno do pensamento judaico e a entrada do Judaísmo no mosaico do pensamento cultural e social internacional.

O pensamento judaico nas gerações recentes tem sido perturbado e fertilizado pela crescente individualização de círculos importantes na sociedade judaica. Foi a residência urbana que efetuou essa individualização. A tensão intelectual e o poder mental produziram-na, é o resultado do encontro entre o velho mundo de educação judaica e o novo mundo que valoriza e estima o indivíduo que demonstra talento pessoal e conquistas intelectuais. Acima de tudo aquilo que parece ter feito com que o indivíduo judeu compreendesse o valor de sua personalidade foi a experiência dos judeus e os sentimentos que a acompanharam – que o indivíduo, especialmente quando ele é judeu, encontra-se agora sozinho, exposto a si mesmo, defrontando-se com Deus e o homem num mundo social atual que cresce constantemente mais cruel e mais complexo. A individualização dos judeus produziu crises agudas nos indivíduos e nos padrões de unidade; por outro lado, enriqueceu cada vez mais seu mundo social e intelectual e pensadores judeus encontraram forças para erguer moldes de unidade fora da individualização, à base de seus méritos específicos e valores.

O confronto do indivíduo com outro indivíduo seu semelhante, quando as relações humanas se abrem independentemente da igualdade ou quando bloqueadas pelo outro que se exclui a si mesmo, foi discutido por um grande pensador judeu; para ele, a constante abertura é a principal virtude do ser humano no seu ambiente natural, caminho ao mesmo tempo para o encontro entre o homem e Deus. Não é por acaso, e há muito simbolismo nisso, que o filósofo moderno mais acatado no mundo, Martin Buber[1], cuja vida abarcou quase todo o período aqui discutido e cujo âmbito de interesses abrangeu todos os problemas enfrentados pelos judeus em seu tempo, foi o homem que colocou no centro de seu sistema, especialmente nos últimos estádios de seu desenvolvimento, o diálogo e a "dialogicidade" como uma visão total. Buber pensava que a humanidade e a verdade dignas desse nome são criadas e surgem apenas quando e onde os indivíduos "vêem um ao outro", quando cada um ouve o que o outro tem a dizer com o pensamento e o sentimento abertos, quando cada um chega ao conhecimento do outro num diálogo de "Eu" e "Tu". Pensava igualmente que a "vida como diálogo" era a grande descoberta do povo de Israel. Em suas próprias palavras:

> Israel hat das Leben als ein Angesprochenwerden und Anworten, Ansprechen und Antwort empfangen und verstanden, vielmehr eben gelebt* (*Schriften*, vol. III, p. 742).

Em sua opinião, o "diálogo" é o fundamento e a essência inclusive do monoteísmo do Judaísmo. Como ele diz:

> Die Einzigkeit im Monotheismus... ist die des Du und der Ich-Du Beziehung... Der "Polytheist" macht aus jeder goettlichen Erscheinung... ein Gotteswesen; der "Monotheist" erkennt in allen den Gott wieder, den er im Gegenüber erfuhr** (*Ibid.*, I, p. 629).

Todo aquele que participa desse "diálogo" assume automaticamente o dever ou preceito de pôr em prática seus proclamados ideais – os ideais que ele proclamou para os ouvidos abertos do "Tu", Deus ou homem. Por esta razão, no martírio judeu do tipo medieval, o supremo sacrifício da vida, Buber ouviu a última e mais alta nota do diálogo entre o Judeu e seu Criador:

> Nicht im Bekenntnis allein, sondern in der Erfüllung des Erkenntnisses, keineswegs im pantheistischem Theorem, sondern in der Realitaet des Unmoeglichen, in der Verwirklichung des Ebenbildes, in der imitatio Dei. Das Geheimnis dieser

---

1. Cf. G. Scholem, "Martin Buber Auffassung des Judentums", *Eranos Jahrbuch*, XXXV, pp. 9-55, 1966.
* "Israel entendeu a vida como exigência e réplica, dirigir a palavra é receber a resposta, mais ainda viver." (N. do T.)
** "A singularidade do monoteísmo... é a do Tu e da relação Eu-Tu... O 'politeísta' faz de cada aparência divina... um ser de Deus, o 'monoteísta' reconhece em todas, de novo, o Deus que ele experienciou." (N. do T.)

Wirklichkeit vollendet sich im Martyrium, im Sterben mit dem Einheitsruf des "Hoere Israel" auf den Lippen* (*Der Jude und seine Judentam*, p. 189).

Ou seja, o judeu que sofre por sua fé "corresponde a" seu Deus numa última resposta autodeterminadora em sua fase de diálogo contínuo, perpétuo, na qual sua personalidade e a "personalidade" de seu Deus ficam abertas, face a face. Filho de um povo desprezado e rejeitado por muitos, um povo cuja individualidade muitos procuram apagar da existência, Buber proclamou que seu povo ensinou a humanidade a conhecer o contato de reconhecimento aberto – o indivíduo que se defronta com indivíduo apontando-o como ponto crucial e senda que toda humanidade deveria seguir para a completitude humana e o verdadeiro caminho para Deus.

A teoria de que o indivíduo é livre para decidir de acordo com a luz de sua própria razão foi ouvida numa forma original de uma fonte muito conservadora. Um Rabi lituano, um dos maiores eruditos talmúdicos do começo do século XX, R. Meir Simkha Ha-Cohen de Dvinsk, Latvia, interpreta a frase bíblica sobre o homem, "Ele criou-o à imagem de Deus" (*Gênesis* 1:27) da seguinte maneira: "A imagem de Deus é uma escolha intelectual livre, vontade livre não-constrangida... sabemo-lo, que a livre escolha é uma limitação de divindade: que o Senhor concede a Suas criaturas (isto é, os homens) ensejo para agir de acordo com suas escolhas; e não decide os pormenores de suas ações. Por conseguinte Ele disse a Si Mesmo: "Façamos o homem à nossa imagem" (*ibid.*, 26); isto significa que a Torá fala na linguagem dos homens dizendo: concedamos ao homem ensejo de escolher, que seus atos não sejam forçados nem seus pensamentos impostos... que ele possa agir contra sua própria natureza e contra aquilo que é direito aos olhos de Deus... O homem não é (humano) por natureza mas por escolha, e sua escolha muda, (nem mesmo) a evidência o compelirá" (De seu comentário sobre o Pentateuco, *Meschekh Hokhmá,* secção sobre o Gênesis). Agora, esta é uma interpretação de *Bex-Tzelem* "à imagem", tomando como a imagem real de Deus sua absoluta liberdade, que lhe permite ordenar todas as criaturas, fazendo-as obedecer às leis de suas próprias naturezas que ele fixou dentro delas e comandando estritamente seus destinos. Apenas ao homem Deus concedeu sua "imagem", a liberdade de decisão pela pura razão. Assim, "à nossa imagem" significa dentro de nossa imagem, tendo-a ajustado para "dar ensejo" à for-

---

* "Não na profissão de fé, mas na realização do conhecimento, de modo algum no teorema panteísta, porém na realidade do impossível, na concretização da imagem fiel, na *imitatio Dei*. O mistério desta realidade arremata-se no martírio, no morrer com o brado da unidade 'Ouve, ó Israel', nos lábios." (N. do T.)

mação da imagem humano-divina. O ponto de partida dessa exposição é necessariamente o reconhecimento pelo comentador rabínico de que a liberdade deve ser ditatorial ou anárquica, a menos que, por amor à liberdade, ela se limite voluntariamente para permitir a coexistência com outras liberdades "à sua imagem e forma". A soberania do indivíduo nascido livre não pode real e verdadeiramente permitir o diálogo com uma criatura de igual merecimento, a menos que limite espontaneamente suas prerrogativas. Esta é a base das opiniões religiosas de R. Meir sobre o homem, Deus e suas "imagens". Suas opiniões têm profundas e antigas raízes no pensamento judaico, mas seu reconhecimento da tensão dialética das liberdades mutuamente competitivas, o fazer do homem um ícone da liberdade divina, e Deus "humano", esse consentimento de Deus de "excluir-se" por assim dizer, para deixar que uma criatura em seu mundo seja seu igual, a ênfase sobre a liberdade humana – tudo isso responde não casualmente às necessidades do isolado moderno homem. Apesar do abismo entre as duas concepções, do filósofo judeu mundialmente famoso, que escreve num elevado e filosófico alemão, e o modesto sábio talmúdico na sua cidade lituana, imerso nas Sagradas Escrituras, e registrando suas opiniões no antigo estilo midráschico-homilético – ambos, em seus ensinamentos, dão profunda expressão à individualização. Seus ensinamentos brotam de sua busca da presença de Deus, seu anelo por encontrá-lo ou acolhê-lo, para fazer Sua vontade realmente sem, contudo, renunciar à independência da individualidade. Vimos a força dessa abordagem individualizadora entre os judaicos buscadores de Deus de muitas tendências e vêmo-lo de novo intensamente no pensamento de outros judeus que abandonaram a procura de Deus, mas não cessaram de buscar a verdade e a missão social do indivíduo soberano. Tais pessoas procuraram e ainda procuram um sublime ideal secular a que possam devotar-se porque *eles* optaram por servi-lo.

Recentemente, o pensamento e toda a natureza dos judeus foi abalada pelo violento confronto com a bestial crueldade humana – com os crimes dos Nazis. O terror pelos atos praticados por um dos povos mais civilizados do mundo, a atrocidade do silêncio por parte de muitas corporações que os judeus supunham pudessem reagir ao mais sistemático e completo assassinato de não-combatentes na história, assassinato em nome da teoria racial, que nega terminantemente a humanidade e a imagem de Deus no homem – tudo isso poderia ser considerado como um perigo espiritual para os judeus. O ataque a eles a partir das forças da anarquia moral foi uma façanha da técnica mais altamente organizada usando todos os instrumentos aceitos em termos de Estado e sociedade. Poder-se-ia pensar que os judeus responderiam com uma anarquia moral deles próprios, por uma declaração de falta de confiança no homem e descrença no humanitarismo como uma possibilidade real. Mas a imensa força interna da herança judaica, de um povo escolado no sofrimento infligido do exterior, salvou-o de uma crise moral. O terrível choque aproximou-os – àqueles que sobreviveram – e fertilizou seu pensamento.

O impacto atraiu essas pessoas ao Judaísmo: indivíduos e grupos de judeus que haviam lutado com fervor messiânico pela revolução social, pela libertação de classe e povos oprimidos, viam agora seu próprio povo humilhado e arrastado no pó em, nome do ódio racial, sem escapatória. Além disso, a revolta nacional e racial, social no mundo depois da Segunda Guerra Mundial mostrou a muitos deles que as classes e sociedades preferem atualmente seus próprios líderes, saídos de suas próprias fileiras; e que pouco lhes importa se o judeu se identifica com seus interesses e trabalhará por eles sinceramente numa causa por ele desposada; tornou-se claro que o vírus do Nazismo não deixara o Estado ileso. Ao mesmo tempo o infortúnio de seu próprio povo exigia ajuda deles como uma questão de humanidade comum, enquanto o grande trabalho de construção iniciado pelos judeus no Estado de Israel requeria mais concretamente que eles dessem sua contribuição para realizar o sonho messiânico edificando Israel em sua terra.

O impacto encontrou igualmente alívio em obras extensivas de ajuda e reabilitação dos sobreviventes do holocausto. Todavia, ao mesmo tempo, entre o povo continuava a crescer a tensão moral, à medida que desenvolvia uma nova visão da realidade. O escritor polonês Czeslaw Milosz sugeriu aos ocidentais a diferença essencial no modo de sentir a vida entre aqueles que suportaram e os que não suportaram os horrores da ocupação nazi: "Um homem encontra-se sob o fogo de metralhadora numa rua de uma cidade em guerra. Ele olha para a calçada e vê um espetáculo muito divertido: os paralelepípedos a prumo como os espinhos de um ouriço. Os projéteis quando atingem suas arestas desloca-os e balança-os. Tais momentos na consciência do homem julgam todos os poetas e filósofos... aos intelectuais que viveram durante as atrocidades da guerra na Europa Ocidental ocorreu aquilo que se poderia denominar a *eliminação de luxúrias emocinais*" (*The Captive Mind*, New York, 1955 p. 39). No que concerne ao judeu, tal "eliminação de luxúrias emocionais" foi muito mais aguda e drástica – pois mesmo que ele próprio não tenha estado de corpo presente na beira da calçada, sabia muito bem que os irmãos com quem se sentia interior e exteriormente solidário – pois eles eram espiritualmente ele mesmo e fisicamente a mesma coisa aos olhos do opressor – seus irmãos eram diariamente lançados na sarjeta; o respeito próprio deve ser tomado do judeu porque ele é um judeu, antes que você tire a sua vida. Hoje o judeu sabe que ficar de pé encarando o inimigo e olhar diretamente nos olhos do agressor significa a salvação, não só do corpo mas também da alma.

Foi assim que o holocausto engendrou uma disposição para o sacrifício supremo. A semente da coragem, que floresceu entre a juventude de Israel em feitos heróicos, foi regada com o sangue dos mártires. Ouvimos Buber falar sobre a antiga tradição de martírio de um ponto de vista humano e religioso. Na Idade Média, a partir da primeira Cruzada, os judeus apegaram-se a tradições de suportar tortura e enfrentar a morte que remontam aos dias de Antíoco Epifânio e a primeira revolta contra os romanos; eles estipularam uma maneira de morrer por sua fé e, mais que isso, de matar-se a si mesmos e a seus entes queridos, quando viam que a resistência ativa não era mais possível, e temiam que nem todos dentre eles enfrentariam as armas inimigas com bravura. As técnicas de enganar a vítima e desmoralizá-la psicologicamente evitou que muitas das vítimas dos nazistas tomassem essa saída. Todavia, o heróico e condenado levantamento do gueto de Varsóvia e os feitos dos *partisans* judeus, caçados pelos *quislmgs* (traidores) nas florestas e subterrâneos, é um martírio em massa em circunstâncias diferentes. Agora uma mudança superou esse antigo valor; parece que se entrelaçou na consciência a juventude judaica com o ativo heroísmo que tão ilimitadamente ostentam.

Esse breve levantamento do pensamento judaico moderno, pensamento efervescente de vida em diferentes setores, toma como ponto crucial da situação mental e social do povo judaico a questão da resistência, da autonomia, a questão de como um homem livre pode encontrar face a face Deus e o homem. Resulta que mesmo em velhos padrões de pensamento e expressão a questão ainda mais atual é a da soberania da liberdade individual e a necessidade de limitá-la voluntariamente, a fim de viver com outros homens livres, iguais "à imagem de Deus", isto é, em liberdade. Os resultados do holocausto também, a miraculosa unidade moral e a coragem humana que produziu entre os judeus, parecem centrais aos judeus, e são valiosos para toda a humanidade. O indivíduo, a liberdade, o diálogo aberto, a habilidade de suportar a humilhação e de sair dela de cabeça erguida, por essas coisas não apenas os judeus serão postos à prova.

HISTÓRIA NA PERSPECTIVA

Nova História e Novo Mundo
  Frédéric Mauro (D013)

História e Ideologia
  Francisco Iglésias (D028)

A Religião e o Surgimento do Capitalismo
  R. H. Tawner (D038)

1822: Dimensões
  Carlos Guilherme Mota e outros (D067)

Economia Colonial
  J. R. Amaral Lupa (D080)

Do Brasil à América
  Frédéric Mauro (D108)

História, Corpo do Tempo
  José Honório Rodrigues (D121)

Magistrados e Feiticeiros na França do Século XVIII
  R. Mandrou (D126)

Escritos sobre a História
  Fernand Braudel (D131)

Escravidão, Reforma e Imperialismo
  R. Graham (D140)

Testando o Leviathan
  Antonia Fernanda P. de Almeida Wright (D157)

Nzinga
  Roy Glasgow (D178)

A Industrialização do Algodão em São Paulo
  Maria Regina de M. Ciparrone Mello (D180)

Hierarquia e Riqueza na Sociedade Burguesa
  A. Daumard (D182)

O Socialismo Religioso dos Essênios
  W. J. Tyloch (D194)

Vida e História
  José Honório Rodrigues (D197)

Walter Benjamin: A História de uma Amizade
  Gershom Scholem (D220)

De Berlim a Jerusalém
  Gershom Scholem (D242)

Nordeste 1817
  Carlos Guilherme Mota (E008)

Cristãos Novos na Bahia
  Anita Novinsky (E009)

Vida e Valores do Povo Judeu
  Unesco (org.) (E013)

História e Historiografia do Povo Judeu
  Salo W. Baron (E023)

O Mito Ariano
  Léon Poliakov (E034)

O Regionalismo Gaúcho
    Joseph L. Love (E037)

Burocracia e Sociedade no Brasil Colonial
    Stuart B. Schwartz (E050)

Das Arcadas ao Bacharelismo
    Alberto Venâncio Filho (E057)

História da Loucura
    Michel Foucault (E061)

De Cristo aos Judeus da Corte
    Léon Poliakov (E063)

De Maomé aos Marranos
    Léon Poliakov (E064)

De Voltaire a Wagner
    Léon Poliakov (E065)

A Europa Suicida
    Léon Poliakov (E066)

Jesus e Israel
    Jules Isaac (E087)

A Causalidade Diabólica I
    Léon Poliakov (E124)

A Causalidade Diabólica II
    Léon Poliakov (E125)

A República de Hemingway
    Giselle Beiguelman-Messina (E137)

Sabatai Tzvi – O Messias Místico (3 vols.)
    Gershom Scholem (E141)

Os Espirituais Franciscanos
    Nachman Falbel (E146)

Mito e Tragédia na Grécia Antiga
    Jean-Pierre Vernant e Pierre Vidal-Naquet (E163)

Mistificações Literárias: "Os Protocolos dos Sábios de Sião"
    Anatol Rosenfeld (EL03)

Pequeno Exército Paulista
    Dalmo de Abreu Dallari (EL11)

Galut
    Itzack Baer (EL15)

Diário do Gueto
    Janusz Korczak (EL44)

O Xadrez na Idade Média
    Luiz Jean Lauand (EL47)

O Mercantilismo
    Pierre Deyon (K001)

Florença na Época dos Médici
    Alberto Tenenti (K002)

O Anti-Semitismo Alemão
    Pierre Sorlin (K003)

Os Mecanismos da Conquista Colonial
    Ruggiero Romano (K004)

A Revolução Russa de 1917
    Marc Ferro (K005)

A Partilha da África Negra
    Henri Brunschwig (K006)

As Origens do Fascismo
    Robert Paris (K007)

A Revolução Francesa
    Alice Gérard (K008)

Heresias Medievais
    Nachman Falbel (K009)

Armamentos Nucleares e Guerra Fria
    Claude Delmas (K010)

A Descoberta da América
    Marianne Mahn-Lot (K011)

As Revoluções do México
    Américo Nunes (K012)

O Comércio Utramarino Espanhol no Prata
    E. S. Veiga Garcia (K013)

Rosa Luxemburgo e a Espontaneidade Revolucionária
    Daniel Guérin (K014)

Teatro e Sociedade: Shakespeare
    Guy Boquet (K015)

O Trotskismo
    Jean-Jacques Marie (K016)

A Revolução Espanhola 1931-1939
    Pierre Broué (K017)

Weimar
    Claude Klein (K018)

O Pingo de Azeite: A Instauração da Ditadura
    Paula Beiguelman (K019)

As Invasões Normandas: Uma Catástrofe?
    Albert D'Haenens (K020)